Anne Buscha ◊ Susanne Raven ◊ Gisela Linthout

Deutsch als Fremdsprache

Integriertes Kurs- und Arbeitsbuch

Sprachniveau C1

SCHUBERT-Verlag
Leipzig

Die Autorinnen von **Erkundungen** sind Lehrerinnen am Goethe-Institut Niederlande und verfügen über langjährige Erfahrungen in Deutschkursen für fremdsprachige Lerner.

Bitte beachten Sie unser Internet-Angebot mit zusätzlichen Aufgaben und Übungen zum Lehrwerk unter:

www.aufgaben.schubert-verlag.de

Das vorliegende Lehrbuch beinhaltet einen herausnehmbaren Lösungsschlüssel sowie eine CD zur Hörverstehensschulung.

Hörtext auf CD (z. B. Nr. 2)

Zeichnungen: Jean-Marc Deltorn
Layout und Satz: Diana Becker

Die Hörmaterialien auf der CD wurden gesprochen von:
Burkhard Behnke, Claudia Gräf, Judith Kretzschmar, Axel Thielmann

5.	4.	3.	2.	Die letzten Ziffern bezeichnen Zahl
2013	12	11	10	und Jahr des Druckes.

Alle Drucke dieser Auflage können, da unverändert, nebeneinander benutzt werden.

1. Auflage 2009

Printed in Germany
ISBN: 978-3-929526-97-4

Inhaltsverzeichnis

Kursübersicht

Kapitel 1 — Reden wir mal übers Wetter

Sprachliche Handlungen	Sich und andere vorstellen ◊ Informationen über das Wetter einholen und geben ◊ Einen Wetterbericht lesen und präsentieren ◊ Einen Smalltalk führen ◊ Überraschung, Ärger oder Interesse in Gesprächen ausdrücken ◊ Tipps zu den Themen *Smalltalk und Sprachenlernen* formulieren ◊ Ein Interview zum Thema *Sprachen* führen ◊ Stellungnahmen strukturieren und zu den Themen *Wetter und Sprachen* verfassen ◊ Themenbezogene Lese- und Hörtexte verstehen und inhaltlich wiedergeben
Wortschatz	Angaben zur Person ◊ Wetter ◊ Wettervorhersage ◊ Wetterfühligkeit ◊ Weltsprache ◊ Sprachenlernen
Grammatik	Vergangenheitsformen der Verben ◊ Lokale und temporale Präpositionen ◊ Satzverbindungen: Nebensätze
Fakultativ (Teil B)	Nonverbale Kommunikation

Kapitel 2 — Glück und andere Gefühle

Sprachliche Handlungen	Über Glück, Gefühle, Stimmungen und Stress sprechen ◊ Zu zweit eine Buchauswahl treffen, Meinungen austauschen, sich einigen ◊ Über Forschungsergebnisse berichten ◊ Gefühle und Stimmungen beschreiben ◊ Eine Grafik beschreiben ◊ Interviews über *Ärger im Beruf* und *Lachen und Humor* führen ◊ Innerhalb eines Rollenspiels Standpunkte darlegen und begründen ◊ Stellungnahmen zu den Themen *Stress und Humor* schreiben ◊ Einige Witze verstehen ◊ Humorvolle Gedichte verstehen und rezitieren ◊ Themenbezogene Lese- und Hörtexte verstehen und inhaltlich wiedergeben
Wortschatz	Glück ◊ Gefühle ◊ Stimmungen ◊ Stress ◊ Ärger im Büro ◊ Lachen und Humor ◊ Wiedergabe von Forschungsergebnissen ◊ Beschreibung einer Grafik
Grammatik	Adjektive mit präpositionalem Kasus ◊ Zweiteilige Satzverbindungen ◊ Satzverbindungen: Hauptsätze
Fakultativ (Teil B)	Spaß am ersten April

Kapitel 3 — Erfolge und Niederlagen

Sprachliche Handlungen	Über Erfolge und Niederlagen im Sport und im Beruf sprechen ◊ Eine Grafik beschreiben ◊ Gezielte Informationen aus Kurztexten entnehmen ◊ Über ein Gedicht sprechen ◊ Einen Vortrag zum Thema *Sport, Geld und Doping* halten ◊ Informationen und Gerüchte weitergeben ◊ Interviews zu den Themen *Sport und Karriere* führen ◊ Empfehlungen für Jobanfänger formulieren ◊ Nachträgliche Kritik üben ◊ Eine Stellungnahme zu Managergehältern schreiben ◊ In einem Rollenspiel die eigene Meinung ausdrücken, Zweifel anmelden und Lösungen anbieten ◊ Eine Kurzgeschichte von Franz Hohler verstehen ◊ Themenbezogene Lese- und Hörtexte verstehen und inhaltlich wiedergeben
Wortschatz	Sport, Sportler und Sportarten ◊ Doping ◊ Erfolg und Karriere im Beruf ◊ Scheitern und Niederlagen ◊ Bewertung eines Textes ◊ Kritik üben
Grammatik	Modalverben ◊ Konjunktiv II ◊ Präpositionen mit dem Genitiv
Fakultativ (Teil B)	Die Moral an der Geschicht': „Anekdote zur Senkung der Arbeitsmoral" (Heinrich Böll)

Kapitel 4 — Fortschritt und Umwelt

Sprachliche Handlungen	Prognosen erstellen ◊ Vermutungen formulieren ◊ Über bedeutende Entwicklungen, neue Medien, Energie- und Wasserprobleme sprechen ◊ Eine Umfrage zum Thema *Neue Medien* machen und auswerten ◊ Über das Thema *Sprache und neue Medien* diskutieren ◊ Veränderungen zum Thema *Umwelt* beschreiben ◊ Ein Interview zum Thema *Energieverbrauch* führen ◊ Einen satirischen Text verstehen ◊ Eine Grafik beschreiben ◊ Über Energiesparen diskutieren, Vorschläge unterbreiten, Pro- und Kontra-Argumente nennen ◊ Themenbezogene Lese- und Hörtexte verstehen und inhaltlich wiedergeben
Wortschatz	Prognosen und Vermutungen ◊ Fortschritt ◊ Neue Medien ◊ Veränderungen in der Sprache ◊ Umwelt und Energieverbrauch ◊ Wasser
Grammatik	Modalverben in Vermutungsbedeutung ◊ Relativsätze ◊ Partizipialattribute
Fakultativ (Teil B)	Der Mann, der die Tiere liebte: Bernhard Grzimek

Kapitel 5	**Das Reich der Sinne**
Sprachliche Handlungen	Über die menschlichen Sinne, Essverhalten, Esssitten und Lebensmittel berichten und diskutieren ◊ Vor- und Nachteile benennen und Folgen beschreiben ◊ Eine Stellungnahme zum Thema *Sinne und Wahrnehmungen* schreiben ◊ Eine Gliederung für einen Vortrag oder Aufsatz erarbeiten ◊ Einen Vortrag über Ernährungsprobleme halten ◊ Einen Aufsatz über ökologische Lebensmittel schreiben ◊ Ein Interview zum Thema *Werbung* führen ◊ Ein Produkt werbewirksam beschreiben ◊ Themenbezogene Lese- und Hörtexte verstehen und inhaltlich wiedergeben
Wortschatz	Die menschlichen Sinne ◊ Essen, Esssitten ◊ Gesunde Ernährung, Lebensmittel ◊ Werbung ◊ Gliederung eines Vortrages/Aufsatzes
Grammatik	Deklination der Adjektive ◊ Besondere Attribute ◊ Adjektive mit Umlaut im Komparativ und Superlativ ◊ Adversativangaben
Fakultativ (Teil B)	Von Fleisch und Wurst
Kapitel 6	**Geschichte und Politik**
Sprachliche Handlungen	Über Geschichte sprechen und wichtige geschichtliche Ereignisse des Heimatlandes vorstellen ◊ Einen Auszug aus einem Roman und einen satirischen Text verstehen ◊ Über Politik, Politiker und Wahlen berichten und diskutieren ◊ Eine Diskussion leiten und strukturieren ◊ Eine Stellungnahme zum Thema *Politik ist Privatsache* verfassen ◊ Einen Vortrag über Politiker halten ◊ Aussagen in der indirekten Rede wiedergeben ◊ Ratschläge für einen guten Redner geben ◊ Über Wahlergebnisse berichten ◊ Themenbezogene Lesetexte verstehen und inhaltlich wiedergeben
Wortschatz	Deutsche Geschichte ◊ Politik und Politiker ◊ Parteien in Deutschland und Wahlen ◊ Diskussion und Meinungsäußerung
Grammatik	Feste Verbindungen ◊ Partizipien und Adjektive als Nomen ◊ Konjunktiv I ◊ Imperativ
Fakultativ (Teil B)	Alles Süße kommt von oben: Die Luftbrücke
Kapitel 7	**Ton, Bild und Wort**
Sprachliche Handlungen	Über ein Konzertangebot diskutieren und zu zweit eine Auswahl treffen ◊ Über Musik, die Wirkung von Musik und Musikinstrumente sprechen ◊ Biografische Informationen über Johann Sebastian Bach geben ◊ Nominale Sprache bewusst einsetzen ◊ Gezielte Informationen aus Kurztexten entnehmen ◊ Ein Interview über Fotografie führen ◊ Über Bildmanipulationen diskutieren ◊ Buchrezensionen im Detail verstehen ◊ Gefallen und Missfallen ausdrücken ◊ Eine Buchrezension verfassen ◊ Themenbezogene Lese- und Hörtexte verstehen und wiedergeben
Wortschatz	Musik und Wirkung von Musik ◊ Musikinstrumente ◊ Fotografie und Bildmanipulation ◊ Buchrezensionen
Grammatik	Nominalisierung ◊ Passiv und Passiversatzformen ◊ Verschiedene Präpositionen
Fakultativ (Teil B)	Kreativität
Kapitel 8	**Lebenswege**
Sprachliche Handlungen	Fotos beschreiben und über die dargestellten Themen sprechen ◊ Vor- und Nachteile darlegen ◊ Veränderungen beschreiben ◊ Über Vorschläge zum gesunden Leben diskutieren und diese präsentieren ◊ Einen Leserbrief an eine Zeitung schreiben ◊ Ein Interview über Lebensweisheiten führen ◊ Ratschläge geben ◊ Eine Grafik beschreiben ◊ Eine Gedankenkarte erstellen ◊ Kurzvorträge zu den Themen *Veränderung der Altersstruktur und Risiken* halten ◊ Ein Interview über Zukunftsvorhersagen führen ◊ Über Vorschläge zum Thema *Umwelt* diskutieren ◊ Ein expressionistisches Gedicht verstehen ◊ Themenbezogene Lese- und Hörtexte verstehen und inhaltlich wiedergeben
Wortschatz	Älterwerden, Altersstruktur ◊ Gesundes Leben ◊ Veränderungen ◊ Vorhersagen ◊ Risiken ◊ Klimawandel
Grammatik	Nomen mit präpositionalem Objekt ◊ Nomen mit Besonderheiten im Numerus ◊ Verben mit Präfixen
Fakultativ (Teil B)	Die Dinge des Lebens

Vorwort

Erkundungen C1 ist ein modernes und kommunikatives Lehrwerk für fortgeschrittene erwachsene Lerner. Es schließt an das Lehrwerk **Erkundungen B2** an. Grundlage für die Reihe **Erkundungen** ist das **Mittelstufenbuch**. Inhalt und Struktur des **Mittelstufenbuches** wurden komplett überarbeitet, modernisiert und den Beschreibungen der Lernziele und Inhalte des Gemeinsamen Europäischen Referenzrahmens für Sprachen (Niveau C1) angepasst. Übungen zum Hörverstehen sind jetzt in das Lehrwerk integriert. Einige Texte und Übungen aus dem **Mittelstufenbuch** wurden in das neue Lehrwerk übernommen.

Erkundungen C1 bietet:

- **einen klar strukturierten Aufbau**
  Die acht Kapitel des Buches sind in jeweils vier Teile gegliedert:

  Teil A: Themen und Aufgaben (obligatorischer Teil)
  Dieser Teil umfasst Lese- und Hörtexte, Wortschatztraining, Übungen zur mündlichen und schriftlichen Kommunikation und Grammatikübungen zu einem Thema. Hier werden grundlegende Fertigkeiten einführend behandelt und trainiert.

  Teil B: Wissenswertes (fakultativer Teil)
  Im Teil B finden Sie Texte und Übungen, die auf interessante Weise das Thema erweitern und landeskundliche Einblicke vermitteln. Es ist ein Angebot für alle, die ihre sprachlichen Fähigkeiten zusätzlich erweitern möchten.

  Teil C: Übersichten und Zusatzübungen zur Grammatik
  Dieser Übungsteil ermöglicht mit systematisierenden Übersichten und zahlreichen Übungen die Vertiefung der Grammatikkenntnisse.

  Teil D: Rückblick
  Teil D besteht aus zwei Komponenten: wichtige Redemittel und Selbstevaluation. Er dient zur Festigung des Gelernten und zur Motivation weiterzulernen.

- **ein integriertes Lehr- und Arbeitsbuch**
  Dadurch sind Vermittlung sowie Training und Übung des sprachlichen Materials eng miteinander verflochten. Das ist unkompliziert, praktisch und ermöglicht effektives Lernen.

- **eine anspruchsvolle Progression**
  Die Progression ist auf erwachsene Lerner abgestimmt, die zügig erkennbare Lernerfolge erzielen möchten.

- **einen informativen Anhang**
  Der Anhang enthält eine Redemittelübersicht, einen Übungssatz zur Vorbereitung auf das *Goethe-Zertifikat C1*, Grammatikübersichten und eine Liste unregelmäßiger Verben.

Zum Lehrwerk gehören außerdem ein herausnehmbarer Lösungsschlüssel sowie eine Audio-CD zur Schulung des Hörverstehens.

Erkundungen C1 führt zum Niveau C1 der Europäischen Referenzrahmens für Sprachen und zur Prüfung *Goethe-Zertifikat C1*. Das Lehrwerk wird durch ein Lehrerbeiheft ergänzt, in dem methodische Hinweise sowie Arbeitsblätter und Abschlusstests zu den einzelnen Kapiteln enthalten sind. Außerdem werden vielfältige Zusatzmaterialien im Internet auf der Seite *www.aufgaben.schubert-verlag.de* bereitgestellt.

Wir wünschen viel Erfolg und Freude bei der Arbeit mit **Erkundungen C1**.

Anne Buscha, Susanne Raven und Gisela Linthout

Kapitel

Reden wir mal übers Wetter

Sonnenuntergang

Sich kennenlernen

Teil A

A1 Stellen Sie Ihrer Nachbarin/Ihrem Nachbarn Fragen zu allem, was Sie von ihm/ihr wissen möchten. Fassen Sie die wichtigsten Informationen, die Sie erhalten haben, zusammen und stellen Sie Ihre Nachbarin/Ihren Nachbarn der Gruppe vor.

A2 Beantworten Sie die Fragen in einem Satz wie im Beispiel.

Hat Ihre Nachbarin/Ihr Nachbar gefragt, ...

◊ wie Sie heißen?
Ja, sie/er hat mich nach meinem Namen gefragt.
Nein, sie/er hat mich nicht nach meinem Namen gefragt.

1. wo Sie geboren sind? *Ja/Nein, sie/er hat mich* ....
2. wo Sie arbeiten? ....
3. wie alt Sie sind? ....
4. wo Sie wohnen? ....
5. was Sie in Ihrer Freizeit tun? ....
6. ob Sie verheiratet oder ledig sind? ....
7. was Sie am liebsten essen? ....
8. warum Sie an diesem Kurs teilnehmen? ....
9. was Sie vom Kurs erwarten? ....
10. bis wann der Kurs geht? ....

A3 Ratespiel

Nennen Sie eine Jahreszahl, die für Sie eine besondere Bedeutung hat (z. B. das Jahr, in dem Sie geheiratet haben, die Fahrprüfung bestanden haben, den ersten Schritt gelaufen sind, das erste Bier getrunken haben, Ihren ersten deutschen Satz gesagt haben o. ä.). Nennen Sie nur die Jahreszahl. Was passiert ist, müssen die anderen Kursteilnehmer erraten.

Zusatzübungen zur Wiederholung der Vergangenheitsformen der Verben ⇨ Teil C Seite 30

Alle reden vom Wetter – wir auch

Interviewen Sie mindestens zwei Kursteilnehmer/Kursteilnehmerinnen.

	Name	Name ....
Was fällt Ihnen spontan bei dem Begriff *Wetter* ein?		
Wie ist das Wetter in den einzelnen Jahreszeiten in Ihrem Heimatland?		
Welche Jahreszeit und welches Wetter mögen Sie am meisten und warum?		
Welches Wetter wünschen Sie sich im Urlaub?		
Haben oder hatten Sie als Kind Angst vor Gewitter?		
Beeinflusst das Wetter Ihre Stimmungen oder Ihre Gesundheit?		
Wie informieren Sie sich über die aktuelle Wetterlage?		

Lesen Sie den folgenden Wetterbericht.

Unser Wetterbericht

Wetterlage:

Das Tief über Polen beeinflusst den Osten Deutschlands. Im Westen macht sich schon das Hoch über der Bretagne bemerkbar.

Vorhersage für heute (Di., 18.8.):

- Von Vorpommern bis zum Erzgebirge regnet es zum Teil kräftig, gebietsweise lockern die Wolken auf und es gibt nur vereinzelte Schauer. Die Tageshöchstwerte liegen bei 16 bis 20 Grad.
- Im Norden ist es wolkig und nur mäßig warm bei etwa 19 Grad, mit vom Westen zunehmenden Aufheiterungen. Es weht ein frischer Nordwestwind, an den Küsten ist mit Sturmböen zu rechnen.
- Im Westen ist es anfangs noch wolkig, nachmittags jedoch zunehmend sonnig. Die Temperaturen steigen bis auf 22 Grad. Es weht ein mäßiger, von West auf Südwest drehender Wind.
- Im Süden gibt es besonders am Alpenrand noch einige Schauer, sonst zwischen den Wolken einzelne Aufheiterungen. Die Höchsttemperaturen steigen bis auf 23 Grad.

Vorhersage für morgen (Mi., 19.8.):

- In den Frühstunden gibt es einige Nebelfelder. Ansonsten erwarten wir vielerorts zunächst einen sonnigen Tagesbeginn.
- Im Tagesverlauf ist jedoch immer wieder mit dem Durchzug dichter Wolkenfelder zu rechnen. Niederschläge gibt es nicht.
- Die Temperaturen erreichen in der Frühe etwa 10 bis 15 Grad. Im Laufe des Tages steigen sie auf 22 bis 26 Grad an.

Trend:

- Für den Donnerstag erwarten wir nach Auflösung örtlicher Frühnebelfelder von früh bis spät überwiegend Sonnenschein. Es bleibt niederschlagsfrei. Die Temperaturen werden auf 22 bis 29 Grad ansteigen.
- Am Freitag scheint zunächst die Sonne. Im Tagesverlauf kommt es zur Ausbildung einiger Quellwolken. Vor allem im Osten sind vereinzelte Gewitter möglich. Die Tageshöchsttemperaturen liegen zwischen 24 Grad an der Oder und 31 Grad am Rhein.

A6 Fernsehmoderation

Wählen Sie eine beliebige Stadt aus und suchen Sie im Internet den Wetterbericht für diese Stadt. Bereiten Sie dazu einen aktuellen Wetterbericht nach dem Beispiel in A5 vor und präsentieren Sie diesen vor der Gruppe.

A7 Schriftlicher Ausdruck: Stellungnahme

Die Präsentation des Wetters nimmt in den Fernsehprogrammen einen immer größeren Raum ein und wird oft von Werbeblöcken umrahmt oder von großen Firmen gesponsert. Welchen Stellenwert sollte Ihrer Meinung nach das Wetter in den Medien, z. B. in den Fernsehprogrammen, einnehmen? Begründen Sie Ihre Meinung.

A8 Wortschatz: Wetter

a) Welche Nomen zum Thema *Wetter* haben sich hier waagerecht und senkrecht versteckt? Es sind 15 Nomen.

1	2	3	4	5	6	7	8	9	10
K	V	R	T	H	B	L	I	T	Z
Ä	S	T	U	R	M	R	T	P	K
L	S	O	N	N	E	H	O	C	H
T	E	M	P	E	R	A	T	U	R
E	I	S	D	B	I	G	I	L	E
S	C	H	N	E	E	E	E	S	G
F	N	P	T	L	V	L	F	C	E
B	E	W	Ö	L	K	U	N	G	N
G	E	W	I	T	T	E	R	J	Z
A	A	D	O	N	N	E	R	B	W

b) Schreiben Sie die Nomen heraus und bestimmen Sie die Artikel. Suchen Sie weitere Wörter und Wortverbindungen.

◊ *der Schnee* — *der Schneeregen, der Schneefall, die Schneefallgrenze, der Pulverschnee, die Schneeflocke, schneien, verschneit*

1. ....
2. ....
3. ....
4. ....
5. ....
6. ....
7. ....
8. ....
9. ....
10. ....
11. ....
12. ....
13. ....
14. ....

Komposita: Wind und Wetter

a) Welche Wörter können mit *Wetter* und welche mit *Wind* verbunden werden?

die Vorhersage ◊ die Stärke ◊ die Jacke ◊ der Frosch ◊ die Aussichten ◊ die Schutzscheibe ◊ die Geschwindigkeit ◊ der Satellit ◊ die Böe ◊ die Mühle ◊ der Bericht ◊ das Licht ◊ die Richtung ◊ das Amt ◊ der Schatten ◊ die Lage ◊ der Stoß ◊ die Karte ◊ die Beobachtung ◊ das Rad ◊ der Umschlag ◊ der Kanal ◊ das Häuschen

Wetter-	**Wind-**

b) Ordnen Sie einige Komposita aus a) den Erklärungen zu.

1. staatliche Institution, die das Wetter erforscht und vorhersagt: ....
2. imprägnierte Jacke aus Segeltuch: ....
3. vordere Glasscheibe des Autos: ....
4. plötzliche Änderung des Wetters: ....
5. Vorrichtung, in der ein künstlicher Luftstrom erzeugt wird: ....
6. Kerze, deren Flamme durch Glas vor Wind geschützt ist: ....
7. umgangssprachlich für Meteorologe: ....
8. die windgeschützte Seite: ....
9. Rad mit Flügeln: ....

Redewendungen: Wind und Wetter

Ordnen Sie die richtigen Erklärungen zu.

(1) um gut(es) Wetter bitten *(umg.*)*
(2) Der Wind hat sich gedreht.
(3) Dort weht ein anderer/schärferer Wind.
(4) wissen, woher der Wind weht
(5) viel Wind um etwas machen
(6) von etwas Wind bekommen
(7) bei jmdm. gut Wetter machen *(umg.)*
(8) Wer Wind sät, wird Sturm ernten.
(9) sein/das Mäntelchen nach dem Wind hängen
(10) jmdm. den Wind aus den Segeln nehmen

(a) dem Gegner zuvorkommen
(b) die Ursache von Ereignissen kennen
(c) um Verzeihung bitten
(d) Dort geht es strenger/unfreundlicher zu.
(e) viel Aufhebens von etwas machen
(f) von etwas, das geheim bleiben sollte, erfahren
(g) Die Verhältnisse haben sich geändert.
(h) Wer angreift, muss mit Gegenwehr rechnen.
(i) jmdn. günstig stimmen
(j) sich stets der herrschenden Meinung anpassen

* *umg.* = umgangssprachlich

(A11) Ergänzen Sie die fehlenden Präpositionen und, wenn nötig, auch den fehlenden Artikel.

1. *Von* Vorpommern bis .... Erzgebirge regnet es .... Teil kräftig.
2. Die Tageshöchstwerte liegen .... 16 Grad.
3. .... Küsten ist .... Sturmböen zu rechnen.
4. .... Westen steigen die Temperaturen .... 22 Grad.
5. .... Frühstunden gibt es einige Nebelfelder.
6. .... Tagesverlauf ist jedoch immer wieder .... Durchzug dichter Wolkenfelder zu rechnen.
7. Die Temperaturen erreichen .... Frühe etwa 10 .... 15 Grad.
8. .... Laufe des Tages steigen sie .... 22 Grad an.
9. .... Donnerstag erwarten wir .... früh .... spät überwiegend Sonnenschein.
10. .... Freitag kommt es .... Ausbildung einiger Quellwolken.

Zusatzübungen zu Orts- und Richtungsangaben ⇨ Teil C Seite 31

Wetter und Smalltalk

(A12) Lesen Sie den folgenden Text.

Wetter ist das Smalltalkthema Nr. 1

Bei lockeren Zusammenkünften und Empfängen ist nicht Ihr Wissen als Experte gefragt, sondern eher etwas Allgemeines über Wettervorhersagen, Schneemangel in Wintersportgebieten oder den Klimawandel. Lesen Sie nun die kurze Geschichte der Wettervorhersage, um gut vorbereitet in einen Wetter-Smalltalk zu gehen.

„Wenn der Hahn kräht auf dem Mist, ändert sich das Wetter oder es bleibt, wie es ist."

Mit der Vorhersage der künftigen Wetterentwicklung beschäftigen sich die Menschen schon seit Jahrtausenden, denn besonders die Landwirtschaft war und ist von Temperaturen und Niederschlägen abhängig. Erste überlieferte Aufzeichnungen stammen aus dem 4. Jahrtausend vor Christus. Man unterteilte das Wetter zusätzlich zu den scheinbar immer wieder gleich ablaufenden Jahreszeiten in weitere wetterrelevante Abschnitte, nämlich in sogenannte „Lostage". Man ging davon aus, dass das Wetter der „Lostage" den gesamten Wetterverlauf beeinflussen würde. Danach stellte man Regeln auf, die von Generation zu Generation weitergegeben wurden. Wissenschaftler haben herausgefunden, dass diese Regeln – heute Bauernregeln genannt – rein statistisch in zwei von drei Fällen zutreffen:

- *Hat der Valentin (14.2.) Regenwasser, wird der Frühling noch viel nasser.*
- *Im Märzen kalt und Sonnenschein, wird's eine gute Ernte sein.*
- *Nordwind, der im Juni weht, macht, dass die Ernte prächtig steht.*
- *Friert im November früh das Wasser, dann wird der Jänner* umso nasser.*

Später setzte sich der griechische Philosoph und Naturforscher Aristoteles (384–322 vor Christus) in seinem Werk „Meteorologica" mit Wetterphänomenen auseinander. Daher stammt die bis heute übliche Bezeichnung Meteorologie (meteorologia = Lehre von den Himmelserscheinungen). Aristoteles interessierte besonders die Frage, was Wind ist. Er war irrtümlicherweise der Ansicht, Wind müsse mehr sein als bewegte Luft.

Im Jahr 1660 erkannte Otto von Guericke erstmals den Zusammenhang zwischen dem Abfallen des Luftdrucks und dem Anzug eines Unwetters. Ein europäisches Stationsnetz mit gleichzeitigen Beobachtungen nach einem einheitlichen Verfahren entstand gegen 1800 und der nordatlantische Eiswarndienst wurde 1912 nach dem Titanic-Unglück errichtet.

Die moderne Wettervorhersage, wie wir sie heute kennen, ist aus den 50er-Jahren des 20. Jahrhunderts. Bald schickten die ersten Satelliten Bilder auf die Erde, die von Rechnern verarbeitet wurden. Dabei stieg der relativ zuverlässige Vorhersagezeitraum auf vier bis fünf Tage, das bedeutete für viele Bereiche der Wirtschaft, im Verkehr, im Bauwesen oder in der Landwirtschaft einen enormen Fortschritt. Heute liefern rund 10 000 Bodenstationen, Satelliten, Wetterballons, Schiffe und Flugzeuge die Daten weltweit.

Da sich die Verhältnisse in der Atmosphäre schnell verändern können, sind die Vorhersagen aber nicht absolut sicher. Außerdem gibt es bis heute kein weltweites, lückenloses Wetterstationen-Netz. Die Prognose für die kommende Woche ist ungefähr so zuverlässig, wie sie es vor dreißig Jahren für den nächsten Tag war. Die 24-Stunden-Vorhersage erreicht eine Treffgenauigkeit von gut 90 Prozent. Die Treffsicherheit für die kommenden drei Tage beträgt etwas mehr als 75 Prozent.

* Jänner = Januar (Der Name Jänner/Jenner ist bis heute im süddeutschen Sprachraum üblich.)

A13 Textarbeit

a) Beantworten Sie die Fragen zum Text.

1. Warum beschäftigen sich die Menschen schon seit Jahrtausenden mit der Wettervorhersage?
2. Was fanden Wissenschaftler in Bezug auf die alten Bauernregeln heraus?
3. Womit setzte sich Aristoteles auseinander und welchem Irrtum unterlag er?
4. Was war die Entdeckung des Wissenschaftlers Otto von Guericke?
5. Wie funktioniert die moderne Wettervorhersage?
6. Warum ist auch heute noch die Wettervorhersage für die nächste Woche recht unzuverlässig?

b) Hier ist einiges durcheinandergeraten. Wie heißen die richtigen Komposita? Nennen Sie auch den Artikel.

1.	Land-~~tausend~~ *das Jahrtausend*	~~Jahr~~-schlag	Nieder-wirtschaft ....
2.	Wetter-wesen	Bau-forscher	Natur-vorhersage ....
3.	Bauern-sicherheit	Treff-druck	Luft-regeln ....
4.	Flug-erscheinung	Himmels-genauigkeit	Treff-zeug ....

c) Ergänzen Sie im folgenden Text die fehlenden Informationen. Orientieren Sie sich inhaltlich am Text A12.

Die Vorhersage der künftigen Wetterentwicklung *interessiert* die Menschen schon seit Jahrtausenden. Besonders ....(1) war und ist die Wettervorhersage für die Landwirtschaft. Früher sind die Menschen davon ....(2), dass das Wetter an sogenannten „Lostagen" den Wetterverlauf ....(3) kann. Es wurden ....(4) formuliert, die an nachfolgende Generationen weitergegeben wurden. Auch der griechische Naturforscher Aristoteles ....(5) mit Wetterphänomenen. Gegen 1800 entstand ein europäisches Stationsnetz, bei dem die Wetterbeobachtungen an verschiedenen Orten zur gleichen ....(6) stattfanden. Auch die Verfahren zur Beobachtung wurden ....(7). Das Unglück der Titanic war der ....(8) für die Errichtung des nordatlantischen Eiswarndienstes im Jahre 1912. Von einer ....(9) Wettervorhersage können wir seit den 1950er-Jahren sprechen. ....(10) verarbeiten die von den Satelliten auf die Erde gesendeten Bilder und die Daten von Bodenstationen, Wetterballons, Schiffen und Flugzeugen. Doch noch immer beträgt die ....(11) der Wettervorhersagen nicht 100 Prozent.

A14 Smalltalk: Wetter, Anreise und dann?

a) Partnerarbeit: Sammeln Sie zu zweit Themen für einen guten Smalltalk. Worüber kann man reden, welche Themen sollte man besser vermeiden?

geeignete Gesprächsthemen	nicht geeignete Gesprächsthemen
Wetter, ...	

b) Formulieren Sie Tipps für den erfolgreichen Smalltalk.

- echtes Interesse statt Neugierde
- offene Fragen (wann, wo, wie, warum)
- aufmerksam und aktiv zuhören
- Körpersprache: sich ruhig, aufrecht und gelassen bewegen
  → Selbstsicherheit und Kompetenz
- Blickkontakt
- authentisches Lächeln
- Gesprächspartner ausreden lassen
- eigener Redeanteil nur 40 %
- deutlich sprechen
- Abstand

- zu persönliche Fragen
- eigene Ansichten
- zu laut sprechen
- Kritik

Redemittel

- Sie sollten …
- Ich empfehle Ihnen, …
- Es macht sich immer gut, wenn man …
- Vermeiden Sie …
- Achten Sie auf …
- Aus eigener Erfahrung weiß ich, dass …

A15 Mündliche Kommunikation: Redepartikeln

▶ Redepartikeln gehören zur gesprochenen Sprache. Sie haben keine eigentliche Bedeutung, man könnte sie auch weglassen. Wenn man sie verwendet, bekommt der Satz einen bestimmten emotionalen Ausdruck. Man kann auf diese Weise zum Beispiel Überraschung, Ärger oder Interesse ausdrücken.

a) Lesen Sie die folgenden Beispielsätze.

Fragesätze	
Interesse ausdrücken:	Wann ist denn deine Prüfung? Haben Sie eigentlich die neue Ausstellung gesehen?
Überraschung ausdrücken:	Was ist denn hier los?
eine Bitte formulieren:	Können Sie mir das mal erklären? Können Sie mir vielleicht helfen?
eine positive Reaktion erwarten:	Das ist doch toll, oder?

Aussage- oder Ausrufesätze	
Überraschung ausdrücken:	Das ist ja schrecklich! Das ist doch ein fantastisches Ergebnis! Das ist aber ein schönes Geschenk!
Ärger ausdrücken:	Das weißt du doch! Hier ist vielleicht eine Stimmung im Raum!
eine Ermunterung ausdrücken:	Bewerben Sie sich ruhig. Sie haben gute Chancen.
eine Warnung verstärken:	Lass bloß die Finger davon! Lass dich ja nicht noch mal erwischen!
eine Bitte/einen Rat formulieren:	Kommen Sie doch mal vorbei. Setzen Sie sich doch.

b) Bringen Sie Emotionen in die Fragen.
Ergänzen Sie die Redepartikeln *denn, eigentlich, mal, vielleicht* oder *doch*.

◊	Das ist ein tolles Büfett, oder?	*Das ist doch ein tolles Büfett, oder?*
1.	Wie gefällt Ihnen Berlin?	....
2.	Wann kommt Ihr Kollege?	....
3.	Woher kommen Sie?	....
4.	Können Sie mein Glas kurz halten?	....
5.	Die Frau des Gastgebers ist Architektin, oder?	....
6.	Was machen Sie in meinem Büro?	....
7.	Wo steht Ihr Auto?	....
8.	Wissen Sie, wann der Vortrag von Prof. Mill beginnt?	....

c) Ergänzen Sie in den Sätzen die Redepartikeln *ja, aber, doch (mal/auch), ruhig* oder *bloß*.

◊	Das sind hervorragende Resultate!	*Das sind ja/doch hervorragende Resultate!*
1.	Kommen Sie rein, die Sitzung hat noch nicht begonnen.	....
2.	Ist das das neue Material? Seien Sie vorsichtig damit!	....
3.	Herr Krause hat noch nicht reagiert. Das ist seltsam.	....
4.	Das ist ein merkwürdiges Verhalten!	....
5.	Schauen Sie sich die neuen Bilder an.	....
6.	Du wusstest, dass ich keine Zeit habe!	....
7.	Frau Öhme, wir sind heute von den Geschäftspartnern zum Essen eingeladen. Kommen Sie mit!	....
8.	Ach, schon seit drei Tagen Regen! Das ist furchtbar!	....

d) Ergänzen Sie in dem Dialog die fehlenden Redepartikeln: *eigentlich, doch, ja, mal, denn, doch mal.*

Herr Kraus: Hallo, das ist .... schön, dass ich Sie auch .... wiedersehe. Wie geht es Ihnen ....?

Herr Kupfer: Das ist .... eine Überraschung! Danke, mir geht es soweit gut. Und Ihnen?

Herr Kraus: Mir auch, danke. Wann sind Sie .... gekommen?

Herr Kupfer: Am Dienstagnachmittag, so konnten wir noch an der Eröffnungsveranstaltung teilnehmen. Waren Sie .... auch da? Ich habe Sie gar nicht gesehen.

Herr Kraus: Nein, leider nicht. Prof. Otto hat .... die Eröffnungsrede gehalten, habe ich gelesen. War die Rede .... so unterhaltsam, wie man es von ihm gewohnt ist?

Herr Kupfer: Nein, ich war .... etwas enttäuscht. Das muss ich zugeben. Wann geben Sie .... Ihr Seminar?

Herr Kraus: Am Freitag, um 10.00 Uhr. Kommen Sie .... vorbei, ich würde mich freuen.

Führen Sie mit Ihrer Nachbarin/Ihrem Nachbarn einen Smalltalk. Verwenden Sie dabei auch Redepartikeln. Berichten Sie anschließend über das Gespräch.

Wetter und Gesundheit

A17 Berichten Sie.

- Hat das Wetter Einfluss auf Ihr Wohlbefinden oder auf Ihre Gesundheit? Wenn ja, wie äußert sich das?
- Jeder zweite Deutsche ist *wetterfühlig*. Was stellen Sie sich darunter vor?

A18 Lesen Sie den folgenden Bericht.

Das Zwicken der Narbe vor dem Sturm

Jeder zweite Deutsche ist wetterfühlig. Und der Norden ist stärker betroffen als der Süden. Bis vor Kurzem wusste niemand, wie viele Menschen ihre Krankheitssymptome dem Wetter zuschreiben. 2001 hat das Institut für Arbeits- und Umweltmedizin der Universität München einen Fragenkatalog entwickelt und mit dem Demoskopischen Institut Allensbach in einer repräsentativen Stichprobe 1 064 Bundesbürger interviewt.

Nun haben wir es Schwarz auf Weiß, dass 54 Prozent der Befragten dem Wetter Einfluss auf ihre Gesundheit zutrauen – 19 Prozent viel, 35 Prozent immerhin etwas. Im Jahr 2000 war ein Drittel der Wetterfühligen wegen der auftretenden

Symptome einmal, ein Fünftel sogar mehrmals außerstande, seiner normalen Tätigkeit nachzugehen.

Die vom Wetter verursachte Arbeitsunfähigkeit dauerte ungefähr zehn Tage. Die Mehrzahl der Interviewten klagte über Kopfschmerzen, ein Viertel über Narbenschmerzen. Im wetterunbeständigen Norddeutschland ist der Anteil der Wetterfühligen am höchsten. Hier führt der Einbruch von Kaltluft zu den stärksten Beschwerden – die Bayern dagegen leiden mehr unter Warmluftzufuhr. Nur 41 Prozent der Männer, aber 66 Prozent der Frauen glauben an einen Zusammenhang zwischen dem Luftdruck und ihren Beschwerden.

Wie lässt sich dieser Unterschied erklären? Die Entwickler des Fragenkatalogs halten psychologische Ursachen für möglich: Männer, vermuten sie, sind vielleicht weniger bereit, sich wetterbedingte Leiden einzugestehen. Demnach wäre der Anteil der wetterfühligen Deutschen sogar noch größer.

A19 Textarbeit

a) Was benennen die folgenden Angaben im Text?

- 2001 — *2001 wurde vom Institut für Arbeits- und Umweltmedizin ein Fragenkatalog zum Thema: Krankheitssymptome und Wetter entwickelt.*

1. 1 064 ....
2. 54 Prozent ....
3. ein Drittel ....
4. die Mehrzahl ....
5. ungefähr zehn Tage ....
6. 66 Prozent ....

b) Suchen Sie im Text für die unterstrichenen Ausdrücke Synonyme.

1. Viele Menschen <u>machen</u> das Wetter für ihre Krankheitssymptome <u>verantwortlich</u>. → Viele Menschen .... ihre Krankheitssymptome dem Wetter ....
2. Ein Fünftel der Befragten war <u>nicht in der Lage</u>, seine normale Tätigkeit <u>auszuüben</u>. → Ein Fünftel der Befragten war ...., seiner normalen Tätigkeit ....
3. Die Bayern <u>haben gesundheitliche Probleme mit</u> der Warmluftzufuhr. → Die Bayern .... Warmluftzufuhr.
4. Vielleicht sind Männer weniger bereit, wetterbedingte Leiden <u>zuzugeben</u>. → Vielleicht sind Männer weniger bereit, ... wetterbedingte Leiden ....

A20 Der Einfluss des Wetters auf die Gesundheit 2

a) Hören Sie das Gespräch zweimal. Markieren Sie während des Hörens oder danach die richtige Lösung.

1. Über die Hälfte der Deutschen
   a) ❐ glaubt an einen Zusammenhang zwischen Wetter und Gesundheit.
   b) ❐ leidet unter ernsthaften Beschwerden, die auf das Wetter zurückzuführen sind.
   c) ❐ geht nicht von einem Einfluss des Wetters auf die Gesundheit aus.
2. Beweise für einen Zusammenhang von Wetter und gesundheitlichen Beschwerden
   a) ❐ gibt es viele.
   b) ❐ sind wissenschaftlich nur schwer zu erbringen.
   c) ❐ sind automatisch vorhanden, wenn körperliche Beschwerden bei einer bestimmten Wetterlage gehäuft auftreten.
3. Übermäßige Hitze
   a) ❐ hat für die meisten Menschen unmittelbare gesundheitliche Folgen.
   b) ❐ führt jeden Sommer zu Katastrophen.
   c) ❐ ist vor allem für Personen mit einer schlechten körperlichen Verfassung gefährlich.
4. Biometeorologische Prognosen
   a) ❐ sind in jedem Fall sinnvoll.
   b) ❐ warnen Menschen vor den Risiken bestimmter Wettererscheinungen.
   c) ❐ sind eine Show nach dem Wetterbericht.
5. Die Menschen sollten
   a) ❐ genau auf die Warnungen des sogenannten Medizinwetters achten.
   b) ❐ sich auf ihren gesunden Menschenverstand besinnen und ihr eigenes Verhalten überprüfen.
   c) ❐ die Wettervorhersage ignorieren.
6. Die Forschung über die Wetterfühligkeit
   a) ❐ kann schon bald Ergebnisse über den Zusammenhang von Gewitter und Radios vorlegen.
   b) ❐ ist eine Unterdisziplin der Physik.
   c) ❐ hat gerade erst begonnen.

b) Berichten Sie.

1. Was halten Sie vom sogenannten Medizinwetter (Wetterbericht, bei dem die Gesundheitsgefährdung eine große Rolle spielt)? Begründen Sie Ihre Meinung.
2. Wie kann man sich Ihrer Meinung nach auf extreme Wetterbedingungen einstellen?
3. Welche Maßnahmen könnten Regierungen bei extremen Wetterbedingungen ergreifen, um den Menschen zu helfen?

c) Ergänzen Sie die fehlenden Verben in der richtigen Form.

beweisen ◊ geben ◊ liegen ◊ nehmen ◊ eintreten ◊ scheinen ◊ nachweisen ◊ wachsen ◊ kommen ◊ behaupten ◊ vorlegen ◊ eintragen ◊ zählen ◊ finden ◊ brauchen ◊ suchen

Es *gibt* viele Studien zur Wetterfühligkeit des Menschen, die Aussagekraft dieser Studien aber ist in der Regel dürftig. ....(1) wir zum Beispiel einen x-beliebigen Hochdrucktag, an dem die Sonne ....(2). Wegen der stärkeren UV-Strahlung ....(3) das Hautkrebsrisiko. Dennoch würde niemand ....(4), dass Hochdruck Hautkrebs verursacht. Und genau da ....(5) das Problem. Treten körperliche Beschwerden gehäuft bei bestimmten Wettererscheinungen auf, ist dadurch noch keineswegs ....(6), dass die Ursachen für die Leiden tatsächlich beim Wetter zu ....(7) sind.
Wir haben in den Siebzigerjahren eine Studie zum Einfluss des Wetters auf die Mitarbeiter eines Unternehmens ....(8). Und wir sind damals zu dem Ergebnis ....(9), dass immer dann, wenn der Luftdruck schwankte, deutliche Veränderungen in der Befindlichkeit der Testpersonen ....(10). Wir haben die Testpersonen aber nur ihr tägliches Befinden in einen Fragebogen ....(11) lassen. Und das genügt für einen wissenschaftlichen Beweis nicht. In der Wissenschaft ....(12) keine subjektiven Einschätzungen. Wir ....(13) dafür handfeste medizinische Daten. Wir ....(14) noch immer nach unsichtbaren Faktoren, bei denen sich ein Zusammenhang mit dem Wetter statistisch ....(15) lässt.

Mündlicher Ausdruck: Rollenspiele
Spielen Sie zu zweit kleine Dialoge.

1. Ihre Gesprächspartnerin/Ihr Gesprächspartner sonnt sich sehr gern und nutzt jede Gelegenheit für ein Sonnenbad. Nun wissen Sie, dass dies nicht so gesund ist und dass man sich gut vor UV-Strahlen schützen sollte. Nennen Sie einige Argumente und geben Sie Ratschläge.
2. Bei Anzug eines Tiefdruckgebiets leidet Ihre Gesprächspartnerin/Ihr Gesprächspartner unter Konzentrationsschwäche und Schlafstörungen. Geben Sie ihr/ihm einige Gesundheitstipps, damit sie/er die Zeit gut übersteht.
3. Es wird ein total verregnetes und graues Wochenende. Sie wollen aber gern etwas zusammen unternehmen und das Wochenende trotzdem genießen. Stellen Sie mit Ihrer Gesprächspartnerin/Ihrem Gesprächspartner einen Plan für ein „Gute-Laune-Wochenende“ auf.

Sprachen

Stellen Sie sich gegenseitig die Fragen zum Thema *Sprachen* und notieren Sie in Stichpunkten die Antworten Ihrer Gesprächspartnerin/Ihres Gesprächspartners.

Fragen	Stichpunkte
Welche Fremdsprachen haben Sie wie lange und wo erlernt? (Geben Sie die Lernzeit und den Ort an.)	
Auf welchem Niveau beherrschen Sie diese Sprachen? (Was können Sie alles in der Fremdsprache und was nicht?)	
In welchen der obengenannten Sprachen möchten Sie sich verbessern und was genau wollen Sie noch lernen?	
Welche Sprache, die Sie noch nicht sprechen, würden Sie gern lernen und warum?	
Was gefällt Ihnen besonders an Ihrer Muttersprache ?	
Welche aktuellen Entwicklungen in Bezug auf Ihre Muttersprache finden Sie kritikwürdig?	
Welche Sprache außer Ihrer Muttersprache sprechen Sie am häufigsten, wenn Sie privat oder geschäftlich ins Ausland fahren?	
Was halten Sie von einer Weltsprache?	

 Lesen Sie den folgenden Text.

Nur noch Englisch?

Schon kurz nach dem Aufstehen beginnt der Sprachenkampf. Im Coffeeshop eines Münchner Großbäckers duftet zum Frühstück der „Happy Happen". Auf dem Weg zur Arbeit fällt einem aus dem BMW-Showroom wieder mal das Plakat mit der Aufschrift „Protected Drive" ins Auge, ohne dass sich dessen Sinn enträtseln ließe. Vom Büro aus geht man noch zur Post, um einen Auslandsbrief aufzugeben. „Premium oder Economy?", lautet die selbstverständliche Frage des Schalterbeamten. Und dann wird im Office den lieben langen Tag designt und gecancelt, gelayoutet und downgeloadet und mit Genehmigung des neuen Duden sogar gehighlightet.

Die Welle der Angloamerikanisierung schlägt über uns zusammen und droht das deutsche Sprachschiff auf den Grund zu schicken. Mag sein, dass der Hang zum Englischen in Großstädten besonders ausgeprägt ist, doch die Provinz holt auf. So wurde zum Beispiel Westmittelfranken vom Bayerischen Umweltminister zur Shooting-Tourismus-Region erklärt. Die Bewohner nahmen es mit Gleichmut, denn die Entwicklung lässt sich anscheinend nicht aufhalten.

Noch zur Zeit Shakespeares war Englisch mit vielleicht vier Millionen Sprechern eine vergleichsweise unbedeutende europäische Sprache. Heute sprechen anderthalb Milliarden Menschen wenigstens einigermaßen Englisch, etwa ein Drittel davon als Erstsprache. Englisch ist als Verkehrssprache aus verschiedenen Gründen attraktiv: Es hat einen flexionsarmen Aufbau*, phonosymbolische Kraft (boom, splash, zoom) und es steht für Fortschritt, unkompliziertes Denken und amerikanische Lebensart.

Vor einer Generation waren Experten noch der Meinung, die Anglisierung finde hauptsächlich auf der Wortschatzebene statt, Satzbau und Wortbildung blieben weitgehend verschont. Diese Einschätzung muss heute korrigiert werden. Die englische Grammatik fasst im Deutschen Fuß, es vollziehen sich auch Veränderungen im Bereich der Struktur. Fremde Ausdrucksweisen beeinflussen die deutsche Sprache: Es ist ein Unterschied, ob man Geld macht (to make money) oder es verdient.

Die Linguisten sind sich mit ihren Vermutungen über die Verbreitung des Englischen uneinig. Manchen Prognosen zufolge wird nur jede zehnte aller lebenden Sprachen dieses Jahrhunderts überleben. Englisch ist zur Welthilfssprache herangewachsen. Kunstsprachen wie Esperanto konnten sich nicht durchsetzen. Und es wurde zur Sprache der Forschung. 98 Prozent der deutschen Physiker und Chemiker publizieren ihre Forschungsergebnisse auf Englisch. Sogar französische Naturwissenschaftler veröffentlichen ihre Arbeiten in der Sprache des geografischen Nachbarn.

Aber es regt sich überall auf der Welt Widerstand. Es soll Leute geben, die bei Begriffen wie Corporate Identity oder Global Player aufstöhnen, Leute, die das Lokal verlassen, wenn ihnen auf der Speisekarte der Spruch „positive eating, positive thinking" entgegenspringt.

Neuere Autoren der Dritten Welt betrachten die englische Sprache als kulturelle Bombe, die über kurz oder lang die Eigenheiten einer Landessprache vernichtet und die Entfremdung von der eigenen Kultur herbeiführen werde. Aus ähnlichen Überlegungen heraus wollen Franzosen, Frankokanadier und Polen mit Gesetzen gegen eine sprachliche Überfremdung vorgehen. Im Internet ist Englisch bereits auf dem Rückmarsch. Textverarbeitungsprogramme und Betriebssysteme können schon lange mit nichtenglischen Sprachen umgehen. Momentan sind noch achtzig Prozent aller Texte im Internet auf Englisch verfasst, mit sinkender Tendenz. Im nächsten Jahrzehnt sollen es nur noch vierzig sein.

* flexionsarmer Aufbau = Die englische Sprache hat wenig Flexion/Beugung.

 Textarbeit

a) Beantworten Sie die folgenden Fragen zum Text.

1. Wo begegnet der Autor der englischen Sprache im Alltag? Nennen Sie einige Beispiele.
2. Wie hoch war der Anteil der englischsprachigen Menschen früher und wie hoch ist er heute?
3. Welche Gründe gibt es für diese Entwicklung?
4. Welche Einschätzungen von Experten/Linguisten über den Einfluss und die Verbreitung der englischen Sprache nennt der Text?
5. Von wem und wo gibt es Widerstand gegen die Anglisierung?

b) Finden Sie Synonyme bzw. die deutsche Übersetzung.

1. der Sinn lässt sich enträtseln ....
2. designt ....
3. gecancelt ....
4. gelayoutet ....
5. downgeloadet ....
6. gehighlightet ....
7. die Provinz holt auf ....
8. nahmen es mit Gleichmut ....
9. Satzbau und Wortbildung blieben weitgehend verschont ....
10. publizieren ....
11. Texte sind auf Englisch verfasst ....

c) Ergänzen Sie die Verben in der richtigen Form.

ausprägen ◊ durchsetzen ◊ veröffentlichen ◊ sich regen ◊ betrachten ◊ aufhalten ◊ stattfinden ◊ vollziehen ◊ beeinflussen ◊ heranwachsen ◊ fassen ◊ vernichten ◊ aufgeben ◊ lauten ◊ herbeiführen

1. Man geht zur Post, um einen Auslandsbrief ....
2. „Premium oder Economy?", ... die selbstverständliche Frage des Schalterbeamten.
3. Mag sein, dass der Hang zum Englischen in Großstädten besonders .... ist.
4. Die Entwicklung lässt sich anscheinend nicht ....
5. Vor einer Generation waren Experten noch der Meinung, die Anglisierung .... hauptsächlich auf der Wortschatzebene ....
6. Die englische Grammatik .... im Deutschen Fuß.
7. Es .... sich auch Veränderungen im Bereich der Struktur.
8. Fremde Ausdrucksweisen .... die deutsche Sprache.
9. Englisch ist zur Welthilfssprache ....
10. Kunstsprachen wie Esperanto konnten sich nicht ....
11. 98 Prozent der deutschen Physiker und Chemiker .... ihre Forschungsergebnisse auf Englisch.
12. Aber es .... überall auf der Welt Widerstand.
13. Neuere Autoren der Dritten Welt .... die englische Sprache als kulturelle Bombe, die über kurz oder lang die Eigenheiten einer Landessprache .... und die Entfremdung von der eigenen Kultur .... werde.

d) Ergänzen Sie die fehlenden Nomen in der richtigen Form. Nicht alle Nomen passen!

Sprache ◊ Entwicklung ◊ Denken ◊ Lebensart ◊ Wortschatz ◊ Veränderung ◊ Rückschritt ◊ Kampf ◊ Einfluss ◊ Tendenzen ◊ Grammatik ◊ Welthilfssprache ◊ Eigenheiten ◊ Erstsprache ◊ Fortschritt ◊ Rückmarsch ◊ Widerstand ◊ Entfremdung

Die englische Sprache hat an ....(1) gewonnen, nicht nur in den Großstädten, sondern auch in der Provinz. Den Bürgern in Deutschland scheinen diese ....(2) ziemlich egal zu sein, denn man kann die ....(3) ja doch nicht aufhalten. Bereits jetzt spricht jeder dritte Bürger der Erde Englisch als ....(4). Englisch symbolisiert ....(5), unkompliziertes ....(6) und amerikanische ....(7). Während früher hauptsächlich der ....(8) der ....(9) unterlag, muss heute festgestellt werden, dass auch die ....(10) nicht unverschont bleibt. Englisch hat sich zur ....(11) herausgebildet. Aber es regt sich überall auf der Welt ....(12). Neuere Autoren der Dritten Welt befürchten eine ....(13) von der eigenen Kultur. Sie haben Angst davor, dass über kurz oder lang die ....(14) einer Landessprache vernichtet werden. In einem Medium, von dem man es nie erwartet hätte, befindet sich Englisch bereits auf dem ....(15) – im Internet.

 Berichten Sie.

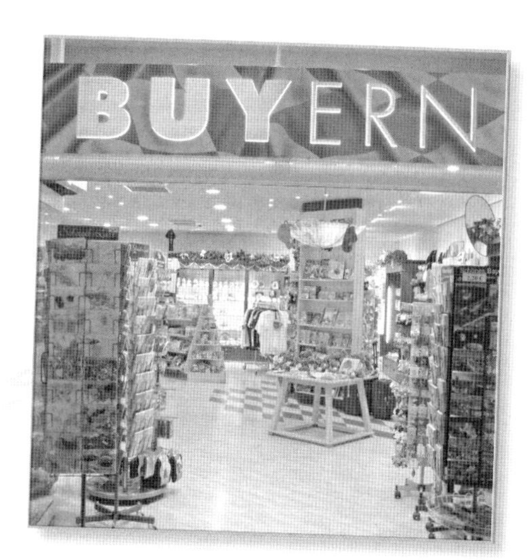

- Wenn Ihre Muttersprache nicht Englisch ist:
  Welche Einflüsse hat das Englische auf Ihre Muttersprache?
- Wenn Ihre Muttersprache Englisch ist:
  Wie beurteilen Sie die rasante Ausbreitung der englischen Sprache und welche Auswirkungen hat diese Entwicklung auf das Englische?

 Ausgewanderte Wörter

a) Was haben diese Wörter gemeinsam? Raten Sie.

Abseilen ◊ Achtung ◊ Angst ◊ Blitz ◊ Blitzkrieg ◊ Brezel ◊ Dachshund ◊ Doppelgänger ◊ Dummkopf ◊ Ersatz ◊ Fahrvergnügen ◊ Festschrift ◊ gemütlich ◊ Gestalt ◊ Götterdämmerung ◊ Kaffeeklatsch ◊ Kaiser ◊ Kapellmeister ◊ kaputt ◊ Kindergarten ◊ Kitsch ◊ Lebensraum ◊ Leitmotiv ◊ Lied ◊ Lumpenproletariat ◊ Meerschaum ◊ Mittelstand ◊ Ostpolitik ◊ Pudel ◊ Ratskeller ◊ Realpolitik ◊ Rinderpest ◊ Rucksack ◊ Sauerkraut ◊ Schadenfreude ◊ Schmalz ◊ Schnaps ◊ Schwindler ◊ Selters ◊ Sprachgefühl ◊ Waldsterben ◊ Wanderjahre ◊ Wanderlust ◊ Weltschmerz ◊ Wunderkind ◊ Zeitgeist ◊ Zollverein

b) Kennen Sie Wörter Ihrer Muttersprache, die im Englischen benutzt werden?

 Soll man die deutsche Sprache schützen? 

a) Hören Sie den Dialog zweimal und beantworten Sie die folgenden Fragen in Stichworten. Lesen Sie zuerst die Fragen.

◊ Was ist zurzeit das Diskussionsthema der Politiker? *die deutsche Sprache*

1. Was erfordert die Globalisierung in Bezug auf die Sprachen? ....
2. Welche Beweise nennt Prof. Fleischer für Englisch als „Lingua franca"? Führen Sie mehrere Beispiele an. ....
3. Wie viele Menschen können sich in Deutsch als Fremdsprache verständigen? ....
4. Was sieht Prof. Fleischer als Indiz dafür, dass die Menschheit nicht auf dem Weg zur sprachlichen Monokultur ist? ....
5. Wie beschreibt er die Entwicklung der deutschsprachigen Leitseiten? ....
6. Welche Prognosen geben Experten für das Jahr 2040 ab? ....
7. Warum hat das Chinesische an Bedeutung gewonnen? ....
8. Welche zwei Bedeutungen misst Prof. Fleischer der Sprache bei? ....
9. Was bedeutet Vielsprachigkeit in ökonomischer Hinsicht? ....
10. Warum können Übersetzungsmaschinen nicht das Sprachenlernen ersetzen? ....

b) Stimmen Sie dieser Aussage zu? Begründen Sie Ihren Standpunkt und nennen Sie Beispiele.

„Wer an neuen Handelswegen baut, an der Globalisierung unserer Welt, der muss logischerweise auch die Sprachbarrieren aus dem Weg räumen. Und der Gewinner im Wettkampf um die Verkehrssprache unserer Zeit scheint Englisch zu sein."

c) Formen Sie die Sätze um. Verwenden Sie dabei die in Klammern angegebenen Wörter.

◊ In der Politik wird zurzeit das Thema „Die deutsche Sprache" diskutiert. *(Diskussion)*
In der Politik steht zurzeit das Thema „Die deutsche Sprache" zur Diskussion.

1. Englisch ist die Sprache der Wissenschaft, der Technik, der Medizin, der internationalen Konferenzen. *(gelten)*

....

2. Der Gewinner im Wettkampf um die Verkehrssprache unserer Zeit scheint Englisch zu sein. *(werden, wohl)*

....

3. In Deutsch als Fremdsprache können sich etwa 100 Millionen Menschen verständigen. *(reden)*

....

4. Eine Maschine, die eine Sprache perfekt erfassen und übersetzen kann, ist noch lange nicht in Sicht. *(warten müssen)*

....

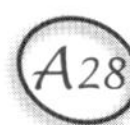

A28 Pro und kontra: Sammeln Sie einzeln oder in Gruppen Argumente, die für und/oder gegen „Englisch als Sprache für alle" sprechen.

PRO	KONTRA

A29 Internationale Kommunikation

Sie sind Organisatorin/Organisator einer internationalen Konferenz mit Wissenschaftlern und Politikern aus aller Welt.
Auf der Tagesordnung stehen: Vorträge im Plenum, Erfahrungsaustausch in kleineren Arbeitsgruppen und informelle Treffen. Überlegen Sie einzeln oder in Gruppen, wie Sie eine optimale Verständigung zwischen den Teilnehmern ermöglichen wollen.
Unterbreiten Sie Vorschläge.

Schriftlicher Ausdruck
Wählen Sie ein Thema aus und schreiben Sie eine Stellungnahme von ca. 200 Wörtern.

T H E M A A

Im Jahr der Sprachen wurde von der Europäischen Kommission gefordert, dass jeder europäische Bürger mindestens drei Sprachen sprechen muss. Nehmen Sie zu dieser Forderung Stellung.
Wenn Sie mit der Forderung einverstanden sind, unterbreiten Sie bitte Vorschläge zur Realisierung, wenn nicht, dann begründen Sie Ihre Ablehnung.

T H E M A B

Manche Länder versuchen durch Quotenregelung, d. h. durch eine Verpflichtung, dass z. B. bei einem Radiosender 40 Prozent der gesendeten Musik aus einheimischer Produktion stammen muss, die jeweilige Kultur und Sprache des Landes zu unterstützen. Nehmen Sie zu solchen Maßnahmen Stellung und machen Sie Vorschläge, womit man Ihrer Meinung nach die eigene Kultur fördern könnte.

Hinweise zum Schreiben von Stellungnahmen

Beim Schreiben einer Stellungnahme ist Ihre eigene Meinung zu einem Thema gefragt. Das bedeutet aber nicht, dass Sie den ganzen Text lang nur Ihre persönliche Ansicht darlegen sollten. Beziehen Sie allgemeines Wissen, andere Meinungen, vorgegebene Informationen (z. B. aus einer Statistik) mit ein. Strukturieren Sie Ihren Text in eine Einleitung, einen Hauptteil und einen Schluss. Vermeiden Sie Umgangssprache.

Mögliche Inhalte	**Sprachliche Hilfsmittel**
Einleitung	
◊ Beschreiben Sie kurz das Thema/das Problem. ◊ Sagen Sie etwas Allgemeines über das Thema/das Problem oder etwas über die Entwicklung des Themas/des Problems.	◊ Das Thema … ist ein Problem,/Das ist ein Thema, das erst seit wenigen Jahren aktuell ist/das schon lange diskutiert wird/mit dem man sich unbedingt beschäftigen sollte/das vor allem für *(junge Leute)* von großer Wichtigkeit/sehr wichtig ist. ◊ Es ist allgemein bekannt, dass …/Bekannt ist bisher nur, dass … ◊ In der Öffentlichkeit herrscht die Meinung, dass … ◊ Erst kürzlich stand in der Zeitung, dass … ◊ Noch vor wenigen Jahren …/Bereits früher …/Wenn wir zurückblicken/die Entwicklung der letzten Jahre betrachten …
Hauptteil	
◊ Gehen Sie jetzt auf die vorgegebenen Informationen (z. B. eine Grafik/eine These/eine Meinung) ein. „Nehmen“ Sie das Thema/das Problem „auseinander“ und betrachten Sie es von verschiedenen Seiten. Suchen Sie Pro- und Kontra-Argumente. Prüfen Sie, welche Argumente Ihrer eigenen Meinung entsprechen und machen Sie dies deutlich.	◊ … spricht dafür/dagegen. ◊ Die Situation ist doch folgende: … ◊ Dazu kommt noch … ◊ Man sollte nicht vergessen, dass … ◊ Ein weiteres Beispiel wäre … ◊ Meinen Erfahrungen/Meiner Ansicht nach … Ich bin nicht dieser Meinung./Diese Ansicht kann ich nicht teilen. ◊ Als Gegenargument lässt sich hier anführen, dass … ◊ Ich schlage vor, dass …/Vielleicht sollte man …/Eine mögliche Lösung/Alternative wäre …
Schluss	
◊ Ziehen Sie aus Ihrer Argumentation Schlussfolgerungen. ◊ Weisen Sie auf mögliche Konsequenzen/Entwicklungen/Probleme in der Zukunft hin. Machen Sie sich, bevor Sie mit dem Schreiben beginnen, Stichpunkte. Sammeln und ordnen Sie Ihre Argumente.	◊ Zusammenfassend kann man feststellen/sagen, dass … ◊ Daraus ergibt sich die Schlussfolgerung, dass … ◊ Die Konsequenzen daraus sind … ◊ Für die Zukunft könnte das bedeuten/heißen, dass …

Wortschatz: Sprechen und Sprache

a) *Sprechen* und andere Verben

erklären ◊ berichten ◊ erzählen ◊ unterhalten ◊ sprechen ◊ mitteilen ◊ behaupten ◊ melden ◊ sagen (2 x) ◊ äußern ◊ reden ◊ betonen

◊ Können Sie mir *sagen*, wo der Fotokopierer steht?
1. Wie war's im Urlaub? .... mal.
2. Zum Thema *Englisch als Betriebssprache* hat sich der Betriebsrat noch nicht ....
3. Welche Sprachen .... Sie eigentlich?
4. Du warst aber lange bei Barbara. Worüber habt ihr die ganze Zeit .... ?
5. Wir haben uns ausführlich über die neue Ausstellung im Haus der Kunst ....
6. Kannst du mir bitte genau ...., wie das Gerät funktioniert?
7. Morgen muss ich in der Abteilung über die Ergebnisse des Seminars am Wochenende ....
8. Können Sie mir bitte ...., wann wir mit einer Zusage oder Absage rechnen dürfen?
9. Leider kann ich dazu überhaupt noch nichts ...., aber ich .... mich nächste Woche noch mal bei Ihnen.
10. Ich möchte hier noch einmal ...., dass ich von der ganzen Angelegenheit überhaupt nichts wusste.
11. Der Minister ...., er habe nichts gewusst.

b) Welche Art der Sprache wird hier jeweils umschrieben? Ordnen Sie zu.

Dialekt/Mundart ◊ Amtssprache ◊ Umgangssprache ◊ Jugendsprache ◊ Schriftsprache/Hochsprache ◊ Muttersprache ◊ Fremdsprache ◊ Zeichensprache ◊ Fachsprache ◊ Körpersprache

◊ Fachausdrücke und spezielle Formulierungen, die in einem bestimmten Fach verwendet werden und für Laien schwer zu verstehen sind — *die Fachsprache*
1. die geschriebene Form der Sprache, die einer bestimmten Norm entspricht und die man in der Schule lernt ....
2. die Sprache, die man als Kind von den Eltern lernt ....
3. die Variante einer Sprache, aus der man die geografische Herkunft des Sprechers erkennen kann ....
4. die Sprache, die man z. B. zu Hause und im Umgang mit Freunden benutzt ....
5. eine Sprache, die nicht vom eigenen Volk gesprochen wird und die man zusätzlich lernen muss ....
6. die Sprache von staatlichen Behörden/öffentlichen Stellen ....
7. die Haltung und die Bewegungen des Körpers, Mimik und Gestik, die etwas über die Stimmung des Menschen mitteilen ....
8. die Art, sich zu verständigen, bei der festgelegte Bewegungen mit den Fingern und Händen Buchstaben oder Worte bedeuten ....
9. die Variante der Sprache, die Jugendliche miteinander sprechen ....

c) Ordnen Sie den Redewendungen die richtigen Erklärungen zu.

(1) Wir sprechen die gleiche Sprache.
(2) Jemandem verschlägt es die Sprache.
(3) Rück heraus mit der Sprache!
(4) etwas zur Sprache bringen
(5) auf jemanden schlecht zu sprechen sein
(6) Wir sprechen uns noch!
(7) Du sprichst mir aus der Seele!
(8) Sein Gesicht spricht Bände.

(a) Jemand ist sehr überrascht.
(b) Rede jetzt endlich!
(c) Die Angelegenheit zwischen uns ist noch nicht erledigt.
(d) Seine Mimik sagt vieles.
(e) ein Thema ansprechen/besprechen wollen
(f) die gleiche Einstellung/das gleiche Niveau haben
(g) sich über jemanden ärgern
(h) Du sagst genau das, was ich selbst empfinde.

A32 Lernen – aber wie?

a) Wie würden Sie gern eine Sprache lernen? Erstellen Sie eine Liste Ihrer Wünsche.

Zum Beispiel:
ohne/mit: Lehrbuch ◇ Lehrer ◇ Computer ◇ Zeitungen ◇ Bücher/n ◇ Radio- oder Fernsehsendungen …
im Internet ◇ im Einzelunterricht ◇ in der Klasse …

1. ....
2. ....
3. ....
4. ....
5. ....
6. ....

b) Welche Ratschläge würden Sie jemandem geben, der eine Sprache lernen möchte?
Womit haben Sie bisher gute Erfahrungen gemacht? Berichten Sie.

1. ....
2. ....
3. ....
4. ....
5. ....

c) Vergleichen Sie Ihre Ratschläge mit den folgenden Tipps.
Welchen Ratschlag halten Sie für sehr sinnvoll, welchen für weniger sinnvoll?

Tipps zum Sprachenlernen:

- ◇ Lernen Sie neue Wörter oder Wendungen mit Interesse und Konzentration.
- ◇ Wiederholen Sie neu gelernte Wörter innerhalb von 20 Minuten und dann so oft wie möglich.
- ◇ Lernen Sie Wörter im Kontext.
- ◇ Lernen Sie nicht fünfzig neue Vokabeln auf einmal. Das Gehirn liebt siebenteilige Einheiten.
- ◇ Lesen Sie sich Vokabeln noch einmal direkt vor dem Schlafen durch, denn Schlafen dient zur Festigung des Gelernten.

Erkennen Sie, was für ein Lerntyp Sie sind:
- ◇ Der visuelle Typ lernt am besten, wenn er die Wörter liest.
- ◇ Der haptische Typ muss die Wörter selbst schreiben.
- ◇ Der auditive Typ lernt am besten durch Hören.
- ◇ Der kognitive Typ geht analytisch an die Sprache heran. Er will den Lernstoff intellektuell erfassen und geht strukturiert vor.
- ◇ Der imitative Typ lernt am leichtesten durch Hören und Nachsprechen.

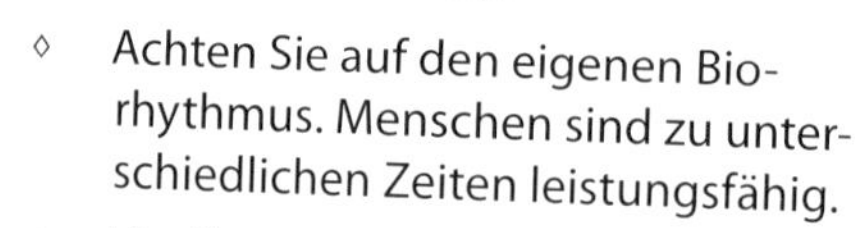

- ◇ Achten Sie auf den eigenen Biorhythmus. Menschen sind zu unterschiedlichen Zeiten leistungsfähig.
- ◇ Musik stimuliert das Gehirn. Hören Sie beim Lernen z. B. klassische Musik. Hören Sie auch Lieder in der Sprache, die Sie erlernen möchten.
- ◇ Nutzen Sie im Alltag jede Gelegenheit, die Zielsprache zu hören, zu lesen oder zu sprechen.

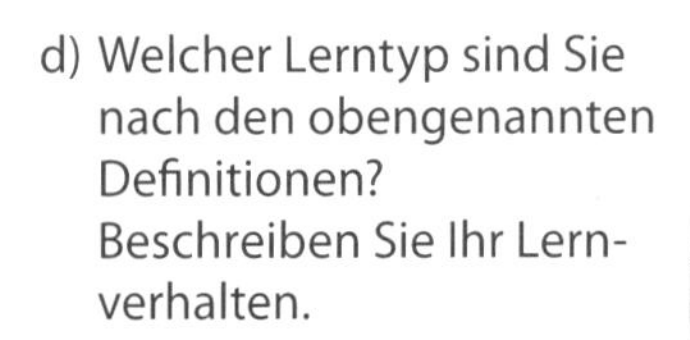

d) Welcher Lerntyp sind Sie nach den obengenannten Definitionen? Beschreiben Sie Ihr Lernverhalten.

A33 Bilden Sie Nebensätze und verbinden Sie die Sätze miteinander.

◊ Erkennen Sie, was für ein Lerntyp Sie sind. Sie können so effektiver lernen.
Erkennen Sie, was für ein Lerntyp Sie sind, damit Sie effektiver lernen können.
Wenn man erkennt, was für ein Lerntyp man ist, kann man effektiver lernen.

1. Man wiederholt die Wörter nicht. Sie werden im Gehirn gelöscht.

2. Lesen Sie sich die Vokabeln vor dem Schlafengehen durch. Schlafen dient zur Festigung des Gelernten.

3. Der auditive Lerntyp lernt optimal. Er muss die neuen Wörter hören.

4. Hören Sie beim Lernen klassische Musik. Musik stimuliert das Gehirn.

5. Lernen Sie im Alltag. Nutzen Sie jede Gelegenheit.

6. Achten Sie auf Ihren Biorhythmus. Sie werden leistungsfähiger.

7. Man lernt neue Wörter und Wendungen am besten. Man muss sich konzentrieren.

8. Lernen Sie nicht zu viele Wörter auf einmal. Das Gehirn liebt siebenteilige Einheiten.

9. Arbeiten Sie zuerst das Buch gut durch. Danach können Sie eine Prüfung ablegen.

10. Sie bestehen die Prüfung mit Erfolg. Das ist eine gute Motivation zum Weiterlernen.

11. Sie haben Fragen? Wenden Sie sich an Ihren Lehrer.

Zusatzübungen zur Bildung von Nebensätzen ⇨ Teil C Seite 32

Nonverbale Kommunikation

Teil B – fakultativ

Die Texte und Aufgaben in diesem fakultativen Teil B stellen ein Angebot für Lerner und Lerngruppen dar, die ihre sprachlichen Fähigkeiten zusätzlich erweitern möchten.

B1 Berichten Sie.

Was verstehen Sie unter nonverbaler Kommunikation und welche Bedeutung hat die nonverbale Kommunikation für Sie? Nennen Sie Beispiele.

B2 Lesen Sie den folgenden Text.

Sprache ohne Worte

Nonverbale Kommunikation ist vermutlich die älteste Form der Verständigung. Sie bedeutet, dass Menschen nicht verbal miteinander kommunizieren, sondern dass nur der Körper spricht. Und der Körper spricht immer. Er teilt der Umgebung mithilfe verschiedener Signale mit, ob er z. B. Kontakt wünscht oder nicht. Der Körper agiert bzw. reagiert beim Aussenden und Empfangen der Signale meist unbewusst. Die Körpersprache hat der Mensch nicht so gut unter Kontrolle wie die verbale Kommunikation und deshalb erscheinen die Botschaften, die der Körper vermittelt, oft „wahrer" bzw. „echter".

Wissenschaftler und Psychologen hat die Bedeutung der Körpersprache schon seit Langem fasziniert. 1775 löste der Züricher Pfarrer Johann Caspar Lavater mit seinen *Physiognomischen Fragmenten zur Beförderung der Menschenkenntnis und Menschenliebe* geradezu eine Modewelle aus. Er ging von der richtigen Vermutung aus, dass die ruhige und bewegte „Oberfläche des Menschen", von ihm Physiognomie genannt, etwas Wahres über den Menschen verrät. Allerdings zog er die Schlussfolgerung, dass das Aussehen eines Menschen direkt auf seine „moralische Qualität" schließen lasse. Das hatte zur Folge, dass damals eine regelrechte Sucht ausbrach, Gesichtsprofile deuten zu lassen, um Aufschluss über den Charakter zu erhalten.

Einen wissenschaftlich haltbaren Ansatz brachte erst Darwins Evolutionstheorie. Darwin selber widmete eines seiner späteren Werke dem *Ausdruck der Gemütsbewegungen bei dem Menschen und den Tieren*

(1872). Er stellte die Theorie auf, dass die elementaren Ausdrucksbewegungen der Gefühle als stammesgeschichtliche Anpassungen zu verstehen seien. Noch zu Beginn des 20. Jahrhunderts wurde Darwins *Ausdruckskunde* an vielen Universitäten als Lehrfach unterrichtet. Die Studenten sollten anhand von fotografierten Gesichtsausdrücken die dazugehörige Emotion ermitteln.

Der Amerikaner Carney Landis bewies zwischen 1924 und 1939 jedoch mit einer Reihe von Experimenten, dass dies nicht möglich ist, da selbst bei heftigsten Gefühlen keine einheitlichen, sondern ganz verschiedene mimische Reaktionen auftreten. Zu Beginn der Achtzigerjahre führte Luzian Ruch an der Universität Bern einige Versuchsreihen durch, die der bisherigen Meinung – der Gesichtsausdruck diene hauptsächlich dem Ausdruck von Emotionen – komplett widersprachen. In einem Versuch spielte man Personen, die sich alleine in einem Zimmer befanden, stark emotionale Filmszenen vor. Anschließend wurden die gleichen Szenen Personen vorgespielt, die sich mit einer anderen Versuchsperson im gleichen Zimmer befanden. Das erstaunliche Ergebnis: Die Versuchspersonen, die alleine im Zimmer gewesen waren, zeigten fast keine mimische Reaktion. Die Versuchspersonen mit Blickkontakt zu anderen Personen reagierten jedoch mimisch sehr stark. Man schloss daraus, dass unterbewusste körpersprachliche Signale zu einem großen Teil sozial bedingt sind. Diese Erkenntnis erschwert die Deutung der Signale, denn je nach Situation können sie ganz unterschiedlich ausfallen.

Heute haben Forscher der Ethologie (Verhaltensforschung) einige der alten Fragestellungen wieder aufgenommen und zahlreiche neue Erkenntnisse über das körpersprachliche Verhalten gewonnen.

Fest steht, dass Persönlichkeitsmerkmale die Körpersprache unterschiedlich beeinflussen und man sie deshalb auch als eine Informationsquelle ansehen kann. Auf der einen Seite stehen äußere Merkmale wie die Körpergröße, die Gesichtsstruktur und Stimmeigenschaften, die keine Interpretationsmöglichkeiten zulassen. Der Körperbau aber kann in begrenztem Maße das Ergebnis eines Lebensstils sein, denken wir z. B. an einen durchtrainierten, braun gebrannten Körper. Auf der anderen Seite gibt es nonverbale Signale, die sehr wohl Interpretationen über die Persönlichkeit eines Menschen ermöglichen. Wer die Neigung hat, ängstlich zu sein, wird versuchen, das mithilfe bestimmter Strategien zu verbergen. Wer sich dagegen als intellektuell, weltoffen oder als ein Rebell gegen die Gesellschaft betrachtet, wird dieses Image anderen gegenüber zum Ausdruck bringen.

B3 Textarbeit

a) Beantworten Sie die Fragen zum Text.

1. Was ist nonverbale Kommunikation?

2. Welche These stellte der Pfarrer Johann Caspar Lavater auf?

3. Welche Folgen hatte diese These?

4. Was wurde Anfang des 20. Jahrhunderts an den Universitäten unterrichtet und was stellte sich als Problem heraus?

5. Was konnte in den 1980er-Jahren in einer Reihe von Versuchen bewiesen werden?

6. Was sind die Erkenntnisse der heutigen Verhaltensforschung?

b) Formen Sie die Sätze um, indem Sie die in Klammern angegebenen Wörter verwenden.

◊ Nonverbale Kommunikation ist vermutlich die älteste Form der Verständigung. *(man – ausgehen)*
Man geht davon aus, dass nonverbale Kommunikation die älteste Form der Verständigung ist.

1. Wissenschaftler und Psychologen hat die Bedeutung der Körpersprache schon seit Langem fasziniert. *(Interesse – zeigen)*

2. Der Züricher Pfarrer Johann Caspar Lavater hatte die richtige Vermutung, dass die ruhige und bewegte „Oberfläche des Menschen" etwas Wahres über ihn verrät. *(vermuten – Zusammenhang – Äußeren und Inneren – Menschen)*

3. Das hatte zur Folge, dass damals eine regelrechte Sucht ausbrach, Gesichtsprofile deuten zu lassen, um Aufschluss über den Charakter zu erhalten. *(Mode werden – Bestimmung – Charakter)*

4. Noch zu Beginn des 20. Jahrhunderts sollten Studenten anhand von fotografierten Gesichtsausdrücken die dazugehörige Emotion ermitteln. *(Fotografien – herausfinden – welche Gesichtsausdrücke – welche Emotionen – gehören)*

5. Der Amerikaner Carney Landis bewies zwischen 1924 und 1939 jedoch mit einer Reihe von Experimenten, dass selbst bei heftigsten Gefühlen keine einheitlichen mimischen Reaktionen auftreten. *(Beweis – erbringen – keine Einheitlichkeit – mimische Reaktionen – gibt)*

6. Wissenschaftler stellten fest, dass Persönlichkeitsmerkmale die Körpersprache in verschiedener Weise beeinflussen. *(Einfluss – Persönlichkeitsmerkmale – Körpersprache – nachweisen können)*

Lesen Sie den folgenden Text.

Was verrät nonverbale Kommunikation über uns?

Bei der Deutung nonverbaler Kommunikation stehen die Mimik, die Körperhaltung und die Gestik im Mittelpunkt.

Die Mimik verrät etwas über unsere seelischen Vorgänge. Die Augenbewegung z. B. ist ein wichtiger Bestandteil der Mimik. Wenn wir merken, dass uns jemand ansieht, fühlen wir uns beobachtet. Blickzuwendung bedeutet Aufmerksamkeit, Zuneigung, Freundlichkeit. Weicht man dem Blick aus, signalisiert man Desinteresse, Gleichgültigkeit oder Scham. Zu langes Anstarren wirkt aufdringlich und aggressiv. Die Augen spielen auch beim Lächeln eine große Rolle. Wenn der Mund lacht und die Augen nicht mitlachen, ist das ein Zeichen für ein künstliches, unaufrichtiges Lachen. Lachen und Lächeln gelten im Allgemeinen als Zeichen für Freude und Freundlichkeit, sie können aber auch Unsicherheit oder Verachtung bedeuten.

In Bezug auf die Körperhaltung besagt die Theorie dasselbe wie der Volksmund: Je gerader jemand steht, desto aufrechter ist seine innere Haltung. Ein Mensch mit einer geraden Haltung ist weder unsicher (Neigung nach vorne) noch überheblich (Neigung nach hinten). Ebenso wichtig ist, ob ein Mensch frei steht oder ob er sich irgendwo anlehnen muss. Die Körperhaltung ist ein klarer Ausdruck von Gefühlen und persönlichen Befindlichkeiten. Wer trauert, wirkt in sich zusammengesunken und kraftlos, eine offene Haltung im Brust-Hals-Bereich zeigt Selbstbewusstsein. Im sozialen Rang höherstehende Menschen geben sich in der Regel offener, weil sie sich für weniger verletzlich halten.

Auch die Körperbewegungen spielen bei der Gesamtinterpretation eine Rolle. Ein im Gespräch nach vorn geneigter Oberkörper signalisiert Aufmerksamkeit, mit einem demonstrativen Zurücklehnen wird Desinteresse oder Missfallen am Thema angedeutet. Bei der Sitzhaltung gilt generell: Je mehr jemand dafür sorgt, dass er bequem sitzen kann, desto souveräner ist der Eindruck, den er auf Zuhörer und Beobachter macht. Eine angespannte Sitzhaltung kann in Kombination mit krampfhaften Fußbewegungen bedeuten, dass die Unterhaltung als uninteressant empfunden wird.

Die Gestik kann der Mensch am schwierigsten kontrollieren. Gesten begleiten oft die verbale Rede und bringen unbeabsichtigt Gefühlszustände zum Ausdruck. Forscher haben herausgefunden, dass im Gehirn die Zentren für Sprache und Handbewegungen in *einem* Bereich angesiedelt sind und vermuten deshalb eine zwangsläufige Verbindung von Wort und Hand. Das würde auch erklären, warum wir sogar am Telefon gestikulieren.

Im Allgemeinen steht die linke Hand für Emotion, die rechte für Rationalität. Sich wiederholt die Hände reiben ist ein Zeichen von Unruhe, Fingerspiele oder das Spielen an Gegenständen sind Ausdruck von Nervosität, das Streicheln von fühlbar angenehmen Gegenständen ist ein Zeichen von Einsamkeit, das Ballen der Faust gilt als Ausdruck von Aggression, das Kratzen am Kopf steht für Ratlosigkeit, das Umklammern von Dingen ist Ausdruck von Wut, das Hochwerfen der Arme steht für Begeisterung.

Einzelne Gesten können sogar so klar definiert sein, dass sie die verbale Kommunikation vollständig ersetzen. Die entsprechenden Definitionen müssen aber gelernt werden und sind deswegen auf Gruppen von Menschen oder auf Kulturkreise beschränkt. So können ähnliche oder gleiche Gesten in verschiedenen Kulturkreisen verschiedene Bedeutungen haben.

Ergänzen Sie die Grafik mit den Informationen aus dem Text.

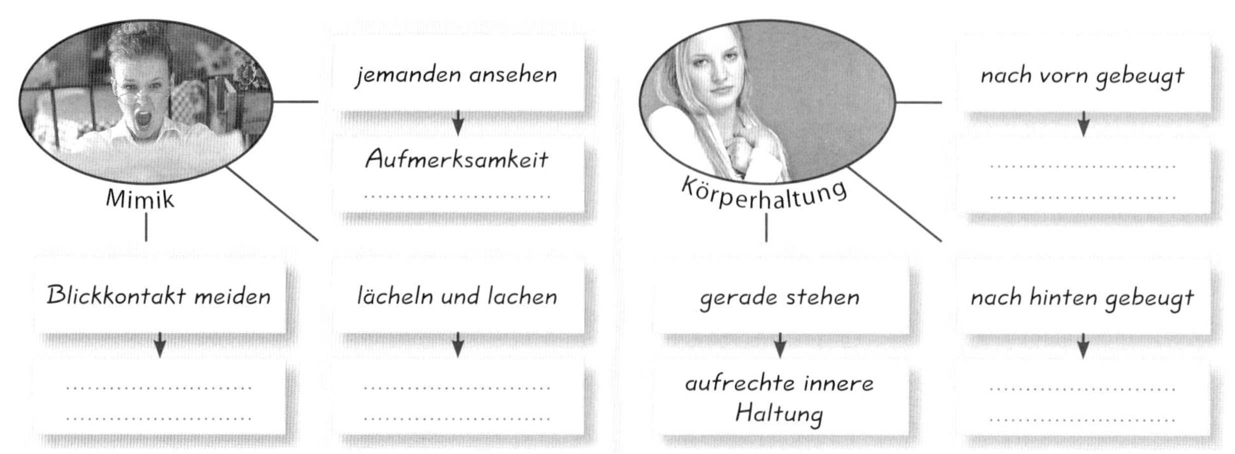

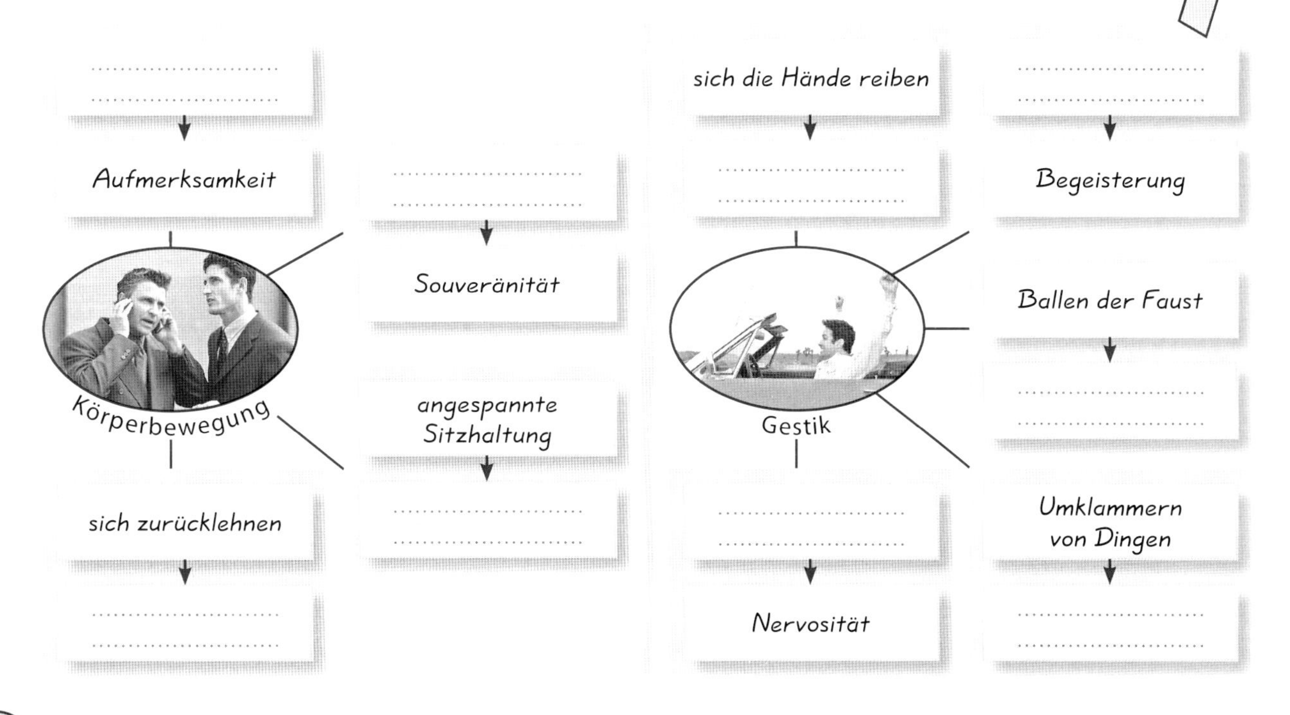

(B6) Interview: Nonverbale Kommunikation
Was bedeutet das in Ihrem Heimatland bzw. für Sie persönlich? Fragen Sie zwei Gesprächspartnerinnen/Gesprächspartner und berichten Sie.

	Name	**Name** ....
Jemand sieht Sie in einem Gespräch nicht an.		
Jemand lächelt Sie an.		
Jemand lacht in einer unerwarteten Situation.		
Jemand nickt.		
Jemand schüttelt den Kopf.		
Jemand ballt die Faust.		
Jemand macht dieses Zeichen:		
Jemand macht dieses Zeichen:		
Jemand macht dieses Zeichen:		
Jemand macht dieses Zeichen:		

Vergangenheitsformen der Verben *(Wiederholung)*

Teil C

C1 Ergänzen Sie die fehlenden starken Verben im Präteritum. Setzen Sie den Satz anschließend ins Perfekt.

eindringen ◊ gelingen ◊ gelten ◊ genießen ◊ halten ◊ steigen ◊ liegen ◊ zerreißen ◊ schmeißen ◊ brennen ◊ schieben ◊ zerbrechen ◊ verbinden ◊ beißen ◊ gefallen ◊ erklingen ◊ anbraten

◊ Die Scheune *brannte* lichterloh. — *Die Scheune hat lichterloh gebrannt.*

1. Die Köchin .... das Fleisch auf beiden Seiten ...., dann .... sie den Braten in den Ofen. ....
2. Ein Glas .... in der Spülmaschine. ....
3. Die Künstler Pablo Picasso und Henry Matisse .... eine lebenslange Freundschaft. ....
4. Der Hund .... den Jungen in die Hand. ....
5. Das Konzert .... mir sehr gut. ....
6. Der Dieb .... über die Decke in das Gebäude ....
7. Der Versuch .... beim ersten Mal. ....
8. Das Sonderangebot .... nur bis 31. Dezember. ....
9. Wir .... die Sonne und das wunderbare Essen in Italien sehr. ....
10. Zur Eröffnung der Festspiele .... die Nationalhymne des Gastlandes. ....
11. Der Zug .... zwischendurch nur in Brüssel. ....
12. Die Lebenserwartung bei Frauen .... durchschnittlich um drei Jahre. ....
13. Der Student .... mittags um 12.00 Uhr noch immer in seinem Bett. ....
14. Er .... den Bußgeldbescheid für Falschparken und .... ihn einfach in den Papierkorb. ....

C2 Bilden Sie Sätze im Präteritum.
Achten Sie auf den Satzbau, auf fehlende Präpositionen und auf den Kasus.

◊ drei – deutsch – Journalisten – fliegen – Sudan — *Drei deutsche Journalisten flogen in den Sudan.*

1. Firma – zusenden – Ware – Kunde ....
2. Paket – nie – ankommen – Empfänger ....
3. Andreas – bitten – Freund – Rat ....
4. Sonne – scheinen – gestern – ganz, Tag ....
5. er – sich befinden – schwierig – Lage ....
6. Frau Menzig – anrufen – zweimal – Woche – Tochter ....
7. Maria – verlassen – Freund – letzte Woche ....
8. Frau Kleist – aufheben – Briefe ihres Mannes ....
9. Künstler – verbringen – Kindheit – Moskau ....
10. wir – fahren – letztes Jahr – nicht – Urlaub ....
11. Universität – anbieten – Schülern – Stipendium ....

Lokale und temporale Präpositionen *(Wiederholung)*

Teil C

C3 Ergänzen Sie die fehlenden Präpositionen und Artikel bzw. Artikelendungen, wenn nötig.

In Deutschland ist das Wetter so schlecht! Lass uns ...

◊ *nach* Griechenland,
1. .... Türkei,
2. .... Vereinigten Staaten,
3. .... Antillen,
4. .... Kanarischen Inseln,
5. .... Südpol,
6. .... Australien,
7. .... Libanon,
8. .... Schwarzmeerküste .... Bulgarien,
9. .... Äquator,
10. .... Schweiz,
11. .... unser......... Bekannten .... Madrid oder
12. .... dein......... Familie .... Brasilien

fliegen.

Aber wenn du nicht mit mir verreisen willst, können wir auch ...

13. .... Sonnenstudio,
14. .... Kino,
15. .... Klaus und Anna,
16. .... Fitnesszentrum,
17. .... Heimatkundemuseum,
18. .... Einkaufen .... Innenstadt,
19. .... Restaurant .... Fernsehturm **gehen**

oder 20. uns .... Fernseher **setzen.**

C4 Ergänzen Sie die fehlenden Präpositionen und Artikel bzw. Artikelendungen, wenn nötig.

Wann fahrt ihr in den Urlaub? Wir fahren

◊ *im* Sommer
1. .... Herbst
2. .... Mai
3. .... Anfang September
4. .... Sonntag
5. .... 7. Juli
6. .... Ostern
7. .... Mitte August
8. .... schönsten Zeit des Jahres
9. .... Beendigung des Projektes
10. .... Schulferien
11. irgendwann .... April und Oktober
12. frühestens 2010
13. .... dies......... Jahr gar nicht.

C5 Ergänzen Sie bei den folgenden Wettermeldungen die fehlenden Präpositionen und Artikel, wenn nötig.

1. .... Harz .... Schleswig-Holstein wird es regnen.
2. .... morgen kommt es .... ganzen Land zu Schauern und Gewittern.
3. .... vielen Teilen Norddeutschlands erlebten die Menschen bereits Überschwemmungen.
4. .... ganz Mitteleuropa haben wir zurzeit ähnliche Wetterverhältnisse.
5. Die Temperaturen werden .... Verlauf der nächsten Woche .... 27 Grad ansteigen.
6. Die warme Luft dringt .... Norden her weiter .... Süden vor.
7. .... höheren Lagen erreichen wir Tageshöchstwerte .... 29 Grad.

Satzverbindungen: Nebensätze *(Wiederholung)*

Teil C

Subjunktionen: Satzverbindungen, die Nebensätze einleiten

Sie gewann den Wettkampf, weil sie hart trainierte. → Das finite Verb steht an letzter Stelle.

temporal (Angabe der Zeit)	
nachdem	Nachdem Paul in einem italienischen Restaurant gegessen hatte, ging er ins Kino.
bevor/ehe	Bevor/Ehe Paul ins Kino ging, aß er in einem italienischen Restaurant.
während	Während Paul in Spanien war, besuchte er Maria.
als	Als Paul in Spanien war, besuchte er Maria.
wenn	Immer/Jedes Mal wenn Paul in Spanien war, besuchte er Maria. *(mehrmals)*
	Wenn Paul in Spanien ist, besucht er Maria.
solange	Solange ich diese Rückenschmerzen noch habe, spiele ich nicht mehr Tischtennis.
seit/seitdem	Seit/Seitdem er abgereist ist, haben wir nichts mehr von ihm gehört.
bis	Bis du dein Examen machen kannst, musst du noch viel lernen.

konditional (Angabe der Bedingung)	
wenn/falls	Wenn/Falls das Wetter besser wird, besuchen wir euch.

kausal (Angabe des Grundes)	
weil/da	Sie gewann den Wettkampf, weil sie hart trainierte.

konsekutiv (Angabe der Folge)	
so … dass	Sie ist so verliebt, dass ihr selbst das Bügeln Spaß macht.

konzessiv (Angabe der Einschränkung)	
obwohl/obschon/ obgleich	Er besucht das Konzert, obwohl er keine klassische Musik mag.

modal (Angabe der Art und Weise)	
indem	Man kann seine Sprachkenntnisse verbessern, indem man neue Vokabeln lernt. *(Mittel)*
dadurch, dass …	Man kann seine Sprachkenntnisse dadurch verbessern, dass man Vokabeln lernt. *(Mittel)*
ohne zu	Er beginnt jeden Morgen seine Arbeit, ohne seine Kollegen zu grüßen. *(fehlender Umstand)*
anstatt zu	Er verbringt seine Zeit mit Computerspielen, anstatt zu arbeiten. *(Ersatz)*

final (Angabe der Absicht/des Ziels)	
damit	Damit er die Prüfung diesmal besteht, lernt er Tag und Nacht.
um … zu	Er lernt Tag und Nacht, um die Prüfung diesmal zu bestehen.

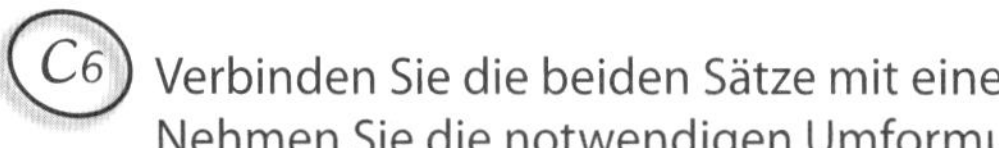

C6 Verbinden Sie die beiden Sätze mit einer Subjunktion.
Nehmen Sie die notwendigen Umformungen vor. (Manchmal gibt es mehrere Möglichkeiten.)

◊ Er beeilt sich. Er will nicht zu spät kommen.
Er beeilt sich, damit er nicht zu spät kommt.
Er beeilt sich, um nicht zu spät zu kommen.
Er beeilt sich, weil er nicht zu spät kommen will.

1. Erst besuchte sie ihre Mutter. Anschließend ging sie mit Michael essen. ……………………
2. Sie verließ den Raum. Sie schloss ihn nicht ab. ……………………
3. Sie sollte zum Seminar gehen. Sie sah sich im Kino einen Film an. ……………………
4. Man muss hart trainieren. So kann man zu den Besten gehören. ……………………

5. Man kann das Gerät sehr einfach bedienen. Man muss vorher die Gebrauchsanweisung lesen. ....
6. Es wurden sofort Maßnahmen ergriffen. Vielen Menschen konnte geholfen werden. ....
7. Ich bin pünktlich losgefahren. Ich kam mit drei Stunden Verspätung an. ....
8. Er betritt jeden Morgen die Firma. Er grüßt nie. ....
9. Du musst erst deine Hausaufgaben machen. Dann kannst du ins Kino gehen. ....

C7 Ergänzen Sie die fehlenden Subjunktionen.

◊ *Seitdem* er bei der Europäischen Kommission als Dolmetscher arbeitet, sieht er seine Familie nur noch am Wochenende.

1. .... sie die Meinungsverschiedenheiten aus dem Weg geräumt hatten, konnten sie wieder normal miteinander sprechen.
2. .... er den Deutschkurs belegen konnte, musste er einen Einstufungstest machen.
3. Jonathan beherrscht die deutsche Sprache immer noch nicht richtig, ... er schon fünf Jahre Germanistik studiert.
4. Ich kann dich nicht verstehen, ... du so flüsterst.
5. Sie sollten die unbekannten Vokabeln im Wörterbuch nachschlagen, ... alles zu raten.
6. Ich muss mir alles aufschreiben, ... ich so vergesslich bin.
7. .... die eine Lerngruppe ein Referat vorbereitete, arbeitete die andere Gruppe im Sprachlabor.
8. Der Lehrer wiederholt den neuen Stoff oft, ... sich wirklich alle Schüler die Fakten merken.
9. .... ich Deutsch nicht auf C1-Niveau beherrsche, bewerbe ich mich nicht bei diesem Handelsunternehmen.
10. Wir verständigen uns, ... wir mit Händen und Füßen reden.
11. Er ist so sprachbegabt, ... er die neuen Wörter fast im Schlaf lernt.
12. .... ich in Pension gehen kann, muss ich noch viele Jahre arbeiten.
13. .... die Sonne scheint, habe ich gute Laune.

Hinweise zur Umformung von Präpositionalgruppen in Nebensätze

1. Bei schlechtem Wetter kommen wir nicht.
2. Beim Abschalten des Gerätes müssen Sie die Anweisungen beachten.

1. Wenn Sie einen Satz bilden wollen, dann brauchen Sie ein Verb.
   Formen Sie das Nomen in ein Verb um oder suchen Sie ein zum Nomen passendes Verb.
   1. bei schlechtem Wetter — das Wetter ist schlecht
   2. beim Abschalten — abschalten
2. Sie brauchen ein Subjekt:
   1. Wetter
   2. Übernehmen Sie das Subjekt aus dem zweiten Teil des Satzes: Sie
3. Und Sie brauchen eine Satzverbindung, die einen Nebensatz einleitet:
   wenn/falls/im Falle, dass …
4. Die Präposition wird gestrichen und der Satz mit Subjunktion, Subjekt und Verb geformt:
   Lösung: 1. Wenn/Falls das Wetter schlecht ist, kommen wir nicht.
   2. Wenn Sie das Gerät abschalten, müssen Sie die Anweisungen beachten.

C8 Formen Sie die Präpositionalangaben in Nebensätze um.

◊ Gleich nach seiner Rückkehr aus dem Urlaub besuchte er die Kollegin im Krankenhaus.
Gleich nachdem er aus dem Urlaub zurückgekehrt war, besuchte er die Kollegin im Krankenhaus.

a) Temporalsätze:

1. Noch vor dem Ende des Studiums bewarb sie sich bei verschiedenen Firmen um eine Stelle. ....
2. Während ihres Praktikums konnte sie Erfahrungen im Personalmanagement sammeln. ....
3. Nach Beendigung der Schule begann er seine Ausbildung zum Koch. ....

b) Konditionalsätze:

1. Bei Regen laufe ich gerne am Strand entlang. ....
2. Mit ein bisschen Humor schafft man vieles. ....
3. Im Falle eines Sieges bekommen alle Mannschaftsmitglieder eine Prämie. ....

c) Kausalsätze:

1. Wegen des Schneesturms wurde die Autobahn für zwei Stunden gesperrt. ....
2. Das Publikum klatschte aus Freude über den geglückten Sprung der Eiskunstläuferin. ....
3. Die Siegerin des 100-Meter-Laufs weinte vor Glück. ....

d) Konzessivsätze:

1. Trotz seiner Zahnschmerzen geht er nicht zum Zahnarzt. ....
2. Trotz seiner Vergesslichkeit konnte er sich an jedes Detail der Geschichte erinnern. ....
3. Trotz einiger Pannen wurde die Premiere ein großer Erfolg. ....

e) Modalsätze:

1. Man kann die Tür nur mit einem Sicherheitsschlüssel öffnen. ....
2. Durch eine Preissenkung können wir neue Kunden gewinnen. ....
3. Man kann die Gedächtnisleistung durch ständiges Training verbessern. ....

f) Finalsätze

1. Zur Erweiterung seines Wortschatzes liest er viele deutsche Bücher. ....
2. Sie fuhr zur Erholung drei Wochen an die Ostsee. ....
3. Er läuft zur Verbesserung seiner Kondition jeden Abend zehn Kilometer. ....

Rückblick

Hier finden Sie die wichtigsten Redemittel des Kapitels.

Das Wetter

- Die Höchst-/Tiefsttemperaturen liegen bei ... Grad/ steigen auf ... Grad/sinken auf ... Grad/erreichen bis zu ... Grad.
- Ein Hoch/Tief beeinflusst das Wetter in ...
- Die Wolken lockern auf/ziehen über ... hinweg.
- Zwischen den Wolken kommt es zu einzelnen Aufheiterungen.
- Die Sonne scheint./Es ist überwiegend sonnig.
- Es ist bewölkt/zum Teil wolkig.
- Es gibt einige/vereinzelte Schauer.
- Es kommt zu Niederschlägen.
- Es bleibt niederschlagsfrei.
- der Schnee/Es schneit.
- heftige Schneefälle erwarten
- der Nebel/Die Nebelfelder lösen sich auf.
- Es weht ein frischer/mäßiger/starker Nordwestwind.
- Es ist mit Sturmböen/Unwetter/heftigen Gewittern zu rechnen.
- der Regen/Es regnet in Strömen.
- der Donner/Es donnert.
- der Blitz/der Blitzeinschlag/Es blitzt.

Die Wettervorhersage

- die Wettervorhersage lesen/hören
- sich für die Wetteraussichten interessieren
- sich mit den Wetterphänomenen beschäftigen
- von Temperaturen und Niederschlägen abhängig sein
- den Wetterverlauf beeinflussen
- Bauernregeln wurden von Generation zu Generation weitergegeben.
- Überlieferte Aufzeichnungen stammen aus dem 4. Jahrtausend v. Chr.
- Ein europäisches Stationsnetz entsteht.
- Wetterbeobachtungen gleichzeitig durchführen
- Verfahren vereinheitlichen
- einen Eiswarndienst errichten
- Daten liefern/analysieren
- die Informationen der Wetterdienste verarbeiten
- Die Treffsicherheit der Vorhersage beträgt ... Prozent.
- Vorhersagen sind nicht absolut sicher/zuverlässig.

Wetter und Gesundheit

- die Wetterfühligkeit/wetterfühlig sein
- Der Anteil der Wetterfühligen liegt bei ... Prozent.
- das Wohlbefinden/die Befindlichkeit beeinflussen
- Krankheitssymptome dem Wetter zuschreiben
- außerstande sein, einer Tätigkeit nachzugehen
- über Schmerzen klagen
- Beschwerden hervorrufen
- sich wetterbedingte Leiden eingestehen
- unter einer bestimmten Wetterlage/übermäßiger Hitze leiden
- UV-Strahlung erhöht das Hautkrebsrisiko.
- sich auf den gesunden Menschenverstand besinnen
- auf Warnungen von Meteorologen achten
- Subjektive Einschätzungen zählen in der Wissenschaft nicht.
- handfeste medizinische Daten benötigen/brauchen

Sprachen: Anglisierung

- Veränderungen vollziehen sich in verschiedenen Bereichen.
- Fremde Ausdrucksweisen beeinflussen die deutsche Sprache.
- Forschungsergebnisse auf Englisch veröffentlichen/ publizieren
- Englisch ist zur Welthilfssprache herangewachsen.
- Der Hang zum Englischen ist besonders ausgeprägt.
- Sprachbarrieren aus der Welt/aus dem Weg räumen
- Gewinner im Wettkampf um die Verkehrssprache sein
- Die Entwicklung lässt sich nicht aufhalten.
- die Entwicklungen mit Gleichmut nehmen
- Widerstand regt sich./Widerstand leisten
- Eigenheiten einer Landessprache werden vernichtet.
- mehr als nur ein Verständigungsmittel sein
- sich von der eigenen Kultur entfremden
- die Sprache des Landes durch Quotenregelung unterstützen
- die Sprachauswahl als Seismograf für zukünftige Entwicklungen sehen

Sprachen lernen

- ein Wort lernen/erlernen/verlernen/nachschlagen/ übersetzen/umschreiben
- Wörter mit Interesse/im Kontext lernen
- das Gelernte festigen
- den Lernstoff erfassen
- das Gehirn mit Musik stimulieren
- den eigenen Lerntyp erkennen
- auf den eigenen Biorhythmus hören
- Gelegenheiten im Alltag nutzen

Nonverbale Kommunikation

- mit dem Körper sprechen
- Der Körper sendet Signale/Botschaften (aus)/agiert und reagiert unbewusst.
- sich mit der Bedeutung der Körpersprache beschäftigen
- eine Theorie aufstellen
- Unterbewusste körperliche Signale sind sozial bedingt/ermöglichen Interpretationen über die Persönlichkeit.
- Die Verhaltensforschung gewinnt neue Erkenntnisse.
- Der Gesichtsausdruck/Die Mimik verrät etwas über seelische Vorgänge.
- Die Körperhaltung sagt etwas über die innere Haltung und persönliche Befindlichkeiten (aus).
- Die Körperbewegung kann Aufmerksamkeit oder Desinteresse signalisieren.
- Die Gestik ist am schwierigsten zu kontrollieren/bringt unbeabsichtigt Gefühlszustände zum Ausdruck.

Evaluation
Überprüfen Sie sich selbst.

Ich kann	gut	nicht so gut
Ich kann Auskunft über mich selbst geben und andere Leute nach persönlichen Angaben befragen.	❒	❒
Ich kann Wettervorhersagen im Detail verstehen und anhand von Internetinformationen das Wetter selbst beschreiben/vorhersagen.	❒	❒
Ich kann populärwissenschaftliche Texte über Wettervorhersagen, Wetterfühligkeit und Weltsprachen verstehen und den Inhalt wiedergeben.	❒	❒
Ich kann einen Smalltalk führen und mithilfe von Redepartikeln z. B. Interesse und Überraschung ausdrücken.	❒	❒
Ich kann ausführliche Stellungnahmen zu den Themen *Wetter in den Medien* und *Weltsprachen* schreiben.	❒	❒
Ich kann Radiointerviews mit Experten zu den Themen *Wetter und Gesundheit* und *Englisch als Weltsprache* fast vollständig verstehen.	❒	❒
Ich kann mühelos über das Thema *Sprachenpolitik* diskutieren.	❒	❒
Ich kann Tipps zum Sprachenlernen geben.	❒	❒
Ich kann ausführlichere Texte über nonverbale Kommunikation verstehen und über die Bedeutung von Körpersprache und bestimmten Gesten berichten. *(fakultativ)*	❒	❒

Kapitel 2

Glück und andere Gefühle

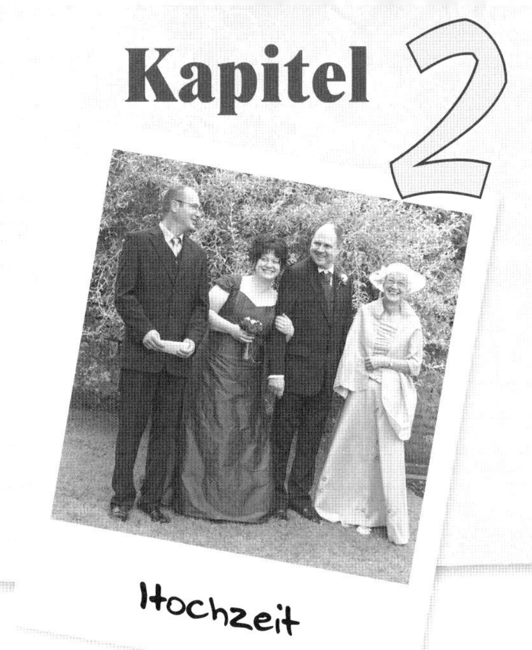
Hochzeit

Glück

Teil A

(A1) Was fällt Ihnen ein, wenn Sie das Wort *Glück* hören?

Glück

(A2) Berichten Sie.

- Wovon hängt Ihrer Meinung nach *Glück* ab?
- Ist *Glück* Schicksal oder kann man es beeinflussen?
- Eine Glücksfee möchte Ihnen drei Wünsche erfüllen. Haben Sie Wünsche?
- Welche Symbole gibt es in Ihrem Heimatland für Glück?
- Lesen Sie manchmal Ratgeber zum Thema *Glück*? Wenn ja, was erwarten Sie von diesen Ratgebern?

(A3) Partnerarbeit: Zu zweit eine Auswahl treffen

Eine Bekannte/Ein Bekannter hat sich zum Geburtstag einen Ratgeber zum Thema *Glück* gewünscht. In einem kleinen Buchladen empfiehlt Ihnen die Buchhändlerin die folgenden Bücher.

Das Bumerang-Prinzip: Mehr Zeit fürs Glück

Von Lothar J. Seiwert
240 Seiten
Gräfe und Unzer Verlag
19,90 Euro

Lebenszeit ist das kostbarste Gut, das wir besitzen. Doch anstatt sie für unser Glück zu nutzen, fühlen wir uns nur allzu oft gefangen in der Leistungsfalle, leiden unter Hektik, Stress oder Angst. „Das Bumerang-Prinzip" zeigt, wie Sie Ihre ganz persönliche Balance finden zwischen Arbeit und Freizeit, Familie und Hobbys, Erfolg und Entspannung. Typgerechte Lebens-Management-Strategien schaffen Freiräume für Glück und Lebensqualität und schenken Ihnen Zeit, um Ihre Träume Wirklichkeit werden zu lassen. Dieser Ratgeber von Professor Seiwert, dem „führenden Zeitexperten", wird ergänzt durch einfache und wirkungsvolle Tipps aus den Bereichen Gesundheit, Psychologie und Ernährung.

- Lesen und vergleichen Sie die Angebote.
- Machen Sie einen Vorschlag und begründen Sie ihn.
- Gehen Sie auf die Äußerungen Ihrer Gesprächspartnerin/Ihres Gesprächspartners ein.
- Kommen Sie zu einer gemeinsamen Entscheidung.

Redemittel

- **Einen Vorschlag machen/Eine Meinung äußern:**
  Ich schlage vor, dass .../Mein Vorschlag wäre, dass .../Ich finde es am besten, wenn .../Ich denke, wir sollten .../Meiner Meinung/Meines Erachtens nach ...
- **Widersprechen/Zweifel anmelden:**
  Ich glaube eher, dass .../In diesem Punkt habe ich eine ganz andere Meinung./Ich kann mir nicht vorstellen/Ich bezweifle, dass .../Wäre es nicht besser, wenn ...?
- **Den anderen unterbrechen:**
  Darf ich Sie/dich mal kurz unterbrechen?/Ich wollte noch hinzufügen, dass ...
- **Sich einigen:**
  Vielleicht können wir uns darauf einigen, dass .../Was halten Sie/hältst du von ...?

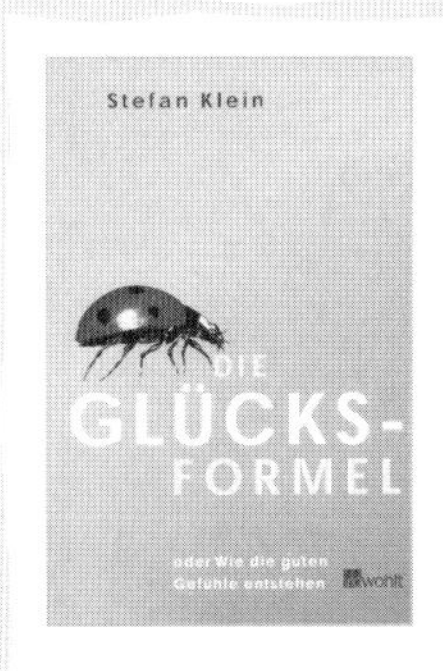

Die Glücksformel: Oder wie die guten Gefühle entstehen

Von Stefan Klein
320 Seiten
Rowohlt, 9,95 Euro

Für ein glückliches Leben tun wir alles – und schlittern dabei von einem Unglück ins nächste. Die Probleme beginnen bereits bei der Definition: Bislang wusste keiner genau, was Glück eigentlich ist. Selbst die Philosophie, die der Frage seit Tausenden von Jahren nachgeht, hat bis heute nur Antworten voller Widersprüche geben können. Jetzt aber haben sich die Hirnforscher auf die Suche nach den Gefühlen gemacht. Erstmals lassen sich Empfindungen messen. Stefan Klein präsentiert in seinem Buch neue und interessante Forschungsergebnisse zum Thema Gefühle, Zufriedenheit, Leidenschaft und Lust. Anhand von praktischen Tipps und lebensnahen Beispielen zeigt er, wie sich schlechte Stimmungen vertreiben lassen und dass gute Gefühle kein Schicksal sind. Man kann und muss sich um sie bemühen.

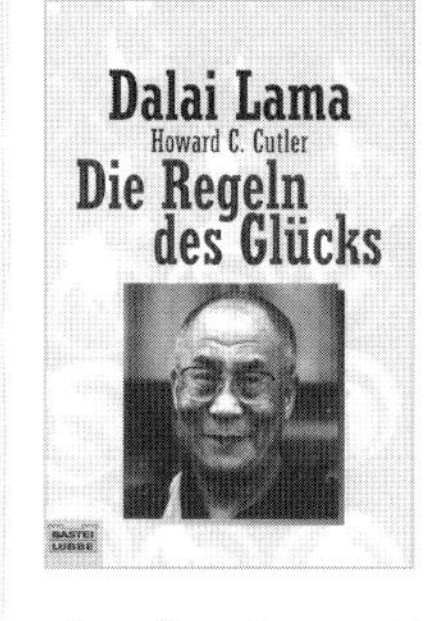

Die Regeln des Glücks

Von Dalai Lama, Howard C. Cutler
286 Seiten
Lübbe, 8,95 Euro

Die Frage nach dem Glück zählt zu den zentralen Themen im Leben eines jeden Menschen – ganz gleich, welchem Kulturkreis er angehört. Spätestens seit den Menschen in den hoch industrialisierten Ländern des Westens trotz allen Überflusses klar wurde, dass Glück jenseits von materiellem Wohlstand, Luxus und einem sorgenfreien Leben liegt, setzte eine verstärkte Hinwendung zu fernöstlichen Weisheitslehren ein. Die buddhistische Auffassung vom Glück unterscheidet sich allerdings fundamental von der des Westens. Denn dort wird der einmal in Gang gesetzte Prozess des Wachsens und Reifens, des aktiven Arbeitens am Glück als ein lebenslanger gesehen. Jeder ist seines Glückes Schmied und kann viel für seinen individuellen Glückszustand tun; doch dieser Weg ist, darauf weist der Dalai Lama in seiner überzeugenden Art immer wieder hin, voller Mühsal und Rückschläge. Das setzt in unserer leistungs- und ergebnisorientierten Gesellschaft ein grundsätzliches Umdenken voraus.

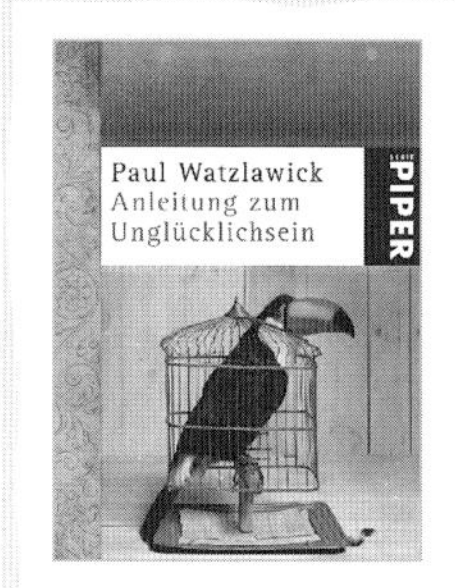

Anleitung zum Unglücklichsein

Von Paul Watzlawick
144 Seiten
Piper, 7,00 Euro

Unglücklich sein kann jeder; sich unglücklich machen will gelernt sein …
Die wohl erste Bedienungsanleitung zur Förderung des eigenen Unglücks. Als ergiebige Quelle hierzu eignet sich beispielsweise die Vergangenheit. Die Methode ist einfach: Alle in der Vergangenheit liegenden Ereignisse werden verherrlicht und mit der – dann zwangsläufig enttäuschend erscheinenden – Gegenwart verglichen. Aber auch in der Gegenwart lassen sich ausreichend Ursachen finden, die zum wohlverdienten Unglücklichsein führen: ein kleiner Streit mit den eigentlich friedliebenden Nachbarn, die Partnerschaft oder die unerfüllbare Hoffnung auf das wahre Glückserlebnis, das ewig anhalten soll. Eine gelungene Parodie auf alle Ratgeber und Glücksversprechungen.

Kombinieren Sie.

vertreiben ◇ sehen ◇ leiden ◇ tun ◇ schlittern ◇ machen ◇ nachgehen ◇ achten ◇ verherrlichen ◇ hoffen ◇ schaffen ◇ gefangen fühlen

- ◇ alles für ein glückliches Leben *tun*
1. von einem Unglück ins nächste ....
2. der Frage *Was ist Glück?* ....
3. sich auf die Suche nach den guten Gefühlen ....
4. schlechte Stimmungen ....
5. auf gute Gefühle ....
6. aktives Arbeiten am Glück als einen lebenslangen Prozess ....
7. unter Hektik, Stress oder Angst ....
8. sich in der Leistungsfalle ....
9. Freiräume für Lebensqualität ....
10. in der Vergangenheit liegende Ereignisse ....
11. auf das wahre Glückserlebnis ....

Alles ums Glück

a) Ergänzen Sie die bestimmten Artikel und erklären Sie die Wörter.

.... Glückspilz	.... Glücksklee
.... Glückssträhne	.... Glückskäfer
.... Glücksfall	.... Glückspfennig
.... Glückssache	.... Glückskind
.... Glückstreffer	.... Glücksspiel

b) Ordnen Sie den Redewendungen die richtigen Erklärungen zu.

(1) Glück und Glas, wie leicht bricht das.	(a) Jeder kann sein Schicksal selbst bestimmen/beeinflussen.
(2) Dem Glücklichen schlägt keine Stunde.	(b) Auf das Glück ist auf Dauer kein Verlass.
(3) Jeder ist seines Glückes Schmied.	(c) etwas ohne genaue Planung/Vorbereitung unternehmen
(4) Glück im Unglück haben	(d) etwas mit der Hoffnung auf Erfolg tun
(5) etwas auf gut Glück probieren	(e) Es hängt/hing von einem glücklichen Zufall ab.
(6) noch nichts von seinem Glück wissen	(f) Wer glücklich ist, vergisst die Zeit.
(7) sein Glück versuchen	(g) eine unangenehme Nachricht noch nicht erhalten haben
(8) Das ist/war reine Glückssache!	(h) Es hätte noch viel Schlimmeres passieren können.

c) Lesen Sie die Weisheiten zum Thema *Glück*.

„Das Glück gehört denen, die sich selber genügen. Denn alle äußeren Quellen des Glücks und Genusses sind, ihrer Natur nach, höchst unsicher, misslich, vergänglich und dem Zufall unterworfen."

Arthur Schopenhauer

„Wenn du eine Stunde lang glücklich sein willst, schlafe.
Wenn du einen Tag glücklich sein willst, geh fischen.
Wenn du ein Jahr glücklich sein willst, habe ein Vermögen.
Wenn du ein Leben lang glücklich sein willst, liebe deine Arbeit."

Weisheit aus China

„Wie glücklich würde mancher leben, wenn er sich um anderer Leute Sachen so wenig bekümmerte wie um seine eignen."

Oscar Wilde

d) Stimmen Sie einer der Weisheiten zu? Kennen Sie weitere Weisheiten zum Thema *Glück*?

A6 Neues aus der Wissenschaft vom Glück

a) Berichten Sie. Was stellen Sie sich unter „ökonomischer Glücksforschung" vor?

b) Lesen Sie den folgenden Text.

Die neue Wissenschaft vom Glück

Die Mehrheit der Menschen der westlichen Welt ist in den vergangenen 50 Jahren nicht glücklicher geworden, so lautet das Ergebnis einer neuen Forschungsrichtung, der „ökonomischen Glücksforschung". Das ist doch eine kleine Überraschung, denn das Realeinkommen und damit der Wohlstand haben sich in diesem Zeitraum mindestens verdoppelt. Wenn man also Glück mit Einkommen und Kaufkraft gleichsetzt, geht die Rechnung nicht auf. Aber was ist Glück? Kann es überhaupt eine Definition von Glück geben, die für alle Menschen gültig ist?

Schon die griechischen Philosophen haben sich zum Thema Glück Gedanken gemacht und bis heute gab und gibt es zahlreiche Versuche von Wissenschaftlern verschiedener Richtungen, das Glück zu erklären. Fest steht inzwischen, dass es einigen Menschen leichter fällt als anderen, glücklich zu sein. In der „positiven Psychologie" hat man herausgefunden, dass es Menschen gibt, die ihre negativen Gefühle besser kontrollieren können. Der amerikanische Neuropsychologe Richard Davidson entdeckte, dass Menschen, deren linke vordere Gehirnhälfte aktiver ist als die rechte, ihre negativen Emotionen besser im Griff haben. Sie gelten als Frohnaturen[1], die das Leben generell von der heiteren Seite nehmen. Menschen, bei denen die rechte Seite aktiver ist, sind pessimistischer, skeptischer und weniger glücklich. Dass Glücksfähigkeit zum Teil an- ⇨

geboren ist, bestätigen auch die Zwillingsforschungen des Psychologen David Lykken. Lykken vermutet bei jedem Menschen ein bestimmtes durchschnittliches Glücksniveau, etwa zu vergleichen mit dem persönlichen Durchschnittsgewicht, zu dem man nach Schlankheitskuren immer wieder zurückkehrt. Diese These unterstützen auch Untersuchungen mit Extrembeispielen, die zeigen, dass sowohl Lottogewinner als auch Querschnittsgelähmte relativ kurze Zeit nach dem einschneidenden Ereignis (Gewinn oder Unfall) wieder auf dem ursprünglichen Glücksniveau landen.

Die „ökonomischen Glücksforscher" haben einen anderen wissenschaftlichen Ansatz[2]. Sie versuchen, das Glücksempfinden mit empirischen Methoden zu erfassen. Mithilfe der Frage „Alles in allem betrachtet, wie zufrieden sind Sie insgesamt mit dem Leben, das Sie gegenwärtig führen?" haben sie eine „World Database of Happiness" erstellt. Die Antworten der weltweit durchgeführten Umfrage wurden in eine Skala von 1 (extrem unzufrieden) bis 10 (extrem zufrieden) übertragen.

Der Datenbank zufolge sind die glücklichsten Menschen der Welt die Schweizer mit einer durchschnittlichen Lebenszufriedenheit von 8,1, gefolgt von den Dänen mit 8,0. Am unglücklichsten sind die Menschen in den ehemaligen Ostblockstaaten Russland (4,2), Ukraine (3,7) und Moldawien (3,0). Das ist statistisch erwiesen. Allerdings bleibt bei dieser Methode außer Acht, dass der Glücksbegriff auch kulturell geprägt ist. So gehört es in den USA schon fast zur Bürgerpflicht, sich selbst als „happy" zu bezeichnen. Dennoch sind die Amerikaner mit ihrem Leben nicht so zufrieden wie die zurückhaltenden Schweizer. Warum? Liegt es vielleicht an der berühmten Schweizer Schokolade? Nach den Erkenntnissen der Ökonomen scheint der Verzehr von Schokolade allerdings keine Rolle beim Glücksempfinden der Schweizer zu spielen.

Die Wissenschaftler haben sechs Punkte definiert, die für die durchschnittliche Zufriedenheit der Bewohner eines Landes entscheidend sind:

- das Vertrauen der Menschen untereinander
- der Anteil der Menschen, die sich in gemeinnützigen Organisationen engagieren
- die Scheidungsrate
- die Arbeitslosenquote
- die Zufriedenheit mit der Regierung
- der Gesundheitsstatus.

Das Einkommen und die Kaufkraft tauchen in dieser Liste nicht auf. Forschungen haben ergeben, dass Geld nur bis zu einer bestimmten Summe glücklich macht, jeder weitere Euro steigert das Glücksempfinden kaum noch. Was das Einkommen und den Wohlstand betrifft, so gibt es noch zwei wichtige subjektive Faktoren, die zu berücksichtigen sind: der Vergleich und die Gewöhnung.

Ein eindrucksvolles Beispiel für den Vergleich lieferten die Menschen in den neuen Bundesländern: Nach der Wiedervereinigung ging es den ehemaligen DDR-Bürgern objektiv wirtschaftlich besser, aber sie fühlten sich subjektiv unglücklicher. Das lag daran, dass sie nach der Wiedervereinigung begannen, sich mit den (reicheren) Westdeutschen zu vergleichen und nicht mehr mit ihren (ärmeren) östlichen Nachbarn wie zuvor. Der Gewöhnungsfaktor zeigt seine negativen Auswirkungen darin, dass Menschen für ihre Zufriedenheit immer vorankommen wollen, z. B. ein ständig steigendes Einkommen brauchen. Stillstand wird als Rückschritt empfunden.

[1] die Frohnatur = Mensch, der oft fröhlich und heiter ist
[2] der Ansatz = Tatsache, die man als Basis für den Beginn einer Untersuchung nimmt

A7 Textarbeit

a) Markieren Sie die richtige Antwort. Entscheiden Sie bei jeder Aussage: Steht das im Text? Ja oder nein? Wenn der Text dazu nichts sagt, markieren Sie X.

		ja	*nein*	*X*
1.	Die ökonomische Glücksforschung untersucht weltweit anhand statistischer Daten die Zufriedenheit der Menschen.	❐	❐	❐
2.	Mit dem Thema *Was ist Glück?* beschäftigt sich die Menschheit schon seit der Antike.	❐	❐	❐
3.	Glück hängt ausschließlich von den Lebensumständen ab.	❐	❐	❐
4.	Das familiäre Umfeld spielt in der Glücksforschung die größte Rolle.	❐	❐	❐
5.	Die Eigenschaft, sich mit anderen zu vergleichen, kann sich negativ auf das Glücksempfinden auswirken.	❐	❐	❐
6.	Amerikaner sind von Natur aus glücklich.	❐	❐	❐
7.	Der Einfluss von Schokolade auf die Glücksgefühle ist mithilfe wissenschaftlicher Untersuchungen belegt worden.	❐	❐	❐
8.	Ob jemand Vertrauen zu anderen hat, einer Arbeit nachgehen kann oder keine Angst um seine Gesundheitsversorgung haben muss, ist für die Zufriedenheit der Menschen entscheidend.	❐	❐	❐

b) Fassen Sie den Text zusammen.

Was sagt der Text über …

1. die Erkenntnisse des Neuropsychologen Richard Davidson?

2. die Thesen des Psychologen David Lykken?

3. die Forschungsergebnisse der „ökonomischen Glücksforscher"?

c) Über Forschungsergebnisse berichten. Bilden Sie Sätze. Nutzen Sie dabei die Redemittel.

◊ Menschen – nicht glücklicher – letzte 50 Jahre – werden
Nach neuesten Erkenntnissen sind die Menschen in den letzten 50 Jahren nicht glücklicher geworden.

1. einige Menschen – ihre Gefühle – besser kontrollieren können – andere
2. „Frohnaturen" – die linke vordere Gehirnhälfte – aktiver sein – rechte
3. jeder Mensch – durchschnittliches Glücksniveau – haben
4. durchschnittliche Lebenszufriedenheit – abhängen – Faktoren wie Vertrauen der Menschen untereinander, Arbeitslosenquote oder Gesundheitsstatus
5. Geld – nur – bis – bestimmte Summe – glücklich machen
6. Schweizer – glücklichst-, Menschen – Welt – sein
7. Bürger – Moldawien – unglücklichst- – sich fühlen
8. Faktoren: Gewöhnung und Vergleich – negativ, Einfluss – Zufriedenheitsgefühl – haben

Redemittel

- ◊ Laut neuesten Untersuchungen …
- ◊ Forschungsergebnissen zufolge …
- ◊ Nach neuesten Erkenntnissen …
- ◊ Mithilfe von Experimenten konnte nachgewiesen/bewiesen werden, dass …
- ◊ Untersuchungen haben gezeigt, dass …
- ◊ Wissenschaftler haben herausgefunden, dass …
- ◊ Das Ergebnis neuer Untersuchungen lautet: …
- ◊ Fest steht inzwischen, dass …
- ◊ Es ist statistisch erwiesen/bewiesen, dass …

d) Komposita

Welche Ergänzung ist möglich? Finden Sie auch die richtigen Artikel.

-einkommen ◊ -gewicht ◊ -richtung ◊ -kraft ◊ -hälfte ◊ -kur ◊ - forschung ◊ -pflicht

1. .... Forschungs............
2. .... Glücks............
3. .... Real............
4. .... Kauf............
5. .... Gehirn............
6. .... Durchschnitts............
7. .... Schlankheits............
8. .... Bürger............

Positive und negative Gefühle

Teil A

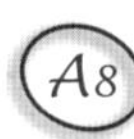

Wählen Sie fünf Begriffe aus und beschreiben Sie die Gefühle oder Stimmungen, die diese Wörter bei Ihnen hervorrufen:

Sterne
Schlangen
Uhr
Berge
Traum
Prüfungen
Sonntag

Lottozahlen
Wirtschaftslage
Arbeitslosigkeit
Preiserhöhungen
Handyklingeln
Fernsehwerbung
klassische Musik

Geld
Stau
Steuern
Schlagzeug
Computer
Schreibtisch
Kontoauszug

Freude und Ärger

a) Sammeln Sie in Gruppen zu jeweils zwei Nomen passende Wörter oder Wortgruppen.

der Ärger	**das Glück**	**die Freude**
sich ärgern über ... *jemanden ärgern* *verärgert sein* *etwas ist ärgerlich*		
die Sorge	**der Neid**	**der Stress**
die Aufregung	**die Furcht**	**die Trauer**
die Wut	**der Mut**	**die Rache**

b) Fragen Sie Ihre Nachbarin/Ihren Nachbarn und berichten Sie.
Ergänzen Sie die fehlenden Präpositionen.

1. Wo........ haben Sie sich in letzter Zeit richtig geärgert?
2. Waren Sie schon einmal .... etwas oder jemanden neidisch? Wenn ja, wo........ oder .... wen?
3. Gibt es etwas, wo........ Sie sich fürchten?
4. Wo........ sind Sie besonders stolz?
5. Wo........ kann man Ihnen eine Freude machen?
6. Wo........ oder .... wen waren Sie schon mal wütend?
7. Haben Sie sich in letzter Zeit .... etwas aufgeregt?
8. Wo........ machen Sie sich im Moment die größten Sorgen?

Zusatzübungen zu Verben und Adjektiven mit präpositionalem Kasus ⇨ Teil C Seite 58

A10 Was ist eine Charaktereigenschaft, was ist ein Gefühl bzw. eine Stimmung?

a) Ordnen Sie zu.

~~kleinlich~~ ◇ ~~aufgeregt~~ ◇ angeberisch ◇ begeistert ◇ kaltblütig ◇ deprimiert ◇ selbstbewusst ◇ warmherzig ◇ niedergeschlagen ◇ offen ◇ verärgert ◇ froh ◇ zurückhaltend ◇ schlecht gelaunt ◇ faul ◇ frustriert ◇ übermütig ◇ geizig ◇ glücklich ◇ wütend ◇ panisch ◇ bescheiden ◇ euphorisch ◇ mutig ◇ genervt ◇ hoffnungsvoll ◇ verschlossen ◇ traurig ◇ großzügig ◇ enttäuscht ◇ fleißig ◇ ängstlich

Charaktereigenschaft	**Gefühl/Stimmung**
kleinlich, ...	*aufgeregt, ...*

b) Bilden Sie aus den Wörtern der Übung a) einige Wortpaare mit antonymer Bedeutung:

offen	↔	*verschlossen*	....	↔	....
....	↔	....	....	↔	....
....	↔	....	....	↔	....
....	↔	....	....	↔	....
....	↔	....	....	↔	....
....	↔	....	....	↔	....

c) Personenporträt

Beschreiben Sie eine Person (z. B. ein Familienmitglied, eine Person in einem Film oder einer Serie oder eine erfundene Person).
Benennen Sie erst die wichtigsten Eigenschaften und dann einige Stimmungen/Gefühle, die bei dieser Person sehr offensichtlich sind.
Schreiben Sie etwa zehn Sätze und stellen Sie Ihr kleines psychologisches Porträt der Gruppe vor.

Stress

Teil A

A11 Was stresst Sie? Erstellen Sie eine Reihenfolge der drei Situationen, in denen Sie sich am meisten und am wenigsten gestresst fühlen. Begründen Sie Ihre Auswahl.

Termindruck ◇ unerfreuliche Nachrichten ◇ neue Aufgaben ◇ beim Schlafen gestört werden ◇ im Stau stehen ◇ auf den verspäteten Zug warten ◇ Prüfungen ◇ Gespräche mit Vorgesetzten/Lehren o. ä. ◇ Ärger mit dem Lebenspartner ◇ Ärger mit Kollegen/Kommilitonen ◇ nicht/schlecht funktionierende Geräte (Computer/Fernseher usw.) ◇ im Supermarkt in einer langen Schlange stehen ◇ etwas tun müssen, was man nicht gut kann ◇ Störungen bei der Arbeit/beim Lernen ◇ …

am meisten Stress:	am wenigsten Stress:
1.	1. ....
2.	2. ....
3.	3. ....

A12 Quiz: Zehn Thesen zum Thema *Stress*
Welche Aussage ist Ihrer Meinung nach richtig, welche falsch?
Vergleichen Sie Ihre Meinungen später mit den Aussagen im Hörtext A14.

		richtig	*falsch*
1.	Stress ist ein lebenswichtiger Vorgang zur Gefahrenabwehr.	❒	❒
2.	Stress hängt immer von der äußeren Situation ab.	❒	❒
3.	Das Phänomen Stress kam mit der modernen Industriegesellschaft.	❒	❒
4.	Frauen empfinden häufiger Stress als Männer.	❒	❒
5.	Das beste Mittel gegen Stress ist Nichtstun.	❒	❒
6.	Auch Kinder und sogar Babys können Stress empfinden.	❒	❒
7.	Die Möglichkeit der Selbstbestimmung bei der Arbeit spielt für das Stressempfinden eine große Rolle.	❒	❒
8.	Chefs/Vorgesetzte leiden viel mehr unter Stress als andere Mitarbeiter.	❒	❒
9.	Dauerstress äußert sich unter anderem in Konzentrationsschwäche, Vergesslichkeit und Unzufriedenheit.	❒	❒
10.	Der menschliche Organismus bleibt vom Stress unberührt.	❒	❒

A13 Was kann man miteinander verbinden? Suchen Sie Wörter mit *-stress-*.

Empfinden ◇ Situation ◇ Prüfung ◇ Dauer ◇ Arbeit ◇ Reaktion ◇ Abbau ◇ Faktor ◇ Anfälligkeit

Stressempfinden ....

.... STRESS ....

....

A14 Stress und seine Folgen 4

a) Hören Sie den Dialog zweimal. Beantworten Sie die Fragen in Stichworten bzw. ergänzen Sie die Lücken. Lesen Sie zuerst die Aufgaben bzw. Aussagen.

◇ Seit wann gibt es Stress? *Stress gab es schon immer/zu allen Zeiten.*

1. Was ist Stress? ....
2. Wie reagiert der Körper in einer Gefahrensituation?
   a) Das Gehirn alarmiert das vegetative .... Die Produktion von Adrenalin und Noradrenalin sorgt für eine .... des Körpers.
   b) Das heißt: Die Energiereserven des Körpers werden geplündert. Das Herz .... schneller. Die Muskeln werden mit Sauerstoff ....
3. Nach der Gefahrensituation schaltet der Körper wieder auf ....
4. In welchen Ländern empfinden die Menschen Stress? ....
5. Welche Faktoren beeinflussen das Stressempfinden? *äußere Faktoren* ....
6. Wann verstärkt sich bei Kindern das Gefühl der Hilflosigkeit? ....
7. Wann ist Stress gefährlich? ....
8. Welche Menschen oder Gruppen sind in Betrieben am meisten gefährdet? ....
9. Welche Faktoren entlasten die Psyche? ....
10. Was hilft beim Stressabbau? ....

b) Ergänzen Sie die fehlenden Nomen.

Daueralarm ◇ Verfügung ◇ Erbanlagen ◇ Einflussfaktoren ◇ Konzentrationsfähigkeit ◇ Hilflosigkeit ◇ Stresssituation ◇ Faktoren ◇ Auswirkungen ◇ Normalfunktion ◇ ~~Überlebensreflex~~

Stress hat es zu allen Zeiten gegeben. Eigentlich ist Stress ein *Überlebensreflex*. Unser Körper stellt uns im Augenblick der Gefahr durch einen bestimmten Prozessablauf Kraft und Schnelligkeit zur .... (1). Ist die Gefahr vorbei, schaltet der Körper wieder auf .... (2). Dieses Stressempfinden haben die Menschen überall auf der Welt, egal wo sie leben. Ob aber jemand etwas als besonders stressig empfindet, hängt nicht nur von äußeren .... (3) ab, sondern auch vom Individuum selbst. Etwa 30 Prozent der Stressreaktion wird von den Genen bestimmt, das heißt, die .... (4) spielen eine große Rolle. Weitere .... (5) sind das Geschlecht und die Prägung durch die Umwelt. Wenn zum Beispiel einem Kind vonseiten der Eltern oder der Lehrer immer wieder Erfolgserlebnisse verweigert werden, verfestigt sich das Gefühl der .... (6). Das Kind wird es später schwerer haben, in einer .... (7) richtig zu reagieren. Die Stressreaktion an sich ist zunächst einmal eine Gefahrenabwehrreaktion. Wenn der Körper danach nicht wieder auf Normalfunktion umschaltet, wird es gefährlich. Bleibt der Körper also auf .... (8), hat das direkte .... (9) auf die Gesundheit, zum Beispiel lässt die .... (10) nach.

c) Schreiben Sie aus den folgenden Informationen einen kleinen Text (frei).

Studie ◇ britische Regierung ◇ mehr als 10 000 Beamte ◇ überraschende Ergebnisse ◇ Angehörige unterer Hierarchiestufen ◇ dreimal so oft krank wie ihre Chefs ◇ sogar höheres Sterberisiko ◇ wichtige Rolle: Selbstbestimmung, Kontrolle über Situationen, Anerkennung

Zweiteilige Satzverbindungen

a) Lesen Sie die folgenden Sätze.

Aufzählung	
nicht nur – sondern auch	◊ Das Stressempfinden hängt nicht nur von äußeren Faktoren ab, sondern es hängt auch vom Individuum selbst ab. Das Stressempfinden hängt nicht nur von äußeren Faktoren, sondern auch vom Individuum selbst ab.
sowohl – als auch	◊ Das Stressempfinden hängt sowohl von äußeren Faktoren als auch vom Individuum selbst ab.
negative Aufzählung	
weder – noch	◊ Manche Menschen lassen sich weder von beruflichem Stress aus der Ruhe bringen noch lassen Sie sich von privaten Schwierigkeiten beeinflussen. Manche Menschen lassen sich weder von beruflichem Stress noch von privaten Schwierigkeiten aus der Ruhe bringen.
Alternative	
entweder – oder	◊ Entweder Sie machen jeden Morgen Entspannungstraining oder Sie suchen einen Therapeuten auf.
Einschränkung/Gegensatz	
zwar – aber	◊ Das Einkommen der Menschen hat sich zwar erhöht, aber sie sind nicht glücklicher geworden.
zwar – trotzdem	◊ Das Einkommen der Menschen hat sich zwar erhöht, trotzdem sind sie nicht glücklicher geworden.
einerseits – andererseits	◊ Einerseits hat sich das Einkommen der Menschen erhöht, andererseits sind sie nicht glücklicher geworden.

b) Ergänzen Sie die passenden Konjunktionen bzw. Konjunktionaladverbien.

1. *Einerseits* träumen viele vom Glück, ... vergessen sie, die Gegenwart zu genießen.
2. Kathrin hat .... einen Ratgeber zum Zeitmanagement gelesen, ... sie hat die Tipps nicht umgesetzt.
3. Untersuchungen zeigen, dass .... Lottogewinner .... Querschnittsgelähmte nach kurzer Zeit wieder ihr ursprüngliches Glücksniveau erreichen.
4. Beim Glücksgefühl spielen .... das Vertrauen der Menschen untereinander .... die Zufriedenheit mit der Regierung eine Rolle.
5. .... ein hohes Einkommen .... das Höherklettern auf der Karriereleiter führen zu einer dauerhaften Zufriedenheit.
6. Bei Marie gibt es nur zwei Stimmungen: .... sie ist überglücklich .... sie ist todunglücklich.
7. Conrad hat .... im Lotto gewonnen, ... arbeitet er weiter als Lehrer an einem Gymnasium.
8. Ähnlich dem Glücksempfinden hängt auch das Stressempfinden .... von äußeren Faktoren .... vom Individuum ab.
9. .... die Betroffenen lernen, mit Dauerstress umzugehen, ... sie werden krank.
10. Unbewältigter Stress kann *nicht* .... zu psychischen, ... zu physischen Erkrankungen führen.

Zusatzübungen zu zweiteiligen Satzverbindungen ⇨ Teil C Seite 60

Fordernde Jobs

a) Beschreiben Sie die folgende Statistik.

Redemittel

- Die vorliegende Grafik/Statistik/Das Schaubild zeigt …
- Man kann in/aus der Grafik/Statistik/dem Schaubild deutlich erkennen …
- Der Grafik/Statistik/dem Schaubild kann man entnehmen …
- Aus der Grafik/Statistik/dem Schaubild geht hervor …/wird deutlich …
- Als die wichtigste/schwerste Belastung empfinden viele …
- Danach kommen/folgen Anforderungen wie …

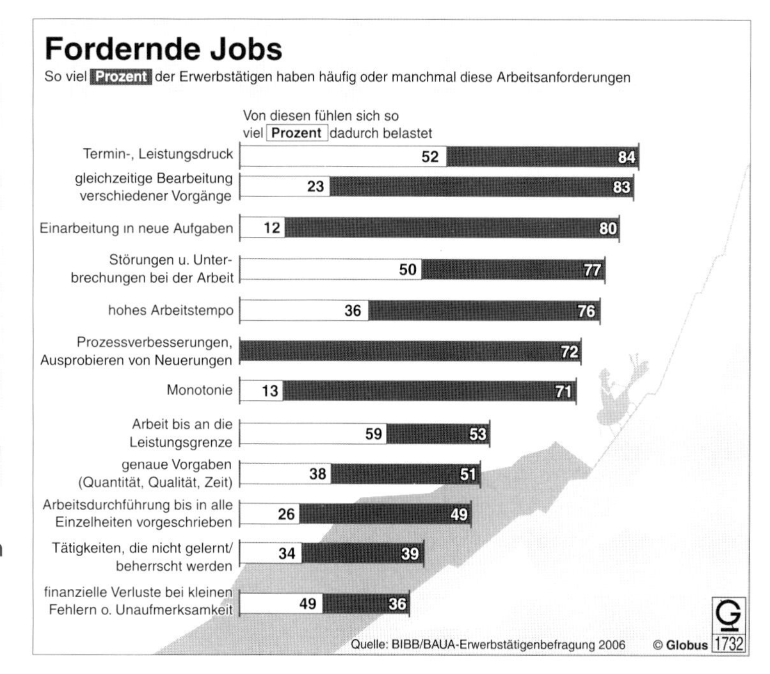

b) Welche der beschriebenen Anforderungen empfinden Sie persönlich als belastend? Berichten Sie.

Interview

a) Wählen Sie mindestens acht Fragen aus und stellen Sie diese drei verschiedenen Gesprächspartnern.

1. Ärgern Sie sich oft/manchmal/nie über andere Kollegen? Warum ärgern Sie sich?
2. Planen Sie Ihre Arbeit einmal im Monat/einmal in der Woche/jeden Tag/nie?
3. Worauf verzichten Sie am ehesten, wenn Sie während eines Arbeitstages viel zu tun haben?
4. Was machen Sie, wenn Sie mit der Arbeit eines Kollegen nicht zufrieden sind?
5. Wie können Sie abends am besten von der Arbeit abschalten?
6. In welchen beruflichen Situationen geraten Sie in Panik?
7. Sprechen Sie zu Hause oder mit Freunden viel über Ihre Arbeit?
8. Haben Sie ein gutes Verhältnis zu Ihrem Chef? Warum ja, warum nein?
9. Haben Sie während des Arbeitstages Zeit, mit Kollegen über private Dinge zu sprechen?
10. Haben Sie einen Terminkalender oder merken Sie sich Ihre Termine?
11. Mit wem reden Sie, wenn Sie Probleme bei der Arbeit/im Studium haben?
12. Haben Sie viele Besprechungen, die Sie als Zeitverschwendung empfinden? Wenn ja, tun Sie etwas dagegen?
13. Was würde Sie mehr stressen: monotone Arbeit oder mehrere Tätigkeiten/Jobs gleichzeitig? Warum?
14. Werden Sie für Ihre Arbeit oft gelobt? Wenn ja, wofür?
15. Wie viele lustige und entspannte Momente gibt es während Ihrer Arbeitszeit/eines Arbeitstages?
16. Fühlen Sie sich manchmal/oft durch Kollegen gestört? Wenn ja, warum?
17. Beschäftigen Sie sich manchmal/oft am Wochenende mit Ihrer Arbeit/Ihrem Studium?
18. Wie oft räumen Sie Ihren Schreibtisch auf?
19. Wie viele Stunden können Sie effektiv hintereinander arbeiten und was tun Sie zur Entspannung?
20. Arbeiten Sie viel im Team oder meistens allein? Was gefällt Ihnen besser und warum?
21. Leiden Sie manchmal/oft unter Spannungskopfschmerzen?
22. Können Sie Arbeit liegen lassen oder auch einmal Nein sagen?
23. Delegieren Sie oft/manchmal Arbeit? Wenn ja, an wen?
24. Wie sind Ihre Zukunftspläne? Sind Sie mit Ihrer jetzigen Tätigkeit zufrieden?
25. Unternehmen Sie mit Kollegen manchmal etwas privat? Wenn ja, was?

b) Vergleichen Sie die Antworten der drei Gesprächspartner miteinander und schreiben Sie eine kleine Analyse. Wer von den dreien hat Ihrer Meinung nach den meisten Stress und wer lässt sich im Berufsalltag am wenigsten aus der Ruhe bringen?

A18 Lesen Sie den folgenden Text.

Wenn die Arbeit die Seele belastet

Nach einer aktuellen Statistik der Rentenversicherer sind seelische Krankheiten die häufigste Ursache für Berufsunfähigkeit: Für 27 Prozent der männlichen und 38 Prozent der weiblichen Frührentner[1] hatte der Ausstieg aus der Arbeitswelt psychische Ursachen. Zwischen 1997 und 2004 ist der Krankenstand laut einer Statistik der Deutschen Angestellten Krankenkasse stetig gesunken, die Zahl der Krankschreibungen aufgrund psychischer Probleme aber um 70 Prozent gestiegen.

Ob jemand unter beruflichem Stress zusammenbricht, hängt natürlich nicht nur von der Arbeitsbelastung, sondern auch von persönlichen und sozialen Faktoren ab. Es lassen sich aber im Wandel der Arbeitswelt einige Tendenzen verallgemeinern: Mit der Globalisierung haben die psychischen Anforderungen zugenommen. Ständige Erreichbarkeit, ob per E-Mail und Mobiltelefon, lässt die Grenzen von Arbeit und Freizeit verschwimmen. Auf den weltweiten Märkten ist der Konkurrenzdruck groß und bei vielen Arbeitnehmern entsteht das Gefühl der Unsicherheit durch eventuelle Privatisierung oder Rationalisierung.

Doch nicht nur die reine Existenzangst kann krank machen. „Denken Sie an den Bankangestellten, der seine ganze Energie in die Karriere steckt, und dann fusioniert die Bank, und ein anderer bekommt den Posten", sagt der Stressforscher Johannes Siegrist. Schädlicher Stress entstehe vor allem dann, wenn hohe Verausgabung mit geringen Belohnungschancen verbunden sei. Der Soziologe hat dafür den Begriff „Gratifikationskrise" geprägt. Auslöser solcher Krisen ist oft schlechte Mitarbeiterführung. Denn manchmal könnte ein lobendes Wort, wenn es ernst gemeint ist, Wunder wirken.

In Umfragen waren Angestellte trotz guter Gehälter mit ihren Jobs unzufrieden, weil sie sich von den Chefs nicht anerkannt fühlten. Umgekehrt kann Lob schlechten Lohn zumindest eine Zeit lang ausgleichen. Wissenschaftler halten ideelle Wertschätzung deshalb für mindestens so wichtig wie finanzielle Anerkennung. Schmerzhaft sind Gratifikationskrisen vor allem dann, wenn sich Menschen stark mit ihrem Beruf identifizieren. Wer Arzt, Lehrer oder Journalist wird, der will meist etwas bewirken. Viele leiden dann darunter, wenn Anspruch und Wirklichkeit auseinanderklaffen. Manche werden aggressiv, andere zynisch, bis sie schließlich alle Freude am Arbeiten verlieren.

Hohe berufliche Motivation, die in totale Abneigung gegen die Arbeit umschlägt – dieses Phänomen wird mittlerweile mit einem eigenen Krankheitsbild bezeichnet, dem Burn-out-Syndrom. Zu Beginn ist Burn-out aber zum Teil auch hausgemacht[2], weil Menschen zu viel von sich verlangen oder sich zu sehr in die Arbeit stürzen. Deshalb, so sagen Psychologen, sind für eine stabile Psyche vier Komponenten wichtig: Leistung, private Beziehungen, körperliche Gesundheit und Lebenssinn. Eine einfache Trennung zwischen Arbeit hier und Leben da ist keine Lösung, weil wir sehr viel Zeit mit Arbeit verbringen und auch Positives aus ihr ziehen können.

Für das seelische Gleichgewicht empfehlen Wissenschaftler, sich Auszeiten zu nehmen – zur Erholung, aber auch zur Reflexion über das eigene Tun. In Krisensituationen sei es manchmal hilfreich, einen Vertrag mit sich selbst zu schließen: „Ich mache das noch genau ein Jahr, dann schau ich, ob sich in mir oder im Unternehmen was verändert hat." Und notfalls müsse man sich auch trennen können. Es ist allerdings auch kein gutes Rezept, ohne neuen Job zu kündigen, denn Arbeitslose werden von Depressionsforschern ebenfalls zu den stark gefährdeten Gruppen gezählt.

[1] Frührentner = jemand, der vor dem offiziellen Rentenalter Rente erhält
[2] hausgemacht = selbst gemacht/man ist selbst verantwortlich

A19 Textarbeit
Was steht im Text? Markieren Sie die richtige Antwort.

1. Aktuelle Statistiken zeigen,
   a) ❐ dass die Anzahl der Krankschreibungen in Deutschland zurückgegangen ist.
   b) ❐ dass rund ein Drittel aller Rentner psychisch krank ist.
   c) ❐ dass es mehr Fälle von Berufsunfähigkeit gibt.

2. Wie jemand beruflichen Stress bewältigt, hängt
   a) ❐ von seiner Position in der Firma ab.
   b) ❐ vom Konkurrenzdruck ab.
   c) ❐ von verschiedenen Faktoren ab.

3. Gratifikationskrisen sind zurückzuführen auf
   a) ❒ ausbleibende Gehaltssteigerungen.
   b) ❒ mangelnde ideelle sowie materielle Wertschätzung.
   c) ❒ schlechtes Betriebsklima.
4. Das sogenannte Burn-out-Syndrom kann entstehen, wenn jemand
   a) ❒ zu hohe Ansprüche an sich selbst stellt.
   b) ❒ eine Abneigung gegen Vorgesetzte entwickelt.
   c) ❒ zu wenig Geld verdient.
5. Stressforscher empfehlen,
   a) ❒ sofort zu kündigen, wenn Stresssymptome auftreten.
   b) ❒ Privatleben, Arbeit und Gesundheit in Einklang zu bringen.
   c) ❒ die eigene Leistungsbereitschaft zu erhöhen.

A20 Satzverbindungen: Hauptsätze
Formen Sie die folgenden Sätze so um, dass Sie zwei Hauptsätze miteinander verbinden.

◊ Obwohl viele Angestellte gute Gehälter bekommen, sind sie unzufrieden mit ihrem Job. *(trotzdem)*
Viele Angestellte bekommen gute Gehälter, trotzdem sind sie unzufrieden mit ihrem Job.

1. Weil die Menschen zu viel von sich selbst verlangen, sind sie am Burn-out-Syndrom selbst schuld. *(denn)*

   ....

2. Für Ärzte, Lehrer oder Journalisten ist mangelnde Anerkennung besonders schmerzhaft, weil sie in ihrem Beruf etwas bewegen wollen. *(demzufolge)*

   ....

3. Obwohl man von berufsbedingtem Stress krank werden kann, sollte man nicht sofort kündigen. *(zwar – aber)*

   ....

4. Weil der Körper nicht in der Lage ist, Dauerstress zu bewältigen, kann es zu direkten Auswirkungen auf die Gesundheit kommen. *(infolgedessen)*

   ....

Zusatzübungen zur Verbindung von Hauptsätzen ⇨ Teil C Seite 61

A21 Mündlicher Ausdruck
Wählen Sie eine der folgenden Situationen aus und übernehmen Sie eine Rolle. Spielen Sie nach kurzer Vorbereitung Dialoge.

1. Ihr Unternehmen sucht eine neue Führungskraft. Die Personalabteilung hat Ihnen die Stelle angeboten. Finanziell ist alles sehr vielversprechend, aber der neue Job ist in einer anderen Stadt und wird Sie zeitlich sehr in Anspruch nehmen. Sie sind an der neuen Funktion interessiert, möchten aber nicht umziehen. Diskutieren Sie die Situation mit einem Vertreter des Managements und erklären Sie Ihren Standpunkt.
2. Sie sind Abteilungsleiter und bemerken, dass ein Kollege ziemlich oft fehlt. Er lässt sich ständig krank schreiben und bringt keine Arbeit richtig zu Ende. Führen Sie ein Gespräch mit diesem Kollegen und versuchen Sie herauszufinden, in welchen Schwierigkeiten sich der Mitarbeiter befindet. Schlagen Sie Lösungen vor.
3. Sie haben Ihr Leben lang gearbeitet und freuen sich auf den verdienten Vorruhestand. Das Unternehmen will jedoch auf Sie als Experten nicht verzichten und der Chef unterbreitet Ihnen deshalb einige verlockende Angebote. Diskutieren Sie mit Ihrem Chef.
4. Ein guter Freund/Eine gute Freundin leidet zunehmend unter Stress und ist am Ende seiner/ihrer Kräfte. Fragen Sie Ihren Freund/Ihre Freundin, wie es so weit kommen konnte und geben Sie ihm/ihr einige Tipps. Nutzen Sie auch die Redemittel im Kästchen.
5. Sie haben Ihrer Meinung nach in den letzten Jahren gute Arbeit geleistet und erwarten schon seit Längerem eine Anerkennung dafür. Die ist aber bisher ausgeblieben und Sie sind deswegen verärgert. Sprechen Sie mit Ihrem Chef darüber.

Redemittel

◊ Wichtiges von Unwichtigem unterscheiden
◊ Prioritäten setzen
◊ mehrmals kurze Pausen einlegen
◊ Nein sagen lernen
◊ wichtige Aufgaben vormittags erledigen
◊ privaten Ausgleich schaffen
◊ regelmäßig Sport treiben
◊ Hobbys nachgehen
◊ ausreichend schlafen
◊ realistische Ziele setzen
◊ sich auf die eigenen Stärken besinnen
◊ Entspannungsübungen machen

Schriftlicher Ausdruck

Stress ist in unserer heutigen Zeit ganz normal. Man muss einfach damit leben.

Nehmen Sie zu diesem Satz Stellung. Wenn Sie nicht dieser Meinung sind, nennen Sie die Ihrer Meinung nach besten Mittel gegen Stress. Schreiben Sie einen Text von ungefähr 200 Wörtern.

Kennen Sie den schon?
Lesen Sie zum Abschluss den folgenden Witz zum Thema *Stress*.

Träumend sitzt ein Beamter in seinem Büro. Plötzlich erscheint eine Fee und fragt ihn, was Feen immer fragen: „Ich kann dir drei Wünsche erfüllen, welche Wünsche hast du?"

„Ich wünsche mir, dass ich auf einer Insel in der Sonne sitze", sagt der Beamte und kurze Zeit später befindet er sich auf einer Südseeinsel.

„Und der zweite Wunsch?", fragt die Fee.

„Nun wünsche ich mir eine wunderschöne Frau, die mich massiert." Kaum hatte er es ausgesprochen, erscheint ein schönes Mädchen.

„Und dein dritter Wunsch?"

„Ich wünsche mir, nie wieder zu arbeiten, keinen Stress mehr zu haben und nur noch die Ruhe zu genießen." Eine Sekunde später sitzt der Beamte wieder in seinem Büro.

Lachen und lachen lassen

Teil A

Interview
Fragen Sie Ihre Gesprächspartnerin/Ihren Gesprächspartner.

1. Lachen Sie gern? Wenn ja, worüber?
2. Haben Sie als Kind gern Witze oder humorvolle Geschichten gehört, gelesen oder erzählt?
3. Können Sie sich Witze oder lustige Geschichten gut merken und weitererzählen?
4. Welche Rolle spielen Witz, Humor und das Lachen in Ihrem Arbeitsalltag und in Ihrem Privatleben?
5. Besuchen Sie gern Kabarettveranstaltungen oder sehen Sie Kabarettsendungen im Fernsehen? Kennen Sie Komiker und/oder Kabarettisten?
6. Worüber oder über wen werden in Ihrem Heimatland viele Witze/Scherze gemacht?
7. Über wen oder worüber sollte man in Ihrem Heimatland lieber keine Witze machen?
8. Lachen soll gesund sein. Teilen Sie diese Auffassung?
9. In welchen Situationen des Lebens sind Lachen und Witz angebracht und in welchen Situationen sollte man das Lachen und Scherzen lieber lassen?
10. Was halten Sie von Menschen, die über fast alles lachen können?

A25 Lesen Sie den folgenden Text.

Die Deutschen finden praktisch alles lustig

Verstehen Sie Spaß? Diese Frage beschäftigt auch die Wissenschaft. Warum gelacht wird, ob überhaupt und wenn ja, worüber – so lautete das umfangreiche Aufgabenfeld, das ein britisches Expertenteam zu bearbeiten hatte. Nach knochenharter Recherche und gründlicher Analyse wurde in London das Ergebnis vorgestellt: der beste Witz der Welt.

Jahrelang waren die Mitarbeiter durch den Kosmos der Komik gesurft und ihr unermüdlicher Einsatz brachte revolutionäre Ergebnisse hervor. Im Guinnessbuch der Rekorde sind die witzigen Wissenschaftler sowieso schon vertreten, weil sie zwei Millionen Menschen mehr als 30 000 Witze erzählt haben. Gar nicht einfach. Die Forschung lief auch über das Internet. Man konnte den eigenen Lieblingswitz verschicken und war außerdem aufgerufen, aus einer umfangreichen Auswahl fünf persönliche Hits zu küren. Nach Ländern betrachtet, taten sich erstaunliche Unterschiede auf. Zur allgemeinen Überraschung lachten die Deutschen am meisten. Sie fanden praktisch alles lustig, was den Forschern dann doch verdächtig vorkam. Hat der Deutsche so viel Humor? Oder so wenig, dass ihm vorsichtshalber alles lustig erscheint? Das andere Ende der Skala wird von den Kanadiern besetzt. Offenbar lacht der Kanadier überhaupt nicht. Und wenn, dann nur über die Amerikaner. Das kann jetzt hieb- und stichfest belegt werden, weil alle Witze mit messerscharfer Logik zerlegt und haarklein auf ihre Wirkung hin untersucht wurden.

Viel Arbeit fiel auch bei der Sichtung des Materials an. Mehr als 10 000 Witze mussten aussortiert werden, weil sie schmutzig waren. Eigentlich schade, fanden die Gäste bei der Vorstellung des Top-Hits. Ein Spaßvogel in einem Hähnchenkostüm enthüllte im Covent Garden eine Plakatwand mit dem besten Witz der Welt, der von einem englischen Psychiater stammt. Und hier ist er:

Zwei Jäger streifen durch den Wald, als einer zusammenbricht. Er scheint nicht mehr zu atmen und die Augen sind glasig. Voller Schrecken ruft der andere Jäger mit dem Handy die Notrufzentrale an und bittet um Hilfe. Keine Panik, bekommt er zur Antwort. Wir sollten uns zunächst vergewissern, ob Ihr Freund wirklich tot ist. Stille, dann ein Schuss, und der Jäger fragt: Alles klar. Und jetzt?

A26 Textarbeit

a) Finden Sie zu den unterstrichenen Ausdrücken Synonyme im Text.

1. die Internetnutzer <u>wurden aufgefordert</u> ....
2. persönliche Hits zu <u>wählen</u> ....
3. was den Forschern <u>merkwürdig erschien</u> ....
4. das kann <u>ganz sicher bewiesen</u> werden ....
5. <u>bis ins Detail</u> untersucht ....
6. <u>beim Durchsehen</u> des Materials ....
7. <u>Mensch, der gerne Späße macht</u> ....

b) Ergänzen Sie die fehlenden Adjektive in der richtigen Form.

gründlich ◊ unermüdlich ◊ messerscharf ◊ knochenhart ◊ witzig ◊ umfangreich (2 x) ◊ allgemein ◊ letzte ◊ lustig ◊ englisch ◊ britisch

Die Frage, warum und worüber gelacht wird, war das .... (1) Aufgabenfeld .... (2) Wissenschaftler. Nach .... (3) Recherche und .... (4) Analyse wurde in London das Ergebnis vorgestellt: der beste Witz der Welt. Der .... (5) Einsatz der Mitarbeiter brachte revolutionäre Ergebnisse hervor. Zur .... (6) Überraschung lachten die Deutschen am meisten. Den .... (7) Platz in der Skala nahmen die Kanadier ein. Offenbar lacht der Kanadier überhaupt nicht. Die .... (8) Wissenschaftler haben zwei Millionen Menschen mehr als 30 000 Witze erzählt. Im Internet konnten Mitwirkende den eigenen Lieblingswitz verschicken und aus einer .... (9) Auswahl die ihrer Meinung nach fünf .... (10) Witze auswählen. Alle Witze wurden mit .... (11) Logik zerlegt und haarklein auf ihre Wirkung hin untersucht. Der beste Witz der Welt stammt von einem .... (12) Psychiater.

c) Bilden Sie aus den Adjektiven Nomen.

1. witzig – *der* ....
2. spaßig – ....
3. komisch – ....
4. überraschend – ....
5. verdächtig – ....
6. humorvoll – ....
7. praktisch – ....
8. logisch – ....

A27 Wortschatz zum Thema *Lustiges*

a) Schlagen Sie die unbekannten Wörter im Wörterbuch nach.

Redemittel

- der Humor/der Witz/der Spaß/der Scherz/ der Ulk/die Blödelei/der Nonsens
- jemand erzählt/reißt einen Witz, dann kann man:
  ... herzlich/gequält/laut/leise/sich scheckig *(umg.)*/sich kring(e)lig *(umg.)* lachen
  ... kichern[1], lächeln, schmunzeln, sich kaputtlachen *(umg.)*, sich krummlachen *(umg.)*, sich (halb) totlachen *(umg.)*, wiehern[2] *(umg.)*
  ... vor Lachen brüllen/schreien/umfallen/sterben *(umg.)*
- Ich hätte mich vor Lachen biegen/kringeln/kugeln/ausschütten können. *(umg.)*
- Ich konnte mich vor Lachen kaum noch halten.
- Ich kam aus dem Lachen nicht wieder heraus.
- etwas/eine Person ist: lustig, witzig, geistreich, komisch, ulkig, albern[3]
- **Achtung!**
  komisch (1): jemand kann sehr komisch sein/ etwas irrsinnig komisch finden = lustig, reizt zum Lachen
  komisch (2): ein komischer Mensch/komisches Benehmen/komische Ansichten = seltsam/merkwürdig/sonderbar

[1] kichern = leise, mit hoher Stimme lachen
[2] wiehern = in unangenehmer Art laut lachen
[3] albern = grundlos heiter, einfältig, dumm

b) Kleines Silbenrätsel

Für Menschen, die gern Späße machen oder die sehr lustig sind, gibt es im Deutschen viele unterschiedliche Ausdrücke. Bilden Sie Komposita.

Ulk- -vo- Spaß- -bold
-gel -clown -del Scherz-
-keks -mach- -bold
-nu- Zir- Scherz-
Witz- -er -kus- Spaß-

1. *der* ....
2. ....
3. ....
4. ....
5. ....
6. ....

c) Ordnen Sie den Redewendungen die richtigen Erklärungen zu.

(1) der lachende Dritte sein
(2) Das ist ein teurer Spaß.
(3) Wer zuletzt lacht, lacht am besten.
(4) Da hört der Spaß auf.
(5) Jemand hat die Lacher auf seiner Seite.
(6) Dass ich nicht lache!
(7) Dem wird das Lachen noch vergehen!
(8) Mit jemandem oder mit etwas ist nicht zu spaßen.
(9) Jemand hat nichts zu lachen.

(a) Das geht zu weit.
(b) Man hält das Gesagte eines anderen für falsch.
(c) Etwas/Jemanden muss man sehr ernst nehmen, sonst könnte es Probleme geben.
(d) Der hat noch Unannehmlichkeiten vor sich.
(e) Jemand hat es nicht leicht oder wird schlecht behandelt.
(f) Erst zum Schluss zeigt sich, wer wirklich den Vorteil hat.
(g) Jemand zieht aus dem Streit zweier Parteien/Personen einen Nutzen.
(h) durch eine witzige Bemerkung (z. B. in einer Diskussion) bei den Zuhörern einen Lacherfolg erzielen
(i) Etwas hat viel Geld gekostet.

(A28) Wie könnten die Witze weitergehen? Erfinden Sie Pointen.
(Vergleichen Sie dann Ihre Pointen mit den Pointen im Lösungsschlüssel)

1

Die Mäusemutter geht mit ihren fünf Mäusebabys spazieren. Plötzlich prescht eine große Katze aus dem Gebüsch hervor und knurrt: „A-a-a-a-arrag". Mutter Maus bleibt ganz ruhig. Sie stellt sich auf die Hinterbeine, blickt der Katze in die Augen und sagt: „Wau Wau". Die Katze ist verschreckt, schaut nach links, nach rechts, rennt dann so schnell davon, wie sie gekommen ist. Mutter Maus wendet sich an ihre Sprösslinge: „Da seht ihr, Kinder, ..."

2

Es geht aufwärts, sagte der Fisch, als er ....

3

Eine Blondine nimmt in einem Flugzeug nach Mallorca in der ersten Klasse Platz. Die Stewardess versucht vergeblich, die Passagierin zu ihrem gebuchten Sitz zu dirigieren. Energisch wird sie vom Chefsteward darauf hingewiesen, dass sie nur ein Ticket für die Economy-Klasse habe und dort auch sitzen müsse. Die blonde Dame schüttelt immer nur den Kopf und versichert, der Platz gefalle ihr, sie bleibe dort sitzen.
Der Pilot wird informiert. Er redet eindringlich und ruhig auf die Blondine ein. Plötzlich springt sie auf, nimmt ihre Tasche und setzt sich brav nach hinten.
„Nun sag uns mal, wie du das geschafft hast?", fragen der Chefsteward und die Stewardess. „Hast du ihr was versprochen?"
„Nicht das geringste", antwortet der Pilot, „ich habe ihr lediglich gesagt: ...."

4

Ein Tausendfüßler klagt: Eigentlich würde ich ja auch gern mal Ski fahren, aber ....

5

Ein Chirurg kommt in den Operationssaal, der Patient liegt schon auf dem Tisch. „Was hat der Mann?", fragt er. „Der hat einen Golfball verschluckt", erklärt der Assistenzarzt. Der Chirurg zeigt auf einen anderen Mann, der an der Wand steht: „Und was will der hier?"
....

Lachen ist gesund

Teil A

(A29) Welche positiven Auswirkungen kann Lachen auf den Menschen haben? Erarbeiten Sie einzeln oder in Gruppen Beispiele.

....
....
....
....
....
....
....
....
....

Lachen

A30 Ist Lachen gesund? 5

a) Hören Sie den Dialog einmal. Entscheiden Sie während des Hörens oder danach, welche Aussagen richtig oder falsch sind. Lesen Sie zuerst die Aussagen.

		richtig	*falsch*
◊	Für die alte Weisheit „Lachen ist gesund" gibt es nur wenige Beweise.	✗	❐
1.	Lachen senkt den Blutdruck.	❐	❐
2.	Lachen hilft gegen Herzinfarkt.	❐	❐
3.	Die Wirkung, dass Lachen die Muskeln entspannt, konnte nicht nachgewiesen werden.	❐	❐
4.	Lachen hilft in jedem Fall gegen Schmerzen, weil Glückshormone ausgeschüttet werden.	❐	❐
5.	Das Lachen über makabre Witze kann man erlernen.	❐	❐
6.	Humorvolle Kinder sind die beliebtesten in der Klasse.	❐	❐

b) Hören Sie den Dialog zum zweiten Mal. Beantworten Sie die folgenden Fragen in Stichpunkten. Lesen Sie zuerst die Fragen.

1. Welche Kritik übt Prof. Schäfer an der herrschenden Meinung über die gesundheitliche Bedeutung des Lachens?

   ....

2. Welche zwei Thesen widerlegt Prof. Schäfer?

   ....

3. Welches Beispiel wird für die positive gesundheitliche Wirkung des Lachens angeführt?

   ....

4. Wie erwirbt ein Mensch Humor?

   ....

5. Welche Auswirkungen hat Humor auf die sozialen und zwischenmenschlichen Beziehungen?

   ....

c) Vergleichen Sie die im Hörtext genannten Wirkungen des Lachens mit Ihren eigenen Beispielen aus A29.

d) Ergänzen Sie die fehlenden Nomen.

Heilwirkung ◊ Standpunkt ◊ Ansicht ◊ Lieblingsthema ◊ Schmerzen ◊ Erheiterung ◊ Studien ◊ Bedeutung ◊ Risikofaktor ◊ Sinn ◊ Experten ◊ Auswirkungen

Die *Weisheit* „Lachen ist gesund" ist nicht unwahr, aber die gesundheitliche ....(1) des Lachens wird überschätzt. Vom wissenschaftlichen ....(2) aus gesehen, muss man feststellen, dass für die ....(3) des Lachens nur wenige Belege existieren. Nehmen wir die These: Humor beuge Herzinfarkten vor, ein ....(4) der Medien. Journalisten verweisen in diesem Zusammenhang gerne auf einschlägige ....(5), die es ja tatsächlich gibt. Aber meiner ....(6) nach werden solche Studien gern überinterpretiert. Unbestritten ist, dass erhöhter Blutdruck als wichtiger ....(7) für den Herzinfarkt gilt. ....(8) behaupten nun, Lachen senke den Blutdruck, und schließen daraus automatisch: Lachen hilft gegen Herzinfarkt. Wahr ist allerdings, dass Lachen den Blutdruck nur für wenige Sekunden senkt. Als Behandlungsmethode gegen Herzinfarkt hätte das Lachen nur ....(9), wenn die blutdrucksenkende Wirkung des Lachens viel länger anhalten würde.
Es gibt aber eine ganze Reihe von positiven ....(10), die sich beweisen lassen. Zum Beispiel hilft Lachen tatsächlich, körperliche ....(11) leichter zu ertragen. Interessant ist, dass wir bei unseren Versuchen herausgefunden haben, dass nur echte ....(12) wirkt.

A31 Schriftliche Stellungnahme

Wählen Sie eins der beiden angegebenen Themen aus und schreiben Sie einen Aufsatz von ca. 200 Wörtern Länge. Nehmen Sie sich dafür ca. 60 Minuten Zeit.

T H E M A

Lächeln und Lachen sind Tor und Pforten,
durch die viel Gutes
in den Menschen hineindringen kann.
(Christian Morgenstern)

Kann Ihrer Ansicht nach Lachen positive Auswirkungen auf den Menschen haben?
Belegen Sie Ihre Ausführungen mit Beispielen.

T H E M A

Der deutsche Humor trägt eine Tarnkappe.
Immerzu schreit er: „Hier bin ich!" und keiner
sieht ihn.
(Alfred Polgar)

Der deutsche Humor gilt im Ausland als wenig lustig, die Deutschen selbst werden oft als humorlos angesehen. Denkt man in Ihrem Heimatland genauso? Wenn ja, wo liegen Ihrer Meinung nach die Ursachen dafür? Beschreiben Sie, was man in Ihrem Heimatland unter Humor versteht, bei welchen Gelegenheiten und worüber man gern lacht.

A32 Lesen Sie die folgenden Gedichte.

Wählen Sie das Gedicht aus, das Ihnen am besten gefällt. Tragen Sie das Gedicht laut vor. Achten Sie auf die Aussprache und Intonation.

Folgen der Trunksucht

Seht ihn an, den Texter.
Trinkt er nicht, dann wächst er.
Misst nur einen halben Meter –
weshalb, das erklär ich später.

Seht ihn an, den Schreiner.
Trinkt er, wird er kleiner.
Schaut, wie flink und frettchenhaft
er an seinem Brettchen schafft.

Seht ihn an, den Hummer.
Trinkt er, wird er dummer.
Hört, wie er durchs Nordmeer keift,
ob ihm wer die Scheren schleift.

Seht sie an, die Meise.
Trinkt sie, baut sie Scheiße.
Da! Grad rauscht ihr drittes Ei
wieder voll am Nest vorbei.

Seht ihn an, den Dichter.
Trinkt er, wird er schlichter.
Ach, schon fällt ihm gar kein Reim
Auf das Reimwort „Reim" mehr ein.

Robert Gernhardt (1937–2006)

Es sitzt ein Vogel auf dem Leim

Es sitzt ein Vogel auf dem Leim,
er flattert sehr und kann nicht heim.
Ein schwarzer Kater schleicht herzu,
die Krallen scharf, die Augen gluh.
Am Baum hinauf und immer höher
kommt er dem armen Vogel näher.

Der Vogel denkt: Weil das so ist
und weil mich doch der Kater frisst,
so will ich keine Zeit verlieren,
will noch ein wenig quinquilieren
und lustig pfeifen wie zuvor.
Der Vogel, scheint mir, hat Humor.

Wilhelm Busch (1832–1908)

Das Fräulein stand am Meere

Das Fräulein stand am Meere
Und seufzte lang und bang,
Es rührte sie so sehre
Der Sonnenuntergang.

Mein Fräulein! Sein Sie munter,
Das ist ein altes Stück;
Hier vorne geht sie unter
Und kehrt von hinten zurück.

Heinrich Heine (1797–1856)

Die Ameisen

In Hamburg lebten zwei Ameisen,
Die wollten nach Australien reisen.
Bei Altona auf der Chaussee,
Da taten ihnen die Beine weh,
Und da verzichteten sie weise
dann auf den letzten Teil der Reise.

Joachim Ringelnatz (1883–1934)

Wenn einer, der mit Mühe kaum
gekrochen ist auf einen Baum,
schon meint, dass er ein Vogel wär',
so irrt sich der.

Wilhelm Busch (1832–1908)

Ein männlicher Briefmark*

Ein männlicher Briefmark erlebte
Was Schönes bevor er klebte.
Er war von einer Prinzessin beleckt.
Da war die Liebe in ihm erweckt.

Er wollte sie wiederküssen,
da hat er verreisen müssen.
So liebte er vergebens.
Das ist die Tragik des Lebens!

Joachim Ringelnatz (1883–1934)

* Sprachscherz: Eigentlich heißt es: *Eine männliche Briefmarke.*

Spaß am ersten April

Teil B – fakultativ

Die Texte und Aufgaben in diesem fakultativen Teil B stellen ein Angebot für Lerner und Lerngruppen dar, die ihre sprachlichen Fähigkeiten zusätzlich erweitern möchten.

B1 Aprilscherze

a) Antworten Sie.

- Wissen Sie, was ein Aprilscherz ist?
- Hat Sie schon mal jemand „in den April geschickt"?

b) Lesen Sie die folgenden Wörter und Wendungen und schlagen Sie unbekannte Wörter im Wörterbuch nach.

Am ersten April kann man:
... einen Scherz machen, sich einen Scherz/einen Spaß erlauben
... jemandem einen Streich spielen
... jemanden in den April schicken/hinters Licht führen/auf den Arm nehmen
... jemanden veralbern, verspotten, necken, foppen, veräppeln *(umg.)*

c) Lesen Sie den folgenden Text und wählen Sie die passende Ergänzung. Es gibt jeweils nur eine richtige Antwort.

April, April

Als Aprilscherz bezeichnet man den Brauch, am 1. April seine Mitmenschen durch ....(1) oder verfälschte Geschichten hereinzulegen. Aprilscherze sind in den meisten westeuropäischen Ländern üblich, verbürgt sind sie bereits seit dem 16. Jahrhundert. Erstmals überliefert ist die Redensart „jemanden in den April schicken" in Deutschland 1618. Mit den europäischen Auswanderern ....(2) diese Tradition auch nach Nordamerika.

Vor allem bei Zeitungen, Zeitschriften, Radio- und Fernsehsendern ist es üblich, die Leser bzw. Hörer durch glaubhaft klingende erfundene Artikel zu veralbern. Nach einer ....(3) der Westdeutschen Allgemeinen Zeitung werden heute nicht mehr so viele Leute „in den April geschickt" wie früher. Dennoch hat der Brauch seine Fans, und die tun es immer noch ....(4) Begeisterung. Aber woher kommt der Aprilscherz? Darauf gibt es bisher keine eindeutigen Antworten, nur mehrere mögliche Erklärungen.

❶ Bis zum Jahr 1564 feierte man den Jahresbeginn (Neujahr) am 1. April. Dann beschloss der französische König Karl IX. mit einer Kalenderreform eine neue Zeiteinteilung. Das hatte zur Folge, dass ab 1564 das neue Jahr immer am 1. Januar begann, so wie heute noch. Diejenigen, die sich das nicht merken konnten und noch immer den 1. April für den Beginn des neuen Jahres hielten, wurden als „April-Narren" verspottet und mit spaßigen Lügengeschichten hinters Licht geführt.

❷ Es ....(5) natürlich auch sein, dass die Göttin Venus schuld daran ist, dass wir uns am 1. April auf den Arm nehmen. Denn der Name April, auf Latein „aprilis", ist mit dem Wort „aprodita" ....(6). Und Aphrodite wiederum ist der griechische Name für die Göttin Venus. Weil Venus aber nicht nur die Göttin der Liebe, sondern auch die Göttin der Späße ist, feierte man im alten Rom am 1. April ein Narrenfest mit üblen Streichen.

❸ Der 1. April gilt, je nach ....(7), als Geburts- oder Todestag des Judas Ischariot, der Jesus Christus verraten hatte. Zudem sei der 1. April angeblich der Tag des Einzugs Luzifers in die Hölle und daher ein Unglückstag, an dem man sich besonders vorsehen müsse.

❹ In der Stadt Augsburg sollte 1530 das Münzwesen (Geldwesen) neu geregelt werden. Der 1. April ....(8) als besonderer „Münztag" ausgeschrieben und viele Leute setzten ihr Geld auf diesen Tag. Als der 1. April kam, fand dieser Münztag dann doch nicht statt. Zahlreiche Spekulanten verloren ihr Geld und wurden ausgelacht.

1. a) entdeckte b) erfundene c) versteckte d) verdeckte
2. a) gelangte b) gereichte c) verschickte d) erwarb
3. a) Anfrage b) Nachfrage c) Antwort d) Umfrage
4. a) vor b) mit c) unter d) ohne
5. a) müsste b) dürfte c) könnte d) sollte
6. a) bekannt b) erkannt c) verwandt d) unbekannt
7. a) Vermittlung b) Übersetzung c) Nacherzählung d) Überlieferung
8. a) werde b) wurde c) würde d) wird

d) Beantworten Sie die Fragen zum Text und fassen Sie danach den Text zusammen.

1. Was ist ein Aprilscherz?
2. Seit wann gibt es Aprilscherze und sind diese heute noch üblich?
3. Was ergab die Befragung der Westdeutschen Allgemeinen Zeitung?
4. Welche Erklärung über die Herkunft des Aprilscherzes scheint Ihnen am wahrscheinlichsten und warum?

B2 Bunte Hühner und der Abfall der Erdanziehung

a) Welcher Aprilscherz gefällt Ihnen am besten? Einigen Sie sich in der Gruppe auf den originellsten Aprilscherz und begründen Sie Ihre Wahl.

1 Die französische Königin Maria von Medici schickte ihren Ehemann Heinrich IV. (1553–1610) besonders übel in den April. Sie bat den Monarchen mit einem gefälschten Brief seiner neuesten Geliebten zu einem heimlichen Treffen. Als Heinrich in freudiger Erregung dort eintraf, erwarteten ihn schadenfroh seine Frau und der gesamte Hofstaat.

2 Den ersten Aprilscherz konnte man in der deutschen Presse 1774 lesen. Die Berliner Zeitung meldete, dass man bunte Hühner züchten könne, wenn man den Stall in der gewünschten Farbe anstreichen würde. Nach der Überlieferung griffen viele Bauern zum Farbtopf.

3 1957 zeigte die BBC einen halbstündigen Kulturfilm über die Spaghetti-Ernte in der Schweiz.

4 1983 strahlte der Süddeutsche Rundfunk eine Sendung über die Erfindung und Einführung von „Instant-Wein" aus.

5 1988 berichtete die BBC, dass es am 1. April um genau 9.47 Uhr aufgrund einer besonderen Jupiter-Pluto-Konstellation zu einem starken Abfall der Erdanziehung käme. Wer in dieser Minute hochspringe, könnte für einige Augenblicke schweben. Hunderte von Anrufern bestätigten ihren Erfolg.

6 2007 veröffentlichte Google eine Website, auf der für einen Internetzugang geworben wurde, der die Verbindung über eine optische Leitung durch die Toilette herstellt.

b) Suchen Sie für jeden Aprilscherz eine kurze Überschrift.

c) Bilden Sie Sätze. Achten Sie auf die fehlenden Präpositionen.

1. Maria von Medici – der Monarch – gefälscht, Brief – heimlich, Treffen – bitten

   ....

2. 1774 – erster Aprilscherz – deutsch, Presse – man – lesen – können

   ....

3. wenn – man – Stall – gewünscht, Farbe – anstreichen – würden – dann – man – bunt, Hühner – züchten – können

   ....

4. 1983 – Sendung – Erfindung, Instant-Wein – ausstrahlen – werden

   ....

5. besondere Jupiter-Pluto-Konstellation – Verringerung, Erdanziehung – Folge – haben

   ....

6. BBC – Kulturfilm – Spaghetti-Ernte – Schweiz – zeigen

   ....

7. laut Google – neu, Internetzugang – optisch, Leitung – Toilette – erfolgen

   ....

Adjektive mit präpositionalem Kasus

▶ Genauso wie Verben können auch Adjektive in Verbindung mit *sein* mit präpositionalem Kasus verwendet werden.

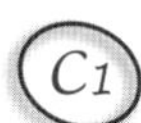
Ordnen Sie den Gruppen die richtige Präposition mit dem richtigen Fall zu.

1. *von + Dat*	2.	3.	4. ....
abhängig sein begeistert sein überzeugt sein enttäuscht sein entfernt sein	ärgerlich sein böse sein angewiesen sein eifersüchtig sein stolz sein	interessiert sein erkrankt sein reich sein schuld sein beteiligt sein	freundlich sein (un)fähig sein bereit sein nett sein entschlossen sein
5.	**6. ....**	**7. ....**	**8. ....**
angesehen sein (un)beliebt sein	zurückhaltend sein aufgeschlossen sein	(un)empfindlich immun	adressiert sein gewöhnt sein
9.	**10. ....**	**11. ....**	**13. ....**
(un)geeignet sein verantwortlich sein (un)wichtig sein (un)schädlich sein nützlich sein	befreundet sein verwandt sein zufrieden sein beschäftigt sein fertig sein	verrückt sein **12. ....** unterteilt sein verliebt sein	glücklich sein erfreut sein erstaunt sein traurig sein verwundert sein wütend sein
			14. ....
			(un)erfahren sein gut sein nachlässig sein

C2 Ergänzen Sie die fehlenden Präpositionen und Artikelendungen.

1. Auch in Stresssituationen ist man .... Höchstleistungen fähig.
2. Das Land ist reich .... Bodenschätzen.
3. .... d........ Kleinkunstpreis ist der Kabarettist sehr glücklich.
4. Der junge Mitarbeiter ist .... Protokollschreiben noch unerfahren.
5. Der Abteilungsleiter ist allen Ideen .... aufgeschlossen.
6. .... d........ Aufgabe sind wir schon lange fertig.
7. Unsere Mannschaft ist hoch motiviert. Sie ist .... Sieg entschlossen.
8. Wir sind .... d........ gute Zusammenarbeit mit der Forschungsabteilung angewiesen.
9. Der Fahrradfahrer war .... dies........ Unfall nicht schuld.
10. Die Band ist vor allem .... jungen Publikum beliebt.
11. Das Buch ist .... acht Kapitel unterteilt.
12. Man sagt, der Schriftsteller sei verwandt .... d........ englischen Königshaus.
13. Ist Mathilde noch immer .... ihr........ Zahnarzt verliebt?
14. Hat der Chef euch informiert? – Nein, ... dies........ Beziehung ist er etwas nachlässig.
15. Ich bin doch sehr verwundert .... dein Verhalten!
16. Viele Neureiche sind verrückt .... Luxusartikeln und Markenkleidung.
17. Der Sportler ist .... sein........ Bestform noch meilenweit entfernt.
18. Ich glaube, ich habe ein Loch im Zahn. Ich bin im Moment so empfindlich .... Süßes.
19. Zwei der drei Bewerberinnen waren .... d........ Stelle nicht geeignet.
20. Friedrich war uns .... so zurückhaltend. Hat er irgendein Problem?
21. Viele vermuten, dass die junge Frau des Bankchefs nur .... sein........ Geld interessiert ist.

(C3) Bilden Sie aus den vorgegebenen Wörtern Sätze. Achten Sie auf die fehlenden Präpositionen.

◊ Sekretärin – immer freundlich sein – Kunden
Die Sekretärin ist immer freundlich zu den Kunden.

1. Verwaltungsmitarbeiterin – verantwortlich sein – Fehler – Rechnung
 ....
2. wir – sehr zufrieden sein – Zusammenarbeit
 ....
3. Germanistikstudentin – beschäftigt sein – Romane von Christa Wolf
 ....
4. Kritiker *(Pl.)* – begeistert sein – neu, Film
 ....
5. Lehrerin – erfreut sein – Leistungen, Schüler *(Pl.)*
 ....
6. deutsch, Physiker – maßgeblich beteiligt sein – Erfindung
 ....
7. Höhe, Rabatt – abhängig sein – Anzahl, bestellte Computer
 ....
8. Abteilungsleiter *(Sg.)* – besonders nett sein – junge Mitarbeiterinnen
 ....
9. Brief – adressiert sein – Direktor persönlich
 ....
10. zu lange Lieferzeiten – schädlich sein – auf Dauer – unser Geschäft
 ....

(C4) Wiederholung: Verben mit Präpositionen
Fragen Sie Ihre Nachbarin/Ihren Nachbarn und berichten Sie. Ergänzen Sie außerdem die Präpositionen und Pronominaladverbien.

1. Wann beginnen Sie morgens .... der Arbeit/dem Studium?
2. Interessieren Sie sich auch in Ihrer Freizeit .... Ihre Arbeit/Ihr Studium?
3. Sprechen Sie gelegentlich mit Ihren Freunden .... Ihre Arbeit/Ihr Studium?
4. Beklagen Sie sich manchmal .... zu viel Arbeit?
5. Zweifeln Sie manchmal .... Ihren eigenen Fähigkeiten oder den Fähigkeiten der anderen?
6. Verfügen Sie .... außergewöhnliche Fähigkeiten? Wenn ja, ... welche?
7. Bereiten Sie sich .... Sitzungen/Besprechungen/Seminare immer gut vor?
8. Gelten Sie im Betrieb/in der Uni eher .... zuverlässiger oder eher .... querdenkender Mitarbeiter/Student?
9. Nehmen Sie regelmäßig .... Fortbildungsveranstaltungen oder Extrakursen teil?
10. Wenn Sie montags zur Arbeit/zum Studium fahren, ... freuen Sie sich am meisten? Und .... fürchten Sie sich?
11. .... haben Sie sich im Betrieb/in der Uni bisher am meisten aufgeregt?
12. Hat sich jemals ein Mitarbeiter/ein Kommilitone .... Sie beschwert?
13. Wenn ja, ... hat er sich beschwert?
14. Was erwarten Sie .... Ihrem Chef/Ihren Lehrern und was .... Ihren Mitarbeitern/Kommilitonen?
15. Haben Sie .... Ihrem Chef/Ihren Kollegen/Ihren Lehrern schon mal etwas verheimlicht?
16. Träumen Sie auch manchmal .... einer Gehaltserhöhung/Stipendienerhöhung?

Zweiteilige Satzverbindungen

Teil C

additiv (Aufzählung)

positiv:	
nicht nur – sondern auch	Frau Krüger kann nicht nur mit allen Office-Programmen umgehen, sondern auch den Computer selbst reparieren.
sowohl – als auch	Frau Krüger kann sowohl mit allen Office-Programmen umgehen als auch den Computer selbst reparieren.
negativ:	
weder – noch	Otto kann weder gut einparken noch ist er in der Lage, Stadtpläne zu lesen.

alternativ (Ersatz)

entweder – oder	Herr Krause starrt abends entweder in den Fernseher oder er liest die Sportnachrichten in der Zeitung.

konzessiv/adversativ (Einschränkung/Gegensatz)

zwar – aber	Frauen haben zwar kleine Gehirne, aber sie schneiden in IQ-Tests genauso gut ab.
zwar – trotzdem	Frauen haben zwar kleine Gehirne, trotzdem schneiden sie in IQ-Tests genauso gut ab.
einerseits – andererseits	Einerseits haben Frauen kleine Gehirne, andererseits schneiden sie in IQ-Tests genauso gut ab.

C5 Verbinden Sie die folgenden Sätze mit den oben aufgeführten Satzverbindungen.

1. Er will gern im Urlaub weit weg fahren. Er will sich auch um seinen Garten kümmern.

 ....

2. Sie kann kein Telefongespräch auf Spanisch führen. Sie kann auch keinen spanischen Geschäftsbrief schreiben.

 ....

3. Er will zuhören. Er will sich auch aktiv am Gespräch beteiligen.

 ....

4. Wir können Ihnen einen Standardkurs anbieten. Wir können auch ein maßgeschneidertes Kursprogramm für Sie zusammenstellen.

 ....

5. Du musst in den nächsten drei Tagen den Rückstand aufarbeiten. Du bekommst Probleme mit dem Chef.

 ....

6. Ich habe ihn überall gesucht. Er war nicht mehr im Büro. Er hat auch nicht in seinem Lieblingsrestaurant gegessen.

 ....

7. Viele Leute wollen was für die Umwelt tun. Sie weigern sich, mit öffentlichen Verkehrsmitteln zur Arbeit zu fahren.

 ....

8. Die Polizei hat den Tatort nicht gründlich untersucht. Sie ist Hinweisen aus der Bevölkerung nicht nachgegangen.

 ....

9. Wir können mit dem Taxi zum Flughafen fahren. Wir können auch den Zug nehmen.

 ....

10. An der Veranstaltung nahmen ehemalige Schüler teil. Es kamen auch einige ehemalige Lehrer.

 ....

Satzverbindungen: Hauptsätze *(Wiederholung)*

a) Konjunktionen

Sie gewann den Wettkampf, denn sie trainierte hart. → Das finite Verb steht an zweiter Stelle nach der Konjunktion. Hierzu gehören auch: *aber, oder, doch, und, sondern.*

b) Konjunktionaladverbien

Er mag keine klassische Musik, trotzdem besucht er das Konzert. → Das finite Verb steht an zweiter Stelle nach dem Komma.

Er mag keine klassische Musik, er besucht das Konzert trotzdem. Konjunktionaladverbien können an verschiedenen Stellen des Satzes stehen.

temporal (Angabe der Zeit)	
anschließend/danach	Paul aß in einem italienischen Restaurant, anschließend ging er ins Kino.
davor/vorher	Paul ging ins Kino, davor aß er in einem italienischen Restaurant.
währenddessen	Du servierst den Gästen den Aperitif, währenddessen kümmere ich mich um die Vorspeise.
kausal (Angabe des Grundes)	
denn	Sie gewann den Wettkampf, denn sie trainierte hart.
konsekutiv (Angabe der Folge)	
deshalb/deswegen/darum/daher/infolgedessen/demzufolge	Sie trainierte hart, deshalb gewann sie den Wettkampf.
konzessiv (Angabe der Einschränkung)	
trotzdem/dennoch/gleichwohl	Er mag keine klassische Musik, trotzdem besucht er das Konzert.
final (Angabe der Absicht/des Ziels)	
dafür	Er will die Prüfung diesmal bestehen, dafür lernt er Tag und Nacht.

C6 Ergänzen Sie in dem folgenden Text die Konjunktionen bzw. Konjunktionaladverbien.

trotzdem ◊ denn ◊ deshalb ◊ aber ◊ währenddessen ◊ demzufolge ◊ dafür ◊ sondern

Machen Sie mal Pause, aber richtig

Heike plaudert im Büro gerne mit den Kollegen oder surft kurz privat im Internet. Gustav gibt Zahlen in eine Tabelle ein, ... (1) telefoniert er zweimal mit seiner Frau.

Die Deutschen machen bei der Arbeit viele kleine Pausen, mehr, als ihnen der Arbeitgeber eigentlich erlaubt. Einer Untersuchung zufolge gönnen sich viele bis zu 40 Minuten Pause extra. .... (2), so könnte man vermuten, müssten die Deutschen ein ausgeruhtes, entspanntes und produktives Völkchen sein. .... (3) klagen viele Arbeitnehmer über Überbelastung und Zeitdruck. Nach Meinung des Arbeitspsychologen Rainer Wieland sind Tätigkeiten wie Surfen, Kollegengespräche und Telefonieren zwar keine Arbeit, ... (4) sie sind auch keine Pause. Das Lesen von Nachrichtenseiten im Internet erfordert Konzentration, ... (5) kann man sich nicht richtig entspannen. Viel schlimmer ist es noch, wenn das Mittagessen am Arbeitsplatz und nicht in der Kantine eingenommen wird. Oder jemand meint, er muss noch schnell einen Auftrag beenden, ... (6) verschiebt er dann die nötige Ruhephase immer weiter nach hinten.

Wer körperlich arbeitet, legt automatisch eine Pause ein. Bei geistiger Arbeit ist das nicht der Fall. Die Folgen sind Stress und Konzentrationsschwierigkeiten. Das schadet nicht nur dem Arbeitnehmer, ... (7) auch der Firma, ... (8) die Produktivität der Mitarbeiter leidet darunter. Wer richtig Pause machen will, sollte sich voll und ganz auf die Entspannung konzentrieren.

C7 Verbalisieren Sie die Präpositionalgruppen. Bilden Sie Hauptsätze.

◊ Wegen seiner schlechten Leistungen bei den letzten Wettkämpfen wurde er nicht für die Nationalmannschaft nominiert.

Er wurde nicht für die Nationalmannschaft nominiert, denn er zeigte bei den letzten Wettkämpfen schlechte Leistungen.

Er zeigte bei den letzten Wettkämpfen schlechte Leistungen, deshalb wurde er nicht für die Nationalmannschaft nominiert.

1. Trotz aller Vorsichtsmaßnahmen wurde ihm seine Fotoausrüstung gestohlen.

2. Für die Optimierung seiner technischen Ausrüstung hat der Fotograf sehr viel Geld ausgegeben.

3. Aus Liebe zur Natur unterstützt sie aktiv das neue Umweltprojekt.

4. Nach der offiziellen Unterzeichnung der Verträge fand ein Empfang der Gäste im Rathaus statt.

5. Trotz der guten Organisation der Veranstaltung gab es bei der Durchführung mehrere Pannen.

6. Aufgrund einer Warnung des Innenministeriums vor terroristischen Anschlägen wurden die Sicherheitsvorkehrungen auf allen Bahnhöfen verstärkt.

7. Vor der morgigen Sitzung müssen noch alle Teilnehmer über die Änderung der Tagesordnung informiert werden.

8. Für die Besteigung des Gipfels unternahm er große Anstrengungen.

9. Trotz vieler Besucher klagen die Museen in diesem Jahr über Einnahmeverluste.

10. Aufgrund der guten Besucherzahlen wird die Ausstellung um drei Monate verlängert.

11. Vor der Urlaubsreise nächste Woche müssen wir das Auto in die Werkstatt bringen.

12. Wegen zu großer Nervosität machte sie bei der Fahrprüfung einige Fehler.

Rückblick

 Hier finden Sie die wichtigsten Redemittel des Kapitels.

Glück und Unglück

- die Frage nach dem Glück stellen/beantworten
- sich Gedanken zum Thema *Glück* machen
- sich auf die Suche nach dem Glück machen
- versuchen, das Glück zu erklären/mit empirischen Methoden zu erfassen
- etwas mithilfe wissenschaftlicher Untersuchungen belegen/beweisen
- auf das Glück hoffen
- eine Frohnatur sein/von Natur aus glücklich sein
- schlechte Stimmungen vertreiben
- Glücksfähigkeit ist zum Teil angeboren.
- Jeder Mensch hat ein durchschnittliches Glücksniveau.
- Einige Faktoren sind entscheidend für die Zufriedenheit/das Zufriedenheitsgefühl/das Glücksempfinden.
- Das Glück liegt jenseits von materiellem Wohlstand.
- Jeder ist seines Glückes Schmied.
- Der Glücksbegriff ist kulturell geprägt.
- Glück hängt von den Lebensumständen ab.
- sich an etwas (einen Standard) gewöhnen
- ein Pechvogel sein/unglücklich sein
- von einem Unglück ins nächste schlittern
- negative Emotionen (nicht) in den Griff bekommen
- Stillstand als Rückschritt empfinden
- Angst um/vor etwas haben
- eine Enttäuschung erleben
- die Vergangenheit verherrlichen
- sich als (ergiebige) Quelle des (Un-)Glücks eignen

Stress

- Stress/etwas als stressig empfinden
- unter Stress leiden
- eine Rolle beim Stressempfinden spielen
- Stress ist ein Überlebensreflex/ein lebenswichtiger Vorgang zur Gefahrenabwehr.
- Der Körper schaltet (nicht) auf Normalfunktion um.
- das Gefühl der Hilflosigkeit erleben
- Die Psyche wird belastet/entlastet.
- Die Anforderungen steigen.
- viel Energie in die Karriere stecken
- (keine) Erfolgserlebnisse erzielen
- Anspruch und Wirklichkeit klaffen auseinander.
- sich (stark) mit dem Beruf identifizieren
- Hohe Verausgabung ist mit geringen Belohnungschancen verbunden (Gratifikationskrise).
- Ideelle Wertschätzung ist so wichtig wie finanzielle Anerkennung.
- Motivation schlägt in Abneigung um.
- von sich selbst zu viel verlangen
- über das eigene Tun reflektieren
- Berufs- und Privatleben in Einklang bringen
- eine Balance zwischen Arbeit und Freizeit/seelisches Gleichgewicht finden
- sich Freiräume schaffen
- Prioritäten setzen
- sich auf die eigenen Stärken besinnen

Lachen und Humor

- Spaß verstehen
- über etwas lachen
- etwas lustig/amüsant finden
- sich krummlachen/totlachen/kaputtlachen
- sich vor Lachen biegen/ausschütten
- aus dem Lachen nicht mehr herauskommen
- Humor haben
- ein Spaßvogel/ein Witzbold/ein Scherzkeks/eine Ulknudel sein
- Witze erzählen/reißen
- über etwas Witze machen
- Witze auf ihre Wirkung untersuchen
- jemandem vergeht das Lachen
- mit etwas ist nicht zu spaßen
- Auswirkungen auf die Gesundheit/auf soziale Beziehungen haben
- die gesundheitliche Wirkung überschätzen
- eine Wirkung hält (nicht) an
- wissenschaftliche Ergebnisse überinterpretieren
- Einige Tatsachen sind unbestritten.

Aprilscherze

- Aprilscherze sind seit dem 16. Jahrhundert verbürgt.
- Mitmenschen durch erfundene oder gefälschte Geschichten hereinlegen
- einen Scherz machen/sich einen Scherz erlauben
- jemanden in den April schicken/hinters Licht führen/auf den Arm nehmen
- jemandem einen Streich spielen
- jemanden mit erfundenen Geschichten veralbern
- jemanden verspotten
- jemanden auslachen/ausgelacht werden
- schadenfroh sein
- Der Brauch hat seine Anhänger.

Evaluation
Überprüfen Sie sich selbst.

Ich kann	gut	nicht so gut
Ich kann anhand von Kurzbeschreibungen eine Bücherauswahl treffen, begründen und verteidigen.	❐	❐
Ich kann über positive und negative Gefühle sowie über das Thema *Glück* zusammenhängend sprechen.	❐	❐
Ich kann mich ausführlich zum Thema *Stress und seine Folgen* äußern und Interviews zu diesem Thema führen.	❐	❐
Ich kann populärwissenschaftliche Texte über die Glücksforschung und die Auswirkungen von Stress im Detail verstehen und zusammenfassen.	❐	❐
Ich kann ausführliche Stellungnahmen zu den Themen *Stress* und *Humor* schreiben.	❐	❐
Ich kann verschiedene Mittel der Satzverknüpfung verwenden.	❐	❐
Ich kann Radiointerviews mit Experten zu den Themen *Stress* und *Die Bedeutung des Lachens* fast vollständig verstehen.	❐	❐
Ich kann über das Thema *Lachen, Humor und Witze* diskutieren und Witze verstehen.	❐	❐
Ich kann humorvolle Gedichte verständlich und mit Betonung rezitieren.	❐	❐
Ich kann Texte über Aprilscherze verstehen und etwas über das Thema sagen. *(fakultativ)*	❐	❐

Kapitel 3

Erfolge und Niederlagen

Wettkampf

Erfolg im Sport

Teil A

A1 Sprechen Sie möglichst ausführlich über die Fotos.

- Schildern Sie die dargestellten Situationen sowie die Personen und Dinge, die Sie auf den Fotos sehen.
- Sprechen Sie anschließend ca. drei Minuten über das Thema *Erfolge und Niederlagen im Sport*.

A2 Eigenschaften

a) Wie heißen die passenden Nomen?

Adjektiv	Nomen	Adjektiv	Nomen
talentiert	das Talent	selbstsüchtig	....
ausdauernd	....	freundlich	....
fleißig	....	wortgewandt	....
kämpferisch	....	intelligent	....
diszipliniert	....	wagemutig	....
ehrgeizig	....	leichtsinnig	....
feige	....	zielstrebig	....
nachgiebig	....	eitel	....
großzügig	....	ehrlich	....
fair	....	hinterhältig	....

b) Welche Eigenschaften sollte Ihrer Meinung nach ein Sportler unbedingt besitzen? Welche Eigenschaften sind für Sie selbst wichtig?

wichtig für einen Sportler	wichtig für Sie selbst

Tops und Flops bei den Sportarten
Beschreiben Sie die folgende Grafik.

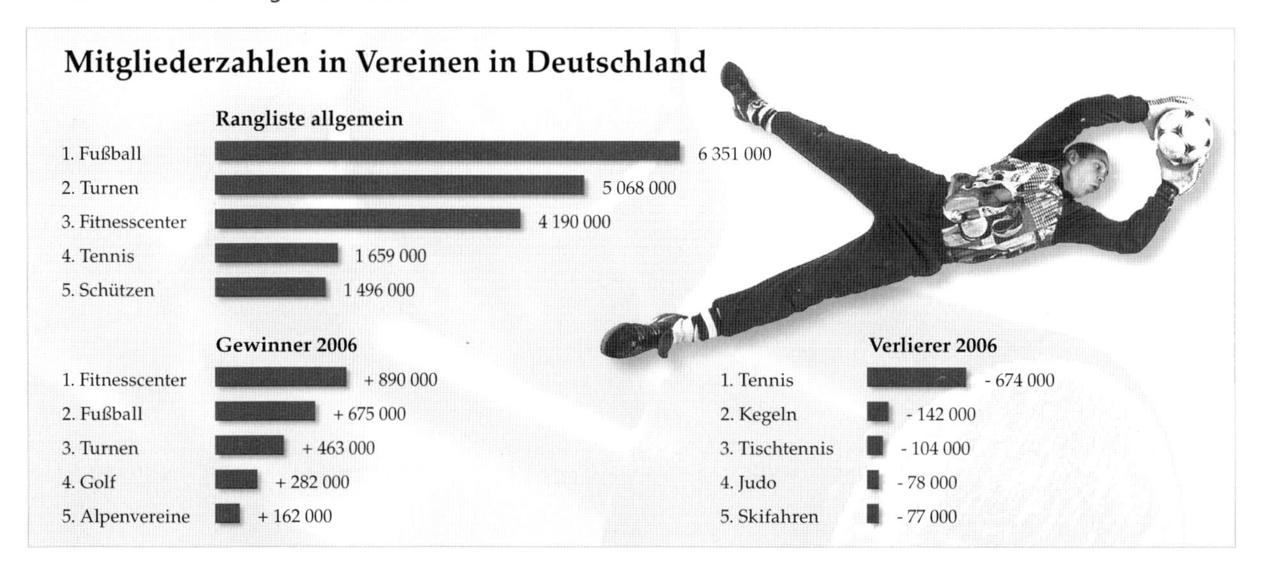

A4 Interview: Sportarten und Sportler
Fragen Sie zwei Gesprächspartnerinnen/Gesprächspartner und berichten Sie.

	Name	Name ....
Welche Sportarten sind in Ihrem Heimatland am beliebtesten?		
Welche Sportarten mögen Sie, welche nicht?		
Treiben Sie selbst Sport?		
Welcher Sportler gilt in Ihrem Heimatland als Vorbild?		
Welche Wintersportarten kennen Sie?		
Kennen Sie berühmte Wintersportler?		

Eiskunstlauf

a) Lesen Sie die folgende Nachrichtenmeldung und beantworten Sie anschließend die Fragen.

Eiskunstlauf vorn

Sportfans in den USA haben die nationalen Eiskunstlaufmeisterschaften zum amerikanischen Sportereignis des Jahres 2007 gewählt. Der Eiskunstlauf setzt sich damit in der Beliebtheit gegen American Football und Baseball durch und wird zur beliebtesten Sportart der Amerikaner.

- Hat Sie diese Nachricht überrascht?
- Welche Rolle spielt die Sportart Eiskunstlauf in Ihrem Heimatland?
- Was halten Sie persönlich von dieser Sportart?

b) Sammeln Sie in Gruppen Wörter zum Thema *Eiskunstlauf.*

das Eis, die Eisfläche, ...

....

....

c) Lesen Sie die vier Texte, in denen ehemalige Eiskunstläufer vorgestellt werden. In welchen Texten (A–D) gibt es Aussagen zu den Themenschwerpunkten 1–5? (Es gibt nicht in allen Texten Aussagen zu jedem Themenschwerpunkt.)

A

Denise Biellmann
Die Schweizer Eiskunstläuferin sprang als erste Frau den dreifachen Lutz – und verrenkte sich spektakulär zur „Biellmann-Pirouette". Denise Biellmann, geboren 1962 in Zürich, gewann mit acht Jahren den ersten internationalen Wettkampf. Sie wurde dreimal Schweizer Meisterin, einmal Europa- und einmal Weltmeisterin. 1981 zog sie sich aus dem Amateursport zurück, tourte für Holiday on Ice durch Europa. Biellmann trainiert noch heute Akrobatik, drei Stunden am Tag. Eislaufen ist nun mal ihre Leidenschaft. Biellmann wurde von ihrer Mutter trainiert und einmal in der Woche hatte sie einen zusätzlichen Trainer. Mehr war finanziell nicht drin. „Ich fand es gut, dass ich mit meiner Mutter zusammenarbeiten konnte. Da ich schon mit sieben Jahren beschlossen hatte, Weltmeisterin zu werden, musste sie mich auch nie antreiben. Im Gegenteil: Manchmal musste sie mich geradezu vom Eis zerren." Biellmann hat eine relativ steile und kurze Karriere hinter sich. Auf die Frage, warum sie sich so schnell vom Amateursport verabschiedet habe, sagt sie selbst: „Früher gab es das sogenannte Pflichtlaufen, bei dem man bestimmte Eiskunstlauffiguren zeigen musste. Das hat mir nie Spaß gemacht. Als Profi fiel das weg. Und nach dem Weltmeistertitel 1981 kamen eben auch sehr gute Angebote zum Beispiel von Holiday on Ice."

B

Marika Kilius und Hans-Jürgen Bäumler
Wenn Marika Kilius und Hans-Jürgen Bäumler auf dem Eis standen, erlahmte in Westdeutschland das gesellschaftliche Leben. Die Nation hing gebannt an den Bildschirmen, wenn das jugendliche Traumpaar zu immer neuen Wettkampferfolgen lief. Mit dem Gewinn der deutschen Meisterschaft am 11. Januar 1959 begann für das Eiskunstlaufpaar eine beispiellose Erfolgsserie. Wenige Wochen später wurden Kilius und Bäumler Europameister, dann Weltmeister im Paarlauf. Von 1959 bis 1964 verteidigten die blonde Frankfurterin und der schwarzhaarige Münchner souverän ihren Titel als Europameister. Ihre schärfsten Konkurrenten waren die Russen Oleg und Irina Protopopov. Die Duelle der beiden Spitzenpaare waren die unangefochtenen sportlichen Höhepunkte der frühen 60er-Jahre. Die Olympischen Winterspiele wurden jedoch zu Stolpersteinen für die Goldhoffnung Kilius/Bäumler. Sowohl 1960 als auch 1964 mussten sich die beiden mit Silber zufriedengeben. Beide Male unterlief ihnen derselbe kleine Fehler, als sie eine Pirouette nicht exakt parallel drehten. Das bedeutete einen deutlichen Punktabzug, auch wenn die Kür ansonsten perfekt war. Nach der Olympiade 1964 wechselten Marika Kilius und Hans-Jürgen Bäumler ins Showgeschäft. Sie traten in Eisrevuen auf, drehten Musikfilme und sangen Schlager.

◊ **Sportliche Aktivitäten heute**

Text A *trainiert noch heute Akrobatik*

Text B —

Text C *sportlich noch aktiv, spielt Tennis*

Text D —

1. Aussehen/Äußeres der Sportler

Text A ....

Text B ....

Text C ....

Text D ....

2. Damaliges Trainingsschema und/oder Trainer

Text A ....

Text B ....

Text C ....

Text D ....

3. Gründe für das Scheitern am Gold

Text A ....

Text B ....

Text C ....

Text D ....

4. Aktuelle Präsenz in den Medien

Text A ....

Text B ....

Text C ....

Text D ....

5. Wechsel ins Profilager und Aktivitäten

Text A ....

Text B ....

Text C ....

Text D ....

C

Rudi Cerne

Er ist heute Sportreporter und moderiert im Zweiten Deutschen Fernsehen (ZDF) die populäre Sendung *Aktenzeichen XY ungelöst*. Viele jüngere Zuschauer wissen nicht, dass Cerne Ende der 70er- und Anfang der 80er-Jahre ein bekannter Eiskunstläufer war. 1984 gewann er die Silbermedaille bei den Europameisterschaften. Cerne sagt selbst über diese Zeit: „Ich hatte ziemlich früh das Ziel, Olympiasieger und Weltmeister zu werden." Als er fünf Jahre war, brachte ihn der Vater zum Eiskunstlauftraining und Cerne trainierte anfangs dreimal in der Woche. Ziemlich bald fuhren Vater und Sohn dann täglich 75 km von Wanne-Eickel nach Krefeld zum Training. „Aber um das Goldtreppchen zu erreichen, hätte ich auch zwischen dem 14. und 17. Lebensjahr intensiver trainieren müssen und vielleicht auch mal den Trainer wechseln sollen." Nach seiner aktiven Laufbahn wird Cerne Profi und ist vier Jahr lang mit der Revue „Holiday on Ice" auf Tournee, bevor er sich dem Sportjournalismus zuwendet. Mit 35 ist er noch den Doppel-Flip und den Doppel-Lutz gesprungen, doch inzwischen hat er die Schlittschuhe endgültig an den Nagel gehängt. Cerne ist sportlich immer noch sehr aktiv. Beim Tennis habe er das Gefühl, dass er viel besser spiele als früher.

D

Katarina Witt

Auf dem Eis tanzte sie sich bis an die Weltspitze und ist eine der erfolgreichsten Eiskunstläuferinnen aller Zeiten. „Gold-Kati" holte zwei Olympiasiege und vier Weltmeistertitel für die DDR. Die Witt wurde sechsmal Europameisterin (1983–1988), viermal Weltmeisterin und zweimal Olympiasiegerin. Bereits als Kind trainierte sie vier- bis fünfmal in der Woche sehr hart. Sie war fünfeinhalb Jahre alt, als sie zum ersten Mal in ihrer Heimatstadt Karl-Marx-Stadt das Eis betrat und in die Nachwuchsgruppe eingegliedert wurde. Mit der Zeit und mithilfe ihrer Trainerin Jutta Müller entwickelte sie die Erfolgsformel für ihre Eiskunstlaufkarriere: leidenschaftliche Hingabe, die Perfektionierung ihrer sportlichen Talente und die Bezauberung des Publikums mit ihrem Äußerem und natürlichen Charme. „Sie kann bei höchster Geschwindigkeit um die eigene Achse rotieren und dabei sinnlich lächeln. Alles ist in diesem Moment aufeinander abgestimmt – Make-up, Mimik, Frisur und ein tiefrotes Kostüm", so hieß es bei Olympia 1988. Dort glänzte sie mit der Carmen-Kür und gewann zum zweiten Mal olympisches Gold. Eine Leistung, die vor ihr nur die Norwegerin Sonja Henie (1932 und 1936) erreicht hatte. 1988 wechselte die Witt vom Amateurlager ins Profilager. Ihre erneute Teilnahme an den Olympischen Winterspielen 1994 war eine Sensation. 1995 erschien ihre Autobiografie „Zwischen Pflicht und Kür". Über den Medienliebling von damals und heute wird und wurde viel geschrieben. Erst im März 2008 hing sie die Schlittschuhe an den Nagel und beendete ihre sehr erfolgreiche Profikarriere.

A6 Unter Erfolgszwang

a) Lesen Sie das Gedicht von der missglückten Super-Maxi. Kreuzen Sie die richtige Antwort (a, b oder c) an.

1. Was hofften Maxis Eltern?
   - a) ❒ Dass Maxi mal ein großer Star wird.
   - b) ❒ Dass Maxi den Eltern immer gehorcht.
   - c) ❒ Dass Maxi täglich brav zum Sport geht.
2. Wenn Maxi aus der Schule kam,
   - a) ❒ war sie fit und munter.
   - b) ❒ wollte sie viel unternehmen.
   - c) ❒ war sie erschöpft.
3. Warum wurde Maxi krank?
   - a) ❒ Weil sie nicht mehr in der Schulbank sitzen konnte.
   - b) ❒ Weil sie ein viel zu volles Freizeitprogramm hatte.
   - c) ❒ Weil ihr die Eltern zu viel Popcorn gaben.
4. Was taten die Eltern, als Maxi krank wurde?
   - a) ❒ Sie verstanden das Problem und pflegten Maxi.
   - b) ❒ Sie sagten zu Maxi, sie solle sich ausruhen.
   - c) ❒ Sie übernahmen Maxis Programm.
5. Was zieht der Autor des Gedichts für eine Schlussfolgerung?
   - a) ❒ Dass es keine Superfrauen gibt.
   - b) ❒ Dass Kinder nicht durch zu viele Freizeittätigkeiten überfordert werden sollten.
   - c) ❒ Dass man in seinem Leben und in seiner Freizeit nie genug lernen kann.

Die Geschichte von der missglückten Super-Maxi

Maxi ist kein Superkind.
Doch wie Eltern nun mal sind,
hofften beide, Mutter, Vater,
Maxi geht mal zum Theater,
wird mal Film- und Fernsehstar,
Kaiserin von China gar
oder Spitzensportlerin,
zehnmal Weltrekordlerin,
größtes Supergirl auf Erden –
so was müsste Maxi werden.

„Maxi, schaff dich[1], werd ein Star!",
forderte das Elternpaar.
Wenn sie aus der Schule kam,
meistens schulbanksitzfleischlahm,
etwas Popcorn, Schularbeiten,
Englischkursus, Tennis, Reiten,
Schlittschuhlaufen, Steno, Schwimmen,
Fitness-Training, Muskeltrimmen,
Degenfechten, Chor, Ballett –
Plötzlich fiel sie krank ins Bett.

Mutter konnte es nicht fassen.
Vater sprach: „Nicht lockerlassen!
Übernehmen wir nun stramm
Maxis Tag- und Nacht-Programm!"
Und nach tausend Tätigkeiten,
Englischkursus, Tennis, Reiten,
Schlittschuhlaufen, Steno, Schwimmen,
Fitness-Training, Muskeltrimmen,
Degenfechten, Chor, Ballett –
Liegen alle drei im Bett!

Und was lernen wir daraus?
Kinder-Trimming ist ein Graus!
Absolute Super-Asche[2]
ist die Superfrauen-Masche.

Hansgeorg Stengel (1922–2003)

[1] schaff dich = Arbeite hart, strenge dich an.
[2] etwas ist Asche = es ist schlecht, negativ (DDR-Deutsch)

b) Fassen Sie den Inhalt des Gedichts mit eigenen Worten zusammen und bewerten Sie den Text. Nutzen Sie dazu die Redemittel in der Übersicht.

einen Text/ein Gedicht zusammenfassen

- ◊ Das Thema des Textes/des Gedichtes ist …
- ◊ In dem Text/In dem Gedicht geht es hauptsächlich/in erster Linie um …
- ◊ Der Autor beschreibt/meint/behauptet …
- ◊ Als Beispiele werden … angeführt. Das wird mit folgenden Beispielen verdeutlicht …
- ◊ Der Autor zieht die Schlussfolgerung, dass …

einen Text/ein Gedicht bewerten

- ◊ Ich fand den Text/das Gedicht interessant/langweilig/spannend/humorvoll/informativ/unverständlich/lustig/sachlich …
- ◊ Mir ist aufgefallen, dass …
  Das Gedicht hat … Strophen./Es gibt Reime, …
- ◊ Der Autor benutzt viel Alltagssprache/Umgangssprache …

A7 Berichten Sie.

1. Welche Rolle sollten Ihrer Meinung nach die Eltern spielen, wenn Kinder und Jugendliche Leistungssport treiben?
2. Welche Folgen könnte es haben, wenn Eltern oder Trainer zu ehrgeizig sind?
3. Gab es in Ihrem Heimatland schon einmal einen Dopingfall/mehrere Dopingfälle?
   Wenn ja, wie haben Sie davon erfahren und welche Konsequenzen hatte der Fall/hatten die Fälle?

 Lesen Sie den folgenden Text.

Erfolg um jeden Preis

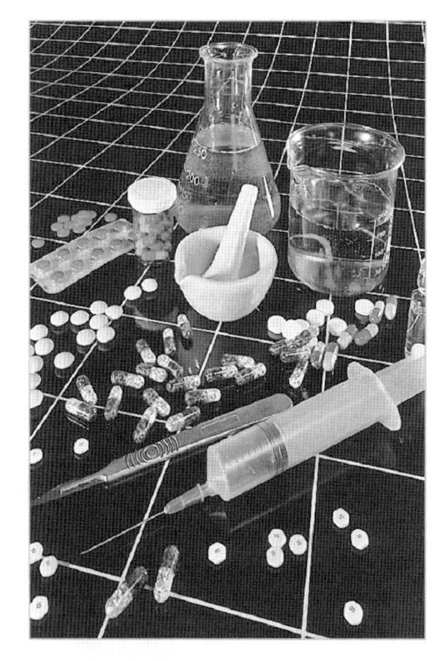

Immer, wenn ein Dopingfall durch die Medien geht, melden sich auch die Moralisten zu Wort. Sie beschwören dann wieder einmal den reinen olympischen Gedanken der Antike, bei dem es nur um die Teilnahme an sportlichen Wettkämpfen gegangen sei, nicht ums Gewinnen. Dabeisein ist alles. Jetzt haben neuere Untersuchungen herausgefunden, dass schon im antiken Griechenland zum Zweck der persönlichen Bereicherung und Anerkennung gelogen und betrogen wurde. So ist überliefert, dass der Boxer Eupolos im Jahr 388 v. Chr. seine Gegner mit hohen Geldsummen bestach.

Der römische Kaiser Nero sicherte sich die Gunst der griechischen Schiedsrichter mit Millionen Sesterzen[1]. Er stürzte zwar beim Wagenrennen, trotzdem erklärte man ihn zum Olympiasieger. Der Ringkämpfer Milon von Kroton war im 6. Jahrhundert v. Chr. sechsmal in Folge Olympiasieger. Um ihn und seine maßlosen Kräfte ranken sich viele Legenden. Milon soll täglich über acht Kilo Fleisch gegessen und zehn Liter Wein getrunken haben. Man sagt, er habe einen vierjährigen Stier auf den Schultern durchs Stadion getragen und anschließend verspeist. Was sind dagegen ein paar anabole Steroide[2]? In anderen Gegenden griff man bei sportlichen Wettkämpfen ebenfalls zu allerlei Mitteln. Germanische Kämpfer z. B. gewannen aus dem Fliegenpilz eine Droge, die ihre Kampfkraft stärkte. Auch sibirische Völker schätzten getrocknete Fliegenpilze als Rauschmittel. Die Inkas schütteten literweise Mate-Tee in sich hinein und kauten Coca-Blätter, um die Grenzen der menschlichen Natur zu überwinden.

Verallgemeinernd kann man sagen: Je höher der finanzielle Anreiz ist, desto niedriger wird die Hemmschwelle, zu Hilfsmitteln zu greifen. Die Vorreiter des modernen Dopings sind zwei Sportarten, bei denen es schon im 19. Jahrhundert hohe Belohnungen gab: der Pferde- und der Radsport. Beim Pferderennen wurden zunächst – mangels geeigneter Aufputschmittel – leistungshemmende Substanzen verwendet. Vergiftete Pferde rennen nun mal nicht so schnell. Auf diese Weise konnte mit Außenseitern beim Wetten viel Geld verdient werden. Im Radsport sind, im Vergleich zu früher, die heutigen Streckenlängen eine Kleinigkeit.

Beim Rennen Paris–Brest–Paris Ende des 19. Jahrhunderts saßen die Fahrer sechs Tage lang im Sattel. Ob Kaffee, Tee, Kokain, Morphium, Opium oder das Gift Arsen, alles wurde ausprobiert, um die Leistungsfähigkeit zu steigern und die Schmerzgrenze zu senken. Die Nebenwirkungen waren lebensgefährlich. Das erste Doping-Todesopfer im Radsport war Arthur Linton im Jahr 1896, gefolgt von vielen weiteren Dopingopfern. Und noch immer gibt es Sportler, die trotz nachweislicher gesundheitlicher Schäden ihren Körper mit gefährlichen Medikamenten aufputschen. Grundsätzlich hat sich also in den letzten 3 000 Jahren nichts geändert.

[1] Sesterzen = Zahlungsmittel im alten Rom
[2] anabole Steroide = synthetisch hergestellte Mittel zur Leistungssteigerung

 Textarbeit

a) Fassen Sie den Text kurz mit eigenen Worten zusammen.

b) Suchen Sie aus dem Text die Wörter, zu denen die Erklärung passt, und lösen Sie das Rätsel. Die Buchstaben in den farbigen Kästchen senkrecht ergeben ein Nomen.

1. *ein Verb:* nicht die Wahrheit sagen
2. *ein Verb:* etwas mit Appetit und Vergnügen essen
3. *ein Verb:* ein Hindernis meistern oder bewältigen
4. *ein Nomen:* eine Person, die darauf achtet, dass sich die Spieler an die Spielregeln halten
5. *ein Verb:* bestimmte Substanzen zu sich nehmen, um seine Müdigkeit zu überwinden oder sich in Erregung zu versetzen
6. *ein Nomen:* eine Person, die sich nicht an die Normen der Gruppe oder der Gesellschaft anpasst
7. *ein Verb:* jemandem Geld oder ein Geschenk geben, um dadurch (gegen die offiziellen Bestimmungen) einen Vorteil zu erhalten
8. *ein Verb:* jemanden bewusst täuschen

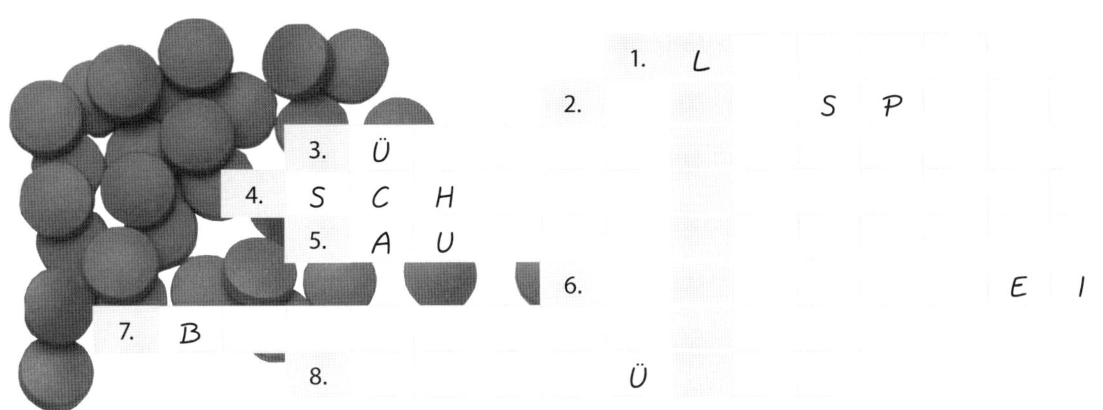

c) Ergänzen Sie in der Zusammenfassung die fehlenden Informationen.

Regelmäßig werden bei Wettkämpfen Sportler auf *Doping* getestet und des Dopings überführt. Bei solchen Gelegenheiten melden sich die Moralisten zu Wort, die an den olympischen Gedanken erinnern, bei dem nicht ....(1), sondern die Teilnahme im Vordergrund steht. Neuesten Untersuchungen ....(2) konnte schon im alten Griechenland ....(3) bei sportlichen Ereignissen festgestellt werden. Einige Beispiele dafür sind der Boxer Eupolos und Kaiser Nero, denen man ....(4) vorwirft. Außerdem versuchten die Sportler schon früher, durch die ....(5) verschiedener Mittel ihre Kampfkraft zu ....(6). Das moderne Doping wurde im 19. Jahrhundert im Pferde- und Radsport eingeführt. In diesen beiden Sportarten konnte man schon damals viel Geld ....(7). Die übliche Methode beim Pferderennen war allerdings nicht, die Pferde ....(8), sondern sie zu vergiften. Im Radsport dagegen wurde alles genommen, was die Leistung steigerte. Das war ....(9) für Leib und Leben der Fahrer. 1896 ....(10) Arthur Linton an den Folgen des Dopings. Und er war nicht das letzte Opfer.

A10 Grammatikwiederholung

a) Subjunktionen: Ergänzen Sie Satzverbindungen, die Nebensätze einleiten.

◇ Der Sportler ist sehr beliebt, *weil* er dreimal hintereinander Olympiasieger wurde.

1. Bei internationalen Wettkämpfen ist der Druck auf Sportler groß, ... von ihnen Erfolge erwartet werden.
2. Manche Sportler nehmen unerlaubte Mittel, ... ihre Leistungen .... verbessern.
3. Internationale Sportverbände sollten Maßnahmen ergreifen, ... die Verwendung von Doping besser kontrolliert werden kann.
4. Ein Sportverband könnte die Einnahme von Doping erschweren, ... er regelmäßige Kontrollen durchführt.
5. Das gelingt aber nur, ... für diese Maßnahmen auch finanzielle Mittel zur Verfügung stehen.
6. Bei manchen Wettkämpfen wurden Sportler wegen Dopingmissbrauchs disqualifiziert, ... vorher regelmäßige Kontrollen stattgefunden haben.
7. Der Erfolg solcher Kontrollen kann also nur .... garantiert werden, ... diese Kontrollen unangemeldet stattfinden.

b) Präpositionen mit dem Genitiv: Ergänzen Sie die fehlenden Präpositionen.

angesichts ◇ aufgrund ◇ anlässlich ◇ trotz ◇ mithilfe ◇ mangels ◇ wegen ◇ während

1. .... der Olympischen Spiele wurden besondere Maßnahmen zur Dopingkontrolle getroffen.
2. .... des Erfolgsdrucks greifen einige Sportler immer noch zu unerlaubten Mitteln, ... der Gefährdung der eigenen Gesundheit.
3. Die meisten Sportler werden schon .... der Vorbereitungszeit auf Doping getestet.
4. .... der Risiken, die die Sportler eingehen, sollte man meinen, die Dopingfälle würden sich reduzieren.
5. .... der vielen Kontrollen kommt so mancher Betrugsversuch ans Tageslicht.
6. Das Blutdoping bei der Tour de France erfolgte .... eines Arztes.
7. Beim Pferdesport wurden früher .... geeigneter Aufputschmittel leistungshemmende Substanzen verwendet, heute sind es leistungsfördernde Mittel.

Zusatzübungen zu Präpositionen mit dem Genitiv ⇨ Teil C Seite 92

Wählen Sie ein Thema aus und halten Sie darüber einen Kurzvortrag von ca. drei Minuten Länge. Nutzen Sie auch die vorgegebenen Redemittel.

T H E M A A

Einige erfolgreiche Sportler verdienen sehr viel Geld, z. B. Tennisspieler und Fußballspieler, andere nicht weniger erfolgreiche Sportler, z. B. Ruderer, verdienen fast gar nichts. Was sind die Gründe dafür? Wie stehen Sie persönlich dazu?

T H E M A B

Welche Gründe könnte es Ihrer Meinung nach geben, dass manche Sportler zu unerlaubten Mitteln (Doping) greifen? Können nationale und internationale Sportverbände etwas dagegen tun oder sollte man Doping legalisieren?

Hinweise zum Kurzvortrag

1. Klären Sie das Thema, grenzen Sie es ein.
2. Sammeln Sie Stichpunkte und ordnen Sie sie. Erstellen Sie eine klare Gedankenfolge.
3. Lassen Sie Ihre Gliederung „hörbar" werden: Einleitung – Hauptteil – Schluss. Bei einem Kurzvortrag sollten Einleitung und Schluss kurz und knapp sein.
4. Gestalten Sie Ihren Hauptteil mit kurzen, anschaulichen Beispielen. Sammeln Sie Pro- und Kontraargumente. Vergleichen Sie z. B. früher – heute/in Deutschland – in meinem Heimatland – in der Welt.
5. Bilden Sie kurze Sätze. Verwenden Sie so wenig Pronomen wie möglich, wiederholen Sie lieber die Nomen.
6. Vermeiden Sie Umgangssprache.

Redemittel

◊ Zunächst werde ich .../Zu Beginn möchte ich .../Anschließend ..., dann ... und zum Schluss ...
◊ Als Beispiel möchte ich ... anführen./Um meine Meinung zu verdeutlichen, möchte ich folgendes Beispiel anführen .../Wie das Beispiel zeigt .../An diesem Beispiel kann man erkennen ...
◊ Auf der einen Seite ... auf der anderen Seite/... hat Vorteile ... hat Nachteile .../... spricht dafür ... spricht dagegen
◊ Im Vergleich/Unterschied zu .../ Wenn man einen Vergleich zieht zwischen ...

Die Weitergabe von Informationen und Gerüchten

a) Lesen Sie die folgenden Sätze.

◊ Man sagt, er habe einen vierjährigen Stier auf den Schultern durchs Stadion getragen und anschließend verspeist.
◊ Milon soll täglich über acht Kilo Fleisch gegessen und zehn Liter Wein getrunken haben.
◊ Der Radfahrer will von dem spanischen Arzt noch nie etwas gehört haben.

Zur Weitergabe von Informationen und Gerüchten gibt es folgende sprachliche Möglichkeiten:

1. Wendungen wie:
   ich habe gehört/gelesen – man sagt – (der Wissenschaftler/Journalist) behauptet – wie (der Fußballverband) heute bekannt gab – nach Aussagen (des Trainers) → oft gefolgt vom Konjunktiv I

2. Modalverben
   Milon soll täglich über acht Kilo Fleisch gegessen und zehn Liter Wein getrunken haben. → Mit *sollen* wird ein Sachverhalt wiedergegeben, den man irgendwo gehört oder gelesen hat.

   Der Radfahrer will von dem spanischen Arzt noch nie etwas gehört haben. → Mit *wollen* wird eine Behauptung einer Person über sich selbst wiedergegeben. Man macht aber einige Zweifel an der Aussage deutlich.

Synonyme

Modalverb	synonyme Wendungen
Klaus Kupfer soll der beste Trainer sein.	◊ ich habe gehört/jemand hat erzählt/es heißt/angeblich/in den Nachrichten haben sie gesagt/in der Zeitung stand
Klaus Kupfer will der beste Trainer sein.	◊ er sagt über sich selbst/er behauptet von sich selbst

Zeitformen

Gegenwart	Vergangenheit
Klaus Kupfer soll/will der beste Trainer <u>sein</u>.	◊ Klaus Kupfer soll/will in den 90er-Jahren der beste Trainer <u>gewesen sein</u>.

b) Folgende Informationen haben Sie gehört oder gelesen. Geben Sie die Informationen weiter. Bilden Sie Sätze mit *sollen*.

◊ Der Boxer hat Probleme mit seiner rechten Hand. *(Gegenwart)*
Der Boxer <u>soll</u> Probleme mit seiner rechten Hand <u>haben</u>.
Der Boxer hatte Probleme mit seiner rechten Hand. *(Vergangenheit)*
Der Boxer <u>soll</u> Probleme mit seiner rechten Hand <u>gehabt haben</u>.

1. Die Sportler haben sich im Höhentrainingslager in der Schweiz auf den Wettkampf vorbereitet.
   ....
2. Im Trainingslager hat sich der Trainer mit dem Torwart gestritten.
   ....
3. Wegen des Streits ist der Cheftrainer zurückgetreten.
   ....
4. Die Trainingsbedingungen waren schwierig.
   ....
5. Das Eröffnungsspiel findet in der neuen Arena statt.
   ....
6. Der Präsident des Olympischen Komitees hält die Eröffnungsansprache.
   ....

c) Geben Sie die Informationen weiter, die der Sportler über sich selbst gegeben hat. Bilden Sie Sätze mit *wollen*.

1. „Ich habe den ganzen Winter in Italien hart trainiert."
   ....
2. „Bei den Dopingkontrollen war ich zufällig krank."
   ....
3. „Ich habe keine verbotenen Mittel zur Leistungssteigerung eingenommen."
   ....

Zusatzübungen zur Weitergabe von Informationen und zur Wiederholung der Modalverben ⇨ Teil C Seite 87

A13 Wortschatz: Gewinnen und verlieren

a) Welche Verben passen? Ordnen Sie zu.

(1) einen Erfolg	(a) machen
(2) bei den Olympischen Spielen das Finale	(b) erleiden
(3) bei einem Wettkampf den ersten Platz	(c) erringen
(4) den Gegner	(d) eilen
(5) Karriere	(e) wünschen
(6) von Erfolg zu Erfolg	(f) erreichen
(7) die Bemühungen mit einem Erfolg	(g) besiegen
(8) jemandem Erfolg	(h) krönen
(9) eine Niederlage	(i) belegen

b) Was man alles verlieren und (nicht) gewinnen kann
Lesen Sie die folgenden Redewendungen und ordnen Sie die passende Bedeutung zu.

(1) jemanden aus den Augen verlieren
(2) den Boden unter den Füßen verlieren
(3) den Faden verlieren
(4) das Gesicht verlieren
(5) sein Herz verlieren
(6) die Nerven verlieren
(7) den Verstand verlieren
(8) über etwas kein Wort verlieren
(9) keine Zeit verlieren
(10) die Fassung verlieren
(11) mit etwas keinen Blumentopf gewinnen
(12) an Boden gewinnen
(13) das große Los gewinnen
(14) die Oberhand gewinnen

(a) beim Reden aus dem Konzept kommen
(b) unüberlegt handeln/nervös werden
(c) gleich anfangen
(d) zu jemandem keinen Kontakt mehr haben
(e) sich gegen andere durchsetzen
(f) sich verlieben
(g) keinen Erfolg erzielen
(h) einen Rückstand aufholen
(i) nicht mehr geachtet/respektiert werden
(j) Glück haben
(k) über etwas nicht sprechen
(l) sich nicht mehr unter Kontrolle haben
(m) verrückt werden
(n) keinen (emotionalen oder finanziellen) Halt mehr haben

c) Ergänzen Sie das passende Nomen aus b) mit Artikel und (wenn nötig) mit der Präposition.

1. Jede Nacht dieser Lärm! Ich kann nicht mehr durchschlafen! Da verliert man doch ....!
2. Mitten in der Eröffnungsrede zur Weltmeisterschaft hat der Präsident .... verloren.
3. Hat der Trainer etwas über das schlechte Abschneiden der Mannschaft gesagt? Nein, er hat .... darüber verloren.
4. Wie ist der Stand der Verhandlungen? Schlecht. Die Gegenseite gewinnt langsam ....
5. Wie geht es eigentlich deinem alten Schulfreund Peter? Keine Ahnung, wir haben uns .... verloren.
6. Konzentriere dich in der Prüfung auf die Fragen und verliere auf keinen Fall ....!
7. Die Vorbereitung muss gleich losgehen, ihr dürft .... verlieren.

Erfolg im Beruf

Teil A

A14 Beantworten Sie die folgenden Fragen.

1. Welche Voraussetzungen sollte Ihrer Meinung nach ein Mensch haben, der Karriere machen (z. B. ins Topmanagement einer großen Firma aufsteigen) will? (Ausbildung/Erfahrungen/Fähigkeiten/Charaktereigenschaften)
Erstellen Sie eine Reihenfolge.

1. ....
2. ....
3. ....
4. ....
5. ....
6. ....
7. ....
8. ....

2. Was wirkt sich Ihrer Meinung nach eher günstig bzw. ungünstig auf eine Karriere aus? Begründen Sie Ihre Meinung.

Integrität ◊ Kommunikationsstärke ◊ Durchsetzungsvermögen ◊ Respekt ◊ Entscheidungsfreude ◊ Anstand ◊ Karriereorientierung ◊ Teamfähigkeit ◊ Risikobereitschaft ◊ Lernbereitschaft ◊ Ergebnisorientierung ◊ unternehmerisches Denken ◊ strategisches, vernetztes Denken

günstig für die Karriere	ungünstig für die Karriere

A15 Lesen Sie den folgenden Text.

Unter Druck nach oben

Der Mann, der Karriere machen will, sollte größer als 1,80 Meter sein, schlank und dunkelhaarig, verheiratet, aber kinderlos, und sich in der Freizeit am liebsten mit sich selbst beschäftigen.

Wenn dieser Aufsteiger endlich an der Spitze der Firma angekommen ist, dann plagen ihn meist Angst und Ressentiments, geringes Selbstwertgefühl und ein unbändiges Bedürfnis nach Anerkennung. Das ist wissenschaftlich erwiesen. Na ja, zumindest sind das Ergebnisse von zwei Studien aus einer Unmenge von Untersuchungen zu der alles bewegenden Frage der Wettbewerbsgesellschaft: Wer kommt nach oben?

Bei der Analyse des Aufstiegs einiger deutscher Topmanager wird deutlich, dass der Weg nach oben sehr unterschiedlich aussehen kann. Fest steht nur eins. Sie taten die richtigen Dinge richtig. Für das Richtige aber gibt es keine Regel, jedenfalls keine allgemeingültige. Dennoch müssen die Unternehmen aus einer Vielzahl des sich anbietenden Führungskräfte-Nachwuchses die Richtigen herausfinden. Aber wie?

Wenn der Marketing-Manager der Beiersdorf AG Holger Welters mit einem Bewerber für seine Firma spricht, dann schreckt ihn zum Beispiel ausgesprochenes Karrierebewusstsein ab. „In zehn Jahren will ich Ihren Posten", der Kandidat mit diesem Spruch hatte verspielt. Welters schaut lieber darauf, ob der Nachwuchsmanager etwas Besonde-

res außerhalb des gewöhnlichen Studienganges geleistet hat. Ob er vielleicht ein Juniormeister im Tennis ist oder sich intensiv mit einem Hobby beschäftigt. Und ob der Student die Großleinwand für die WM-Party organisiert oder bloß zuguckt.

Die üblichen Voraussetzungen erfüllen die Bewerber beim Nivea-Konzern ohnehin meistens – eine gute Universität oder Business-School, Auslandspraktika, flüssiges Englisch und noch ein paar zusätzliche Zertifikate.

Die Personalchefs großer deutscher Unternehmen, so ergaben Befragungen des SPIEGEL, halten Examensnoten, Titel und schlichtes Fachwissen für wenig aussagekräftig. Nach dem Niedergang der ruppigen New Economy und dem Vertrauensschwund durch Betrugsmanöver geldgieriger Firmenbosse steigt wieder der Wert traditioneller Tugenden. „Menschliche Qualitäten werden bei Führungskräften immer stärker zum Erfolgsfaktor. Integrität, Respekt und Anstand sind grundlegend für die Zusammenarbeit", meint Adolf Michael Picard vom Otto-Versand. In den neuesten Umfragen gaben die Unternehmen der Sozialkompetenz den ersten Rang, statt Platz vier vor zwei Jahren.

Auch bei den wichtigsten persönlichen Eigenschaften der Anwärter auf Spitzenpositionen fordern die Firmen vorrangig weiche Werte, sogenannte Soft Skills: Eigenmotivation, Teamfähigkeit, Lernbereitschaft und Kommunikationsstärke liegen weit vorn. Scheinbar typische Manager-Qualitäten wie Entscheidungsfreude, Durchsetzungsvermögen, Karriereorientierung und Risikobereitschaft rangieren am Schluss.

Allerdings reichen ausschließlich kommunikative und soziale Kompetenzen nicht, um sich für Höheres zu profilieren. Sie werden zunehmend als Grundvoraussetzungen betrachtet. Wer Führungskraft werden will, muss auch „Macher-Eigenschaften" wie Ergebnisorientierung und unternehmerisches Denken vorweisen. An der Spitze der „Erfolgsfaktoren" steht jedoch das strategische, vernetzte Denken. Eine Studie der Boston Consulting Group kristallisierte vier Idealtypen heraus: den Analytiker, den Macher, den Integrator und den Erfinder, die meistens in Kombination gesucht sind.

Besonders gefragt ist der „kluge Macher", der strategisches, vernetztes Denken mit Unternehmergeist verbindet, der Nobelpreisträger mit dem Charakter von Mutter Teresa.

A16 Textarbeit

a) Markieren Sie die richtige Antwort. Entscheiden Sie bei jeder Aussage: Steht das im Text? Ja oder nein? Wenn der Text dazu nichts sagt, markieren Sie X.

		ja	*nein*	*X*
1.	Examensnoten und Fachwissen sind bei der Bewerbung nicht wichtig.	❐	❐	❐
2.	Es gibt keine erkennbaren Gründe dafür, dass die Bedeutung der Sozialkompetenz in den letzten Jahren zunahm.	❐	❐	❐
3.	Erziehung und Herkunft spielen für die Karriere eine entscheidende Rolle.	❐	❐	❐
4.	Zur Schau getragenes Karrierebewusstsein kann sich beim Bewerbungsgespräch als nicht förderlich erweisen.	❐	❐	❐
5.	Sogenannte Macher-Eigenschaften sind ebenso wichtig wie soziale Kompetenzen.	❐	❐	❐
6.	Das Wichtigste ist, dass ein angehender Manager das Richtige tut. Was das Richtige ist, weiß keiner.	❐	❐	❐

b) Ergänzen Sie die fehlenden Verben in der richtigen Form.

vorweisen ◊ stehen ◊ achten ◊ zeigen ◊ ~~herausfinden~~ ◊ steigen ◊ liegen ◊ reichen ◊ aufsteigen ◊ verbinden ◊ besitzen ◊ erfüllen

Die Unternehmen müssen aus vielen Nachwuchsführungskräften die Geeigneten *herausfinden*. Der Marketing-Manager der Beiersdorf AG .... (1) z. B. bei Bewerbungsgesprächen darauf, ob ein Kandidat neben dem Studium etwas Besonderes .... (2) kann. Natürlich müssen die Bewerber die üblichen Voraussetzungen wie Studium, fließendes Englisch und Auslandspraktika .... (3). Umfragen .... (4), dass der Wert traditioneller Tugenden wie Integrität und Anstand in den letzten Jahren .... (5) ist. Teamfähigkeit und Lernbereitschaft .... (6) noch vor Karriereorientierung und Entscheidungsfreude. Doch kommunikative und soziale Kompetenzen allein .... (7) nicht, um .... (8). Zukünftige Führungskräfte sollten auch „Macher-Eigenschaften" .... (9). In der Beliebtheitsskala .... (10) der „kluge Macher", der strategisches, vernetztes Denken mit Unternehmergeist .... (11), ganz oben.

c) Finden Sie den richtigen Artikel und das passende Adjektiv.

◊	*die*	Angst	*ängstlich*	7.	....	Anstand	....
1.	....	Unterschied	....	8.	....	Sozialkompetenz	....
2.	....	Richtigkeit	....	9.	....	Teamfähigkeit	....
3.	....	Karrierebewusstsein	....	10.	....	Lernbereitschaft	....
4.	....	Geldgier	....	11.	....	Entscheidungsfreude	....
5.	....	Menschlichkeit	....	12.	....	Ergebnisorientierung	....
6.	....	Integrität	....	13.	....	Klugheit	....

A17 Befragen Sie zwei Kursteilnehmer und notieren Sie die Antworten.

	Name	Name ....
Wollten Sie als Kind oder Jugendlicher Karriere machen. Warum ja, warum nein?		
Wie wichtig ist das „Karrieremachen" für Sie heute?		
Können Sie Menschen verstehen, die Karriere machen könnten, es aber nicht wollen?		
Können Sie Menschen verstehen, die um jeden Preis Karriere machen wollen?		
In welchen Berufszweigen gibt es in Ihrem Heimatland die besten Karrierechancen?		
Sind Ihrer Meinung nach die Aufstiegschancen für Frauen und Männer gleich?		

A18 Firmenpräsentation

a) Lesen Sie das Kurzporträt der Firma Siemens.

Das ist Siemens

Die Siemens AG ist ein weltweit führendes Unternehmen der Elektronik und Elektrotechnik. 461 000 Mitarbeiter entwickeln und fertigen Produkte, projektieren und erstellen Systeme und Anlagen und erbringen maßgeschneiderte Dienstleistungen. In über 190 Ländern unterstützt das vor mehr als 155 Jahren gegründete Unternehmen seine Kunden mit innovativen Techniken und umfassendem Know-how bei der Lösung ihrer geschäftlichen und technischen Aufgaben.

b) Was kann man kombinieren? Suchen Sie das passende Verb.

◊	unsere Kunden	*stark machen*
1.	unseren Kunden – Wettbewerbsvorteile	....
2.	die Innovation	....
3.	die Zukunft	....
4.	aus Ideen – erfolgreiche Technologien + Produkte	....
5.	die Mitarbeiter	....
6.	mit einem weltweiten Netzwerk des Wissens	....
7.	gesellschaftliche Verantwortung	....
8.	sich für eine bessere Welt	....
9.	den Unternehmenswert	....
10.	den Aktionären eine attraktive Anlage	....

◊ vorantreiben
◊ ~~stark machen~~
◊ fördern
◊ entwickeln
◊ verschaffen
◊ engagieren
◊ gestalten
◊ bieten
◊ tragen
◊ zusammenarbeiten
◊ steigern

c) Formulieren Sie mit den Vorgaben aus b) Sätze im Präsens mit *wir*.

Unser Leitbild:

◊ *Wir machen unsere Kunden stark.*

1. ....
2. ....
3. ....
4. ....
5. ....
6. ....
7. ....
8. ....
9. ....
10. ....

d) Stellen Sie die Firma vor, für die Sie arbeiten.
Wenn Sie (noch) nicht arbeiten, suchen Sie Informationen im Internet zu einer Firma Ihrer Wahl. Präsentieren Sie anschließend die Firma anhand der erhaltenen Informationen.

 Vorsicht im neuen Job!

a) Welche Fehler kann man machen, wenn man eine neue Stelle antritt? Erarbeiten Sie in Gruppen eine Fehlerliste.

b) Lesen Sie den folgenden Text.

Vorsicht im neuen Job!

Wer eine neue Stelle antritt, muss einiges beachten, sonst gefährdet er schnell seine Karriereechancen. Zur Vorbereitung gehört es, sich umfassend über das Unternehmen und die Branche zu informieren. Am Anfang sollte der neue Mitarbeiter seine Umgebung erst einmal beobachten. In jedem Unternehmen gibt es Schlüsselfiguren, deren informelle Macht erst nach einiger Zeit zu erkennen ist. Es gilt also, das versteckte Machtgefüge zu durchschauen. In der Kleidungsfrage ist es ratsam, auf die Kleiderordnung im Unternehmen zu achten.

Freundlich und abwartend sollte der Neuling sein, aber nicht zu freundlich, das wirkt anbiedernd. Wer sofort sein Privatleben ausbreitet, muss mit unangenehmen Folgen rechnen. Lästereien über den

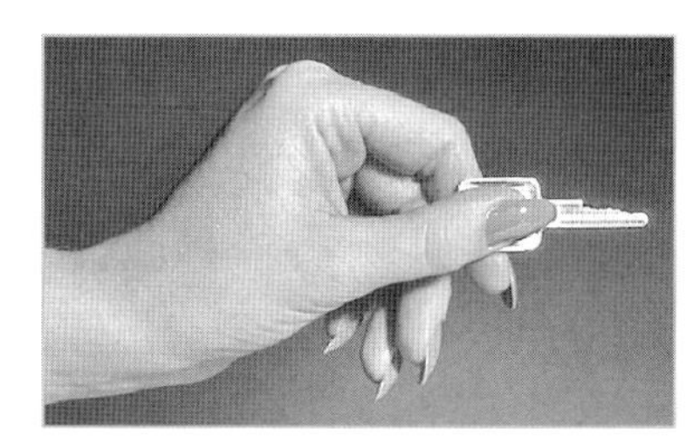

alten Arbeitgeber sind ebenfalls tabu. Über Hobbys und andere unverfängliche Dinge darf natürlich gesprochen werden.

Von großer Bedeutung sind Gespräche über Konzepte, Strategien und Zielvereinbarungen mit dem Vorgesetzten. Der neue Mitarbeiter muss wissen, was von ihm erwartet wird. Finden solche Gespräche nicht statt, müssen sie eingefordert werden, denn wer „ins Blaue hinein" agiert, macht automatisch Fehler.

Entwickelt der neue Mitarbeiter eigene Ideen, sollte er sie gewiss nicht verschweigen, jedoch mit Vorsicht anbringen. Hier heißt es, einen guten Mittelweg zu finden und sich nicht als Besserwisser zu präsentieren.

Ganz und gar vermeiden sollte man, am Anfang mit ausgefahrenen Ellenbogen aufzutreten und sich selbst für den Größten zu halten. Aber auch moderate Neueinsteiger verspüren oft Gegenwind – Widerstand gegen Neues ist menschlich. Doch der Neuling darf sich auch nicht zum Jasager umerziehen lassen, schließlich stellen Arbeitgeber junge Mitarbeiter auch ein, um frischen Wind in die Firma zu bringen.

Nach drei Monaten hat sich der neue Mitarbeiter meist einen Überblick verschafft, doch bis er in das Unternehmen integriert ist, können sechs Monate vergehen.

 Textarbeit

a) Sind die folgenden Aussagen richtig oder falsch? Kreuzen Sie an.

Der neue Mitarbeiter sollte …	*richtig*	*falsch*
1. sich immer gut anziehen.	❐	❐
2. sich sofort im Unternehmen Freunde suchen.	❐	❐
3. sich mit Kritik zurückhalten.	❐	❐
4. möglichst schlecht über seinen früheren Arbeitgeber reden.	❐	❐
5. das Gespräch mit seinem Vorgesetzten über Arbeitsinhalte und Ziele suchen.	❐	❐
6. sein Selbstbewusstsein demonstrieren.	❐	❐
7. Ideen vorsichtig einbringen.	❐	❐
8. nicht überfreundlich sein.	❐	❐

b) Ordnen Sie zu.

rücksichtslos ◊ jemand, der nicht widerspricht ◊ negative Äußerungen ◊ vorsichtig ◊ planlos ◊ harmlos ◊ neue Ideen

1. Lästereien ....
2. über unverfängliche Dinge sprechen ....
3. ins Blaue hinein agieren ....
4. mit ausgefahrenen Ellenbogen auftreten ....
5. moderate Neueinsteiger ....
6. Jasager ....
7. frischen Wind in die Firma bringen ....

c) Formulieren Sie anhand der Aussagen des Textes mindestens fünf Empfehlungen für neue Mitarbeiter.

d) Berichten Sie. Was sollte man in Ihrer Firma/in Ihrem Heimatland unbedingt in den ersten Arbeitswochen beachten?

A21 Max Müller hat vor einem halben Jahr seinen ersten Job bekommen.
Er hat die Probezeit von sechs Monaten nicht überstanden.
Sagen Sie, was er alles (nicht) hätte tun sollen. Formulieren Sie Sätze wie im Beispiel.

Empfehlung: Er sollte …

Nachträgliche Empfehlung/Kritik: Er hätte … sollen

◊ Max hat nicht auf sein Äußeres geachtet.
Er hätte auf sein Äußeres achten sollen.

1. Max hat gleich am Anfang alle Kollegen kritisiert.

   ....

2. Max hat ausführlich über seine privaten Probleme gesprochen.

   ....

3. Max hat mit dem Chef kein Gespräch über Arbeitsinhalte geführt.

   ....

4. Max hat gleich jedem erzählt, dass er Karriere machen will.

   ....

5. Max hat die Machtstrukturen in der Firma ignoriert.

   ....

Zusatzübungen zur nachträglichen Kritik und zum Konjunktiv II ⇨ Teil C Seite 89

A22 Erfolg im Management
Schreiben Sie einen Text zum Thema *Einkommen von Topmanagern*.
Scheiben Sie ungefähr 200 Wörter, nehmen Sie sich 60 Minuten Zeit dafür.

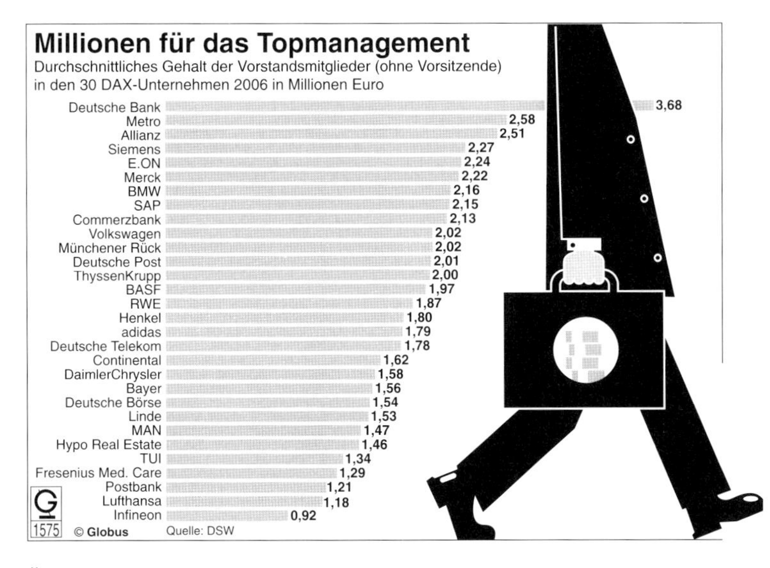

Goldener Handschlag, exorbitante Erhöhungen und Prämien trotz schlechter Leistungen: Managergehälter sind oft in den Schlagzeilen.

Die Deutsche Schutzvereinigung für Wertpapierbesitz veröffentlicht in jedem Jahr die Vergütungen der DAX-Vorstände. Es geht hier meistens um hohe Summen.

Äußern Sie sich zu folgenden Punkten:
◊ Welche Informationen entnehmen Sie der Grafik?
◊ Ist das Einkommen von Managern in Ihrem Heimatland ein Diskussionsthema in den Medien?
◊ Ist die Höhe des Einkommens für Topmanager Ihrer Meinung nach gerechtfertigt?
◊ Sollte der Staat die Zahlung von Abfindungen bei schlechten Managerleistungen verbieten?

A23 Das 10-Punkte-Programm für erfolgreiche Unternehmer und Führungskräfte
Lesen Sie den folgenden Text und wählen Sie die Wörter, die in den Satz passen.

Erfolg im Management

Was zeichnet *gute (b)* Führungspersönlichkeiten aus?

Erfolgreiche Führungspersönlichkeiten haben zehn Eigenschaften gemeinsam:

❶ Sie arbeiten teamorientiert. Sie sprechen oft vom Team und .... (1) auf dessen großen Anteil an ihrem Erfolg.

❷ Sie besitzen eine Überflussmentalität, was nichts anderes bedeutet als die Überzeugung, dass es genug Ressourcen und Gewinne für alle gibt. Je mehr sie an andere weitergeben, ... (2) mehr inspirieren sie andere zu guten Leistungen.

❸ Sie nutzen die Stärken ihrer Leute und organisieren ihre Teams so, dass die Schwächen der Mitarbeiter .... (3) und die Talente erschlossen werden.

❹ Sie betrachten es als größeres Risiko, keine Risiken einzugehen. Sie suchen nach Chancen und ergreifen sie mutig. Sie lassen sich von Hindernissen nicht aufhalten, ... (4) finden Möglichkeiten, sie zu umgehen oder zu überwinden.

❺ Sie arbeiten konstant und unermüdlich, achten aber gleichzeitig .... (5), dass die Arbeit nicht ihr Leben bestimmt.

❻ Die meisten erfolgreichen Unternehmer sind familienorientiert und an ethischen Prinzipien ausgerichtet. Allerdings erkennen viele erst nach schmerzhaften .... (6) die Wichtigkeit von Ausgewogenheit und körperlicher Fitness.

❼ Sie .... (7) über viel Energie, mit der sie sich selbst und andere immer wieder motivieren können.

❽ Sie halten .... (8) nichts von Strukturen und Bürokratie. Erfolgreiche Unternehmer haben viele gute Ideen und können, aufgrund ihrer Risikobereitschaft, innovative Produkte entwickeln. Sie richten sich dabei nach dem Bedarf des Marktes.

❾ Sie sind glückliche, enthusiastische Menschen. Sie haben gelernt, ihre inneren Ängste zu besiegen und an ihre Chancen zu .... (9).

❿ Die wichtigste Eigenschaft erfolgreicher Führungskräfte ist, Misserfolge zu nutzen, um aus ihnen zu lernen. Zu den schmerzhaften und kostspieligen Fehlschlägen gehören zum Beispiel Fehleinschätzungen des Marktes. Doch daraus haben sie ihre .... (10) gezogen: Beharrlich sein, sich auf den Bedarf konzentrieren und einen anderen Weg zum Ziel finden.

- ◊ a) guten b) ~~gute~~ c) gutes
- 1. a) verweisen b) erklären c) behaupten
- 2. a) je b) so c) desto
- 3. a) verstärkt b) ausgeglichen c) ausgleichen
- 4. a) aber b) indem c) sondern
- 5. a) darauf b) darüber c) davor
- 6. a) Unfällen b) Erfahrungen c) Kämpfen
- 7. a) verfügen b) haben c) besitzen
- 8. a) viel b) ganz c) überhaupt
- 9. a) wiederholen b) glauben c) nutzen
- 10. a) Aufgaben b) Absichten c) Schlussfolgerungen

A24 Textarbeit

a) Berichten Sie. Gibt es Ihrer Meinung nach eine Eigenschaft, die im Text fehlt?

b) Welches Verb passt? Ordnen Sie zu.

- ◊ auf den großen Anteil des Teams am Erfolg *verweisen*
- 1. eine Überflussmentalität ....
- 2. Gewinne an andere ....
- 3. sich von Hindernissen nicht ....
- 4. ein bzw. kein Risiko ....
- 5. Möglichkeiten finden, ein Hindernis zu ....
- 6. sich und andere immer wieder ....
- 7. nichts von Strukturen und Bürokratie ....
- 8. sich nach dem Bedarf des Marktes ....
- 9. aus Misserfolgen kann man etwas ....
- 10. einen (anderen) Weg zum Ziel ....

◊ ~~verweisen~~
◊ richten
◊ finden
◊ eingehen
◊ lernen
◊ weitergeben
◊ überwinden
◊ motivieren
◊ besitzen
◊ aufhalten lassen
◊ halten

A25 Rollenspiele: Arbeit und Beruf
Üben Sie zu zweit. Bereiten Sie sich auf Ihre Rolle vor und spielen Sie dann das Gespräch mit Ihrer Partnerin/Ihrem Partner.

1

Sekretärin/Officemanager – Abteilungsleiter(in)
Sie sind Sekretärin/Officemanager und haben in den letzten Monaten so viele Arbeitsaufträge bekommen, dass Sie die Arbeit nicht mehr bewältigen. Führen Sie ein Gespräch mit der Abteilungsleiterin/dem Abteilungsleiter und beschreiben Sie die Situation. Unterbreiten Sie auch Lösungsvorschläge.

2

Abteilungsleiter(in) – Telefonist(in)
Die Firma muss sparen, die Stelle des Telefonisten/der Telefonistin wird gestrichen. Der jetzige Telefonist/die jetzige Telefonistin muss entweder gehen oder er/sie muss andere Aufgaben übernehmen (z. B. Sachbearbeitertätigkeiten) und eine Reihe von Weiterbildungsmaßnahmen machen. Erklären Sie der betroffenen Person die Situation und unterbreiten Sie Vorschläge.

3

Abteilungsleiter(in) – Informatiker(in)
In letzter Zeit gab es eine Reihe von Problemen mit der Computertechnik: Computer stürzten immer wieder ab, der Server fiel regelmäßig aus, Daten konnten nicht gespeichert werden, der Spamfilter funktionierte nicht. Außerdem gab es Verzögerungen bei der Aktualisierung der Homepage. Der zuständige IT-Beauftragte ist meistens krank oder er kann das Problem nicht lösen. Die Situation ist für die Firma nicht mehr akzeptabel. Führen Sie ein Gespräch mit der Mitarbeiterin/dem Mitarbeiter und sagen Sie deutlich, was Sie von ihr/ihm in Zukunft erwarten.

4

Personalvertreter(in) – Direktor(in)
Die Direktion der Firma hat aufgrund der Wirtschaftslage einige Veränderungen beschlossen, um eine Reihe von Ausgaben einzusparen. Die Arbeitszeiten der Mitarbeiter werden um 30 Minuten pro Woche verlängert, ohne Lohnausgleich. Private Telefonate und die private Nutzung des Internets werden verboten. Der jährliche Betriebsausflug wird gestrichen. Das Weihnachtsgeld wird halbiert. Sie sind Personalvertreter(in) und mit den Maßnahmen nicht einverstanden. Führen Sie ein Gespräch mit der Direktorin/dem Direktor und versuchen Sie, einige Beschlüsse wieder rückgängig zu machen.

5

neuer Mitarbeiter/neue Mitarbeiterin – Abteilungsleiter(in)
Sie arbeiten seit zwei Monaten in der Firma und hatten in der ersten Woche nur ein kurzes Gespräch mit dem Abteilungsleiter/der Abteilungsleiterin. Seitdem arbeiten Sie sozusagen ins Blaue hinein, denn Sie wissen noch nicht einmal, was Ihre genauen Aufgaben sind. Bis jetzt beantworten Sie nur Telefonate und E-Mails, an wichtigen Sitzungen nehmen Sie (noch) nicht teil. Suchen Sie das Gespräch mit Ihrem/Ihrer Vorgesetzten. Schildern Sie die Situation und erkundigen Sie sich nach Strategien und Zielvereinbarungen sowie Ihrer Rolle im Team.

Die eigene Meinung ausdrücken
- Meiner Meinung nach/Meines Erachtens ...
- Ich bin der Auffassung/Meinung/Überzeugung, dass ...
- Ich bin davon überzeugt/Ich bin mir sicher, dass ...

Jemandem zustimmen
- Damit bin ich einverstanden.
- Das ist ein guter/akzeptabler Vorschlag.
- Das entspricht auch meiner Erfahrung.

Vorschläge unterbreiten/Lösungen anbieten
- Ich schlage vor, dass .../Wir sollten ...
- Was halten Sie davon, wenn ...
- Vielleicht wäre es eine Lösung, wenn ...
- Ich sehe für das Problem nur eine Lösung: ...
- Vielleicht können wir uns darauf einigen, dass ...

Jemandem widersprechen/Zweifel anmelden
- Ich glaube eher, dass ...
- Ich kann mir nicht vorstellen, dass ...
- Ich befürchte/bezweifle, dass ...
- Wäre es nicht besser, wenn ...?

Die Kunst des Scheiterns

Teil A

A26 Was fällt Ihnen ein, wenn Sie das Wort *Misserfolg* hören?

....

....

....

....

....

Misserfolg

....

....

....

....

....

A27 Wortbildung

▶ Verben mit den nicht trennbaren Präfixen *ver-*, *zer-* und *miss-* bezeichnen oft Ereignisse oder Vorgänge, bei denen ein Fehler passiert, etwas schiefläuft oder kaputtgeht.

a) Hier haben einige Leute etwas nicht richtig gemacht. Ergänzen Sie die passenden Verben mit dem Präfix *ver-*.

verrechnen ◊ verspielen ◊ vermasseln *(umg.)* ◊ versprechen ◊ ~~verschreiben~~ ◊ verhören ◊ vergeigen *(umg.)* ◊ verfahren

◊ Hier steht „mogen" statt morgen. Du hast dich da *verschrieben*.

1. Cornelius hätte Direktor werden können, aber mit dem gescheiterten Projekt hat er seine Chancen ....
2. Der Nachrichtensprecher hat sich gestern mehrmals ....
3. Die Kunden müssten schon lange hier sein, wo bleiben die nur? – Vielleicht haben sie sich ....
4. Anna ist todunglücklich. Sie war so aufgeregt, dass sie das Vorsprechen für die Filmrolle .... / .... hat.
5. Hat Paul wirklich gesagt, er kommt um drei? Hast du dich vielleicht ....?
6. Die Zahlen stimmen schon wieder nicht. Du hast dich zweimal ....

b) Verben mit *zer-*. Was kann man miteinander kombinieren? Ordnen Sie zu.

(1) eine Schere → (B)	(A) zermürbt	(a) leicht
(2) ein Traum	(B) zerschneidet → (c)	(b) die Rechnung
(3) eine lange Sitzung	(C) zerfällt	(c) Papier
(4) dieses Glas	(D) zerreißt	(d) wie eine Seifenblase
(5) ein altes Haus	(E) zerplatzt	(e) ganze Städte
(6) ein Tornado	(F) zerbricht	(f) die Teilnehmer
(7) der wütende Kunde	(G) zerstört	(g) langsam

c) Welches Verb passt? Ergänzen Sie Verben mit *miss-*.

misslingen ◊ missbilligen ◊ missverstehen ◊ missglücken ◊ misstrauen ◊ missfallen ◊ missachten

1. Die Kollegen .... die Vorschläge zur Verlängerung der Arbeitszeiten.
2. Wir halten nicht viel vom Geschäftsgebaren der Konkurrenz. Es .... uns.
3. Die Vorschriften werden von einigen Mitarbeitern ....
4. Die Mitarbeiter haben kein Vertrauen in die neue Geschäftsleitung. Sie .... ihr.
5. Der Versuch war nicht erfolgreich. Er ist .... / ....
6. Ich dachte, wir hätten etwas anderes vereinbart. – Dann haben wir uns wohl ....

A28 Sie hören jetzt ein Gespräch zum Thema *Scheitern*. 6

a) Hören Sie zunächst Teil 1 und beantworten Sie die folgenden Fragen in Stichworten. Lesen Sie zuerst die Fragen.

1. Welche Rolle spielt das Scheitern
   a) in der Kunst? — *Es ist eines der wichtigsten Themen. Verlierer sind oft die Hauptpersonen. Die Kunst kann ohne das Scheitern gar nicht leben.*
   b) in der Gesellschaft? ....
2. Welche Beispiele werden für das Scheitern angeführt? Nennen Sie zwei davon. ....
3. Worauf legt unsere heutige Gesellschaft Wert? ....
4. Wie steht die Gesellschaft zum Misserfolg? ....

b) Hören Sie jetzt Teil 2. Markieren Sie während des Hörens oder danach die richtige Lösung. Hören Sie im Anschluss daran den Dialog zum zweiten Mal und überprüfen Sie Ihre Antworten. Lesen Sie zuerst die Aussagen.

1. Untersuchungen belegen,
   a) ❐ dass 90 Prozent der Projektteams scheitern, die sich auf veränderte Situationen einstellen müssen.
   b) ❐ dass 26 Prozent der Projektteams scheitern, die etwas Neues schaffen sollen.
   c) ❐ dass 90 Prozent aller Projektteams scheitern, die versuchen, Prozesse zu optimieren.
2. Für die Arbeit in Projektteams
   a) ❐ sind risikofreudige Mitarbeiter am geeignetsten.
   b) ❐ ist das richtige Verhältnis von erfahrenen und risikofreudigen Mitarbeitern von Bedeutung.
   c) ❐ ist der Konkurrenzkampf zwischen erfahrenen und risikofreudigen Mitarbeitern sehr förderlich.
3. Aus Misserfolgen
   a) ❐ kann man in jedem Fall etwas lernen.
   b) ❐ muss man in jedem Fall etwas lernen.
   c) ❐ kann man nur etwas lernen, wenn man etwas lernen will.
4. Emotionale Betroffenheit
   a) ❐ führt im Falle von Misserfolg zu Depressionen.
   b) ❐ ist eine wichtige Voraussetzung, um aus Fehlern zu lernen.
   c) ❐ sollte bei Projekten absolut keine Rolle spielen.
5. Um einen positiven Umgang der Mitarbeiter mit dem Scheitern zu fördern, sollten die Betriebe
   a) ❐ die Mitarbeiter zur Verantwortung ziehen.
   b) ❐ die Mitarbeiter im Umgang mit Misserfolgen trainieren.
   c) ❐ Misserfolge nicht so ernst nehmen.
6. Ansätze, das Scheitern aus der Tabuzone zu holen,
   a) ❐ gibt es noch nicht.
   b) ❐ gibt es im Bereich der Kunst.
   c) ❐ gibt es auf künstlerischem und wissenschaftlichem Gebiet.
7. Neueste wissenschaftliche Arbeiten sehen
   a) ❐ den richtigen Umgang mit Niederlagen als menschliche Stärke.
   b) ❐ Niederlagen als Fitnessprogramm für den Körper.
   c) ❐ die Krise als wachsenden Druck auf den Menschen.
8. Die Einstellung, Misserfolge müssten unbedingt vermieden werden,
   a) ❐ lässt die Krise gar nicht erst entstehen.
   b) ❐ verhindert einen positiven Umgang mit dem Scheitern und somit den Lernerfolg.
   c) ❐ verhindert Depressionen und Passivität.

Textarbeit zum Hörtext

a) Berichten Sie. Wie geht man mit Misserfolgen in Ihrem Heimatland um (z. B. in der Politik/in Betrieben/im Privatleben)? Nennen Sie einige Beispiele.

b) Ergänzen Sie die fehlenden Nomen in der richtigen Form.

Karriereknick ◊ Umgang ◊ Misserfolgsquote ◊ Verlierer ◊ Tabu ◊ Zensuren ◊ Verantwortung ◊ Traum ◊ Plan ◊ Ratschläge ◊ Lebenserfahrung ◊ Kunst ◊ Alltagsleben ◊ Fehleranalyse ◊ Erfolge

In Romanen und Filmen ist das Scheitern eines der wichtigsten Themen. Kunst kann ohne das Scheitern ihrer Protagonisten eigentlich gar nicht leben. Anders verhält es sich im ....(1). Das Versagen ist in unserer Gesellschaft kein Thema, es ist tatsächlich ein ....(2). Es wird aus unserem Leben ausgeblendet. Ein Misserfolg oder ....(3) wird nicht erwähnt. Mit ....(4) zeigt man sich nicht gern, so als ob das Verlieren ansteckend wäre.
Dabei ist Scheitern im Grunde genommen eine ....(5), die jeder Mensch macht – auf unterschiedliche Weise. Scheitern kann heißen, als Schüler schlechte ....(6) zu bekommen oder ein Projekt in den Sand zu setzen. Für jeden zerplatzt mal ein ....(7) oder ein ....(8) muss verworfen werden, weil er unrealisierbar ist. Doch in unserer Gesellschaft zählen nur die ....(9). Unmengen von Sachbüchern geben ....(10), wie man erfolgreich dies und das macht. Über das Scheitern und den richtigen ....(11) damit erfährt man in Ratgebern nichts. Es gibt in unserer Gesellschaft keine Verliererkultur.
Aus Untersuchungen geht hervor, dass die ....(12) vor allem bei Projektarbeit sehr hoch ist. Betriebe können einen positiven Umgang ihrer Mitarbeiter mit dem Scheitern fördern, indem sie ihren Mitarbeitern beibringen, nach Misserfolgen ....(13) zu übernehmen und ....(14) zu betreiben, um aus den Fehlern zu lernen.

Schriftliche Stellungnahme
Nehmen Sie zu einem der beiden Themen Stellung. Schreiben Sie einen Text von ca. 200 Wörtern.

1. „Einmal versuchen, scheitern. Wieder versuchen, wieder scheitern. Besser scheitern." (Samuel Beckett)
2. „Denke positiv!"
   Können Ihrer Meinung nach Bücher oder Zeitschriften mit guten Ratschlägen Lesern helfen, erfolgreichere Menschen zu werden?

Der Pressluftbohrer und das Ei

a) Lesen Sie die folgende Kurzgeschichte des Schweizer Autors Franz Hohler.

Der Pressluftbohrer und das Ei

Ein Pressluftbohrer und ein Ei stritten sich einmal, wer von ihnen der stärkere sei.
„Natürlich ich!", renommierte[1] der Pressluftbohrer. „Ha!", krächzte das Ei, ich bin viel stärker."
Der Pressluftbohrer zuckte überlegen[2] die Achseln: „Wie du meinst. Ich bohre dich in tausend Stücke." „Und ich schlage dir den Schädel ein!", quietschte das Ei.
„Ei, du dummes Ding", sagte der Pressluftbohrer und schüttelte den Kopf, „wie soll das zugehen?" „Wirst schon sehen", prahlte das Ei und warf sich in die Brust[3].
„Ich brauche nur den kleinen Finger zu rühren", lachte der Pressluftbohrer. „Ich mache dich mit meinem Dotter[4] zu Brei!", krähte das Ei und trat kampflustig von einem Bein aufs andere.
Da ward es dem Pressluftbohrer zu dumm, und er bohrte, wie er schon zu Beginn betont hatte, das Ei in tausend Stücke.

Franz Hohler

b) Antworten Sie.

◊ Worum geht es in der Geschichte?
◊ Hätten Sie ein anderes Ende erwartet?

[1] renommieren = prahlen
[2] überlegen = jemand ist in bestimmter Hinsicht besser als ein anderer
[3] sich in die Brust werfen = *Redensart:* stolz tun
[4] Dotter = Eigelb

Die Moral an der Geschicht´

Teil B – fakultativ

Die Texte und Aufgaben in diesem fakultativen Teil B stellen ein Angebot für Lerner und Lerngruppen dar, die ihre sprachlichen Fähigkeiten zusätzlich erweitern möchten.

Lesen Sie den folgenden Text von Heinrich Böll.

Anekdote zur Senkung der Arbeitsmoral

In einem Hafen an der westlichen Küste Europas liegt ein ärmlich gekleideter Mann in seinem Fischerboot und döst. Ein schick angezogener Tourist legt eben einen neuen Farbfilm in seinen Fotoapparat, um das idyllische Bild zu fotografieren: blauer Himmel, grüne See mit friedlichen, schneeweißen Wellenkämmen, schwarzes Boot, rote Fischermütze. Klick. Noch einmal: klick, und da aller guten Dinge drei sind und sicher sicher ist, ein drittes Mal: klick.

Das spröde, fast feindselige Geräusch weckt den dösenden Fischer, der sich schläfrig aufrichtet, schläfrig nach seiner Zigarettenschachtel angelt; aber bevor er das Gesuchte gefunden, hat ihm der eifrige Tourist schon eine Schachtel vor die Nase gehalten, ihm die Zigarette nicht gerade in den Mund gesteckt, aber in die Hand gelegt, und ein viertes Klick, das des Feuerzeuges, schließt die eilfertige Höflichkeit ab. Durch jenes kaum messbare, nie nachweisbare Zuviel an flinker Höflichkeit ist eine gereizte Verlegenheit entstanden, die der Tourist – der Landessprache mächtig – durch ein Gespräch zu überbrücken versucht.

„Sie werden heute einen guten Fang machen.“ Kopfschütteln des Fischers. „Aber man hat mir gesagt, dass das Wetter günstig ist.“ Kopfnicken des Fischers. „Sie werden also nicht ausfahren?“ Kopfschütteln des Fischers, steigende Nervosität des Touristen. Gewiss liegt ihm das Wohl des ärmlich gekleideten Menschen am Herzen, nagt an ihm die Trauer über die verpasste Gelegenheit.

„Oh, Sie fühlen sich nicht wohl?“ Endlich geht der Fischer von der Zeichensprache zum wahrhaft gesprochenen Wort über. „Ich fühle mich großartig“, sagt er. „Ich habe mich nie besser gefühlt.“ Er steht auf, reckt sich, als wollte er demonstrieren, wie athletisch er gebaut ist. „Ich fühle mich fantastisch.“

Der Gesichtsausdruck des Touristen wird immer unglücklicher, er kann die Frage nicht mehr unterdrücken, die ihm sozusagen das Herz zu sprengen droht: „Aber warum fahren Sie dann nicht aus?“

Die Antwort kommt prompt und knapp. „Weil ich heute Morgen schon ausgefahren bin.“ „War der Fang gut?“ „Er war so gut, dass ich nicht noch einmal auszufahren brauche, ich habe vier Hummer in meinen Körben gehabt, fast zwei Dutzend Makrelen gefangen ...“

Der Fischer, endlich erwacht, taut jetzt auf und klopft dem Touristen beruhigend auf die Schultern. Dessen besorgter Gesichtsausdruck erscheint ihm als ein Ausdruck zwar unangebrachter, doch rührender Kümmernis. „Ich habe sogar für morgen und übermorgen genug“, sagte er, um des Fremden Seele zu erleichtern. „Rauchen Sie eine von meinen?“ „Ja, danke.“

Zigaretten werden in Münder gesteckt, ein fünftes Klick, der Fremde setzt sich kopfschüttelnd auf den Bootsrand, legt die Kamera aus der Hand, denn er braucht jetzt beide Hände, um seiner Rede Nachdruck zu verleihen.

„Ich will mich ja nicht in Ihre persönlichen Angelegenheiten mischen“, sagt er, „aber stellen Sie sich mal vor, Sie führen heute ein zweites, ein drittes, vielleicht ein viertes Mal aus und Sie würden drei, vier, fünf, vielleicht gar zehn Dutzend Makrelen fangen ... stellen Sie sich das mal vor.“ Der Fischer nickt.

„Sie würden“, fährt der Tourist fort, „nicht nur heute, sondern morgen, übermorgen, ja, an jedem günstigen Tag zwei-, dreimal, vielleicht viermal ausfahren – wissen Sie, was geschehen würde?“

Der Fischer schüttelt den Kopf. „Sie würden sich in spätestens einem Jahr einen Motor kaufen können, in zwei Jahren ein zweites Boot, in drei oder vier Jahren könnten Sie vielleicht einen kleinen Kutter haben, mit zwei Booten oder dem Kutter würden Sie natürlich viel mehr fangen – eines Tages würden Sie zwei Kutter haben, Sie würden ...“, die Begeisterung verschlägt ihm für ein paar Augenblicke die Stimme, „Sie würden ein kleines Kühlhaus bauen, vielleicht eine Räucherei, später eine Marinadenfabrik, mit einem eigenen Hubschrauber rundfliegen, die Fischschwärme ausmachen und Ihren Kuttern per Funk Anweisung geben. Sie könnten die Lachsrechte erwerben, ein Fischrestaurant eröffnen, den Hummer ohne Zwischenhändler direkt nach Paris exportieren – und dann ...“, wieder verschlägt die Begeisterung dem Fremden die Sprache. Kopfschüttelnd, im tiefsten Herzen betrübt, seiner Urlaubsfreude schon fast verlustig, blickt er auf die friedlich hereinrollende Flut, in der die ungefangenen Fische munter springen. „Und dann“, sagt er, aber wieder verschlägt ihm die Erregung die Sprache.

Der Fischer klopft ihm auf den Rücken, wie einem Kind, das sich verschluckt hat. „Was dann?“, fragt er leise. „Dann“, sagte der Fremde mit stiller Begeisterung, „dann könnten Sie beruhigt hier im Hafen sitzen, in der Sonne dösen und auf das herrliche Meer blicken.“

„Aber das tu ich ja schon jetzt“, sagt der Fischer, „ich sitze beruhigt am Hafen und döse, nur Ihr Klicken hat mich dabei gestört.“

Tatsächlich zog der solcherlei belehrte Tourist nachdenklich von dannen, denn früher hatte er auch einmal geglaubt, er arbeite, um eines Tages einmal nicht mehr arbeiten zu müssen, und es blieb keine Spur von Mitleid mit dem ärmlich gekleideten Fischer in ihm zurück, nur ein wenig Neid.

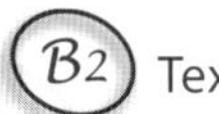

B2 Textarbeit

a) Vermuten Sie. Aus welchem Jahr/Jahrzehnt könnte der Text stammen?
Auf welche Textstellen begründen Sie Ihre Vermutung?

b) Berichten Sie. Wie wirkt der Text auf Sie?

altmodisch ◊ langweilig ◊ sachlich ◊ polemisch ◊ modern ◊ moralisierend ◊ kämpferisch ◊ unterhaltsam ◊ ironisch ◊ poetisch ◊ …

c) Worum geht es in dem Text? Fassen Sie ihn mit eigenen Worten zusammen.

d) Wovor will der Autor des Textes Ihrer Meinung nach warnen? Besitzt der Text noch Aktualität?

e) Wie werden die beiden Protagonisten im Text beschrieben?

B3 Heinrich Böll

Schreiben Sie anhand der Stichpunkte eine Kurzbiografie von Heinrich Böll.

- 21. Dezember 1917 in Köln – 16. Juli 1985 in Kreuzau-Langenbroich
- kleinbürgerliche Familie – römisch-katholische Religion – Ablehnung des Nationalsozialismus
- 1924 bis 1928 katholische Volksschule – humanistisches Gymnasium – 1937 Abitur
- Buchhändlerlehre in Bonn – erste schriftstellerische Versuche
- Sommer 1939: Universität Köln, Beginn Studium der Germanistik und der klassischen Philologie
- Herbst 1939–1945: Soldat, Zweiter Weltkrieg – 1945 amerikanische Kriegsgefangenschaft
- Fronturlaub 1942: Heirat mit Annemarie Čech, insgesamt vier Kinder
- nach 1945: Gelegenheitsjobs – schreiben – erste Kurzgeschichten: Veröffentlichung 1947 – zentrale Themen: Erfahrungen des Krieges + Fehlentwicklungen der Nachkriegszeit in Deutschland
- nach 1950: schöpferischste Phase: ausgewählte Werke: *Wo warst du, Adam?* (1951), *Und sagte kein einziges Wort* (1953), *Haus ohne Hüter* (1954), *Irisches Tagebuch* (1957), *Billard um halbzehn* (1959), *Ansichten eines Clowns* (1963), *Ende einer Dienstfahrt* (1966)
- politisches Engagement auch außerhalb der Bücher: 1970–1972 Präsident des PEN-Clubs Deutschland, 1971–1974 Präsident des Internationalen PEN-Clubs
- 1971: Roman: *Gruppenbild mit Dame*
- 1972: Nobelpreis für Literatur
- 1974: bekanntestes Werk: *Die verlorene Ehre der Katharina Blum*: kritische Auseinandersetzung mit Boulevard-Presse, in über 30 Sprachen übersetzt, verfilmt
- folgende Jahre: Beschäftigung mit den politischen Problemen in Deutschland und anderen Ländern wie Polen oder der Sowjetunion – sowjetische Dissidenten Alexander Solschenizyn und Lew Kopelew waren seine Gäste
- aktive Teilnahme an Friedensbewegung
- 1985: letztes Werk: *Frauen vor Flusslandschaft*

Modalverben

Weitergabe von Informationen und Gerüchten mit *wollen* und *sollen*

Gebrauch

Klaus Kupfer soll der beste Trainer sein. → Weitergabe eines Gerüchtes, einer Information:
Man sagt, dass Klaus Kupfer der beste Trainer ist.

Klaus Kupfer will der beste Trainer sein. → Weitergabe einer Information, die jemand über sich selbst gibt:
Klaus Kupfer sagt über sich selbst, dass er der beste Trainer der Stadt ist.

Zeitformen

Gegenwart: Klaus Kupfer soll/will der beste Trainer sein.
Vergangenheit: Klaus Kupfer soll/will in den 90er-Jahren der beste Trainer gewesen sein.

C1 Sie waren am Freitag auf der Betriebsweihnachtsfeier und haben die folgenden Gerüchte gehört.
Geben Sie die Gerüchte weiter. Bilden Sie Sätze mit *sollen*. Achten Sie auf die Zeitformen.

◊ Das Internetprojekt wird gestoppt. *Das Internetprojekt soll gestoppt werden.*

1. Die zwei Verkaufsabteilungen werden zusammengelegt.
 ....
2. Martina ist in ihren Chef Dr. Huber verliebt.
 ....
3. Edwin hat sich bei der Konkurrenz beworben.
 ....
4. Frau Krug geht jeden Tag 30 Minuten früher nach Hause.
 ....
5. Der Betriebsratsvorsitzende hat Geld angenommen.
 ....
6. Einige Mitarbeiter haben sich schriftlich über das Essen in der Kantine beschwert.
 ....
7. Es gab Unregelmäßigkeiten bei der Abrechnung der Dienstreisen.
 ....
8. Ab nächstes Jahr wird das Weihnachtsgeld gestrichen.
 ....

C2 Gerüchte und Dementis …
Formen Sie die folgenden Sätze um. Bilden Sie Sätze mit den Modalverben *sollen* oder *wollen*. Achten Sie auf die Zeitformen.

◊ Der Fernsehsender meldete, der Sportler Fred Schnell habe falsche Angaben über seinen Aufenthalt im Sommer gemacht.
Der Sportler Fred Schnell soll falsche Angaben über seinen Aufenthalt im Sommer gemacht haben.

◊ Fred Schnell sagte, er habe immer die Wahrheit gesagt.
Fred Schnell will immer die Wahrheit gesagt haben.

1. Die Zeitung meldete, der Minister hat von dem Vorfall gewusst.
 Der Minister ....

Der Minister sagte dazu: „Ich habe davon noch nie etwas gehört."

Der Minister ....

2. Es gibt das Gerücht, dass der Betriebsratsvorsitzende Geld angenommen hat, um Entscheidungen des Managements bei den Mitarbeitern zu rechtfertigen.

....

Der Betriebsratsvorsitzende meint aber, er habe niemals Gelder angenommen.

....

3. In Journalistenkreisen wurde bekannt, dass der Bundestagsabgeordnete früher Informant des Staatssicherheitsdienstes der DDR war.

....

Der Bundestagsabgeordnete behauptet, er habe keine Kontakte zur Staatssicherheit gehabt.

....

4. Es heißt, der Schiedsrichter hat das Spiel manipuliert.

....

Der Schiedsrichter sagte, er habe noch nie ein Spiel manipuliert.

....

C3 Wiederholung: Bedeutung der Modalverben
Ordnen Sie den Modalverben passende Bedeutungen zu.

es besteht die Möglichkeit/Gelegenheit ◊ eine andere Person wünscht etwas von jemandem ◊ jemand ist in der Lage, etwas zu tun ◊ etwas ist notwendig ◊ etwas ist erlaubt ◊ jemand hat den Auftrag ◊ jemand findet etwas gut ◊ ~~jemand kann etwas/jemanden nicht leiden~~ ◊ jemand hat gehört oder gelesen ◊ jemand hat die Absicht ◊ es ist eine Pflicht ◊ jemand ist nicht in der Lage, etwas zu tun ◊ es gibt keine Gelegenheit ◊ es ist ratsam ◊ es ist verboten ◊ es wird empfohlen ◊ es ist nicht erwünscht ◊ es ist nicht notwendig ◊ in der Zeitung wurde berichtet ◊ jemand ist nicht bereit ◊ jemand hat etwas vor ◊ jemand hat den Wunsch

mögen/nicht mögen	müssen	nicht brauchen/ nicht müssen	sollen/nicht sollen/ sollten
jemand kann etwas/jemanden nicht leiden			

wollen/nicht wollen	möchte(n)/ nicht möchte(n)	können/ nicht können	dürfen/nicht dürfen

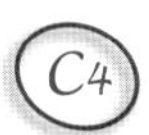

C4 Ersetzen Sie die unterstrichenen Ausdrücke durch ein Modalverb und nehmen Sie die entsprechenden Umformungen vor.

◊ Ich habe die Absicht, mir eine neue Arbeitsstelle zu suchen.
Ich will/möchte mir eine neue Arbeitsstelle suchen.

1. Meinen Sie, ich bin nicht in der Lage, diesen Brief zu übersetzen?
2. Ist es erlaubt, über das Management Witze zu machen?
3. Wenn man eine neue Stelle hat, wird empfohlen, am Anfang etwas zurückhaltend zu sein.
4. Die neue Arbeit gefällt mir sehr gut.
5. Ich habe gehört, dass es Optimisten leichter im Job haben.
6. Es ist nicht ratsam, bei einem Bewerbungsgespräch zu lügen.
7. Wenn man vorhat, Karriere zu machen, ist es unbedingt notwendig, ergebnisorientiert zu arbeiten.
8. Ich wünsche mir, mal eine Abteilung zu leiten.
9. Es ist wirklich nicht nötig, dass du jeden Tag zwölf Stunden arbeitest.
10. Frau Krüger ist nicht bereit, schon wieder das Protokoll zu schreiben.
11. Alle arbeitenden Bürger haben die Pflicht, Steuern zu zahlen.
12. Ich kann den neuen Chef nicht leiden.

Konjunktiv II

Teil C

Gebrauch: Vorschläge, Meinungsäußerung und Kritik

Vorschläge	Wir sollten mit der Entscheidung noch warten.
Meinungsäußerung	Ich würde mir das (an deiner Stelle) noch einmal überlegen.
nachträgliche Kritik	Es wäre besser gewesen, wenn du vorher gefragt hättest. Du hättest vorher fragen sollen/müssen. Das hätte nicht passieren dürfen.

Weiterer Gebrauch

höfliche Frage	Könnte ich bitte Herrn Müller sprechen?
höfliche Aufforderung	Würdest du bitte das Fenster öffnen?
Wünsche (irreal)	Müsste ich doch nicht immer neue Wörter lernen!
Bedingung (irreal)	Wenn ich Zeit hätte, würde ich sofort zu ihm fahren.
verpasste Gelegenheit	Fast/Beinahe hätte ich fünf Millionen Euro gewonnen.
Vergleich (irreal)	Er tut so, als ob er mich nicht sehen würde.

C5 Formulieren Sie Sätze, in denen Ihre Kritik oder ein Vorwurf zum Ausdruck kommt.

◊ Frau Müller hat vergessen, den Brief zu schreiben.
Es wäre besser gewesen, wenn Frau Müller den Brief geschrieben hätte.
Frau Müller hätte den Brief schreiben sollen.

1. Claudia hat vergessen, den Chef zu benachrichtigen.
   ....
2. Peter hat vergessen, die geheimen Daten wieder zu löschen.
   ....
3. Marie hat vergessen, ihre Bewerbungsunterlagen rechtzeitig abzuschicken.
   ....
4. Andreas hat vergessen, seine Mutter vom Zug abzuholen.
   ....
5. Der Chef hat vergessen, uns über die Terminänderung zu informieren.
   ....
6. Paul hat mal wieder vergessen, seine Hausaufgaben zu machen.
   ....

C6 Formulieren Sie Empfehlungen und üben Sie nachträgliche Kritik.

◊ Die Gehälter sind zu niedrig.	a)	*Man/Der Arbeitgeber sollte die Gehälter erhöhen.*
	b)	*Man/Der Arbeitgeber hätte die Gehälter erhöhen sollen.*
1. Die Arbeitszeiten sind zu lang.	a)	....
	b)	....
2. Die Kantine ist zu klein.	a)	....
	b)	....
3. Die Regeln sind zu kompliziert.	a)	....
	b)	....
4. Der Gedankenaustausch zwischen den Abteilungen ist zu oberflächlich.	a)	....
	b)	....
5. Die Vorschläge der Vertrauenspersonen wurden abgelehnt.	a)	....
	b)	....
6. Die Verhandlungen zwischen den Arbeitgebern und der Gewerkschaft wurden abgebrochen.	a)	....
	b)	....

C7 Das hätte nicht passieren dürfen! Formulieren Sie Sätze wie im Beispiel.

◊ Die Daten wurden unbearbeitet weitergeleitet.	*Die Daten hätten nicht unbearbeitet weitergeleitet werden dürfen.*
1. Der Vertrag wurde ohne Rücksprache unterschrieben.	....
2. Der Preis wurde falsch berechnet.	....
3. Die Stelle des Hausmeisters wurde gestrichen.	....
4. Die Sitzung wurde ohne erkennbaren Grund verschoben.	....
5. Die E-Mail wurde gelöscht.	....
6. Die Sicherheitsvorschriften wurden missachtet.	....

C8 Sagen Sie es höflicher. Verwenden Sie den Konjunktiv II.

1. Wo ist das Telefon? Ich muss mal telefonieren. ....
2. Gib mir mal deinen Stift! ....
3. Kopieren Sie das mal für mich! ....
4. Druck das Dokument aus! ....
5. Rufen Sie mich morgen zurück! ....
6. Zu dem Thema will ich auch mal was sagen. ....

C9 Verpasste Gelegenheiten. Bilden Sie Sätze im Konjunktiv II mit *beinahe* oder *fast*.

◊ Das T-Shirt war so schön. *(kaufen)* — Beinahe/Fast hätte ich es gekauft.
1. Mein Wecker hat mal wieder nicht geklingelt. *(verschlafen)* ....
2. Das Flugzeug hat furchtbar gewackelt. *(abstürzen)* ....
3. Ich hatte keine Zeit, für die Prüfung zu lernen. *(durchfallen)* ....
4. Martin hat mich an den Termin erinnert. *(vergessen)* ....
5. Mein Portemonnaie lag auf dem Tisch. *(liegen lassen)* ....
6. Das Taxi stand im Stau. *(Zug – verpassen)* ....
7. Ich fand ihn so sympathisch. *(sich verlieben)* ....
8. Das Schiff stieß mit einem Eisberg zusammen. *(sinken)* ....
9. Glücklicherweise habe ich im letzten Moment das Kleingedruckte gelesen. *(Vertrag – unterschreiben)* ....

C10 Irreale Konditionalsätze
Formen Sie die unterstrichenen Präpositionalgruppen nach folgendem Beispiel in irreale Konditionalsätze um.

◊ Ohne die Aussage des Zeugen hätte der Täter nicht überführt werden können.
Wenn der Zeuge nicht ausgesagt hätte, hätte der Täter nicht überführt werden können.

1. Ohne seine Hilfe wäre ich durch die Prüfung gefallen.
....
2. Bei besserem Training hätte er den Lauf gewinnen können.
....
3. Ohne den unermüdlichen Einsatz der Hilfskräfte wäre die Zahl der Opfer weit höher gewesen.
....
4. Bei höheren Einschaltquoten wäre die Literatursendung nicht aus dem Programm genommen worden.
....
5. Bei schlechtem Wetter hätte das Fest im Zelt stattgefunden.
....
6. Bei besserer Kommunikation zwischen den Abteilungen wäre der Fehler nicht passiert.
....
7. Bei weniger Schnee wäre das Weihnachtsfest nicht so schön geworden.
....
8. Ohne gutes Abschlusszeugnis hätte er die Stelle nicht bekommen.
....

Präpositionen mit dem Genitiv

Teil C

Präposition	Beispielsätze	
abseits/dies-seits/jenseits	Ruhe findet man nur abseits der großen Städte. Das Dorf der Drachenritter lag jenseits der Berge.	*(lokal)* *(lokal)*
angesichts	Angesichts wachsender Vorurteile gestaltet sich das Zusammenleben schwieriger.	*(kausal)*
anhand	Anhand dieses Beispiels lässt sich der Prozess gut verdeutlichen.	*(instrumental)*
anlässlich	Anlässlich des Todes von Max Müller wiederholt das Fernsehen seine schönsten Filme.	*(temporal)*
anstelle	Anstelle des Direktors nimmt Frau Kugel an der Verhandlung teil.	*(alternativ)*
außerhalb	Außerhalb der Geschäftszeiten ist niemand im Büro. Außerhalb der Stadt gibt es viel Wald.	*(temporal)* *(lokal)*
infolge	Infolge starker Schneefälle wurde die Alpenstraße gesperrt.	*(konsekutiv)*
innerhalb	Bitte bezahlen Sie die Rechnung innerhalb einer Woche. Das Tier kann sich innerhalb der Wohnung befinden.	*(temporal)* *(lokal)*
laut	Laut einer Studie sind nur 50 Prozent der Deutschen glücklich.	*(modal)*
mangels	Mangels geeigneter Aufputschmittel wurden leistungshemmende Mittel verwendet.	*(instrumental)*
mithilfe	Mithilfe eines Freundes gelang ihm die Flucht.	*(instrumental)*
statt/anstatt	Statt eines Blumenstraußes verschenkte er ein altes Buch.	*(alternativ)*
trotz	Trotz einer schlechten Leistung bestand er die Prüfung.	*(konzessiv)*
während	Während seines Studiums lernte er Spanisch.	*(temporal)*
wegen/ aufgrund	Wegen/Aufgrund eines Unglücks hatte der Zug Verspätung. Wegen dir habe ich drei Kilo zugenommen. *(Bei Personalpronomen mit dem Dativ)*	*(kausal)* *(kausal)*
zwecks	Zwecks einfacherer Kommunikation werden Kurzwahlnummern verwendet.	*(final)*

C11 Ergänzen Sie die richtigen Präpositionen.

1. .... der vielen Urlaubstage hätte ich lieber mehr Geld.
2. Man kann .... eines dreistelligen Codes die Sicherheitstür öffnen.
3. Hast du Probleme? Bist du .... deines Freundes so traurig?
4. .... der guten Auftragslage kam die Firma in Schwierigkeiten.
5. .... der hohen Kosten muss das Projekt erfolgreich abgeschlossen werden.
6. .... Ihrer Erfahrungen möchten wir Ihnen die Stelle des Abteilungsleiters anbieten.
7. Ich möchte Sie .... unseres 20-jährigen Firmenjubiläums gerne zu einem Empfang einladen.
8. Man kann .... dieses Falles sehr gut sehen, wie die Täter vorgehen.
9. Bitte senden Sie uns ein Angebot .... der nächsten fünf Arbeitstage.
10. .... des Unwetters kam es heute auf den Autobahnen zu zahlreichen Unfällen.
11. Die Burg liegt .... der Stadt.
12. .... der Zeitungsmeldung hat der Sportler den Dopingmissbrauch zugegeben.

C12 Bilden Sie Genitivkonstruktionen und vervollständigen Sie dann die Sätze.

◊ wegen – eine ernste Krankheit *Wegen einer ernsten Krankheit musste sie ihre Erfolg versprechende Karriere frühzeitig beenden.*

1. abseits – der Medienrummel
2. mithilfe – die Trainerin
3. anstelle – eine steile Karriere
4. aufgrund – hartnäckige Gerüchte
5. während – die Siegerehrung
6. laut – das IOC-Reglement
7. trotz – verlockende Angebote
8. angesichts – der Reinfall
9. außerhalb – die Trainingszeiten
10. anhand – das medizinische Gutachten

Rückblick

Hier finden Sie die wichtigsten Redemittel des Kapitels.

Erfolg im Sport

- zu den beliebtesten Sportarten gehören
- an einem Wettkampf teilnehmen/einen Wettkampf gewinnen
- den (ersten) Platz belegen
- hart trainieren/von jemandem trainiert werden
- Meisterin/Meister werden
- einen Titel holen/erringen
- Amateur/Profi sein
- ins Profilager wechseln
- sich mit der Silbermedaille zufriedengeben
- unter Erfolgsdruck stehen
- den olympischen Gedanken beschwören
- Es geht (nicht) ums Gewinnen.
- Dabeisein ist alles.
- jemanden mit Geld bestechen
- zum Zweck der persönlichen Bereicherung/Anerkennung lügen und betrügen
- die Leistungsfähigkeit steigern
- zu allerlei/unerlaubten (Hilfs-)Mitteln greifen
- Aufputschmittel/leistungsfördernde Substanzen einnehmen
- den Körper mit Medikamenten aufputschen
- Die Nebenwirkungen sind lebensgefährlich.
- Dopingkontrollen durchführen
- wegen Dopingmissbrauchs disqualifiziert werden
- den Sport an den Nagel hängen
- sich vom Sport verabschieden
- die Karriere beenden

Erfolg im Beruf

- Karriere machen
- von Erfolg zu Erfolg eilen
- das Richtige zur richtigen Zeit tun
- etwas Besonderes leisten
- Abschlussnoten sind wenig aussagekräftig.
- Sozialkompetenz/Teamfähigkeit/Kommunikationsstärke besitzen
- Ergebnisorientierung und unternehmerisches Denken vorweisen
- Scheinbar typische Managerqualitäten sind weniger gefragt.
- versteckte Machtgefüge durchschauen
- auf die Kleiderordnung im Unternehmen achten
- sich vor Stellenantritt über das Unternehmen informieren
- Gespräche über Konzepte und Zielvereinbarungen führen
- eigene Ideen entwickeln/mit Vorsicht anbringen
- sich mit Kritik zurückhalten
- sich nicht als Besserwisser präsentieren
- nicht mit ausgefahrenen Ellenbogen auftreten
- nicht über den alten Arbeitgeber lästern
- das Privatleben nicht ausbreiten
- sich nicht zum Jasager umerziehen lassen
- Chancen suchen und ergreifen
- sich von Hindernissen nicht aufhalten/abschrecken lassen/Hindernisse überwinden
- ein/kein Risiko eingehen
- nichts von Strukturen und Bürokratie halten
- sich nach/an dem Bedarf des Marktes orientieren

Firmenpräsentation

- ein (weltweit führendes) Unternehmen sein
- Produkte entwickeln/fertigen/herstellen
- maßgeschneiderte Dienstleistungen/intelligente Lösungen bieten/anbieten
- über innovative Techniken/umfassendes Know-how verfügen
- die Mitarbeiter fördern
- (sich) Wettbewerbsvorteile verschaffen
- gesellschaftliche Verantwortung übernehmen
- sich für eine bessere Welt engagieren/einsetzen
- den Unternehmenswert steigern
- Aktionären eine attraktive Anlage bieten

Die Kunst des Scheiterns

- Misserfolge erleiden
- scheitern
- versagen/der Versager
- ein Projekt in den Sand setzen
- etwas misslingt/missglückt einem
- ein Traum zerplatzt
- Fehler machen/begehen
- das Scheitern aus dem Leben ausblenden
- nur Erfolge zählen
- die Verantwortung anderen Menschen in die Schuhe schieben
- das Scheitern aus der Tabuzone holen
- aus Misserfolgen/Fehlern lernen
- andere Wege zum Ziel gehen
- mit Niederlagen richtig umgehen
- den positiven Umgang mit dem Scheitern fördern

Evaluation
Überprüfen Sie sich selbst.

Ich kann	gut	nicht so gut
Ich kann über Sport, Sportarten und Doping berichten und diskutieren.	❒	❒
Ich kann einen Kurzvortrag über Sport, Sportler oder Doping halten und verfüge über wichtige strukturelle Redemittel für einen Vortrag.	❒	❒
Ich kann Pressemeldungen und Gerüchte mit verschiedenen sprachlichen Mitteln wiedergeben.	❒	❒
Ich kann populärwissenschaftliche Texte über Erfolge und Fehler im Berufsleben im Detail verstehen und zusammenfassen.	❒	❒
Ich kann meine Meinung äußern, Kritik bzw. nachträgliche Kritik üben und dabei unterschiedliche sprachliche Mittel verwenden.	❒	❒
Ich kann eine ausführliche Stellungnahme zum Thema *Einkommen von Topmanagern* schreiben.	❒	❒
Ich kann ein Radiointerview mit einem Experten über die Rolle des Scheiterns in der Gesellschaft fast vollständig verstehen.	❒	❒
Ich kann einen literarischen Text von Heinrich Böll ohne Mühe verstehen. *(fakultativ)*	❒	❒

Kapitel 4

Fortschritt und Umwelt

Auto der Zukunft

Was heißt Fortschritt?

Teil A

A1 Sammeln Sie in Gruppen oder einzeln alle Gedanken, die Ihnen zu der Frage: *Was heißt Fortschritt?* einfallen. Diskutieren Sie dann gemeinsam die Resultate.

A2 Lesen Sie diesen Text.

Vom Mythos, dass alles immer besser wird

Computer helfen uns, schneller und leichter all diejenigen Probleme zu meistern, die wir ohne sie gar nicht hätten. Autos ermöglichen uns, Geschwindigkeiten zu erreichen, die uns ohne sie lebensgefährlich vorkämen. Aber längst nicht immer: Im Durchschnitt verbringt jeder Deutsche jährlich 67 Stunden im Stau. In Großstädten werden bis zu 40 Prozent aller gefahrenen Kilometer für die Parkplatzsuche aufgewandt. Die Durchschnittsgeschwindigkeit ist dort mittlerweile auf 16 Kilometer pro Stunde gesunken – jeder hethitische Streitwagenfahrer hätte sich vor 3 500 Jahren kaputtgelacht. Und ein Brief, sagen wir von Genua nach Paris, braucht heute mit der Post immer noch so lange wie im 17. Jahrhundert mit der Eildepesche*: drei Tage.

Der Mensch schafft es als einziges Lebewesen, im Flug eine warme Mahlzeit einzunehmen. Wozu anzumerken wäre, dass er diese Fähigkeit einzig und allein entwickeln musste, weil er es für nötig erachtete, mithilfe von Maschinen den Vögeln nachzueifern.

Immer, wenn Menschen etwas tun, was die Evolution für die Spezies nicht vorgesehen hat, sprechen wir von Fortschritt. Seit unsere Urahnen von den Bäumen kletterten, ist es angeblich ständig mit uns bergauf gegangen.

Noch zu Beginn des vorigen Jahrhunderts rackerten sich Arbeiter in 72-Stunden-Wochen zu Tode. Seuchen und Hungersnöte dezimierten die Bevölkerung. Da wird man doch angesichts ständig steigender Lebenserwartung, der 35-Stunden-Woche, vollgestopfter Supermärkte und der dank Antibiotika fast ausgerotteten Epidemien wohl von Fortschritt sprechen dürfen!

Doch halt! Die historischen Gegenbeispiele gibt es auch: Der Keltenfürst von Hochdorf (6. Jahrhundert v. u. Z.) war 1,83 Meter groß; Ramses II. (13. Jahrhundert v. u. Z.) wurde fast 90, Platon (427–347 v. u. Z.) immerhin 80 Jahre alt. Im mittelalterlichen Nürnberg gab es pro Jahr mehr als 150 Feiertage. Betrachtet man sich die berühmten Bilder der niederländischen Meister, wird man keine Anzeichen für Mangelernährung entdecken. Und mit der Ausrottung der Seuchen ist es auch nicht weit her: Bei jeder kleinen Naturkatastrophe sind sie gleich wieder da.

Zu allen Epochen hing die Lebensqualität davon ab, welchen sozialen Rang man innehatte. Von einem stetigen Fortschritt kann man eigentlich nicht sprechen, eher von einem sozial differenzierten Auf und Ab. Was wohl besonders deutlich wird, wenn man an die Zustände in der sogenannten Dritten Welt denkt. Ob einer satt oder hungrig und gesund oder krank ist, ob er alt wird oder jung sterben muss, ist seit uralten Zeiten größtenteils davon abhängig, ob er am armen oder am reichen Ende des gesellschaftlichen Spektrums lebt. Und dieses Spektrum ist heute kein nationales mehr, sondern ein globales.

Zweifellos genießen diejenigen, die es sich leisten können, die vielen Annehmlichkeiten, die ihre Ur- und Urgroßeltern noch nicht kannten. Ob wir aber soviel besser als die Steinzeitmenschen leben, ist eine Frage des Maßstabes, der Definition von Lebensqualität.

* Depesche (veralt.) = Eilkutsche, später: Telegramm

A3 Textarbeit

a) Markieren Sie die richtige Antwort.

1. Wie ist die Grundeinstellung des Autors gegenüber dem Fortschritt?
   a) ❒ positiv
   b) ❒ sehr negativ
   c) ❒ skeptisch

2. Wann sprechen wir von Fortschritt?
   a) ❒ Wenn der Mensch in der Lage ist, die Freuden des Lebens zu genießen.
   b) ❒ Wenn der Mensch seine Zeit sinnvoll nutzt.
   c) ❒ Wenn der Mensch etwas Artfremdes tut.

3. Hat der Mensch die Seuchen ausgerottet?
   a) ❒ Ja.
   b) ❒ Nein.
   c) ❒ Nur in Europa.

4. Wie hat sich die Lebensqualität der Menschen entwickelt?
   a) ❒ Die Definition von Lebensqualität beantwortet jeder, abhängig von seiner sozialen und ethnischen Zugehörigkeit, anders.
   b) ❒ Die Lebensqualität hat sich gegenüber früher nicht verbessert.
   c) ❒ Die Annehmlichkeiten des Fortschritts führten zu einer deutlichen Verbesserung der Lebensqualität.

b) Beantworten Sie die folgenden Fragen zum Text.

1. Was tut der Mensch heute alles, was für seine Spezies eigentlich nicht vorgesehen ist?

   ....

   ....

   ....

2. Welche Unterschiede gibt es zwischen dem Leben früher und dem Leben heute?

   ....

   ....

   ....

3. Welche Rolle spielt der soziale Rang eines Menschen?

   ....

   ....

   ....

c) Ordnen Sie den unterstrichenen Ausdrücken aus dem Text synonyme Wendungen zu und nehmen Sie eventuell notwendige Umformungen vor.

bewältigen ◊ sagen ◊ ausschließlich ◊ wichtig finden ◊ Vorteile ◊ nicht den gewünschten Erfolg erzielen ◊ hart arbeiten ◊ die Situation verbesserte sich ständig

1. Probleme meistern ....
2. wozu anzumerken wäre ....
3. einzig und allein ....
4. etwas für nötig erachten ....
5. es ist ständig mit uns bergauf gegangen ....
6. rackerten sich zu Tode ....
7. mit der Ausrottung der Seuchen ist es auch nicht weit her ....
8. die Annehmlichkeiten des Fortschritts ....

d) Textrekonstruktion: Ergänzen Sie die fehlenden Verben in der richtigen Form.

nacheifern ◊ vorsehen ◊ ermöglichen ◊ anmerken ◊ verbringen ◊ helfen ◊ meistern ◊ sinken ◊ einnehmen ◊ erachten ◊ erreichen ◊ vorkommen ◊ aufwenden

Computer .... (1) uns, solche Probleme zu .... (2), die wir ohne sie gar nicht hätten. Autos .... (3) uns, Geschwindigkeiten zu .... (4), die uns ohne sie lebensgefährlich .... (5). Im Durchschnitt .... (6) jeder Deutsche jährlich 67 Stunden im Stau. In Großstädten werden bis zu 40 Prozent aller gefahrenen Kilometer für die Parkplatzsuche .... (7). Die Durchschnittsgeschwindigkeit ist dort mittlerweile auf 16 Kilometer pro Stunde .... (8). Der Mensch schafft es als einziges Lebewesen, im Flug eine warme Mahlzeit .... (9). Wozu .... (10) wäre, dass er diese Fähigkeit einzig und allein entwickeln musste, weil er es für nötig .... (11), mithilfe von Maschinen den Vögeln .... (12). Immer, wenn Menschen etwas tun, was die Evolution für die Spezies nicht .... (13) hat, sprechen wir von Fortschritt.

A4 Schriftlicher Ausdruck

In welcher Zeit würden Sie gern leben? Begründen Sie Ihre Ausführungen. Schreiben Sie einen Text von ca. 200 Wörtern. Nehmen Sie sich dafür 60 Minuten Zeit.

A5 Welche Entwicklungen wird es Ihrer Meinung nach in den nächsten 50 Jahren in den folgenden Bereichen geben? Erstellen Sie Prognosen.

Verkehr/Autos

....

....

....

Lebenserwartung/Alter

....

....

....

Ernährung

....

....

....

Computer/Internet

....

....

Telefonieren/Kommunikationswege

....

....

Sprachen/Sprachunterricht

....

....

Arbeitsleben

....

....

Bücher

....

....

Redemittel

- Ich erwarte, dass *(der Autoverkehr zunimmt)*.
- Ich gehe davon aus, dass *(der Autoverkehr zunimmt)*.
- Ich bin mir (ziemlich) sicher, dass *(der Autoverkehr zunimmt)*.
- Die bisherige Entwicklung lässt vermuten, dass *(der Autoverkehr zunimmt)*.
- Ich könnte mir vorstellen, dass *(der Autoverkehr zunimmt)*.
- Es kann/könnte sein, dass *(der Autoverkehr zunimmt)*.
- *(Der Autoverkehr)* kann/könnte *(zunehmen)*.
- *(Der Autoverkehr)* wird *(zunehmen)*.

Zusatzübungen zu Vermutungen ⇨ Teil C Seite 116

Neue Medien

Teil A

 Fragen Sie zwei Gesprächspartner und vergleichen Sie dann die Antworten.

	Name	Name ....
Über welche technische Entwicklung in den vergangenen Jahren würden Ihre Urgroßeltern am meisten staunen?		
Was ist für Sie die bedeutendste Entwicklung der vergangenen 20 Jahre?		
Welche Rolle spielt in Ihrem beruflichen und privaten Leben das Internet?		
Welche positiven Aspekte hat die rasante Entwicklung und Ausbreitung des Internets Ihrer Meinung nach im Allgemeinen?		
Können Sie auch negative Aspekte der schnellen Internetentwicklung nennen?		

 Lesen Sie den folgenden Text.

Die Welt ist nicht genug

Google weiß, was ich gestern getan habe: meine Aktienkurse abgerufen, mir ein Buch bei Amazon gekauft, Wohnungsangebote angeschaut, E-Mails an Freunde geschrieben, einen Arzt in der Nähe gesucht. Die Suchmaschine kennt die meisten unserer Geheimnisse. Sie durchforstet unsere E-Mails, durchstöbert unseren Computer, speichert unsere Bilder und führt unseren Terminkalender. Per Satellit späht sie sogar in unseren Garten. Und die Welt ist Google längst nicht mehr genug, „Google Sky" kann sogar den Kosmos durchsuchen. Bis 2015 will Google 15 Millionen Bücher digitalisieren und in seinen Suchindex integrieren – Google, die neue Bibliothek von Alexandria.

Google weiß alles, Google sieht alles, Google ist überall: Still und leise schlingt der Datenkrake seine Arme um die ganze Welt. Und keiner kann sagen, er hätte es nicht gewusst: „Das Ziel von Google ist es, die Informationen der Welt zu organisieren und allgemein nutzbar und zugänglich zu machen", sagen die Unternehmer selbst. Doch einige Wissenschaftler warnen bereits jetzt vor Googles unheimlicher Macht und sehen in der Suchmaschine das größte Datenschutzproblem in der Geschichte der Menschheit.

Vor dem Zeitalter der Suchmaschinen gehörten unsere Daten uns. Sie lagerten auf der Festplatte unseres Heimcomputers – und nur wir hatten darauf Zugriff. Jetzt haben sich unsere digitalen Aktivitäten mehr und mehr ins Internet verlagert. Millionen nutzen ganz selbstverständlich Web-Angebote oder speichern ihre privaten Fotos, Texte oder Lebensläufe im Netz. Und überall hinterlassen wir Spuren. Blind vertrauen wir der Suchmaschine intime Details an. Wir googeln nach Freunden und Feinden, Telefonnummern, Selbsthilfegruppen oder Krankheiten, nach sinnvollen und unsinnigen Dingen und wir tun es täglich. Aus freien ⇨

Stücken lassen wir uns auf ein Tauschgeschäft ein: unsere Privatsphäre gegen etwas Bequemlichkeit. Jedes Mal, wenn wir einen der zahllosen Dienste der Suchmaschine nutzen, speisen wir neue Daten in den „Google-Organismus" ein.

- „Google Suche" speichert all unsere Suchanfragen auf dem Server ab.
- „Google Desktop" erlaubt es, den Inhalt der eigenen Computerfestplatte, von Word-Dateien bis zu E-Mails und Fotos, zu durchsuchen.
- „Google Analytics" liefert Informationen über Besucher einer Webseite. Die Betreiber kommerzieller Webseiten nutzen diesen Dienst zur Analyse des Datenverkehrs. Wer eine von „Google Analytics" überwachte Webseite anklickt, wird damit automatisch erfasst.
- „Google-Mail" durchforstet E-Mails vollautomatisch nach relevanten Begriffen von „Auto" bis „Zucker" – und platziert die entsprechenden Anzeigen in unserem E-Mail-Eingang. Das ist ungefähr so, als würde die Post routinemäßig unsere Briefe öffnen und die passende Werbung in den Briefumschlag stecken.

Im Sommer 2006 gelangten aus Versehen 23 Millionen Suchanfragen von 650 000 US-amerikanischen Nutzern des Internetdienstes AOL an die Öffentlichkeit. Der Fall enthüllte erstmals, welche Unmengen intimer Details der Nutzer auf Suchmaschinen-Servern lagern – und welche Risiken diese Datenbestände bergen. Da war zum Beispiel AOL-Nutzer 14162375, ein offenbar betrogener Ehemann. Er suchte im Internet nach verschiedenen Methoden, seine Frau zu überwachen – oder sogar zu töten. Reportern der New York Times gelang es ohne große Mühe, einige Nutzer anhand anonymer Suchanfragen namentlich zu identifizieren.

Mehr und mehr bestimmt Google auch unseren Zugang zur Realität. Die Suchmaschine entscheidet, was wichtig ist – und was in der Bedeutungslosigkeit verschwindet. Was Google nicht findet, existiert scheinbar nicht. Längst vertrauen wir der Suchmaschine wie einem Orakel, als wäre Google Gott. Doch der Widerstand gegen Googles Allmacht wächst: So weigern sich einige US-Bibliotheken standhaft, ihre Bestände der Suchmaschine zur Verfügung zu stellen.

Medienkonzerne sehen in manchen Google-Diensten einen bedenklichen Umgang mit dem Urheberrecht. Allmählich begreifen die Verlage, dass Google mit Inhalten Milliarden verdient – obwohl der Suchmaschine die Inhalte gar nicht gehören.

Vielleicht könnte irgendwann mal irgendwer den unaufhaltsamen Aufstieg von Google bremsen, vielleicht wird es in Zukunft viele Googles geben. Doch den „Google-Organismus" schaffen wir nicht mehr aus der Welt. Er wird bleiben und weiterwandern, denn wir haben ihn selbst geschaffen.

A8 Textarbeit

a) Fassen Sie den Text mit eigenen Worten zusammen.

Redemittel

- Der Text handelt von .../Im Text geht es um ...
- Der Autor meint/behauptet ...
- Als Beispiele werden ... angeführt./Das wird mit folgenden Beispielen verdeutlicht: ...

b) Ergänzen Sie in dem folgenden Text die fehlenden Informationen.

Immer, wenn wir im Internet nach etwas *suchen*, schaut uns Google über die Schulter. Die Suchmaschine weiß genau, was wir tun. Sie ist allgegenwärtig und kennt sogar unsere Geheimnisse. Nach .... (1) des Unternehmens selbst ist es das Ziel von Google, Informationen zu organisieren und den .... (2) zu diesen Informationen und ihre Nutzung zu .... (3). Es gibt bereits erste .... (4) von Wissenschaftlern, die in der Suchmaschine das größte Datenschutzproblem der Menschheitsgeschichte sehen. Als unsere Daten noch auf der Festplatte unseres Heimcomputers lagerten, hatten nur wir .... (5) auf sie. Heute ist es normal, Fotos oder Texte ins .... (6) zu stellen. Wir tauschen unsere Privatsphäre gegen etwas Bequemlichkeit. Dabei vergessen wir, dass alle Internetaktivitäten .... (7) werden: Unsere Suchanfragen werden gespeichert, unsere Festplatte wird durchsucht, unsere E-Mails werden nach Wörtern durchforstet, um in unserem Posteingang .... (8) zu platzieren. Die Datenbestände der Suchmaschinen können für den Einzelnen ein hohes Risiko .... (9), zum Beispiel wenn die gespeicherten Informationen durch einen Zufall an die .... (10) gelangen.

c) Nominalisierung: Bilden Sie aus den Verben die passenden Nomen.

◊	speichern	*die Speicherung/das Speichern*	unserer Bilder
1.	durchsuchen	....	der Festplatte
2.	durchforsten	....	unserer E-Mails
3.	warnen	....	vor Gefahren
4.	zugreifen	....	auf Daten
5.	verlagern	....	von Aktivitäten ins Internet
6.	digitalisieren	....	von 15 Millionen Büchern
7.	integrieren	....	von 15 Millionen Büchern in den Suchindex
8.	organisieren	....	von Informationen
9.	ermöglichen	....	einer Onlinedurchsuchung
10.	platzieren	....	von Werbeanzeigen im Posteingang
11.	überwachen	....	der Webseiten
12.	nutzen	....	des Onlinedienstes
13.	analysieren	....	des Datenverkehrs

d) Bilden Sie aus den Vorgaben Sätze.
Achten Sie dabei auf fehlende Präpositionen, Verbformen, Kasus und Satzbau.

◊ Google – seine Arme – still und leise – die ganz, Welt – schlingen
Still und leise schlingt Google seine Arme um die ganze Welt.

1. unheimliche Macht, Google – bereits – Wissenschaftler – warnen
   ....
2. Suchmaschine – das größt-, Datenschutzproblem, Menschheitsgeschichte – sie – sehen
   ....
3. wir – Spuren – jede Suchaktion – Netz – hinterlassen
   ....
4. intime Details – die Suchmaschine – wir – anvertrauen
   ....
5. wir – freiwillig – ein Tauschgeschäft – einlassen: Privatsphäre – Bequemlichkeit
   ....
6. 2006 – 23 Millionen Suchanfragen – die Öffentlichkeit – gelangen *(Präteritum)*
   ....
7. Suchmaschinen-Server – Unmengen, Daten – lagern
   ....
8. die Datenbestände – groß, Risiken – bergen
   ....

e) Was kann man miteinander verbinden? Suchen Sie auch den richtigen Artikel.

-bestand -verkehr -kalender -verzögerung -anfrage -plan -bank -träger	*Termin-* *Such-* *Daten-*	-index -schutzproblem -absprache -menge -maschine -druck -verarbeitung -meldung

A9 Relativpronomen

a) Lesen Sie die folgenden Sätze.

Wir arbeiten mit einer Suchmaschine, die die meisten unserer Geheimnisse kennt.
deren Erfinder die Informationen der Welt organisieren wollen.
mit der man den Kosmos durchsuchen kann.
für die die Welt nicht genug ist.

▶ Relativsätze sind Nebensätze. Sie beschreiben das Bezugswort im Hauptsatz näher. Das Relativpronomen richtet sich in Genus und Numerus nach dem Bezugswort, im Kasus nach der Stellung im Relativsatz.

b) Ergänzen Sie in den folgenden Sätzen die richtigen Relativpronomen und (wenn nötig) die passenden Präpositionen.

Das sind:

◊ Werbeanzeigen, *die* im Posteingang von E-Mails platziert werden.
1. die Aktienkurse, ... ich jeden Abend abrufe.
2. die Spuren, ... wir täglich im Netz hinterlassen.
3. Gefahren, ... der Benutzer gewarnt werden müsste.
4. Server, ... Unmengen von Daten lagern.
5. Web-Angebote, ... wir nicht mehr verzichten können.

Das ist:

6. ein Onlinedienst, ... viele Millionen Menschen nutzen.
7. mein Terminkalender, ... ich jeden Tag meine Termine eintrage.
8. die Suchmaschine, ... wir unsere Geheimnisse anvertrauen.
9. meine Festplatte, ... ich meine Fotos und Texte speichere.
10. ein Unternehmen, ... Gründer Multimillionäre geworden sind.

Zusatzübungen zu Relativsätzen ⇨ Teil C Seite 119

A10 Wählen Sie mindestens acht Fragen, stellen Sie diese an drei verschiedene Gesprächspartner und vergleichen Sie dann die Antworten miteinander.

1. Schreiben Sie noch Briefe mit der Hand? Wenn ja, warum? Wenn nein, warum nicht?

2. Wie viel Zeit nehmen Ihre beruflichen und privaten Telefonate täglich in Anspruch?

3. In welchen beruflichen Situationen telefonieren Sie und wann schreiben Sie lieber E-Mails?

4. Schreiben Sie Postkarten? Wenn ja, zu welchen Anlässen?

5. Lesen Sie alle E-Mails, die Sie erhalten?

6. Welche E-Mails beantworten Sie sofort?

7. Erhalten Sie oft, manchmal oder nie SMS?

8. Wie viele E-Mails erhalten Sie täglich?

9. Nutzen Sie Standardsätze, wenn Sie E-Mails beantworten?

10. Freuen Sie sich, wenn Sie einen handgeschriebenen Brief oder eine Postkarte erhalten?

11. Auf welche E-Mails antworten Sie nie?

12. Telefonieren Sie gern? Wenn ja, warum? Wenn nein, warum nicht?

13. Wie viele E-Mails schreiben Sie täglich?

14. Schlagen Sie unbekannte Wörter in einem Buch nach oder schauen Sie ins Internet?

15. Was halten Sie von elektronischen Postkarten?

16. Chatten Sie? Wenn ja, warum? Wenn nein, warum nicht?

17. Was halten Sie vom Internetbanking?

18. Gibt es Zeiten (Tage, Wochen), in denen Sie nicht in Ihre Mailbox schauen oder im Internet surfen?

19. Besitzen Sie ein E-Book-Lesegerät, um sich Bücher aus dem Internet herunterzuladen?

20. Googeln Sie oft, manchmal, nie? Und was suchen Sie oft bei Google?

21. Erledigen Sie Einkäufe im Internet? Wenn ja, was kaufen Sie im Internet?

22. Welche Kommunikationsform (Telefon, Chatten, SMS, Postkarte, Brief) nutzen Sie im privaten Bereich am meisten?

23. Laden Sie Musik aus dem Internet herunter? Wenn ja, welche Musik?

24. Simsen Sie oft, manchmal, nie?

25. Spielen Sie auch am Computer? Wenn ja, wie lange täglich?

 Berichten Sie.

- Gibt es Ihrer Meinung nach einen Unterschied zwischen der Sprachverwendung in Briefen und E-Mails? Wenn ja, beschreiben Sie ihn.
- Sind in Ihrer Muttersprache durch die neuen Medien neue Wörter entstanden, wie im Deutschen z. B. das Wort *mailen*?
- Sind Sie der Meinung, dass die Sprache durch die neuen Kommunikationsformen verfällt?

 Sprachwandel

a) Lesen Sie den folgenden Text.

Lässt das Internet die deutsche Sprache verfallen?

„Hai du … knuddelz", schreibt einer. Der Angesprochene antwortet: „hai reknuddel ich wollt grade los :-(".

So hätte Dichterfürst Goethe keinen Brief begonnen. Im Internet aber – beim Chatten, Bloggen, Mailen – gehört es zur Normalität, was manchen Sprachfreund und Deutschlehrer das Fürchten lehrt. Lässt das Netz unsere Sprache verfallen?

„Nein", sagen Linguisten. Im Plauder-Chat unterhalten sich Menschen am Computer via Internet. „Wer den dabei entstehenden Text mit einem Roman vergleicht, wird natürlich an Sprachverfall denken", sagt der Sprachwissenschaftler Michael Beißwenger. Ein besserer Vergleich sei das Gespräch zwischen Freunden. Mit dem Chat sei eine völlig neue Form entstanden, sich auszutauschen: schriftlich plaudern. Einziger Vorläufer: die Zettel, die man sich unter der Schulbank hin und her schob, anstatt zu flüstern.

Neue Form, neue Schriftverwendung. Manche Besonderheiten dieser „Netzsprache" haben damit zu tun, dass es beim Chatten schnell gehen muss: Es häufen sich die Tippfehler genauso wie Abkürzungen. Auf Großschreibung wird verzichtet, weil ein Großbuchstabe einen Tastenanschlag mehr bedeutet, der Zeit kostet.

Ganz anders sieht es aus, wenn's gar nicht ums Zeitsparen geht – sondern darum, Gefühle oder Ironie auszudrücken, obwohl man sich nicht sehen kann. Durch sogenannte „Emoticons" zum Beispiel. Das älteste hat ein Student vor über 20 Jahren vorgeschlagen, ein Gesicht aus Klammer, Strich und Doppelpunkt. Lachen „:-)". Solche Zeichen haben sogar den Weg aus dem Netz gefunden, man verwendet sie immer häufiger auf privaten Postkarten oder Briefen.

Gleiches gilt für die sogenannten „Erikative" wie: „kuschel" oder „knuddel". Sie stammen aus der Comicsprache. Daher auch der Name „Erikative": Dr. Erika Fuchs war es, die die Donald-Duck- und Mickymaus-Comics ins Deutsche übersetzte.

Aber nicht überall im Internet geht es so flapsig zu. „Sprache hat immer mit der Redesituation, mit Rollen, Formalitätsgraden und kommunikativen Zielen zu tun", betont Beißwenger. So gibt es in Politiker-Chats oder Bewerbungs-E-Mails insgesamt mehr Rechtschreibung und so gut wie keine „Erikative": „Ich muss nur wissen, in welcher Situation ich mit welcher Art der Sprache mein Ziel erreichen kann."

Auch Karin Pittner, Germanistik-Professorin an der Ruhr-Uni Bochum, spricht lieber von „neuer Sprachkultur" als von „Sprachverfall". „Noch nie wurde so viel geschrieben wie heute", sagt Pittner, „auch von denen, die früher nicht schrieben." Früher schrieb man Einkaufszettel und Postkarten. Heute verbringen Menschen ihre Freizeit schreibend: Chat, E-Mail, Messenger. Gleichzeitig wird allgemein der Umgang mit Rechtschreibung und Satzbau lockerer: „Wir fangen an zu schreiben, wie wir sprechen", sagt sie. Ob Internetboom und Regelverfall zusammenhängen, ist umstritten. Eines hat das Internet definitiv verändert: den Wortschatz. So hat die Internetsuchmaschine „Google" den Wortschatz um das Wort „googeln" erweitert – und es damit in den Duden* geschafft: „Googeln" heißt laut Rechtschreibbibel „mit Google im Internet suchen". Dem Duden selbst war das nicht vergönnt. In ihm musste man Wörter immer umständlich nachschlagen und konnte sie nicht einfach „dudeln" oder „duden".

* Duden = Wörterbuch der deutschen Sprache, das 1880 von Konrad Duden erstmals veröffentlicht wurde

b) Zeichen wie diese Emoticons tauchten zuerst im Internet, in Chats und E-Mails auf. Mittlerweile sind sie auch auf Postkarten und in Briefen zu finden. Überprüfen Sie Ihre Zeichensprachkenntnisse und ordnen Sie die richtigen Bedeutungen zu.

skeptisch sein ◊ weinen ◊ lachen ◊ traurig sein ◊ zwinkern ◊ Küsschen geben ◊ schlafen und schnarchen ◊ sprachlos sein ◊ reich sein ◊ erschrecken ◊ vor Freude weinen ◊ schlafen

1
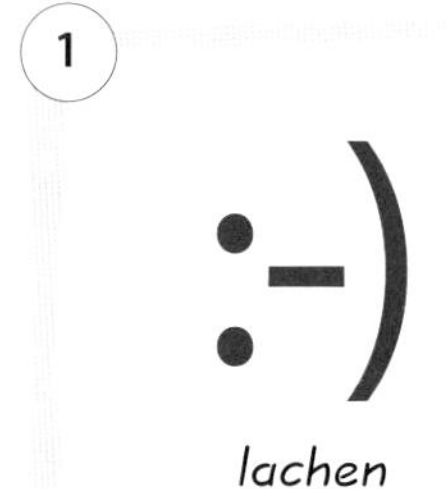

2

3

4

5

6
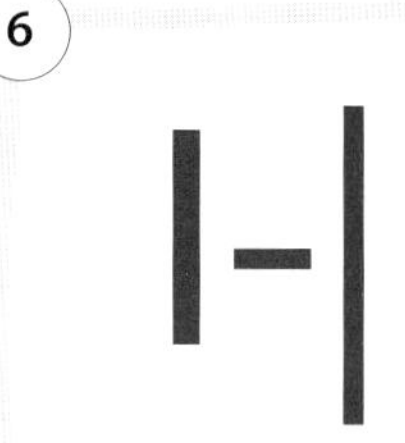

7

8
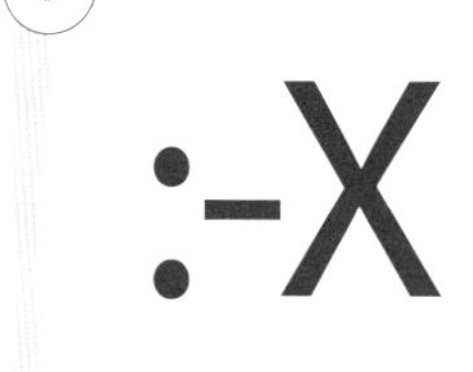

9
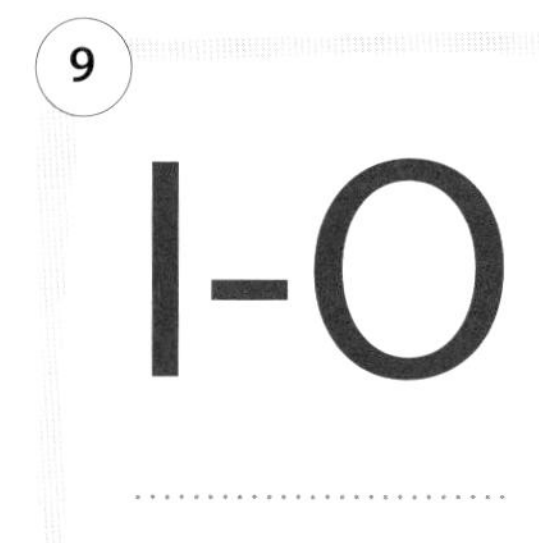

10

11
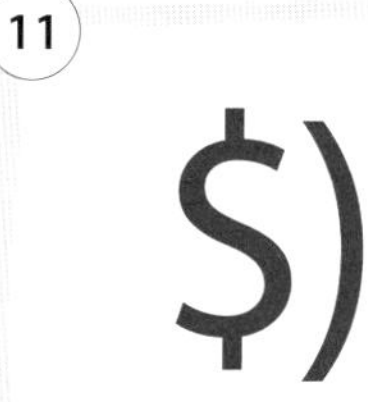

12
:-(

A13 Textarbeit

a) Markieren Sie die richtige Antwort. Entscheiden Sie bei jeder Aussage: Steht das im Text? Ja oder nein? Wenn der Text dazu nichts sagt, markieren Sie X.

		ja	*nein*	*X*
1.	Durch die neuen Medien ist eine neue Kommunikationsform entstanden: schriftlich reden.	❒	❒	❒
2.	Wissenschaftler in aller Welt beschäftigen sich mit diesen Veränderungen.	❒	❒	❒
3.	Die Zeit spielt bei den neuen Kommunikationsformen wie z. B. beim Chatten eine große Rolle.	❒	❒	❒
4.	Die Regeln der Rechtschreibung gelten beim Chatten und Mailen nicht mehr.	❒	❒	❒
5.	Die sogenannten „Emoticons" und „Erikative" sind nicht für jede Art von Chat oder E-Mail geeignet.	❒	❒	❒
6.	„Erikative" haben ihren Namen von der Übersetzerin der Mickymaus-Hefte.	❒	❒	❒
7.	Insgesamt lässt sich feststellen, dass es keinen „Regelverfall" durch die neuen Medien gibt.	❒	❒	❒
8.	Es wird heute mehr geschrieben als früher.	❒	❒	❒

b) Fassen Sie den Text zusammen. Gehen Sie dabei auf die folgenden Punkte ein:

- Sprachverfall
- Rechtschreibregeln
- Emoticons und Erikative
- Neue Wörter

c) Welches Verb passt? Ordnen Sie zu.

1. sich im Plauder-Chat ....
2. einen Chat-Text mit einem Roman ....
3. an Sprachverfall ....
4. Zeit ....
5. Emoticons können Gefühle ....
6. den Wortschatz ....
7. die Freizeit schreibend ....
8. ein Buch ins Deutsche ....
9. ein Wort im Duden ....
10. auf Korrektheit und Großschreibung ....

- denken
- ausdrücken
- unterhalten
- erweitern
- verbringen
- sparen
- vergleichen
- verzichten
- übersetzen
- nachschlagen

Umwelt und Klima

Teil A

A14 Erstellen Sie in Gruppen eine ABC-Liste zum Thema *Umwelt*. Sie brauchen nicht zu jedem Buchstaben ein Wort zu finden. Vergleichen Sie dann Ihre Liste mit anderen Gruppen.

A	*Abfall, Abholzung der Regenwälder ...*	N	....
B	....	O	....
C	....	P	....
D	....	Q	....
E	....	R	....
F	....	S	....
G	....	T	....
H	....	U	....
I	....	V	....
J	....	W	....
K	....	X	....
L	....	Y	....
M	....	Z	....

A15 Was hat sich in den letzten Jahren im Bereich Umwelt verbessert, was hat sich verschlechtert? Ordnen Sie die Wörter/Wendungen aus A14 zu.

verbessert	verschlechtert

A16 Gliederung eines Vortrages

a) Bereiten Sie (in Gruppen oder einzeln) die Gliederung für einen Vortrag vor.

Das Thema lautet:

Welche Umweltprobleme halten Sie für die bedrohlichsten? Unterbreiten Sie Vorschläge, wie man sie verringern oder abschaffen könnte. Begründen Sie Ihre Meinung.
Stellen Sie Ihre Gliederung vor und vergleichen Sie die Gliederungen miteinander.

b) Arbeiten Sie als Hausaufgabe Ihren Vortrag schriftlich aus.

Gliederung eines Aufsatzes/Vortrages

- Einleitung:
  - Thema klären/abgrenzen
  - Begriffe definieren
  - Gliederung erläutern/begründen
- Hauptteil:
  - Situation beschreiben/vergleichen
  - Entwicklung: früher – heute betrachten
  - Ursachen/Gründe nennen/gewichten
  - die eigene Meinung einbeziehen
  - Folgen aufzeigen
  - Beispiele anführen
  - Lösungsvorschläge unterbreiten
  - pro-kontra argumentieren
- Schluss:
  - Hauptinformationen zusammenfassen
  - Schlussfolgerungen ziehen
  - Ausblicke geben

A17 Die Klima-Uhr tickt

a) Beschreiben Sie die folgende Grafik.

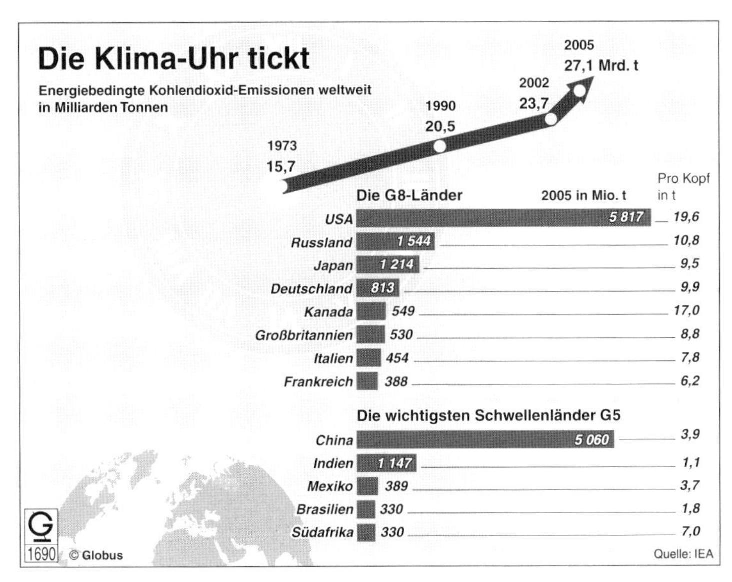

Eine Grafik beschreiben

- Das Thema der Grafik ist .../Die Grafik/Statistik zeigt ...
- Man kann in/aus der Grafik/Statistik deutlich erkennen, dass ...
- Der Grafik/Statistik kann man entnehmen ...
- Aus der Grafik/Statistik geht hervor/wird deutlich ...
- An der Spitze/Auf Platz eins/zwei steht/liegt ... Dahinter kommt/folgt ...

b) Ergänzen Sie in dem folgenden Text die fehlenden Nomen.

Verleihung ◇ Abkommen ◇ Kopf ◇ Bewusstsein ◇ Kohlendioxid ◇ Klimawandel ◇ Klimasünder ◇ Ausstoß

Trotz internationaler ....(1) schreitet der globale ....(2) weiter voran. Aber die Gefahren und Risiken rücken immer stärker in das ....(3) der Menschen, nicht zuletzt durch die ....(4) des Friedensnobelpreises 2007 an den Klimarat der Vereinten Nationen und an den ehemaligen Vize-Präsidenten der USA Al Gore. Im Jahr 2005 wurden weltweit 27,1 Milliarden Tonnen des Treibhausgases ....(5) ausgestoßen. Davon entfielen allein 10,9 Milliarden Tonnen auf die beiden größten ....(6) USA und China. Vergleicht man allerdings die Pro-Kopf-Emissionen, so steht das bevölkerungsreiche China mit einem ....(7) von 3,9 Tonnen je Einwohner wesentlich besser da. Die Vereinigten Staaten liegen mit einem CO_2-Ausstoß von 19,6 Tonnen pro ....(8) immer noch an erster Stelle.

A18 Interviewen Sie zwei Gesprächspartner und tragen Sie die Antworten in Stichpunkten in die Tabelle ein.

	Name	Name ....
Wie schätzen Sie Ihren eigenen Energieverbrauch ein?		
Bemühen Sie sich darum, Energie zu sparen? Wenn ja, wie tun Sie das?		
Wer verbraucht Ihrer Meinung nach viel Energie und wo könnte Energie gespart werden?		
Sind Sie persönlich an den Themen *Energieverbrauch und Umweltschutz* interessiert?		
Wird das Thema *Energieverbrauch* in Ihrem Heimatland diskutiert, z. B. in den Medien oder der Politik?		
Was tun Sie im Allgemeinen für eine saubere Umwelt?		
Würden Sie der Umwelt zuliebe ein kleineres Auto fahren oder ganz auf das Autofahren verzichten?		

 Der Kabarettist Dieter Nuhr hat sich auch ein paar Gedanken zum Thema *Energiesparen* gemacht.

a) Lesen Sie einen kurzen Ausschnitt aus seinem Buch *Gibt es intelligentes Leben?*

Gibt es intelligentes Leben?

In der Tat gibt es Anhaltspunkte dafür, dass auch in unserem eigenen Kulturkreis Intelligenz kein allgegenwärtiges Phänomen ist. Ich zweifle manchmal sogar an meinem eigenen Verstand. Neulich zum Beispiel stand ich mitten in der Nacht (!) an einer Ampel, minutenlang, weit und breit kein Zeichen von Leben, außer dem heiseren Zirpen der Eulen und dem Gurren der Schwerkraft (man muss manchmal etwas ausschmücken, um den Leser wachzuhalten). An jener Ampel habe ich gewartet, bis es Grün wurde. Mitten in der Nacht. Völlig allein.

Das ist wahrscheinlich ein Zeichen geistigen Verfalls. Anstatt einfach loszufahren! Keine Sau[1] kilometerweit. Warum macht man das? Klar, wenn man einfach bei Rot fährt, geht im Busch gegenüber ein Blaulicht an, wo ein paar Ordnungshüter[2] seit ein paar Jahren ein Lager aufgeschlagen haben, um mitten in der Nacht anarchistische Autofahrer zu bekämpfen. Und dann war's das mit dem Führerschein.

Ich hätte an dieser Stelle einen intelligenten Vorschlag zur Energieeinsparung: Ampeln aus zwischen 23.00 und 6.00 Uhr morgens. Das hilft auch gegen Luftverpestung. Bundesweit stehen wahrscheinlich Zehntausende Autos jede Nacht an völlig sinnlosen Verkehrslichtern rum. Einzelne Ampeln kann man ja meinetwegen anlassen, da, wo es unverzichtbar ist, irgendwo an einer Durchgangsstraße in Berlin oder einer Seitenstraße in Unkel am Rhein, wo die Ampel dazu dient, die Bezeichnung „menschliche Ansiedlung" zu rechtfertigen.

Wahrscheinlich hat das nächtliche Ampelleuchten aber ohnehin wieder irgendeinen Sinn, der mir bisher einfach noch nicht mitgeteilt wurde. Vielleicht geht es einfach um die Beruhigung der Bevölkerung. Hier soll dem Bürger mitgeteilt werden: Auch nachts herrscht Ordnung.

[1] keine Sau = *umgangssprachliche Ausdruckweise für:* kein Mensch
[2] Ordnungshüter = Polizisten

b) Berichten Sie.

- Worüber ärgert sich der Autor?
- Welche Vorschläge unterbreitet er?
- Welche Erklärungsversuche unternimmt er?
- Wie wirkt der Text auf Sie?

 Gruppenarbeit: Energiesparen in der Firma

Sie haben den Auftrag bekommen, sich mit ein paar Kollegen Gedanken darüber zu machen, wie in der Firma Energie gespart werden kann. Was würden Sie ändern? Unterbreiten Sie Vorschläge und halten Sie eine kurze Präsentation. Diskutieren Sie anschließend mit den anderen über die Vorschläge und einigen Sie sich auf konkrete Maßnahmen.

 Alternative Energie

a) Berichten Sie.

- Haben Sie schon einmal etwas von Biosprit bzw. Biokraftstoff gehört?
- Woraus wird Biosprit hergestellt?
- Können Sie einige positive oder negative Aspekte der Produktion und Verwendung von Biosprit nennen?

Vorschläge machen

- Ich bin der Meinung/Ansicht, dass …
- Meiner Einschätzung nach …
- Ich schlage vor, dass …/Wir sollten unbedingt …
- Vielleicht wäre es gut, wenn …
- Ich habe die Erfahrung gemacht, dass …/Es ist schon bewiesen/nachgewiesen, dass …

Fragen stellen

- Was halten Sie/hältst du von …?
- Wie beurteilen Sie/beurteilst du …?
- Was sind die wichtigsten Gründe für …?
- Wäre es nicht besser, wenn …?

PRO

- … spricht für …/Dafür spricht, dass …
- Ein wichtiges Argument für … ist …
- Vorteile sind …
- Ich befürworte …, weil …

KONTRA

- … spricht gegen …/Dagegen spricht, dass …
- Ein wichtiges Argument gegen … ist …
- Nachteile sind …
- Ich … lehne ab, weil …

b) Sie hören jetzt eine Radiosendung zum Thema *Biosprit*. Kreuzen Sie die richtige Lösung (a, b oder c) an. 7

1. Für die Lösung der Energiefrage
   - a) ❒ ist Biosprit ein sehr guter Ansatz.
   - b) ❒ kommt Biosprit nicht in Betracht.
   - c) ❒ gibt es noch keine guten Konzepte.
2. Biokraftstoff ist in die Kritik geraten, weil
   - a) ❒ das Verhältnis zwischen Produktionskosten und eingespartem Kohlendioxid negativ ist.
   - b) ❒ der Kohlendioxidausstoß zu niedrig ist.
   - c) ❒ die Energiepflanzen überhaupt keinen Nutzen haben.
3. Die Treibhauswirkung
   - a) ❒ kann bei der Produktion von Rapsöl höher liegen als bei herkömmlichen Kraftstoffen.
   - b) ❒ bleibt von Kraftstoffen unberührt.
   - c) ❒ ist bei konventionellem Kraftstoff höher als bei Biokraftstoff.
4. Der wachsende Anbau der Energiepflanzen
   - a) ❒ erhöht den Bedarf an Wasser in der Landwirtschaft.
   - b) ❒ stabilisiert das Ökosystem.
   - c) ❒ senkt den Preis für Rohöl.
5. Die Preise für Lebensmittel
   - a) ❒ sind in Deutschland in einigen Bereichen erheblich gestiegen.
   - b) ❒ sind in Deutschland bereits nicht mehr zu bezahlen.
   - c) ❒ sind von den Nahrungsmittelherstellern in die Höhe getrieben worden.

c) Lesen Sie den folgenden Text und wählen Sie die passenden Wörter.

Biosprit ist keine dauerhafte Lösung

Schon *vor (a)* einiger Zeit haben Fachleute ....(1) gewarnt, im Biosprit die Lösung der Energiefrage zu sehen – auch mit Blick ....(2) Klimawandel. Jetzt bestätigte eine Studie des wissenschaftlichen Beirats für Agrarpolitik, dass der Einsatz von Biosprit aus ....(3) Sicht keine Lösung für die Zukunft ist.

Ein Team um den Chemienobelpreisträger Paul Crutzen ....(4), dass durch zusätzliche Düngung beim Energiepflanzenanbau größere Mengen des Treibhausgases Lachgas (N_2O) entstehen und dadurch im Extremfall die Treibhauswirkung sogar um 70 Prozent höher liegen kann ....(5) bei konventionellem Treibstoff. Andere Forscher warnen vor der ....(6) von Waldflächen und vor Wassermangel ....(7) den steigenden Anbau von Energiepflanzen. Man ....(8) bis 2050 mit einer Verdoppelung der derzeitigen Wassernachfrage aus der Landwirtschaft.

Die Vereinten Nationen wiesen ....(9) darauf hin, dass durch die massive Ausweitung von Ackerflächen allein in Indonesien Millionen von Menschen in die Flucht getrieben werden ....(10).

Weitere Probleme ergeben sich aus der Preisexplosion auf den internationalen Lebensmittelmärkten. Schon jetzt sind die Preise für Palmöl, Rapsöl, Weizen und Mais dramatisch gestiegen.

- ◊ a) ~~vor~~ b) in c) mit
- 1. a) dafür b) davor c) dagegen
- 2. a) auf den b) auf dem c) in den
- 3. a) umweltpolitische b) umweltpolitischem c) umweltpolitischer
- 4. a) experimentierte b) stellte fest c) arbeitete
- 5. a) wie b) als c) sowie
- 6. a) Aufforstung b) Bewaldung c) Abholzung
- 7. a) durch b) mit c) für
- 8. a) zählt b) rechnet c) befürchtet
- 9. a) kurz b) einst c) kürzlich
- 10. a) könnten b) konnten c) gekonnt

Wasser

 Was assoziieren Sie mit dem Wort *Wasser*?

täglich duschen

....

....

....

....

....

 Lesen Sie den folgenden Text.

Wer löscht den Durst?

David Shezi stahl das Wasser, weil er seine Kinder nicht mehr zum Betteln schicken wollte. Mit einem Rohr hatte der Familienvater aus der südafrikanischen Provinz Kwazulu-Natal Wasser in seine Hütte geleitet. Drei Monate blieb die Bastelei unentdeckt. Dann wurde der Afrikaner festgenommen.

Shezi ist einer von rund einer Million Schwarzen in Kwazulu-Natal, die zu arm sind, um sich sauberes Trinkwasser leisten zu können. 15 Prozent der Südafrikaner haben bis heute keinen Wasseranschluss. Stattdessen müssen sie für viel Geld abgefülltes Trinkwasser kaufen. Einige schöpfen sogar Wasser aus den oftmals choleraverseuchten Flüssen der Region.

Dabei kommt Südafrika noch glimpflich davon. In anderen Ländern Schwarzafrikas, aber auch in Asien und im mittleren Osten ist die Lage noch prekärer. 1,1 Milliarden Menschen haben keinen Zugang zu sauberem Trinkwasser. Fünf Millionen Menschen sterben jährlich an Krankheiten, die Folge fehlenden oder verseuchten Trinkwassers sind.

Und die Zukunft sieht nicht minder düster aus: In den nächsten 20 Jahren soll der globale Wasserverbrauch um weitere 40 Prozent ansteigen. Fast drei Milliarden Menschen werden dann in Ländern mit teils gravierendem Wassermangel leben. In fünf der brisantesten Wassermangel-Regionen – am Ganges, am Jordan, am Nil und am Euphrat und Tigris – wird die Bevölkerung bis 2025 um zwischen 30 und 70 Prozent zunehmen.

Die Süßwasserkrise steht daher ganz oben auf der Agenda der Umweltgipfel. Die Umweltbeauftragten aller Länder haben sich große Ziele gesetzt: Bis 2015 soll sich die Zahl der Menschen, die keinen Zugang zu sauberem Trinkwasser und zu effektiver Abwasserklärung haben, halbieren. Das ist angesichts wachsender Bevölkerung, erschöpfter Böden und zunehmender Unwetter eine Herkulesaufgabe. Die Fakten:

- Menschen in 13 Ländern weltweit, 9 von ihnen in Afrika, leben derzeit mit weniger als 10 Liter Wasser pro Tag. Jeder Deutsche dagegen nutzt 130 Liter Trinkwasser pro Tag.
- Über 90 Prozent der Abwässer bleiben weltweit ungeklärt. Gleichzeitig sickert in den Megastädten der Entwicklungsländer die Hälfte des Trinkwassers durch Lecks ins Erdreich. Der Wasserbedarf einer Stadt von der Größe Roms geht in Mexiko-Stadt ungenutzt verloren.
- Verschmutztes Trinkwasser ist weltweit die Krankheitsursache Nummer eins. 80 Prozent aller Krankheiten in den Entwicklungsländern sind auf schlechtes Wasser zurückzuführen.
- Rund 70 Prozent des Trinkwassers werden von der Landwirtschaft verbraucht. 1 000 Tonnen ⇨

Wasser lassen derzeit im Schnitt eine Tonne Getreide wachsen. Die Folge: Viele der größten Flüsse der Erde versickern, bevor sie das Meer erreichen. Grundwasserreservoirs versiegen; Süßwasserbiotope verschwinden.

In Afrika zeigt sich das ganze Ausmaß der Krise. 25 Ländern wird es dort bald an Wasser mangeln. In Äthiopien, Somalia oder im Sudan leiden die Menschen schon heute regelmäßig unter schwerer Dürre.

Die globale Wasserkrise ist kein technisches, sondern ein Managementproblem. Besonders deutlich zeigt sich die Krise in der Landwirtschaft. Die künftige Erdbevölkerung wird nur dann ernährt werden, wenn immer mehr Land landwirtschaftlich bearbeitet wird – doch das funktioniert meist nur mit Bewässerung. Von zehn Tonnen Getreide wachsen weltweit bereits vier Tonnen auf bewässerten Feldern. Daraus folgt, dass die Experten vor allem in der Landwirtschaft gewaltige Einsparungsmöglichkeiten sehen. Schon basteln Gentechniker an Getreidesorten, die weniger Wasser verbrauchen und der Trockenheit besser standhalten.

Wasserexperten warnen jedoch, dass mehr Wissenschaft und Technik langfristig nicht ausreichen werden, um die Probleme zu lösen. Wasser muss wertvoller werden, erst dann werden Landwirtschaft und Industrie weniger davon verbrauchen.

A24 Textarbeit

a) Markieren Sie die richtige Antwort. Entscheiden Sie bei jeder Aussage: Steht das im Text? Ja oder nein? Wenn der Text dazu nichts sagt, markieren Sie X.

		ja	*nein*	*X*
1.	Es gibt Länder, in denen die Lage der Wasserversorgung viel schlimmer ist als in Südafrika.	❒	❒	❒
2.	Die Wasserversorgung ist für die Umweltexperten ein Thema neben vielen anderen.	❒	❒	❒
3.	Ziel der Umweltbeauftragten ist es, einen Teil der Wasserprobleme bis 2015 zu lösen.	❒	❒	❒
4.	Aufgrund der steigenden Bevölkerungszahlen dürfte das Ziel der Umweltbeauftragten schwierig zu erfüllen sein.	❒	❒	❒
5.	Durch den Bau von Kanälen kann das Versiegen des Grundwassers verhindert werden.	❒	❒	❒
6.	Wenn Gentechniker Getreidesorten entwickeln würden, die kein oder wenig Wasser verbrauchen, wäre das die Lösung aller Probleme.	❒	❒	❒

b) Geben Sie den Inhalt des Textes anhand der folgenden Schwerpunkte wieder.

1. die Folgen des Wassermangels für David Shezi

....

....

....

2. die allgemeinen Folgen des Wassermangels

....

....

....

3. die Ursachen der Wasserknappheit

....

....

....

4. Lösungsvorschläge

....

....

....

c) Was kann man miteinander kombinieren?

bewässert	
ungeklärt	Felder
gelöst	Abwässer
verschmutzt	Bevölkerung
fehlend	Flüsse
choleraverseucht	Trinkwasser
wachsend	Probleme

verschmutztes Trinkwasser, ...

....

....

Zusatzübungen zu Partizipien ⇨ Teil C Seite 121

d) Ordnen Sie den Adjektiven die passenden Synonyme zu.

groß ◊ ohne schlimme Folgen ◊ bedrückend negativ ◊ konfliktbeladen ◊ nicht gereinigt ◊ schwierig

1. glimpflich davonkommen ....
2. die Lage ist noch prekärer ....
3. die Zukunft sieht nicht minder düster aus ....
4. gravierender Wassermangel ....
5. brisanteste Wassermangel-Regionen ....
6. ungeklärte Abwässer ....

A25 Wortschatz: Wasser

a) Welche Wörter passen nicht zu *Wasser*?

- ◊ kaltes, warmes, kochendes, siedendes, dampfendes, frisches, abgestandenes, klares, sauberes, ungehöriges, reines, trübes, schmutziges, fauliges, faules, hartes, weiches, enthärtetes Wasser
- ◊ Wasser rinnt, fließt, strömt, geht, rauscht, versickert, schwimmt, versiegt, steigt an, gefriert, kocht, siedet, sprudelt, verdampft, verdunstet

b) Welche Wörter kann man mit *Wasser-* verbinden und welche mit *Regen-*? Bilden Sie Komposita und bestimmen Sie den Artikel.

-wald ◊ -ball ◊ -farbe ◊ -schirm ◊ -guss ◊ -spiegel ◊ -bogen ◊ -verschmutzung ◊ -zeichen ◊ -schauer ◊ -flasche ◊ -wolke ◊ -kraft ◊ -rinne ◊ -ski ◊ -ratte ◊ -pflanze ◊ -mantel ◊ -zeit ◊ -hahn ◊ - aufbereitung ◊ -wurm ◊ -spülung ◊ -fall ◊ -jacke ◊ -straße ◊ -wetter ◊ -dampf ◊ -bekleidung ◊ -rohr ◊ -leitung

Wasser-	**Regen-**

c) Ordnen Sie den Wendungen die fehlenden Verben in der richtigen Form und die Erklärungen zu.

stehen (2 x) ◊ reichen ◊ waschen ◊ halten ◊ trüben ◊ laufen ◊ sein ◊ fließen ◊ kommen

1. Jemand ist mit allen Wassern .... c)
2. Jemand kann kein Wässerchen ....
3. Jemand .... sich über Wasser. ....
4. Jemandem .... das Wasser bis zum Hals. ....
5. Einer anderen Person das Wasser nicht .... können. ....
6. Jemanden im Regen .... lassen. ....
7. Jemandem .... das Wasser im Mund zusammen. ....
8. Jemand .... vom Regen in die Traufe. ....
9. Bis dahin .... noch viel Wasser den Rhein runter. ....
10. Stille Wasser .... tief. ....

Erklärungen:

a) Jemand befindet sich in großen Schwierigkeiten.
b) Jemand kann seine eigene Existenz erhalten (in wirtschaftlicher Hinsicht).
c) ~~Jemand kennt alle Tricks.~~
d) Jemand wirkt völlig harmlos.
e) An die Fähigkeiten eines anderen nicht heranreichen.
f) Bei einer zurückhaltenden Person findet man überraschende Fähigkeiten.
g) Jemandem nicht helfen, der in einer schlechten Situation ist.
h) Jemand kommt von einer schlechten Situation in eine noch schlechtere.
i) Jemand bekommt großen Appetit auf etwas.
j) Es wird bis dahin noch viel Zeit vergehen.

Rekonstruieren Sie den Text. Ergänzen Sie die passenden Nomen in der richtigen Form.

Landwirtschaft ◊ Einsparungsmöglichkeiten ◊ Getreide ◊ Zugang ◊ Wassermangel ◊ Lecks ◊ Krankheiten ◊ Folge ◊ Wasserverbrauch ◊ Trinkwasser ◊ Flüsse ◊ Wasserbedarf ◊ Trockenheit ◊ Wasseranschluss

Rund eine Million Schwarze in Kwazulu-Natal sind zu arm, um sich sauberes ....(1) leisten zu können. 15 Prozent der Südafrikaner haben bis heute keinen ....(2). Einige schöpfen sogar Wasser aus den oftmals choleraverseuchten ....(3) der Region. Weltweit haben rund 1,1 Milliarden Menschen keinen ....(4) zu sauberem Trinkwasser. Fünf Millionen Menschen sterben jährlich an ....(5), die ....(6) fehlenden oder verseuchten Trinkwassers sind. In den nächsten 20 Jahren soll der globale ....(7) um weitere 40 Prozent ansteigen. Fast drei Milliarden Menschen werden dann in Ländern mit ....(8) leben müssen. Es gibt viele Ursachen des Wassermangels. In den Megastädten der Entwicklungsländer z. B. sickert die Hälfte des Trinkwassers durch ....(9) ins Erdreich. Der ....(10) einer Stadt von der Größe Roms geht in Mexiko-Stadt ungenutzt verloren. Oder der Wasserverbrauch in der ....(11): 1 000 Tonnen Wasser lassen derzeit im Schnitt eine Tonne ....(12) wachsen. Daraus folgt, dass die Experten vor allem in der Landwirtschaft gewaltige ....(13) des Wasserverbrauchs sehen. Schon basteln Gentechniker an Getreidesorten, die weniger Wasser verbrauchen und der ....(14) besser standhalten.

Schriftliche Stellungnahme

Nehmen Sie zu dem Zitat aus dem Text *Wer löscht den Durst?* Stellung. Gehen Sie dabei auf die angegebenen Punkte ein. Schreiben Sie einen Text von ca. 200 Wörtern.

> Schon basteln Gentechniker an Getreidesorten, die weniger Wasser verbrauchen und der Trockenheit besser standhalten. Wasserexperten warnen jedoch, dass mehr Wissenschaft und Technik langfristig nicht ausreichen werden, um die Probleme zu lösen. Wasser muss wertvoller werden, erst dann werden Landwirtschaft und Industrie weniger davon verbrauchen.

- Was bedeutet „*Wasser muss wertvoller werden.*"?
- Wie ist die Situation des Wasserverbrauchs in Ihrem Heimatland?
- Was können Politiker dafür tun, die globale Wasserkrise einzuschränken?
- Sollte jeder einzelne Mensch einen Beitrag zur Bewältigung der Wasserkrise leisten? Wenn ja, was könnte man tun?

Der Mann, der die Tiere liebte

Teil B – fakultativ

Die Texte und Aufgaben in diesem fakultativen Teil B stellen ein Angebot für Lerner und Lerngruppen dar, die ihre sprachlichen Fähigkeiten zusätzlich erweitern möchten.

Lesen Sie den folgenden Text.

Bernhard Grzimek

Bernhard Grzimek (1909–1987) war der einflussreichste Naturschützer seiner Zeit. Ein bedeutender Wissenschaftler. Er war sowohl ein Pionier der Ökologie-Bewegung als auch ein genialer Verkäufer seiner Liebe zur Wildnis.

Seine Reise begann im Dezember 1957. Da bestieg er mit seinem Sohn Michael in Frankfurt ein Flugzeug, eine Dornier-27 mit Zebrastreifen, und mit der Selbstverständlichkeit derer, die in den Nachbarort aufbrechen, flogen sie los, nach Afrika. Bernhard Grzimek war 48 Jahre alt, ein Zoodirektor aus Hessen mit blauen Augen und klaren Gesichtszügen, 1,90 Meter groß, der davon träumte, der Welt eine Botschaft zu bringen – von der keineswegs feststand, ob sie jemand hören wollte: Serengeti[1] darf nicht sterben!

Der Flug dauerte zwei Wochen, er führte über Spanien und den Maghreb nach Ägypten, dann weiter bis nach Tanganjika, zu jenem Nationalpark, durch den die letzten großen Tierherden Afrikas zogen. Noch nie hatten Forscher das Wanderleben der Zebras, Gnus und Antilopen untersucht – niemand wusste, weshalb die riesigen Trecks mal hier, mal dort auftauchten.

Zwei Abenteurer der guten Absichten

„Wir müssen fliegen lernen", hatte Michael gesagt, der 23-jährige Enthusiast und Glücksjunge, aufgewachsen im Zoo zwischen Gorillas und Geparden. Flugzeuge für die Tierforschung: Bernhard Grzimek erkannte, welche Chancen diese verrückte Idee seines Sohnes barg. Aus der Luft könnte man die Tiere zählen, ihre Wanderrouten ermitteln und damit wissenschaftliche Argumente gegen die geplante Verstümmelung des Naturstaates sammeln. Stolz verkündeten sie schließlich das Ergebnis: 366 980 große Tiere lebten in der Serengeti; darunter 99 481 Gnus, 57 199 Zebras und 55 Nashörner. Mittlerweile glauben Forscher, dass die Grzimeks damals allein 50 000 Gnus übersahen. Aber darauf kam es nicht an. Nun war eine Methode in der Welt, die bald zu den Standards der internationalen Naturforschung gehörte.

Die Erforschung der Serengeti lehrte den Zoodirektor, der Tiere in Käfigen hielt, auch eine ökologische Analyse zu betreiben. Als unbefangene Außenseiter sprachen die Grzimeks mit den Einheimischen von Gleich zu Gleich; anders als die britischen Kolonialherren. Ein „Schlüsselfaktor", der Grzimek immer deutlicher vor Augen geriet: Naturschutz hat nicht nur mit Tieren zu tun – er fängt vielmehr bei den Menschen an. Naturschützer sollten Politiker, Vermittler und Diplomaten sein.

Mehr als ein Jahr verbrachten die Grzimeks in der Serengeti, dann war ihre Arbeit getan, sie konnten nach Hause fliegen. Am letzten Morgen war Michael noch einmal gestartet, um Luftaufnahmen zu machen. Es sollte sein letzter Flug sein, die Maschine stürzte ab, Michael verunglückte tödlich.

Michaels Vermächtnis

Zurück in Frankfurt, verwandelte Bernhard Grzimek seine Trauer in

Arbeit. Tagsüber quälte er sich in den Zoo, abends arbeitete er in Michaels Büro. Seine Ehe zerbrach in dieser Zeit. Und Bernhard Grzimek schmiedete ein Bündnis mit seiner Schwiegertochter Erika, der Witwe von Michael, die ihn jeden Abend mit Brötchen versorgte. 1978 heirateten die beiden.

Grzimek trat das Vermächtnis seines Sohnes an: Es lag in Afrika. Dem Schutz der wilden Tiere gehörte jetzt sein Leben. Im Mai 1959 war sein Film „Serengeti darf nicht sterben", den er mit seinem Sohn zusammen gedreht hatte, fertig. Er lief in mehr als 60 Ländern und erhielt als erster deutscher Film einen Oscar. Das Begleitbuch wurde in 23 Sprachen übersetzt. Bernhard Grzimek hatte der Welt ein neues Afrikabild herbeigezaubert: „Afrika" war kein gespenstischer Dschungel mehr, sondern eine weite, lichte Traumlandschaft.

Grzimeks Botschaft: Naturschutz lohnt sich

Die Massenmedien begannen, der Sorge um wilde Tiere den Glanz des exotischen Abenteuers zu verleihen. Bernhard Grzimek bekam seine eigene TV-Sendung, in der er eines Tages verkündete, man könne jetzt Pauschalreisen buchen, afrikanische Wildnis, drei Wochen, 2 000 Mark. Das war frei erfunden, die Reiseveranstalter wussten davon nichts. Aber als Kunden nachfragten, ⇨

mussten sie die Pauschaltrips ins Programm nehmen. Das Ausland zog nach. Grzimek hatte den modernen Afrika-Tourismus herbeigeredet. Heute kommen allein nach Tansania jedes Jahr mehr als eine halbe Million Besucher. Es gibt 15 Nationalparks, der Tourismus ist nahezu ein Milliardengeschäft. Und viele Tansanier bewundern Grzimek bis heute als Vater eines kleinen Wirtschaftswunders.

Grzimek war der erste Zooleiter, der eine Pädagogin einstellte, und er tat alles, um den Besuchern ein Mini-Serengeti-Erlebnis zu bieten, damit sie ihr Herz für die echte Wildnis entdecken. Ein radikales Konzept, seiner Zeit weit voraus. Erst in den 1990er-Jahren setzte sich die Erkenntnis durch, dass ein Zoodirektor nicht Tiere sammeln sollte wie ein Philatelist seine Briefmarken. Ein Erzieher soll er sein, der sich an seinem Beitrag für den Naturschutz messen lassen muss.

Al Gore seiner Zeit

Doch je berühmter Grzimek wurde, desto älter und starrsinniger wurde er und desto mehr versteinerte er zu seiner eigenen Legende. Er hatte keine Freunde. Rochus, Michaels Bruder, zog sich zurück aus dem Leben dieses Mannes, der auf der einen Seite seinen Charme für den Naturschutz verschwendete und sich auf der anderen Seite in Sprachlosigkeit einkapselte. Der sein Zuhause als fröhliche Wohngemeinschaft von Tier und Mensch inszenierte, aber zwei uneheliche Kinder zeugte. Ein weiteres Kind, Thomas, sein schwarzer Adoptivsohn, nahm sich das Leben.

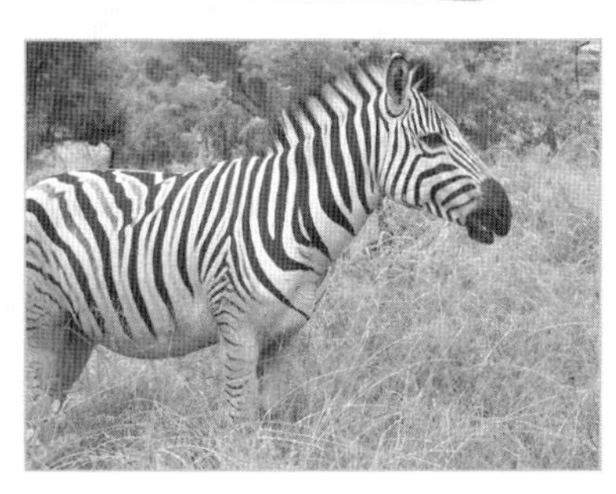

Bernhard Grzimek wurde immer radikaler. Seine Sorge um die Plünderung der Erde durch eine wachsende Menschheit kannte keine Grenzen: Was also sprach dagegen, den Kampf für die Tiere auf die ganze Welt auszudehnen? So wuchs Grzimek in seine wichtigste Rolle hinein. Die des Mahners, des Al Gore seiner Zeit. Er wusste, dass es darauf ankam, das Fernsehen zu nutzen. Vor jeder TV-Sendung lief er durch den Zoo und wählte ein Tier für den Studioauftritt aus. Ein Pfleger musste es abrichten[2], zum Hessischen Rundfunk begleiten und mit Futter ruhig halten, während Grzimek moderierte. Auf dem Bildschirm war immer nur er mit „seinem" Tier zu sehen, das ihm wundersam gehorchte.

Naturschutz in Deutschland

Im November 1971 kannten bereits 90 Prozent der Deutschen das neue Wort Umweltschutz. Schon 1972 engagierten sich eine halbe Million Menschen, sie begriffen Naturschutz als kritisches, „linkes" Anliegen. In wenigen Jahren bildete sich, was wir heute Umweltbewusstsein nennen. „Die Umweltbewegung war bei uns von Anfang an in die Gesellschaft integriert; viel stärker als in anderen Ländern", sagt der Historiker Jens Ivo Engels. „Grzimek hatte dem Bürger im Fernsehsessel vermittelt, dass protestieren nicht unanständig war." Grzimek spürte: Jetzt war er da, der große Aufbruch. Mit prominenten Mitstreitern wie dem Verhaltensforscher Konrad Lorenz und dem TV-Journalisten Horst Stern gründete er den Bund für Umwelt- und Naturschutz Deutschland (BUND).

Der erste Nationalpark

Bernhard Grzimek verkörperte nun den Typus, der später mit den Grünen[3] die Parlamente eroberte. Er besaß Meinungsmacht, Spendengelder, Kontakte; er machte Politik. Eines Tages erzählte Grzimek in seiner TV-Sendung vom Bayerischen Wald, rief dazu auf, Geld für 300 Braunbären zu spenden. Später besuchte er den Bayerischen Ministerpräsidenten in München. Als er die Staatskanzlei verließ, redete Grzimek in alle Kameras: „Wir haben den Nationalpark beschlossen!" Hatten sie nicht; aber nun verwandelte Grzimek die Debatte in ein Perpetuum mobile. Am 7. Oktober 1970 wurde der erste deutsche Nationalpark eröffnet. Ohne 300 frei lebende Bären, aber mit Luchsen, Wisenten und Wölfen.

Die letzte PR-Kampagne des Bernhard Grzimek, so scheint es, war sein eigener Tod. Am 13. März 1987 starb er, 77 Jahre alt, bei einer Vorstellung des Zirkus Althoff in Frankfurt. Der Empfangschef hatte ihn zur Loge gebracht; als Grzimek sich hinsetzte, kippte sein Körper vornüber. Seine Asche wurde nach Tansania geflogen und er wurde neben seinem Sohn Michael beerdigt.

[1] Serengeti = Gebiet im Norden Tansanias, heute Weltkulturerbe
[2] abrichten = dressieren
[3] die Grünen = politische Partei in Deutschland

Textarbeit

a) Geben Sie die wichtigsten Informationen des Textes anhand der folgenden Punkte wieder.

- Grzimeks Aktionen in der Serengeti
- die Ergebnisse der Expedition
- Grzimeks Errungenschaften als Zoodirektor
- Grzimeks Öffentlichkeitsarbeit
- Grzimeks Privatleben

b) Formen Sie die Sätze um, indem Sie die in Klammern angegebenen Wörter verwenden.

- Seine Reise begann im Dezember 1957. *(Anfang – nehmen)*
  Seine Reise nahm im Dezember 1957 ihren Anfang.

1. Bernhard Grzimek hatte vor, der Welt eine Botschaft zu bringen, von der keineswegs feststand, ob sie jemand hören wollte: Serengeti darf nicht sterben! *(wollen – sich interessieren)*

   ....

2. Flugzeuge für die Tierforschung: Bernhard Grzimek erkannte, welche Chancen die verrückte Idee seines Sohnes barg. *(stecken)*

   ....

3. Es wurde Michaels letzter Flug, die Maschine stürzte ab, Michael verunglückte tödlich. *(Flugzeugabsturz – Tod finden)*

   ....

4. Nach Grzimeks Rückkehr aus Afrika gehörte sein Leben dem Schutz der wilden Tiere. *(nachdem – widmen)*

   ....

5. Im Mai 1959 war sein Film „Serengeti darf nicht sterben" fertig. *(beenden – er)*

   ....

6. Der Film lief in mehr als 60 Ländern und erhielt als erster deutscher Film einen Oscar. *(zu sehen sein – ausgezeichnet werden)*

   ....

7. Grzimek war der erste Zooleiter, der eine Pädagogin einstellte, und er tat alles, um die Besucher für die echte Wildnis zu interessieren. *(zusammenarbeiten – unternehmen – Interesse wecken)*

   ....

B3 Interview: Tiere

Fragen Sie zwei Gesprächspartnerinnen/Gesprächspartner und berichten Sie.

	Name	**Name** ....
Was ist Ihr Lieblingstier/sind Ihre Lieblingstiere und vor welchen Tieren haben Sie Angst?		
Welche Tiere sind Ihrer Meinung nach besonders intelligent?		
Haben Sie ein Haustier oder hatten Sie früher ein Haustier?		
Welche Tiere sollte man Ihrer Meinung nach besonders schützen?		
Wann waren Sie das letzte Mal in einem Zoo?		

B4 Kurzvortrag: Tiere

Halten Sie einen kurzen Vortrag von ca. drei bis vier Minuten Länge. Bereiten Sie sich darauf ca. zehn Minuten vor. Orientieren Sie sich an den folgenden Punkten.

- Wie ist das Verhältnis zwischen Tieren und Menschen in Ihrem Heimatland? (Tierschutz – Haustiere – heilige Tiere)
- Gibt es besonders giftige oder gefährliche Tiere?
- Welches Verhältnis haben Sie selbst zu Tieren?

Modalverben in Vermutungsbedeutung

Teil C

Möglichkeiten, Vermutungen auszudrücken

Adverbien:	Vielleicht/Möglicherweise/Wahrscheinlich/Sicherlich wird Chinesisch in ein paar Jahren Weltsprache Nummer eins.
Verben:	Ich vermute/glaube/denke, dass Chinesisch in ein paar Jahren Weltsprache Nummer eins wird.
Feste Wendungen:	Es ist denkbar/Es ist möglich/Ich kann mir vorstellen/Vieles spricht dafür/Ich bin mir sicher, dass Chinesisch in ein paar Jahren Weltsprache Nummer eins wird.
Modalverben:	Chinesisch kann/könnte/dürfte/wird Weltsprache Nummer eins werden.

▶ Die Modalverben *können/könnten* (K II), *dürften* (K II) und *müssen/müssten* (K II) und das Verb *werden* können auch eine Vermutung ausdrücken. Der Gebrauch der Modalverben kann dabei einen unterschiedlichen Sicherheitsgrad ausdrücken.

Gebrauch

Modalverb	synonyme Wendungen
Der Mann kann/könnte aus der Türkei kommen.	möglicherweise ◊ vielleicht ◊ eventuell ◊ es besteht die Möglichkeit ◊ ich halte es für möglich ◊ es ist denkbar
Der Stein dürfte/wird rund 100 000 Euro wert sein.	vermutlich ◊ wahrscheinlich ◊ es sieht danach aus ◊ ich nehme an ◊ ich glaube ◊ ich schätze
Das neue Produkt müsste sich gut verkaufen.	höchstwahrscheinlich ◊ sehr wahrscheinlich ◊ es spricht vieles dafür ◊ die Wahrscheinlichkeit ist groß
Die Frau da drüben muss Claudia Schiffer sein!	zweifellos ◊ sicher ◊ ganz bestimmt ◊ ich bin davon überzeugt ◊ für mich steht fest
Er kann diesen Kampf nicht gewinnen.	sicher nicht ◊ es ist ausgeschlossen ◊ für mich ist unvorstellbar

Zeitformen

Gegenwart:	Wo ist Herr Gruber? Er kann/könnte/wird/dürfte/muss (nicht) in seinem Büro sein.
Vergangenheit:	Wo war Herr Gruber gestern zwischen 10.00 und 13.00 Uhr? Er kann/könnte/wird/dürfte/müsste/muss (nicht) in seinem Büro gewesen sein.

C1 Wo ist Otto?
Formulieren Sie Vermutungen und drücken Sie unterschiedliche Sicherheitsgrade aus.

◊ noch arbeiten — *Er könnte noch arbeiten./Er wird noch arbeiten.*

1. Zahnarzt – sein ....
2. Supermarkt – sein + Essen – kaufen ....
3. Tante Gerda – Krankenhaus – besuchen ....
4. noch – Flughafen Heathrow – sitzen ....
5. Kantine – sein – Mittagessen ....
6. Geschäftsreise – sein ....
7. Vorlesung, Prof. Schäfer – besuchen ....
8. Bibliothek – sein Referat – vorbereiten ....
9. neu, Auto – Probefahrt – machen ....
10. Kino – neu, James-Bond-Film – sich ansehen ....
11. noch – Bett – liegen + schlafen ....
12. noch – mitten – Verhandlung – Kunden – stecken ....

C2 Formen Sie die folgenden Vermutungen um.

a) Bilden Sie Sätze mit *können/könnten* oder *müssten* in der Gegenwart.

◊ Eventuell gibt es mit der Finanzierung des Hauses Schwierigkeiten.
Es kann/könnte mit der Finanzierung des Hauses Schwierigkeiten geben.

1. Möglicherweise kommt sie zwei Stunden später.
   ....
2. Vieles spricht dafür, dass er sich noch in Brasilien aufhält.
   ....
3. Höchstwahrscheinlich stimmen diese Angaben.
   ....
4. Die Wahrscheinlichkeit ist groß, dass er noch dieses Jahr ins Ausland versetzt wird.
   ....
5. Ich halte es für möglich, dass der Täter ein Mitarbeiter des Sicherheitsdienstes ist.
   ....

b) Bilden Sie Sätze mit *können/könnten* oder *müssten* in der Vergangenheit.

◊ Möglicherweise hat er die Prüfung mit GUT bestanden.
Er kann/könnte die Prüfung mit GUT bestanden haben.

1. Mit großer Wahrscheinlichkeit hat sie den Brief gestern Abend noch abgeschickt.
   ....
2. Vielleicht hat er einen anderen Zug genommen.
   ....
3. Die Nachbarin hat möglicherweise etwas gehört.
   ....
4. Ist es möglich, dass sich der Zeuge geirrt hat?
   ....

C3 Beantworten Sie die folgenden Fragen mit einer Vermutung.
Bilden Sie Sätze mit *werden* oder *dürften*. Achten Sie auf die Zeitform.

◊ Wo war er? *(Sportplatz)*
Er wird/dürfte auf dem Sportplatz gewesen sein.

1. Was hat er mit dem ganzen Geld gemacht? *(ausgeben)*
   ....
2. Wo ist Klaus im Urlaub hingefahren? *(wieder Italien, sein)*
   ....
3. Wieso kann sich der Pförtner neuerdings einen Porsche leisten? *(Erbschaft, machen)*
   ....
4. Es ist 9.00 Uhr. Wo ist denn Frau Krüger? *(Stau, stehen)*
   ....
5. Was hat wohl die Witwe mit dem Bild von Picasso gemacht? *(verkaufen)*
   ....
6. Warum ist Matthias eigentlich noch nicht da? *(Verabredung Claudia, haben)*
   ....

C4 In der Wohnung von Frau Kleingeld ist ein Einbruch geschehen.
Sie sind Assistentin/Assistent des Kriminalkommissars. Ziehen Sie aus den Tatsachen Ihre Schlussfolgerungen über den Täter. Bilden Sie Sätze mit *müssen*.

◊ Die Nachbarin hörte gegen 19.00 Uhr auf der Treppe ein leises Husten. *(Zeitpunkt – kommen)*
Zu diesem Zeitpunkt muss der Täter gekommen sein.

1. Das Schloss ist nicht gewaltsam geöffnet worden. *(Schlüssel – haben)*
2. Die Alarmanlage wurde ausgeschaltet. *(Code – kennen)*
3. Die ganze Wohnung wurde durchwühlt. *(etwas Bestimmtes – suchen)*
4. Im Tresor lagen Geld, Schmuck und ein wertvolles Gemälde. Jetzt ist er leer. *(alle Wertgegenstände – mitnehmen)*
5. Der Hund hat seltsamerweise nicht gebellt. *(gutes Verhältnis – haben)*
6. Wer hat einen Wohnungsschlüssel, kennt den Code der Alarmanlage und wieso hat der Hund nicht gebellt? *(Frau Müller – Einbruch – vortäuschen)*

   Sie ist die wahre Täterin!

C5 Drücken Sie Sachverhalte aus, die unvorstellbar erscheinen, und sagen Sie, warum das so ist.
Verwenden Sie *nicht können*.

◊ Es ist unmöglich, dass ich die Unterlagen im Büro vergessen habe. — *Ich kann die Unterlagen nicht im Büro vergessen haben. Mein Schreibtisch war doch ganz leer!*

1. Es ist ausgeschlossen, dass der Wein schon alle ist.
2. Es ist unvorstellbar, dass der Fernseher kaputt ist.
3. Es ist unvorstellbar, dass die deutsche Mannschaft ins Finale kommt.
4. Es ist unvorstellbar, dass die Zeitung diesen Artikel veröffentlicht.
5. Es ist unvorstellbar, dass er mit der Arbeit schon fertig ist.
6. Es ist ausgeschlossen, dass Herr Meier das Projekt auf der Konferenz präsentiert.
7. Es ist unmöglich, dass die Maschine pünktlich landet.
8. Es ist ausgeschlossen, dass mein Konto schon wieder leer ist.
9. Es ist unmöglich, dass der Direktor der Arbeitszeitverkürzung zustimmt.

C6 Suchen Sie zu den Modalverben synonyme Ausdrücke.
Formen Sie dann die Sätze so um, dass Sie kein Modalverb mehr verwenden. (siehe Übersicht vor C1)

◇ Im Jahr 2020 dürfte Sport nur noch im Pay-TV (Bezahlfernsehen) zu sehen sein. — *Wahrscheinlich ist Sport im Jahr 2020 nur noch im Pay-TV zu sehen.*

1. Diese Rechnung kann nicht stimmen! ....
2. Die Verluste der Firma dürften in Wahrheit viel höher liegen. ....
3. Ihm müssten die Ergebnisse eigentlich bekannt sein. ....
4. Oh Gott! Mein Ring! Ich muss ihn beim Schwimmen verloren haben! ....
5. Er wird heute nicht mehr kommen. ....

Relativsätze

Teil C

Relativsätze mit *der, die, das* usw.

▶ Relativsätze sind Nebensätze. Sie beschreiben das Bezugswort im Hauptsatz näher.

Das ist der Mann, der mir gefällt.
Das ist der Mann, den ich liebe.
Der ist der Mann, dem ich mein Auto geliehen habe.
Das ist der Mann, dessen Sekretärin ich bin.

Das Relativpronomen richtet sich in Genus und Numerus nach dem Bezugswort, im Kasus nach der Stellung im Relativsatz.

Das ist der Mann, mit dem ich ins Kino gehe.
Das ist der Mann, in den ich verliebt bin.

Bei Relativsätzen mit präpositionalen Ausdrücken steht die Präposition vor dem Relativpronomen. Der Kasus richtet sich nach der Präposition.

Relativpronomen

	Singular			**Plural**
	maskulin	feminin	neutral	
Nominativ	der	die	das	die
Akkusativ	den	die	das	die
Dativ	dem	der	dem	denen
Genitiv	dessen	deren	dessen	deren

Relativsätze mit *wo, wohin/woher* und *wogegen*

Das alte Haus, in dem ich wohne, wird renoviert.
Das alte Haus, wo ich wohne, wird renoviert.

Beide Relativpronomen sind möglich.

Die Stadt, in die ich umgezogen bin, gefällt mir gut.
Die Stadt, wohin ich umgezogen bin, gefällt mir gut.

Beide Relativpronomen sind möglich.

Die Stadt, aus der ich komme, war mir zu hektisch.
Die Stadt, woher ich komme, war mir zu hektisch.

Leipzig, wohin ich umgezogen bin, gefällt mir gut.

Nach Städte- und Ländernamen steht nur wo oder wohin/woher.

Die Stadtverwaltung hat den Abriss der alten Kirche beschlossen, wogegen die Bürger sofort protestiert haben.

Wenn sich der Relativsatz auf die gesamte Aussage des Satzes bezieht und eine Präposition nötig ist, gebraucht man: wo(r) + Präposition.

Relativsätze mit *was*

Nichts, was du mir versprochen hast, hast du gehalten.
Alles, was er bei der Polizei ausgesagt hat, war gelogen.

Nach nichts, alles, etwas, einiges, weniges, das usw. steht das Relativpronomen was.

Er schenkte mir rote Rosen, was mich sehr überrascht hat.

Bezieht sich der Relativsatz auf die gesamte Aussage des Satzes, wird der Relativsatz mit was eingeleitet.

C7 Berühmte Deutsche
Kennen Sie diese Personen? Bilden Sie aus den Angaben Relativsätze.

1. Kennen Sie Johann Sebastian Bach, …
   a) Thomaskantor – Thomaskirche – Leipzig – arbeiten
   der als Thomaskantor an der Thomaskirche in Leipzig arbeitete/gearbeitet hat?
   b) viele Menschen – größter Komponist aller Zeiten – halten
   ……………………………………………
2. Kennen Sie Bernard Grzimek, …
   a) Deutschland – Pionier der Ökologiebewegung – gelten
   ……………………………………………
   b) sein Sohn – Afrika – Flugzeugabsturz – sterben
   ……………………………………………
3. Kennen Sie Karl Marx, …
   a) zusammen – Friedrich Engels – Kritik – Kapitalismus – üben
   ……………………………………………
   b) seine Theorien – bis heute – kontrovers – diskutieren – werden
   ……………………………………………
4. Kennen Sie Katharina von Bora, …
   a) vor 500 Jahren – leben
   ……………………………………………
   b) ihr Ehemann Martin Luther – Kirche – reformieren
   ……………………………………………
5. Kennen Sie Jakob und Wilhelm Grimm, …
   a) ihre Märchensammlung – weltweit – bekannt sein
   ……………………………………………
   b) arme Verhältnisse – aufwachsen
   ……………………………………………

Johann Sebastian Bach

Katharina von Bora

6. Kennen Sie Sophie Scholl, …
   a) zusammen – Bruder – Februar 1943 – Universität – München – Flugblätter – verteilen
   ……………………………………………
   b) Natur – sehr – verbunden – sein
   ……………………………………………
7. Kennen Sie Rudolf Diesel, …
   a) Erfinder, Dieselmotor – Geschichte, Verkehrstechnik – eingehen
   ……………………………………………
   b) sein erster Dieselmotor – 1897 – heute – Deutsches Museum – München – stehen
   ……………………………………………

8. Kennen Sie Wilhelm Busch, ...
   a) Verfasser, schönste Bildergeschichten – Deutschland – sein

   ....

   b) vor dem Tod – seine gesamte private Korrespondenz – vernichten – lassen

   ....

9. Kennen Sie Else Lasker-Schüler, ...
   a) bedeutendste Vertreter, deutsche Expressionismus – zählen

   ....

   b) wunderbare Liebesgedichte – Dichter Gottfried Benn – widmen

   ....

Wilhelm Busch (Selbstporträt)

10. Kennen Sie Werner von Siemens, ...
    a) sein Unternehmen – bereits 1885 – 1 100 Mitarbeiter – beschäftigen

    ....

    b) 1888 – Adelstitel – verleihen – werden

    ....

C8 Ergänzen Sie die fehlenden Relativpronomen bzw. Relativadverbien.

Die Regierung macht vieles,

◊ *worüber* man sich aufregen kann.
1. .... einige Politikwissenschaftler nicht einverstanden sind.
2. .... der Umwelt nützt.
3. .... trotz Pressefreiheit verschwiegen wird.
4. .... alle gerechnet haben.
5. .... man Ja sagen kann.
6. .... die Opposition kritisiert.
7. .... die Gewerkschaften protestieren.
8. .... sie die Ausbildungschancen verbessern will.
9. .... in zahlreichen Talkshows diskutiert wird.
10. .... von der Europäischen Kommission empfohlen wurde.
11. .... bei manchen für Unruhe sorgt.
12. .... sie die nächste Wahl gewinnen will.

Partizipialattribute

Teil C

Einfache Partizipien

fehlendes Trinkwasser	Partizip I	Das Trinkwasser fehlt. → Die Handlung dauert an.	→ aktiv
bewässerte Felder	Partizip II	Die Felder wurden bewässert.	→ passiv
der eingefahrene Zug	Partizip II	Der Zug ist eingefahren → Die Handlung ist abgeschlossen.	→ aktiv

Kein Partizip II als Attribut haben:
- ◊ *haben* und *sein*
- ◊ einige intransitive Verben wie: *antworten, arbeiten, danken, drohen, gefallen, schaden, schlafen, sitzen, stehen*

Erweiterte Partizipien

aufgrund der immer weiter steigenden Nachfrage → Partizip I
die auf der gestrigen Sitzung besprochenen Themen → Partizip II

Erweiterte Partizipien werden oft in der Schriftsprache verwendet.

C9 Was ist/sind das?

a) Bilden Sie Partizipialattribute mit dem Partizip II.

◊	Webseite – überwachen	*die überwachte Webseite*
1.	Essen – zu stark – würzen	....
2.	Besprechungen – kurzfristig – anberaumen	....
3.	Onlinedurchsuchung – nicht – genehmigen	....
4.	Informationen – im Netz – finden	....
5.	Verbrechen – nicht – aufklären	....

b) Bilden Sie Partizipialattribute mit dem Partizip I.

◊	Lärm, der den Schlaf stört	*den Schlaf störender Lärm*
1.	Filme, die die Jugend gefährden	....
2.	Blicke, die alles sagen	....
3.	Veränderungen, die plötzlich eintreten	....
4.	Erfindungen, die Aufsehen erregen	....
5.	Veranstaltungen, die den Abend füllen	....

C10 Ergänzen Sie die Partizipialattribute (Partizip I oder II).

dezimieren ◊ erreichen ◊ steigen ◊ ~~schreiben~~ ◊ fahren ◊ vollstopfen ◊ verbringen ◊ ausrotten

◊ Ein mit der Hand *geschriebener* Brief braucht von Genua nach Paris heute mit der Post immer noch so lange wie im 17. Jahrhundert mit der Eildepesche: drei Tage.
1. Die im Stau .... Zeit beträgt in Deutschland jährlich 67 Stunden.
2. In Großstädten werden bis zu 40 Prozent aller .... Kilometer für die Parkplatzsuche aufgewandt.
3. Früher arbeitete die durch Seuchen und Hungersnöte .... Bevölkerung 72 Stunden in der Woche.
4. Wir sprechen heute angesichts ständig .... Lebenserwartung, ... Supermärkte und dank Antibiotika fast .... Epidemien von Fortschritt.
5. Aber zu allen Epochen hing die Lebensqualität vom .... sozialen Rang ab.

C11 Formen Sie die Relativsätze in erweiterte Partizipialattribute um.

◊ Das Haus, das im Jahre 1567 erbaut worden ist, wurde unter Denkmalschutz gestellt.
Das im Jahre 1567 erbaute Haus wurde unter Denkmalschutz gestellt.

▶ **Schritte zur Umformung:**

Das Haus, das	im Jahre 1567	erbaut worden ist, …
↓	↓	↓
Streichen Sie das Relativpronomen.	*bleibt unverändert*	*Streichen Sie die Hilfsverben. Bilden Sie das Partizip (bzw. nehmen Sie das bereits vorhandene) und ergänzen Sie die Adjektivendung.*

1. Die Tiere, die in diesem Gebiet leben, konnten Ihren Artenbestand in den letzten Jahren verdoppeln.
....
2. Die Wissenschaftler, die lange an diesem Problem gearbeitet haben, konnten eine Lösung finden.
....
3. Die alten Schränke, die von Fachleuten restauriert wurden, werden heute versteigert.
....
4. Die rasante Entwicklung, die selbst die Fachleute überrascht, schafft eine Vielzahl von Arbeitsplätzen.
....

Rückblick

Hier finden Sie die wichtigsten Redemittel des Kapitels.

Fortschritt

- Probleme meistern
- mit Autos hohe Geschwindigkeiten erreichen
- jährlich viele Stunden im Stau verbringen
- Zeit/Kilometer für die Parkplatzsuche aufwenden
- mithilfe von Maschinen den Vögeln nacheifern
- im Flug eine warme Mahlzeit einnehmen
- viele Annehmlichkeiten kennen
- Epidemien/Seuchen ausrotten
- Die Lebenserwartung steigt/sinkt.
- Die Lebensqualität hängt vom sozialen Rang ab.
- an die Zustände in der sogenannten Dritten Welt denken
- am armen/reichen Ende des gesellschaftlichen Spektrums leben

Neue Medien

- im Internet Aktienkurse abrufen
- mithilfe einer Suchmaschine nach etwas/jmdm. suchen
- Aktivitäten ins Internet verlagern
- digitale Spuren hinterlassen
- jmdm. intime Details anvertrauen
- den Terminkalender führen
- die Privatsphäre gegen etwas Bequemlichkeit eintauschen
- E-Mails durchforsten
- den Computer durchstöbern
- Suchanfragen abspeichern
- in den Garten von jmdm. spähen
- den Kosmos durchsuchen
- auf Daten zugreifen
- den Datenverkehr analysieren
- sich Informationen nutzbar und zugänglich machen
- Bücher digitalisieren
- Anzeigen platzieren
- jmdm. Bestände zur Verfügung stellen
- entscheiden, was in der Bedeutungslosigkeit verschwindet
- seine Arme wie ein Krake um die Welt schlingen
- vor der heimlichen Macht der Suchmaschine warnen
- ein Datenschutzproblem sein/darstellen
- Datenbestände bergen Risiken.
- Daten gelangen an die Öffentlichkeit.
- mit dem Urheberrecht bedenklich umgehen
- den unaufhaltsamen Aufstieg bremsen

Sprachwandel

- chatten/bloggen/mailen/googeln
- einen Sprachfreund das Fürchten lehren
- der Verfall der Sprache/Die Sprache verfällt.
- Tippfehler häufen sich.
- auf Großschreibung verzichten
- neue Formen entstehen
- Emoticons/Erikative können Gefühle einfacher ausdrücken.
- den Weg aus dem Netz finden
- Der Umgang mit Rechtschreibung und Satzbau wird lockerer.
- den Wortschatz verändern/beeinflussen

Umwelt und Klima

- Die globale Erwärmung/Der Klimawandel schreitet voran.
- Gefahren und Risiken rücken in das Bewusstsein der Menschen.
- Treibhausgase werden ausgestoßen.
- die Pro-Kopf-Emissionen der Länder vergleichen
- die Lösung der Energiefrage im Biosprit sehen
- Die Produktion der Energiepflanzen ist zu kostspielig.
- Die Energiepflanzen brauchen zusätzlichen Dünger.
- den Treibhauseffekt verschlimmern
- Die Wassernachfrage verdoppelt sich.
- vor der Abholzung von Waldflächen warnen
- durch Ausweitung von Ackerflächen Menschen in die Flucht treiben
- Die Lebensmittelpreise explodieren.
- Aufklärungsarbeit leisten
- auf Gefahren aufmerksam machen

Wasser

- Die Lage ist prekär.
- Es mangelt an Wasser.
- die Wasserknappheit/Wasser wird knapp.
- keinen Wasseranschluss besitzen
- keinen Zugang zu Trinkwasser haben
- die Bevölkerungszahlen steigen/explodieren
- Der Wasserverbrauch steigt (an).
- Die Abwässer sind/bleiben ungeklärt.
- Trinkwasser sickert durch Lecks ins Erdreich.
- Ein Teil des Wassers geht ungenutzt verloren.
- Krankheiten lassen sich auf schlechtes Wasser zurückführen.
- Krankheitsursache Nummer eins sein
- Flüsse versickern/Wasserreservoirs versiegen.
- regelmäßig unter schwerer Dürre leiden
- in der Landwirtschaft Einsparungsmöglichkeiten sehen
- an neuen Getreidesorten basteln/arbeiten

Porträt Bernhard Grzimek

- der Welt eine Botschaft bringen
- die Serengeti erforschen
- Tiere zählen
- Wanderrouten ermitteln
- wissenschaftliche Argumente sammeln
- mit Einheimischen von Gleich zu Gleich sprechen
- sich für den Naturschutz einsetzen/verwenden
- ein neues Afrikabild herbeizaubern
- sein Herz für die Wildnis entdecken
- etwas herbeireden
- tödlich verunglücken
- seine Trauer in Arbeit verwandeln
- Die Ehe zerbricht.
- ein Bündnis mit jmdm. schmieden
- seiner Zeit voraus sein
- zur eigenen Legende versteinern
- sich in Sprachlosigkeit einkapseln
- in die Rolle des Mahners hineinwachsen
- einen bestimmten Typus verkörpern

Evaluation
Überprüfen Sie sich selbst.

Ich kann	gut	nicht so gut
Ich kann über Fortschritt, neue Medien und Umweltprobleme oder Wassermangel berichten und diskutieren.	❒	❒
Ich kann Vermutungen für zukünftige, gegenwärtige und vergangene Ereignisse formulieren.	❒	❒
Ich kann einen strukturierten Kurzvortrag über Umweltprobleme halten.	❒	❒
Ich kann populärwissenschaftliche Texte über Fortschritt, Datenschutzprobleme im Internet, Sprachwandel und Wasser verstehen und zusammenfassen.	❒	❒
Ich kann Probleme, Prozesse oder Gegenstände mithilfe verschiedener grammatikalischer Mittel genau beschreiben.	❒	❒
Ich kann eine ausführliche Stellungnahme zum Thema *Wasserversorgung* schreiben.	❒	❒
Ich kann ein Radiointerview mit einem Experten über die Vor- und Nachteile von Biokraftstoff fast vollständig verstehen.	❒	❒
Ich kann einen ausführlichen Lebenslauf über eine Person genau verstehen und mich fließend zum Thema *Tiere und Menschen* äußern. *(fakultativ)*	❒	❒

Kapitel 5

Das Reich der Sinne

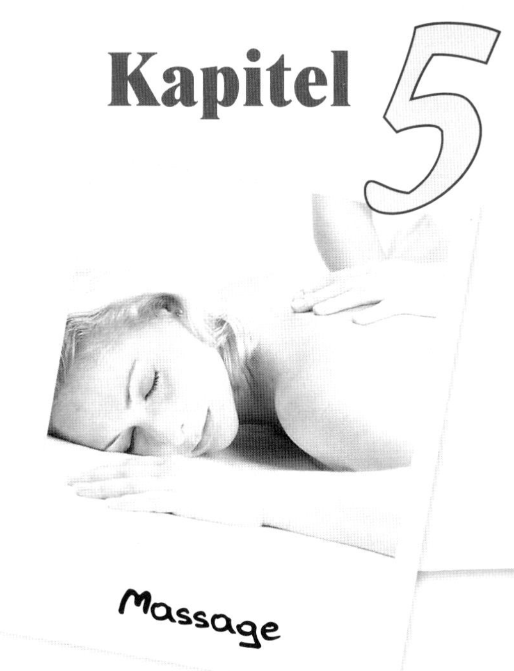

Das Reich der Sinne

Teil A

A1 Die fünf Sinne

a) Erstellen Sie in Gruppen- oder Partnerarbeit eine Reihenfolge der fünf Sinne: *Hören, Riechen, Schmecken, Tasten, Sehen* nach Wichtigkeit. Begründen Sie Ihre Entscheidung.

1. ....
2. ....
3. ....
4. ....
5. ....

b) Welche Sinne werden Ihrer Meinung nach in der heutigen Zeit zu viel oder zu wenig genutzt? Führen Sie Beispiele an.

A2 Vergleichen Sie Ihre Meinung mit den Ergebnissen einer Studie.

Der Angriff auf die Sinne

Der moderne Mensch erlebt einen Angriff auf seine Sinne: Während einige Sinne gereizt und überfordert werden, verkümmern andere – mit negativen Folgen für Gesundheit und Wohlbefinden.

Gesichts- und Gehörsinn werden in unserer multimedialen Gesellschaft mit Reizen überflutet, unterdessen veröden beispielsweise der Tast-, Geruchs- und Geschmackssinn. Zu diesem Schluss kamen Wissenschaftler in einer kürzlich veröffentlichten Studie der Universität Oxford. „Die moderne Gesellschaft spricht unsere Sinne bedenklich unausgewogen an. Besonders der sehr emotionale Tastsinn verwahrlost", heißt es in dem Bericht. Berührung sei nicht nur wichtig für

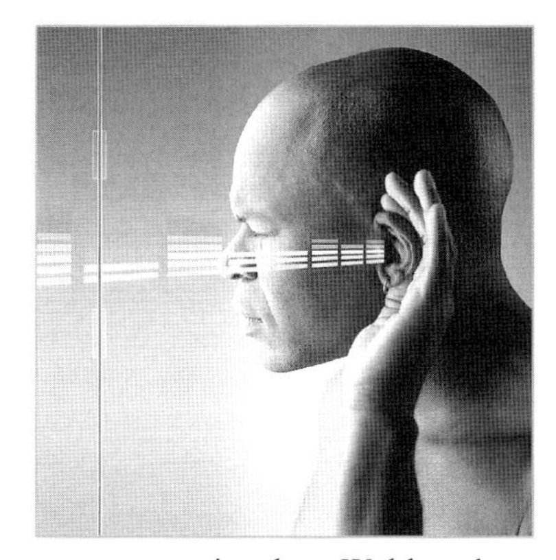

unser emotionales Wohlergehen, sondern auch für die sensorische, kognitive, neurologische und physische Entwicklung des Menschen. Nie zuvor hätten sich Menschen so selten berührt wie heute. Ebenso greift der Hunger nach Licht um sich. In der Studie wird festgestellt, dass der moderne Mensch 90 Prozent seiner Zeit in geschlossenen Räumen verbringt. Leute von heute arbeiten oft unter höhlenartigen Bedingungen. Das mag zwar für die Sicht auf den Computerbildschirm gut sein, unsere Psyche und unser emotionales Wohlbefinden leiden jedoch darunter. Derartige Arbeitsbedingungen können zu Depressionen führen, unter denen immer mehr Menschen der nördlichen Breitengrade leiden.

In einer Welt mit berührungshungrigen Kindern, arbeitsbedingten Krankheiten und einem Lebensstil ohne Bezug zur Natur brauchen wir als Gegengift eine komplexe Betrachtungsweise unserer Sinne.

Was passiert mit unseren Sinnen?
Suchen Sie Wörter und Wendungen aus dem Text.

... *einen Angriff erleben*

....

....

....

....

....

Lesen Sie den folgenden kurzen Text und ergänzen Sie die Endungen der Artikel, Adjektive und Partizipien, wenn nötig.

In ein......... kürzlich veröffentlicht......... Studie der Universität Oxford kommt man zu dem Schluss, dass d......... für den Menschen so wichtig......... Sinne unausgewogen beansprucht würden. Besonders d......... sehr emotional......... Tastsinn verwahrlose. Berührung sei nicht nur wichtig für unser......... emotional......... Wohlergehen, sondern auch für d......... sensorisch........., kognitiv........., neurologisch......... und physisch......... Entwicklung des Menschen.

Zusatzübungen zur Wiederholung der Adjektivdeklination ⇨ Teil C Seite 147

Lesen Sie die folgenden Beschreibungen unserer Sinne.

Unsere fünf Sinne

Gerüche nehmen wir eigentlich nur noch dann wahr, wenn etwas extrem schlecht oder auffallend gut riecht. Dabei sind unsere Millionen Riechzellen, die sich alle 30 Tage erneuern, überaus empfindlich. Der Riechsinn ist der ursprünglichste und unmittelbarste Sinn. Die Riechzellen senden ihre Informationen direkt an den Teil des Gehirns (Hypothalamus), in dem auch die Gefühle und Instinkte zu Hause sind und in dem der Schlüssel zum Langzeitgedächtnis liegen soll.

Gerüche können Emotionen auslösen und uns in die Vergangenheit katapultieren. Sie rufen mitunter stärkere Erinnerungen wach als Fotografien.

Der Geruch des feuchten warmen Regenwaldes an Australiens Ostküste, des Hamburger Hafens, orientalischer Gewürzgemenge in Marrakesch – Gerüche schaffen Bilder und wirken auf unser zentrales Nervensystem, sie verursachen Stimmungen.

Wir können nur vier Geschmacksrichtungen auseinanderhalten: süß, salzig, sauer und bitter. Mehrere Tausend winzige Geschmacksknospen, Papillen genannt, befinden sich auf unserer Zunge. Der Geschmack geht diffizilere Wege als der Geruch. Die Geschmacksbotschaft wird gefiltert, bevor sie ans Hirn weitergeleitet wird. Die Geschmacksempfindung ändert sich, je nachdem, ob etwas warm oder kalt ist.

Doch vieles, was wir zum Beispiel beim Essen über die vier Geschmacksrichtungen hinaus wahrnehmen und als Geschmack bezeichnen, sind Gerüche. Halten Sie sich einfach mal die Nase zu, schließen Sie die Augen und essen Sie ein Stück Apfel und Möhre. Sie können sie nicht mehr auseinanderhalten. Der Feinschmecker genießt also in Wirklichkeit mit der Nase.

Der Tastsinn beschränkt sich nicht, wie man vielleicht annehmen könnte, auf unsere Hände und Fingerspitzen. Die gesamte Hautoberfläche, also der gesamte Körper, fühlt mit.

Die Haut ist unser größtes Sinnesorgan und gilt als Multitalent. Sie verfügt nicht nur über Tastsinn, sondern auch über Temperatur- und Schmerzsinn. Berührung ist lebensnotwendig. Babys, die oft gestreichelt werden, wachsen schneller, sind aktiver, aufmerksamer und emotional stabiler.

Ohne Geräusche keine Stille. In Wirklichkeit kennen wir keine absolute Stille. Sogar wenn wir uns in einen schallgedämpften Raum zurückziehen, hören wir noch immer etwas: das Rauschen unseres Blutes.

Das Ohr ist wählerisch und subjektiv. Wir können uns auf bestimmte Töne und Gespräche konzentrieren und andere Geräusche in den Hintergrund stellen. Wir lieben harmonische Klänge. Anhaltender Lärm schädigt uns. Oft wissen wir nicht, was uns krank macht. Was uns verrückt macht, wissen wir: ⇨

das nervtötende Tropfen eines Wasserhahns, das Schnarchen des Partners, das Quietschen von Kreide an der Tafel.

Der Sehsinn ist das am meisten genutzte Sinnesorgan, auf das wir im Allgemeinen am wenigsten verzichten möchten. Über ein Drittel des Gehirns beschäftigt sich mit visueller Datenverarbeitung. Auf unsere Netzhaut trifft eine Vielzahl von Eindrücken. Die Netzhaut filtert heraus, was ans Gehirn gesendet wird. Dort wird auch noch einmal kräftig selektiert. Das Sehen läuft zum großen Teil im Gehirn ab und ist ein komplexer biologischer Vorgang.

Wir nehmen immer nur Ausschnitte von dem wahr, was sich vor unserem Gesichtsfeld tummelt. Und ist das, was wir sehen, wirklich so, wie wir es sehen? Das Auge lässt sich leicht in die Irre führen: Dasselbe Grau erscheint vor dunklem Hintergrund heller als vor hellem. Gleichlange Balken erscheinen in der sogenannten Müller-Lyer-Täuschung unterschiedlich lang. Es gibt Dutzende solcher Beispiele. Wir vertrauen oft auf das, was wir sehen, aber der Himmel ist nun einmal nicht blau.

A6 Textarbeit

a) Suchen Sie aus dem Text Wörter, die zu den Sinnen: *Riechen, Schmecken, Tasten, Hören, Sehen* passen/gehören.

Riechen	Schmecken	Tasten	Hören	Sehen
Gerüche *schlecht riechen* *gut riechen*				

b) Wählen Sie das richtige Wort. Es gibt jeweils nur eine richtige Lösung.

Unsere Sinne

Wir haben die Fähigkeit, unsere Sinne bewusst wahrzunehmen, ... (1). Doch .... (2) unsere Sinne nehmen wir die Umwelt in uns auf. Die meisten Menschen verfügen über Millionen Riechzellen, ... (3) sich jeden Monat erneuern. Sie senden ihre Informationen direkt ins Gehirn. Dort .... (4) Erinnerungen sind in der Lage, uns emotional stark zu .... (5). Gerüche wirken direkt .... (6) unser zentrales Nervensystem. Auf unserer Zunge befinden sich mehrere Tausend winzige Geschmacksknospen. .... (7) die Geschmacksbotschaft von den Geschmacksknospen gefiltert worden ist, wird sie ans Hirn weitergeleitet. Abhängig .... (8), ob etwas warm oder kalt ist, ändert sich die Geschmacksempfindung. Der Tastsinn .... (9) sich nicht auf unsere Hände und Fingerspitzen. Die gesamte Hautoberfläche verfügt neben .... (10) Tastsinn auch über Temperatur- und Schmerzsinn. .... (11) Ohr ist wählerisch und subjektiv. Wir können bestimmte Geräusche in den Hintergrund .... (12). Ein Wasserhahn, der die ganze Zeit tropft, kann uns verrückt machen. Über ein Drittel des Gehirns .... (13) sich mit visueller Datenverarbeitung. Unsere Netzhaut, ... (14) eine Menge Eindrücke treffen, filtert heraus, was ans Gehirn gesendet wird.

1. a) vergessen b) vermisst c) verloren
2. a) über b) mit c) von
3. a) deren b) die c) dessen
4. a) hervorrufende b) hervorgerufene c) hervorgerufenen
5. a) bewegen b) fühlen c) bewogen
6. a) in b) im c) auf
7. a) Bevor b) Während c) Nachdem
8. a) davon b) dadurch c) darüber
9. a) verengt b) beschränkt c) befindet
10. a) den b) dem c) der
11. a) Unsere b) Unseres c) Unser
12. a) stellen b) setzen c) hängen
13. a) beschäftigt b) arbeitet c) bemüht
14. a) wo b) auf die c) auf der

Synästhesie

a) Lesen Sie den folgenden Text und ergänzen Sie die fehlenden Verben.

bleiben ◇ vermuten ◇ können ◇ empfinden ◇ nehmen ◇ liegen ◇ erinnern ◇ sprechen ◇ untersuchen ◇ sehen ◇ denken ◇ ausgehen ◇ schätzen ◇ hören ◇ bezeichnen ◇ geben

Wenn Töne leuchten

Dieses Phänomen kennt jeder: Ein Duft *liegt* in der Luft, der uns sofort an Situationen aus der Kindheit ....(1). Für einige Menschen ....(2) es jedoch nicht bei einer solch alltäglichen Kombination von Sinneseindrücken: Sie ....(3) Bilder hören, Buchstaben fühlen oder Töne sehen. Diese Fähigkeit ....(4) die Fachwelt als „Synästhesie".

Besonders verbreitet ist das „farbige Hören": Die Betroffenen ....(5) Geräusche, Wörter und Zahlen und ....(6) gleichzeitig Farben dazu. So ....(7) eine Synästhetikerin etwa beim Buchstaben „o" an ein helles Grau, das bei lauter Aussprache blau wird. Ein anderer sieht ganze Farbgemälde vor sich, sobald er Klaviermusik hört. Und eine dritte Betroffene ....(8) das Lachen ihres Mannes als goldglänzendes Braun, knusprig wie ein Toast mit Butter. Die Wissenschaft ....(9) das Phänomen ernst. Bislang ....(10) es jedoch wenig gesicherte Erkenntnisse über sein Entstehen. Der britische Neurologe Simon Baron ....(11), dass im Gehirn der Betroffenen eine ungewöhnliche Verdrahtung existiert. Andere Studien .... davon ....(12), dass ein bestimmtes Sehorgan von Synästhetikern während des Hörens aktiviert wird. Einiges ....(13) dafür, dass Synästhesie genetische Ursachen hat. Von 26 Betroffenen, die an der Universität Cambridge ....(14) wurden, hatte die Mehrzahl nahe Verwandte, die gleichfalls synästhetisch begabt waren. Fachleute ....(15), dass sich bei jedem 2 000. Menschen die Sinne überschneiden. Über achtzig Prozent davon sind weiblich.

b) Beschreiben Sie das Phänomen der Synästhesie mit eigenen Worten.

c) Was passt zusammen? Bilden Sie *synästhetische Ausdrücke*. Man kann verschiedene Adjektive mit verschiedenen Nomen kombinieren.

Bei der Verschmelzung mehrerer Sinneseindrücke kann eine Stimme *weich* (Tastsinn), *warm* (Wärmeempfindung), *scharf* (Geschmack) oder *dunkel* (Sehen) sein. Auch eine menschliche Emotion/eine menschliche Tätigkeit kann durch ein Adjektiv der Sinne näher bestimmt werden (z. B. *ein warmes Gefühl*).

Adjektive	Nomen
bitter	Enttäuschung
süß	Stimme
hell	Kälte
dunkel	Rache
warm	Lachen
kalt	Farben
frostig	Duft
klirrend	Herz
weich	Beziehung
hart	Töne

Wortschatz

a) Zu welchen Körperteilen/Sinnesorganen passen die Verben?

horchen ◇ riechen ◇ erblicken ◇ streicheln ◇ schmausen ◇ duften ◇ hinhören ◇ zugreifen ◇ klirren ◇ abschmecken ◇ schnuppern ◇ zwinkern ◇ quietschen ◇ berühren ◇ schnüffeln ◇ kratzen ◇ schlemmen ◇ klingen ◇ lauschen ◇ rattern ◇ kosten ◇ festhalten ◇ hinunterwürgen ◇ glotzen ◇ ertasten ◇ betrachten ◇ anfassen ◇ munden ◇ antatschen ◇ stinken ◇ beobachten ◇ grapschen ◇ blinzeln ◇ schlürfen ◇ verstehen ◇ erspähen ◇ klappern

Nase	Augen	Hände	Ohren	Zunge/Mund/Gaumen

b) Redewendungen rund ums Ohr
Ordnen Sie die Redewendungen den entsprechenden Erklärungen zu.

(1) es faustdick hinter den Ohren haben
(2) ein offenes Ohr für jemanden haben
(3) jemandem mit etwas in den Ohren liegen
(4) die Ohren spitzen
(5) jemanden übers Ohr hauen
(6) sich etwas hinter die Ohren schreiben
(7) auf einem Ohr taub sein
(8) viel um die Ohren haben

(a) Verständnis und Interesse für die Wünsche eines anderen haben
(b) immer wieder um dasselbe bitten
(c) jemanden betrügen
(d) viele verschiedene Dinge zu tun haben
(e) sehr aufmerksam zuhören
(f) schlau und raffiniert sein
(g) von einer bestimmten Sache nichts wissen wollen
(h) die Lehre aus einer schlechten Erfahrung ziehen

c) Redewendungen rund um die Nase
Ordnen Sie die Redewendungen den entsprechenden Erklärungen zu.

(1) sich an die eigene Nase fassen
(2) auf die Nase fallen
(3) jemanden an der Nase herumführen
(4) jemandem etwas aus der Nase ziehen
(5) jemandem etwas unter die Nase reiben
(6) von etwas/von jemandem die Nase gestrichen voll haben *(umg.)*
(7) jemandem etwas vor der Nase wegschnappen
(8) seine Nase in fremde Angelegenheiten stecken

(a) jemanden so lange fragen, bis er es sagt
(b) keine Lust mehr haben, jemanden zu sehen oder etwas zu tun
(c) etwas, was ein anderer auch gern hätte, schnell vor ihm kaufen oder wegnehmen
(d) einen Misserfolg haben
(e) jemanden mit Absicht täuschen
(f) sich in etwas einmischen, das einen eigentlich nichts angeht
(g) sein eigenes Verhalten überprüfen
(h) jemanden auf unangenehme Art auf seine Fehler aufmerksam machen

d) Wählen Sie aus b) und c) vier Redewendungen aus, die Ihnen besonders gut gefallen.
Beschreiben Sie diese näher und erläutern Sie die Bedeutung der Redewendungen mit einem Beispiel.

A9 Schriftliche Stellungnahme
Wählen Sie ein Thema aus und schreiben Sie einen Text von ca. 200 Wörtern. Nehmen Sie sich dafür ca. 60 Minuten Zeit.

T H E M A

„Wir können unsere Sinne ständig im täglichen Leben trainieren, wie unsere Muskeln beim Sport. Durch Hören, Sehen, Riechen, Schmecken, Tasten. Wir werden eine zusätzliche Gabe entdecken und uns dabei ertappen, wie wir sanft über das Holz eines Möbelstückes fahren oder den Straßenasphalt riechen.“

(Roder Schmid – Vorsitzender des Aromastoffherstellers Dracogo)

Ist es Ihrer Meinung nach sinnvoll, die fünf Sinne zu schulen?
Wenn ja, beschreiben Sie, was man zum Training der Sinne tun kann, und geben Sie einige Beispiele.
Wenn nein, begründen Sie Ihre Ablehnung.

T H E M A

Neben Bildern oder Musik sollen seit einiger Zeit auch Düfte den Kunden zum Kaufen anregen. Firmen, die das sogenannte Duftmarketing anbieten, stellen Duftsäulen in Geschäften auf und lassen den Kunden beispielsweise einen leichten Zitronenduft um die Nase wehen – gerade noch über der Wahrnehmungsschwelle. Andere Duftspezialisten arbeiten mit Geruchskompositionen, die knapp unter der Wahrnehmungsgrenze liegen, ihre Wirkung aber nicht verfehlen sollen. Beispielsweise werden so Düfte über die Klimaanlage verströmt, die das Handeln des Menschen in seinem Unterbewusstsein beeinflussen sollen.

Haben Ihrer Meinung nach solche Manipulationen Erfolg? Begründen Sie Ihre Meinung.
Wie reagieren Sie selbst auf Wohlgerüche in Kaufhäusern, in Restaurants oder im Büro?

Riechen und Schmecken

Teil A

A10 Interviewen Sie zwei Gesprächspartner/Gesprächspartnerinnen. Vergleichen Sie dann in einem zusammenfassenden mündlichen Bericht die Antworten.

	Name	Name ....
An welche Gerüche/Düfte aus Ihrer Kindheit erinnern Sie sich gern und warum?		
Welche Gerüche/Düfte mögen Sie jetzt besonders?		
Welche Speisen duften für Sie besonders intensiv und warum?		
Welche Feiern oder Feste sind in Ihrem Heimatland mit typischen Speisen und Gewürzen verbunden?		

A11 Gewürze
Lesen Sie die folgenden Texte.

A

Der Duft von Weihnachten
Jedes Jahr zu Weihnachten wabern wieder Duftwolken durch die Wohnungen und über die Weihnachtsmärkte. Die wunderbaren Aromen stammen zum großen Teil von Gewürzen wie Vanille, Anis, Zimt, Ingwer, Kardamom und Nelken. „Diese Zutaten wirken auf unsere seelische Befindlichkeit", sagt der Sprecher der Apothekenkammer in Essen. Die meisten Gewürze stammen übrigens nicht aus Deutschland, sondern aus Indien, dem Nahen Osten und dem Mittelmeerraum. Wenn wir Weihnachten als Fest der Freude erleben, dann liegt das nicht allein an den Geschenken. Traditionelle Leckereien wie Zimtsterne, Anisplätzchen und Weihnachtsschokolade tragen viel zur Festtagsstimmung bei. Gewürze in Süßwaren unterstützen das Wohlbefinden auf zweierlei Art und Weise. Zum einen haben sie direkten Einfluss auf den Serotoninspiegel und verbessern so unsere Laune. Zum anderen lösen Gewürze durch ätherische Öle über Geruchsrezeptoren positive Gefühle und Emotionen aus.

B

Gewürze mit Nebenwirkungen
Gewürze riechen nicht nur gut, sie können auch vor Infektionen schützen, den Kreislauf auf Trab bringen und sogar Schmerzen lindern. Das ist schon seit dem Altertum bekannt. Aber wer denkt, dass er durch den Verzehr von Plätzchen neben der positiven Wirkung auf die Stimmung eine direkte medizinische Wirkung erzielen kann, der irrt sich, denn die verwendete Menge von Gewürzen in Süßwaren ist vergleichsweise gering. Um die Gesundheit direkt zu beeinflussen, muss man eine hohe Dosis und Konzentration der Gewürze zu sich nehmen. Den bekannten Weihnachtsgewürzen wie Vanille, Anis, Zimt, Ingwer, Kardamom und Nelken wird neben den sinnlichen Gaumenfreunden auch eine appetitanregende Wirkung zugeschrieben. Ingwer soll außerdem bei Reisekrankheiten helfen und Zimt ist als Heilmittel bei Magen-Darm-Krankheiten bekannt.

C

Monopole im Gewürzhandel
Durch die vielseitige Verwendbarkeit der Gewürze als Konservierungsstoffe, Würzmittel und Grundlage für Arzneimittel war der Gewürzhandel früher ein einträgliches Geschäft. Vor allem arabische Staaten, italienische Stadtstaaten und die Kolonialmächte verteidigten ihre Monopolstellung sogar mit Waffengewalt. Die Erschließung des Seeweges von Indien nach Europa im 15. Jahrhundert stellt den Beginn der Expansion der Gewürze in Europa dar. Die teuersten Gewürze sind heute Safran, Vanille und Kardamom.

D

Begehrte Luxuswaren

Gewürze waren ein exotisches Luxusgut, für das man im mittelalterlichen Deutschland horrende Preise bezahlte. Gewürze waren damals Statussymbole, Zeichen des Wohlstandes. Wer es sich leisten konnte, konsumierte Gewürze in rauen Mengen. Reichtum dokumentierte sich damals auch über den Verzehr von Gewürzen. Nach heutigen Maßstäben war der Gewürzeinsatz früher geradezu exzessiv. Nicht zuletzt, weil sich der Geruch ungenießbarer, teils auch schon verdorbener Speisen durch würzige Aromen übertünchen ließ. Gewürze dienten aber auch der Konservierung, ein Grund für die Erfindung der Curry-Gewürzmischungen in Indien. In Deutschland waren bzw. sind dagegen die wenigsten Gewürze heimisch. Zu den typischen deutschen Gewürzen zählen zum Beispiel Kümmel und Majoran. So ist es kaum verwunderlich, dass Gewürze in Mitteleuropa seit jeher eine wichtige Importware sind.

E

Haltbarkeit von Gewürzen

Gewürze sind in der Regel zwar lange, aber nicht unbegrenzt haltbar. Gemahlene Gewürze verlieren ihr Aroma schneller als ungemahlene Gewürze. Man sollte bei der Aufbewahrung darauf achten, dass die Gewürze gut verschlossen sind, damit sie nicht andere Gerüche aufnehmen. Auch zu viel Licht wirkt sich negativ auf das Aroma aus. Gewürze wie Ingwer, Kardamom, Muskatnuss, Pfefferkörner und Zimtstangen kann man im Ganzen kaufen und bei Bedarf stückweise zerkleinern und reiben, im Originalzustand halten sich diese Gewürze mindestens zwei Jahre ohne Aromaverlust. Anis, Dillsamen, Korianderkörner und Nelken können sogar noch länger (ca. vier Jahre) aufbewahrt werden. Gemahlene Gewürze beinhalten weniger ätherische Öle, die für den Geschmack und Geruch wichtig sind, deshalb sind sie nicht annähernd so lange verwendbar wie unzerkleinerte Gewürze.

A12 Textarbeit

a) Fassen Sie die Informationen der Texte unter den folgenden Gesichtspunkten zusammen.

1. Wie beeinflussen Gewürze die Gesundheit und das Wohlbefinden?

....

....

....

2. Welche Gründe gab es früher für die Verwendung von Gewürzen? Welche gibt es heute?

....

....

....

3. Warum waren Gewürze eine wichtige Importware?

....

....

4. Welche Verwendungsweise und welcher Umgang mit Gewürzen wird empfohlen?

....

....

....

b) Welche Gewürze werden in den Texten genannt?

....

....

c) Stellen Sie typische Gewürze vor, die in der Küche Ihres Heimatlandes verwendet werden.

d) Welche Gewürze mögen/verwenden Sie, welche nicht?

e) Finden Sie zu den unterstrichenen Wörtern Synonyme. Versuchen Sie es zuerst ohne die Hilfe im Kästchen.

großen ◇ Stimmung ◇ vermindern ◇ ziehen ◇ schon immer ◇ normal ◇ verdecken ◇ gutes ◇ in Schwung ◇ hohe

1. Duftwolken wabern durch die Wohnungen. ....
2. Gewürze verbessern unsere Laune. ....
3. Sie können den Kreislauf auf Trab bringen. ....
4. Gewürze können Schmerzen lindern. ....
5. Man bezahlte früher horrende Preise. ....
6. Reiche konsumierten Gewürze in rauen Mengen. ....
7. Der Geruch ließ sich übertünchen. ....
8. Es ist kaum verwunderlich, dass … ....
9. Gewürze sind seit jeher eine Importware. ....
10. Der Handel war ein einträgliches Geschäft. ....

f) Bilden Sie Komposita. Manchmal gibt es mehrere Möglichkeiten.

(1) Gewürz-	(a) -wolke
(2) Festtags-	(b) -plätzchen
(3) Geruchs-	(c) -rezeptoren
(4) Weihnachts-	(d) -freude
(5) Süß-	(e) -krankheit
(6) Zimt-	(f) -körner
(7) Anis-	(g) -stimmung
(8) Gaumen-	(h) -stoffe
(9) Duft-	(i) -sterne
(10) Reise-	(j) -nuss
(11) Konservierungs-	(k) -markt
(12) Pfeffer-	(l) -waren
(13) Muskat-	(m) -nelke

g) Bilden Sie aus den vorgegebenen Wörtern Sätze. Achten Sie u. a. auf die fehlenden Präpositionen.

1. wunderbar, Aromen – Weihnachtszeit – groß, Teil – Gewürze wie Vanille, Anis und Zimt – stammen

....

2. diese Zutaten – unser, seelisch, Befindlichkeit – wirken

....

3. sie – direkt, Einfluss – Serotoninspiegel – haben – und – unser, Laune – verbessern

....

4. bekannt, Weihnachtsgewürze – appetitanregend, Wirkung – auch – zuschreiben – werden

....

5. Zimt – Heilmittel – Magen-Darm-Krankheiten – bekannt sein

....

6. früher – Gewürze – auch – Konservierung – dienen

....

7. Erschließung, Seeweg – Indien → Europa – 15. Jahrhundert – Beginn, Gewürzhandel – Europa – darstellen

....

8. teuerst-, Gewürze – heute – Safran, Vanille, Kardamom – zählen

....

Essen

A13 Fragen Sie Ihre Nachbarin/Ihren Nachbarn und berichten Sie anschließend, was Sie von Ihrer Nachbarin/Ihrem Nachbarn erfahren haben.

1. Was isst man in Ihrem Heimatland zum Frühstück/zum Mittagessen/zum Abendessen?
2. Was sind typische Gerichte für Ihr Heimatland?
3. Was essen Sie persönlich am liebsten und was überhaupt nicht?
4. Essen Sie gesundheitsbewusst? Wenn ja, wie?
5. Können Sie kochen? Von wem haben Sie das Kochen gelernt?
6. Können Sie ein Brot backen?

A14 Esssitten

a) Beschreiben Sie die Karikatur von Volker Kriegel.

Es gehörte zu unseren Aufgaben, jeden Abend nach Dienstschluss für das Küchenpersonal die Eigenheiten der Gäste zu demonstrieren.

b) Berichten Sie.

- Was kennzeichnet in Ihrem Heimatland gute Tischmanieren?
- Geben Sie einem ausländischen Freund Tipps zum Umgang mit dem Personal in einem Restaurant (Trinkgeld, Anreden usw.). Welche Fehler sollte man vermeiden?
- Welche Restaurants in Ihrer Heimatstadt würden Sie einem Besucher empfehlen?

A15 Überfütterte Kinder

a) Sie lesen in einer Zeitung die folgende Information.

Kinder zu dick

Drei Jahre lang haben Wissenschaftler die Gesundheit von 18 000 Kindern und Jugendlichen in Deutschland beobachtet. Das Ergebnis der KiGGS-Studie hat das Robert-Koch-Institut kürzlich veröffentlicht – eines der alarmierendsten Ergebnisse bezieht sich auf das Körpergewicht: Laut KiGGS ist Übergewicht bei Kindern im Alter bis 17 Jahren seit den 1990er-Jahren um 50 Prozent gestiegen. In keiner anderen Altersgruppe hat sich Übergewicht so stark ausgebreitet. Fast zwei Millionen Mädchen und Jungen in Deutschland sind zu dick.

b) Stellungnahme

Nehmen Sie zu der Zeitungsinformation mündlich oder schriftlich Stellung.

Gehen Sie in Ihrem Vortrag auf Ursachen für Übergewicht bei Kindern und Jugendlichen ein und unterbreiten Sie Vorschläge, wie sich Kinder und Jugendliche gesund ernähren könnten.

Beschreiben Sie auch die Situation in Ihrem Heimatland.

Arbeitsweise:

1. Erarbeiten Sie zuerst in Gruppen oder alleine eine Gliederung.
2. Stellen Sie die Gliederung vor.
3. Formulieren Sie Ihren Aufsatz als Hausaufgabe nach Ihren Stichpunkten. (Wahlweise: Halten Sie anhand der Gliederung und der Stichpunkte Ihren Vortrag.)
4. Vergleichen Sie Ihren Gliederungsvorschlag mit dem Vorschlag auf der nächsten Seite.

Gliederungsvorschlag zum Thema: *Überfütterte Kinder* (nur aus deutscher Sicht)	
Einleitung	*Thema klären/abgrenzen, Begriffe definieren* ◊ Was heißt Übergewicht? (medizinisch/in der Gesellschaft) ◊ Gibt es einen Unterschied zwischen *kräftig/dick/übergewichtig/vollschlank*? ◊ Schönheitsideal der Gesellschaft *Gliederung erläutern/begründen*

Hauptteil	*Situation beschreiben*
	◊ in Deutschland: Jedes dritte Kind im Alter zwischen … ist *übergewichtig.*
	Entwicklung: früher – heute betrachten
	◊ in Deutschland: Anzahl der dicken Kinder hat zugenommen.
	Ursachen/Gründe nennen/gewichten
	grundsätzliche Frage: Genetische Veranlagung oder falsche Ernährung?
	Beschränkung auf falsche Ernährung
	◊ Situation in den Familien: unregelmäßiges, gestörtes Essverhalten
	  ◊ arbeitende Eltern, kaum gemeinsame Mahlzeiten
	  ◊ keine Zeit für gemeinsames Kochen
	  ◊ Geld als Pausenbrot → Kauf von Süßigkeiten
	◊ Fernsehen/vor dem Computer sitzen als Freizeitbeschäftigung, früher: mehr körperliche Aktivitäten, z. B. draußen spielen
	◊ Rolle der Werbung für Süßigkeiten und Fast Food
	◊ Fast Food als Trend/Fast-Food-Restaurants als soziale Kontaktstellen
	Folgen für die Betroffenen
	◊ gestörtes Essverhalten: keine normalen Mengen, keine regelmäßigen Esszeiten/Essen nicht selbst machen/keine Kenntnisse über die Nahrungsmittel
	◊ psychische Probleme: Essen aus Frust, Diäten → keine dauerhaften Erfolge beim Abnehmen → undurchbrechbarer Kreislauf → Depressionen, Minderwertigkeitskomplexe
	◊ soziale Probleme mit anderen Jugendlichen/beim Finden von Lehrstellen
	◊ gesundheitliche Probleme: Zunahme an Diabetes (Zuckerkrankheit) bei Kindern
	Lösungsvorschläge unterbreiten
	◊ Änderung des Essverhaltens: mehr Zeit für Essen und Kochen in der Familie, Schulung der Eltern, Training der Kinder durch Ernährungsberater
	◊ mehr Bewegung
	◊ Medikamente

Schluss	*Schlussfolgerungen ziehen* ◊ Änderungen des Essverhaltens realistisch? *Ausblicke geben* ◊ Anzahl der Übergewichtigen wird …

▶ Man kann Gedanken auch mithilfe einer Gedankenkarte sammeln und strukturieren. Hinweise dazu siehe Erkundungen B2, Kapitel 3.

Gesunde Ernährung

Teil A

A16 Was fällt Ihnen zum Thema *Gesunde Ernährung* ein?

a) Sammeln Sie Ideen.

ausreichend Obst und Gemüse essen

gesunde Ernährung

....

....

....

....

....

....

....

b) Wie würden Sie Ihre eigene Ernährung beschreiben? Berichten Sie.

A17 Obst und Gemüse

a) Ergänzen Sie in dem folgenden Bericht die fehlenden Präpositionen.

Obst und Gemüse statt Fett!

„Die Zusammensetzung der Nährstoffe, die wir .... uns nehmen, ist .... Mitte der Sechzigerjahre fast gleich geblieben", sagt Professor Müller. Die Kohlenhydrate, die man aufnimmt, ... Nudeln, Brot und Reis etwa, entsprächen ziemlich genau dem heutigen Energieverbrauch, doch werde nach wie vor viel zu Fetthaltiges gegessen. „............. Durchschnitt der Bevölkerung werden 40 Prozent der benötigten Energie als Fett verzehrt. Das ist zu viel, es sollten nur 20 Prozent sein." Der Energielieferant Fett wird .... Deutschland besonders .... den Verzehr .... tierischen Produkten wie Fleisch, Wurst, Milch und Käse bereitgestellt.

Die Ernährungswissenschaftler stellen dieser fettorientierten Ernährung schon .... Langem eine Ernährung .... dem Motto „Five a day" entgegen. Fünf Portionen Obst oder Gemüse .... Tag wäre eine ideale Ernährung, sagt Müller. Ein 80 Gramm schwerer Apfel ist .... Beispiel eine Portion. Doch das „Five a day", das natürlich .... Fleisch und Wurst .... Maßen, Nudeln oder Reis kombiniert werden kann, bleibt .... Deutschland Illusion: Wir essen nur eineinhalb Portionen Obst und Gemüse .... Tag. .... seinen Untersuchungen .... Schulkindern .... Kiel hat Müller festgestellt, dass besonders .... sozial schwach gestellten Familien Übergewicht und falsche Ernährung vorkommen. Der Verbrauch .... Colagetränken, Salzgebäck und Fast Food sei dort eindeutig höher, die Auswahl .... Lebensmitteln deutlich eingeschränkt. Hinzu komme ein größerer Fernsehkonsum, meist gleichbedeutend .... weniger Bewegung.

b) Suchen Sie in Gruppen für die ABC-Liste Obst- und Gemüsesorten. Sie brauchen nicht zu jedem Buchstaben ein Wort zu finden. Vergleichen Sie dann Ihre Liste mit anderen Gruppen.

A	Apfel, ...	G	....	M	....	S	....
B	....	H	....	N	....	T	....
C	....	I	....	O	....	U	....
D	....	J	....	P	....	V	....
E	....	K	....	Q	....	W	....
F	....	L	....	R	....	Z	....

c) Wie oft essen Sie Obst und Gemüse? Welche Sorten mögen Sie besonders, welche weniger? Berichten Sie.

A18 Bioprodukte

a) Nennen Sie die Ihrer Meinung nach wichtigsten Pluspunkte von Bioprodukten mithilfe der vorgegebenen Stichwörter und stellen Sie eine persönliche Prioritätenliste auf. Diskutieren Sie danach in der Gruppe auch eventuelle Nachteile von Bioprodukten.

- ökologisch kontrollierter Anbau
- keine Pestizide
- artgerechte Haltung der Tiere
- keine Behandlung mit Antibiotika und Wachstumshormonen

- keine gentechnische Veränderung
- kein Kunstdünger
- Zertifizierung und regelmäßige Kontrollen
- hoher Qualitätsstandard und Qualitätskontrollen

b) Fragen Sie zwei Gesprächspartner, welche der genannten Gründe beim eventuellen Kauf von Bioprodukten auf sie am meisten zutreffen. Kreuzen Sie diese an und lassen Sie sich die Gründe von Ihren Gesprächspartnern näher erläutern.

Kaufen Sie Bioprodukte oder würden Sie Bioprodukte eventuell kaufen,	Name	Name ....
… weil Biolebensmittel ohne Chemikalien und Zusatzstoffe hergestellt sind?		
… weil sie Sie an frühere Zeiten erinnern, als es noch wirklich geschmackvolles Obst und Gemüse gab?		
… um damit Krankheiten vorzubeugen?		
… weil Biolebensmittel viel besser schmecken?		
… um damit unsere Erde für künftige Generationen zu erhalten?		
… weil Sie tierlieb sind?		
… weil Sie Biobauern unterstützen wollen?		
Weitere Gründe?		

A19 Was spricht für eine bestimmte Ernährungsweise, was dagegen? Finden Sie einzeln oder in Gruppen positive und/oder negative Argumente.

Ernährung

Fast Food
positiv: *spart Zeit,* ....
negativ: ....

selbst angebautes Obst und Gemüse
positiv: ....
negativ: ....

Fertigprodukte aus dem Supermarkt
positiv: ....
negativ: ....

Obst und Gemüse aus dem Treibhaus
positiv: ....
negativ: ....

Kantinenessen
positiv: ....
negativ: ....

Obst aus fernen Ländern
positiv: ....
negativ: ....

selbst gekochtes Essen
positiv: ....
negativ: ....

 Schriftlicher Ausdruck

Äußern Sie sich zum Thema *Ökologische Lebensmittel.*

Scheiben Sie,
- welche Informationen Sie der Grafik entnehmen,
- was Sie selbst mit dem Wort Bio verbinden,
- in welchem Umfang und wo man in Ihrem Heimatland Bioprodukte erwerben kann,
- wie Sie selbst die zukünftige Entwicklung in diesem Bereich einschätzen.

Schreiben Sie ungefähr 200 Wörter und nehmen Sie sich dafür 60 Minuten Zeit.

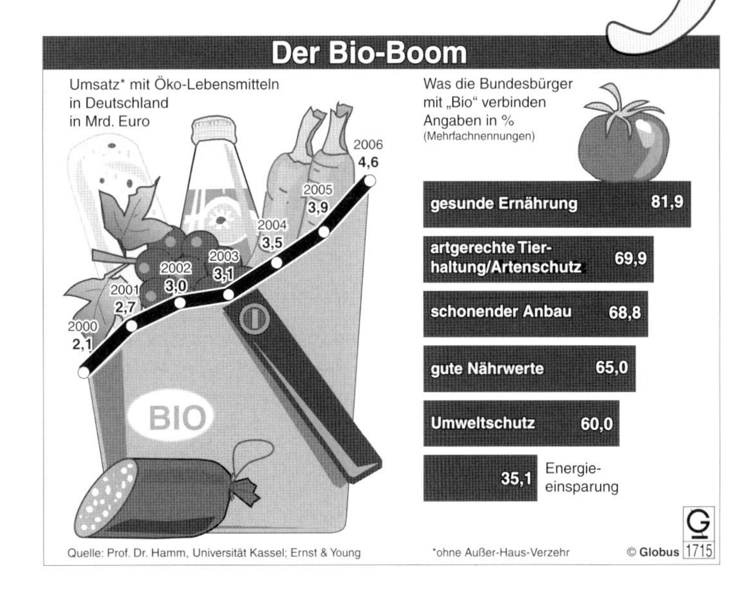

Ernährung und ihre Folgen

Teil A

 Welchen Einfluss hat die Nahrung auf den Menschen? 

a) Berichten Sie. Welchen Einfluss hat die Ernährung auf den Menschen? Sammeln Sie einzeln oder in Gruppen Gedanken, Argumente und Beispiele.

b) Sie hören jetzt ein Gespräch zum Thema *Gesunde Ernährung*. Hören Sie zunächst Teil 1 und Teil 2 einmal. Beantworten Sie die folgenden Fragen in Stichworten. Lesen Sie zuerst die Fragen.

Teil 1

- Ergebnis der von Frau Perla veröffentlichten Studie: *Zunahme von übergewichtigen Kindern*

1. a) Der Prozentsatz der übergewichtigen Jungen zwischen 10 und 13 Jahren betrug 1985: *11,5 Prozent*
   beträgt heute: ....

   b) Der Prozentsatz der übergewichtigen Mädchen zwischen 10 und 13 Jahren betrug 1985: ....
   beträgt heute: *33 Prozent*
2. Welche Folgen des Übergewichts nennt Frau Perla? ....
3. Welche Ursachen werden für diese Entwicklung angeführt? ....
4. Bei welchen Lebensmitteln sollten die Eltern aufpassen? ....

Teil 2

5. Worauf kann die Ernährung Einfluss haben? ....
6. Wie wurde dieser Einfluss bewiesen? ....
7. Welche Eigenschaft wurde durch den vitaminreichen Nahrungszusatz abgeschwächt? ....
8. Was versteht man unter Zusatzstoffen in der Nahrung? ....
9. Was ergab der Versuch mit den Zwillingsbrüdern? ....
10. Aus welchem Grund kaufen Leute Fertignahrungsmittel oder Fast Food? ....

c) Hören Sie Teil 3. Entscheiden Sie während des Hörens oder danach, welche Aussagen richtig oder falsch sind. Lesen Sie zuerst die Aussagen.

		richtig	falsch
◊	Wenn Eltern mit ihren Kindern kochen, fördern sie einen bewussten Umgang mit den Lebensmitteln.	✗	❒
1.	Eltern müssen mit ihren Kindern jeden Abend gemeinsam essen.	❒	❒
2.	Die Werbeindustrie versucht in ihren Werbekampagnen, Kinder als Kunden zu gewinnen.	❒	❒
3.	Von Kartoffelchips bekommt man gute Laune.	❒	❒
4.	Das Verbot von Fast Food kann eine wirksame Maßnahme gegen Übergewicht sein.	❒	❒
5.	80 Prozent der Werbespots im Vorabendprogramm sind für Kinder.	❒	❒
6.	Auch bei Getränken sollte man vorsichtig sein.	❒	❒
7.	Süßigkeiten können ohne Bedenken verzehrt werden.	❒	❒
8.	Man sollte sich mehr Gedanken darüber machen, welche Lebensmittel man einkauft.	❒	❒

d) Hören Sie das gesamte Gespräch zum zweiten Mal und überprüfen Sie Ihre Antworten.

e) Vergleichen Sie die Aussagen des Textes über den Einfluss der Ernährung mit Ihren Ergebnissen aus Übungsteil a).

Textarbeit zum Hörtext

a) Bilden Sie aus den vorgegebenen Wörtern Sätze. Achten Sie auf fehlende Präpositionen.

◊ Prozentsatz – Mädchen – Übergewicht – 33 Prozent – liegen
Der Prozentsatz der Mädchen mit Übergewicht liegt bei 33 Prozent.

1. Hauptursache – Übergewicht – Kinder – mangeln, Bewegung – liegt
   ....
2. Kinder – Fernseher – stundenlang – sitzen
   ....
3. viel, Eltern – Kinder – Auto – Schule – fahren
   ....
4. Fertignahrungsmittel – Supermarkt – heutig-, Ernährungsweise – wichtig, Rolle – spielen
   ....
5. einig, Kinder – deutlich, Übergewicht – sogar – Diabetes – leiden
   ....
6. Eltern – Kauf – Süßigkeiten – auch – Zuckergehalt – achten
   ....

b) Ergänzen Sie die fehlenden Nomen.

Scheinmedikament ◊ ~~Untersuchungen~~ ◊ Ernährung ◊ Beweis ◊ Hungergefühl ◊ Versuch ◊ Nahrungszusatz ◊ Vergleichsgruppe ◊ Auswirkungen

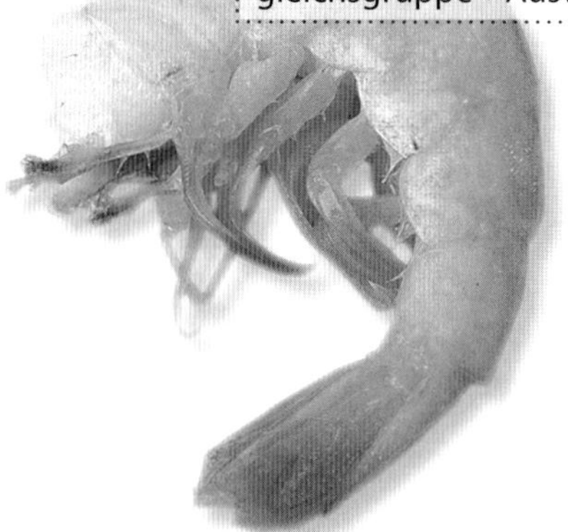

Es gibt neue wissenschaftliche *Untersuchungen*, in denen bewiesen wurde, dass falsche ....(1) auch unmittelbare ....(2) auf das Verhalten haben kann. In einem ....(3) haben britische Wissenschaftler einer Gruppe Jugendlicher täglich einen Cocktail aus Vitaminen, Spurenelementen und essenziellen Fettsäuren verabreicht. Die andere Gruppe erhielt ein ....(4). Nach neun Monaten war die Gruppe mit dem vitaminreichen ....(5) deutlich weniger aggressiv als die ....(6). Das ist ein deutlicher ....(7) dafür, dass Nahrung viel mehr bewirkt, als nur das ....(8) zu stillen.

c) Ergänzen Sie die fehlenden Verben in der richtigen Form.

erschweren ◊ werben ◊ sein ◊ ablösen ◊ sitzen ◊ handeln ◊ entziehen ◊ erzeugen ◊ nehmen ◊ fördern

Es *ist* für Jugendliche und Erwachsene nicht leicht, sich dem Fast-Food-Trend zu ....(1). Denn kaum jemand ....(2) seine eigene Nahrung selbst. Fertigprodukte haben die mühsame Feldarbeit und das stundenlange Kochen ....(3). Auch die milliardenschweren Reklamekampagnen der Lebensmittelindustrie ....(4) den Verzicht auf Hamburger oder Snacks. Bei den privaten Fernsehsendern wird in jedem dritten Werbespot für Lebensmittel ....(5). In der Vorabendzeit, wenn die Kinder und Jugendlichen vor den Fernsehapparaten ....(6), ...(7) 80 Prozent der Werbespots von Fast Food, Snacks und Süßigkeiten. Eltern sollten sich wieder Zeit ....(8), mit ihren Kindern gemeinsam zu kochen. Das ....(9) einen bewussten Umgang mit den Lebensmitteln.

A23 Gegensätze: Adversativangaben

a) Lesen Sie die folgenden Beispielsätze.

Adversativangaben

◊ Während eine Schülergruppe einen Cocktail aus Vitaminen und Spurenelementen bekam, erhielt die andere Gruppe ein Scheinmedikament. → Subjunktion

Eine Schülergruppe bekam einen Cocktail aus Vitaminen und Spurenelementen, wohingegen/wogegen die andere Gruppe ein Scheinmedikament erhielt. → Subjunktion (Die Subjunktionen *wohingegen/wogegen* sind nur im Nachsatz möglich.)

◊ Eine Schülergruppe bekam einen Cocktail aus Vitaminen und Spurenelementen, dagegen/demgegenüber erhielt die andere Gruppe ein Scheinmedikament. → Konjunktionaladverbien

b) Bilden Sie Adversativsätze. Nutzen Sie zwei unterschiedliche Möglichkeiten.

◊ einige Eltern achten auf gesunde Ernährung – andere essen am liebsten Fast Food
   a) *Während einige Eltern auf gesunde Ernährung achten, essen andere am liebsten Fast Food.*
   b) *Einige Eltern achten auf gesunde Ernährung, wohingegen andere am liebsten Fast Food essen.*

1. mit Fertigprodukten ist das Essen in ein paar Minuten auf dem Tisch – selbst gemachtes Essen kostet Mühe und Zeit
   a) ....
   b) ....
2. eine Versuchsgruppe war nach dem Experiment ruhig und ausgeglichen – bei den anderen Kindern war eine erhöhte Aggressivität festzustellen
   a) ....
   b) ....
3. in einer x-beliebigen Limonadenflasche stecken 36 Würfel Zucker – Mineralwasser ist zuckerfrei
   a) ....
   b) ....
4. einige Supermärkte setzen verstärkt auf Bioprodukte – andere bieten nur preiswerte Nahrungsmittel an
   a) ....
   b) ....

Zusatzübungen zu Adversativangaben ⇨ Teil C Seite 151

Werbung für Lebensmittel

Teil A

 Lesen Sie den Text und wählen Sie die richtigen Wörter, die in den Satz passen.

Die Tricks der Lebensmittelwerbung

Ein Marketingexperte der Universität Hohenheim fordert jetzt ein Medientraining für Familien, um die Tricks der Lebensmittelwerbung im Fernsehen besser *durchschauen (b)* zu können. Nach einer Analyse von 400 Werbespots für Lebensmittel kommt der Wissenschaftler Dr. Eckhard Benner zu .... (1), dass die Lebensmittelbranche sehr erfolgreich darin ist, Produkte in familiäre Erlebniswelten zu packen und Eigenschaften zu suggerieren, die diese Produkte gar nicht besitzen.

Gerade Eltern und Kinder seien das Ziel für diese Art der infiltrierenden Werbung. Wenn sich das Kind im Laden vor dem Süßigkeitenregal an den letzten TV-Spot .... (2), ist das für das werbetreibende Unternehmen schon die halbe Miete. „Aber eben nur die halbe, denn Käufer sind häufig die Eltern", so Dr. Eckhard Benner. Die Werbung fahre daher immer zweigleisig und würde auch die Erwachsenen ansprechen, wobei sich die Kreativabteilungen als äußerst raffiniert erweisen. Eine der erfolgreichsten Methoden sei es, Eltern und Kinder im TV-Spot gemeinsam in einer familiären Alltagssituation zu zeigen, in der Kind und Eltern sich fröhlich anstrahlen, nachdem das Kind eine Süßigkeit bekommen hat. Das Produkt werde dadurch sowohl für das Kind als auch für die Eltern als wichtiger .... (3) einer glücklichen Eltern-Kind-Beziehung dargestellt.

Die zweite, ebenso erfolgreiche Methode ist die Präsentation eines „gesunden" Produkts. So werden stark zuckerhaltige Süßigkeiten als „fettfrei" bezeichnet und im TV-Spot von jungen und gesunden Menschen, am liebsten von Sportlern, angepriesen. „Das soll natürlich die .... (4) der Eltern beeinflussen und deren Hemmschwelle zum Kauf senken", so Dr. Benner. „Die Eltern sollen denken, was der deutschen Nationalmannschaft gut tut, kann meinem Kind ja wohl nicht schaden." .... (5) werden diese Effekte noch durch einen weiteren Griff in die Trickkiste, das sogenannte „Responsible Marketing". „Dabei wird der Kauf des Produktes mit einem sozialen Mehrwert verbunden, etwa mit der Bereitstellung von Schulheften für Entwicklungsländer", erläutert der Hohenheimer Marketingexperte. Das alles .... (6) dem Ziel, dem Produkt eine positive Bedeutung beizumessen.

„Familien müssen die Möglichkeit haben, hinter die blendende Fassade der Werbung zu schauen", fordert Dr. Benner. Er verweist dabei auf die guten Erfahrungen, die die Verbraucherzentralen in Baden-Württemberg mit .... (7) Trainingsangeboten für Grundschüler gemacht haben. Die Stuttgarter Verbraucherzentrale arbeitete mit Beispielen, bei denen sich die Schüler mit speziellen Werbebotschaften .... (8) mussten. Das schärft die Wahrnehmung der zukünftigen Kundschaft. Es sei aber auch wichtig, solche Angebote den Eltern zu unterbreiten, denn genau diese hat die Werbeindustrie im .... (9).

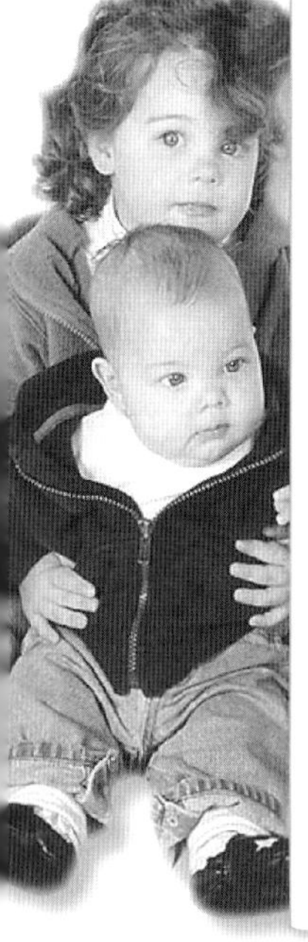

- ◊ a) sehen b) ~~durchschauen~~ c) kennen
1. a) dem Schluss b) der Folge c) der Sache
2. a) träumt b) erinnert c) sieht
3. a) Ergebnis b) Grundlage c) Bestandteil
4. a) Wahrnehmung b) Erfahrung c) Widerspruch
5. a) Gelöscht b) Geschwächt c) Verstärkt
6. a) führt b) dient c) kommt
7. a) entsprechenden b) unpassenden c) ausgeschriebenen
8. a) lernen b) kämpfen c) auseinandersetzen
9. a) Ausblick b) Blickfeld c) Interesse

 Fassen Sie den Text zusammen und gehen Sie dabei auf die folgenden Fragen ein.

- ◊ Wie versucht die Werbung, die Produkte darzustellen?
- ◊ An wen richtet sich die Werbung?
- ◊ Was empfiehlt der Autor?

A26 Welches Adjektiv passt? Ordnen Sie zu. Achten Sie auch auf die Adjektivendungen.

glücklich ◊ raffiniert ◊ zuckerhaltig ◊ familiär ◊ gesund ◊ positiv ◊ wichtig ◊ jung ◊ sozial

Werbetreibende Unternehmen:

- ◊ packen ihre Produkte in .... Erlebniswelten.
- ◊ stellen Produkte als .... Bestandteil einer .... Eltern-Kind-Beziehung dar.
- ◊ bezeichnen .... Süßigkeiten als fettfrei.
- ◊ nutzen .... Methoden.
- ◊ werben für ihre Produkte mit .... und .... Menschen.
- ◊ verbinden den Kauf eines Produkts mit einem .... Mehrwert.
- ◊ wollen der Produktbotschaft eine .... Bedeutung beimessen.

A27 Besondere Attribute

a) Bilden Sie Attribute wie im Beispiel.

▶ Eine — der erfolgreichsten Werbemethoden — ist es, das Produkt als gesund zu präsentieren.

Eine ↓ Platzhalter für: *eine (die) Methode*
der erfolgreichsten Werbemethoden ↓ Attribut und Nomen im Genitiv Plural

◊ meistgesehen, Film — *einer der meistgesehenen Filme*
1. bestgekleidet, Männer ....
2. beliebtest-, Schauspieler ....
3. meistgelesen, Bücher ....
4. bestaussehend, Frauen ....
5. schnellst-, Autos ....
6. aufwendig, Werbespots ....

b) Die richtige Beschreibung ist alles!
Bilden Sie zusammengesetzte Adjektive. Welches Nomen passt?

Stock ◊ Felsen ◊ Knall (2 x) ◊ Stein ◊ Bild ◊ Zucker ◊ Pech ◊ Spindel ◊ Feder ◊ Nagel ◊ Spott ◊ Tod

◊ ein *(-gelb)* Auto — *ein knallgelbes Auto*
1. eine *(-süß)* Limonade ....
2. eine *(-fest)* Überzeugung ....
3. eine *(-hart)* Verhandlung ....
4. ein *(-dürr)* Model ....
5. ein *(-schön)* Kleid ....
6. *(-billig)* Produkte ....
7. ein *(-dunkel)* Raum ....
8. ein *(-reich)* Onkel ....
9. *(-schwarz)* Haare ....
10. *(-neu)* Schuhe ....
11. eine *(-leicht)* Decke ....
12. ein *(-sicher)* Tipp — *ein totsicherer Tipp*

Zusatzübungen zu besonderen Attributen ⇨ Teil C Seite 150

A28 Interview

Stellen Sie zwei Gesprächspartnern die folgenden Fragen zum Thema *Werbung*. Vergleichen Sie dann die Aussagen in einem kleinen Vortrag und legen Sie Ihre eigene Auffassung dazu dar.

	Name	**Name** ....
Was ist für Sie positiv bzw. negativ an Fernseh- oder Kinowerbung?		
Fällt Ihnen ein Werbespot ein, den Sie besonders gut oder schlecht finden? Wenn ja, beschreiben Sie ihn.		
Sollte man Werbung im Fernsehen oder im Kino für Kinder verbieten oder nicht verbieten? Warum?		
Was halten Sie von der Werbung für wohltätige Zwecke?		
Gibt es in Ihrem Heimatland bekannte Werbesprüche? Wenn ja, welcher gefällt Ihnen am besten?		

Werbesprüche

Lesen Sie den folgenden Text.

„Komm rein und finde wieder raus“

Nach einer Untersuchung an der Universität Dortmund steht jetzt fest: Anglizismen in der Werbung sind deutschen Konsumenten nicht nur oft unverständlich, sondern sie lassen die Konsumenten auch kalt. Den Ergebnissen zufolge sollten Marketingprofis häufiger auf ihre gute alte Muttersprache zurückgreifen, statt das Publikum mit englischen Slogans zu bombardieren.

Die Dortmunder testeten zehn Werbesprüche, indem sie wie bei einem Lügendetektor den Hautwiderstand von 24 Probanden beim Abspielen von Werbeslogans maßen. Deutlich stärkere Gefühlsreaktionen beobachteten sie bei den deutschen Slogans. Dazu zählten *„Wir sind da“, „Ganz schön clever“, „Wenn's um Geld geht“, „Geiz ist geil“* sowie *„Wohnst du noch oder lebst du schon?“*. Die beiden letzten Sprüche lösten die stärksten Reaktionen aus. Englische Werbetexte dagegen perlten an den Teilnehmern meist ab. Getestet wurden u. a. *„Come in and find out“* (Douglas) und *„Have a break, have a KIT KAT“* (Nestlé).

Der Hauptgrund für die ausbleibende Wirkung sind schlichte Verständnisprobleme: Eine aktuelle Studie der Beratungsfirma Endmark zeigt, dass weniger als die Hälfte der Deutschen englische Werbesprüche richtig übersetzen kann. Das Ergebnis verblüffte selbst eingefleischte Sprachpuristen: So scheiterten 85 Prozent der Befragten am kurzen Slogan *„Be inspired“* (Siemens mobile). Ebenso verheerend fiel der Test bei anderen Sprüchen aus. So übersetzten viele Teilnehmer den Slogan *„Come in and find out“* (Douglas) mit *„Komm rein und finde wieder heraus“* und *„Drive alive“* (Mitsubishi) mit *„Fahre lebend“* (statt *„lebendiges Fahren“*) – das hatten die Unternehmen nun wirklich nicht gemeint! Selbst den McDonald's-Klassiker *„Every time a good time“* konnten nur 59 Prozent der Befragten korrekt übersetzen.

Die Teilnehmer der Untersuchung waren alle zwischen 14 und 59 Jahre alt – eine Zielgruppe, die in der Werbung als die kaufkräftigste und somit spannendste gilt. Konzerne wie McDonald's oder Douglas haben schon reagiert. Sie schwenken um und benutzen in der Werbung wieder deutsche Slogans. Auf *„Every time a good time“* folgt nun *„Ich liebe es“*, aus *„Come in and find out“* wurde *„Douglas macht das Leben schöner“*.

A30 Textarbeit

a) Hier stehen sieben Aussagen zum Text. Welche sind richtig, welche falsch? Kreuzen Sie an.

		richtig	*falsch*
1.	Englische Werbesprüche rauschen an vielen deutschen Konsumenten vorbei.	❒	❒
2.	Vielen Deutschen mangelt es an guten Englischkenntnissen.	❒	❒
3.	Wissenschaftler untersuchten, wie viele Anglizismen in deutschen Werbesprüchen zu finden sind.	❒	❒
4.	Die Versuchspersonen reagierten emotional am stärksten auf Werbeslogans wie *„Geiz ist geil“*.	❒	❒
5.	Die Teilnehmer der Untersuchung gehören zur kaufkräftigsten Zielgruppe.	❒	❒
6.	Einen Werbespruch der Kette Douglas übersetzten viele Konsumenten fehlerhaft.	❒	❒
7.	Unternehmen werden in Zukunft mehr Slogans einsetzen, die sowohl deutsche als auch englische Begriffe enthalten.	❒	❒

b) Ergänzen Sie die fehlenden Informationen.

Eine Untersuchung der Universität Dortmund hat .... (1), dass deutsche Konsumenten englischsprachige Werbesprüche nicht .... (2). Auch emotional scheinen Anglizismen auf Käufer in Deutschland keine große .... (3) auszuüben. Der .... (4) dafür sind offensichtlich Verständigungsschwierigkeiten. In einer Studie der Beratungsfirma Endmark stellte sich heraus, dass weniger als die Hälfte der Deutschen englische Werbesprüche richtig .... (5) kann. Besonders .... (6) fiel der Test bei Werbesprüchen der Firmen Douglas und Mitsubishi aus. Dieses Ergebnis war für viele .... (7). Einige deutsche Marketingexperten .... (8) sofort und griffen auf Slogans in ihrer guten alten Muttersprache zurück.

c) Suchen Sie die Synonyme im Text.

1. der Verbraucher ....
2. das Resultat ....
3. der Marketingexperte ....
4. der Werbespruch ....
5. die Versuchsperson ....
6. erproben ....
7. erstaunen ....
8. schlecht ausfallen ....

d) Bilden Sie aus den vorgegebenen Wörtern Sätze. Achten Sie u. a. auf die fehlenden Präpositionen.

1. Anglizismen – Werbung – deutsch, Konsumenten – oft unverständlich – sein – nicht nur … sondern auch – sie – Konsumenten – kalt lassen

   ....

2. Testergebnisse – zufolge – Marketingprofis – häufiger – ihr, gut, alt, Muttersprache – zurückgreifen – sollten

   ....

3. Dortmunder Wissenschaftler – zehn Werbesprüche – 24 Probanden – testen

   ....

4. sie – deutlich stärker, Gefühlsreaktionen – deutsch, Slogans – beobachten – und – Hauptgrund – ausbleibend, Wirkung – schlicht, Verständnisprobleme – vermuten

   ....

5. Resultat – selbst eingefleischt, Sprachpuristen – verblüffen

   ....

6. Zielgruppe, 14- bis 59-Jährigen – Werbung – kaufkräftigste und somit spannendste – gelten

   ....

A31 Berühmte Werbeslogans, die zu Redensarten wurden

Für welche Produkte/Anbieter werben die folgenden in Deutschland sehr bekannten Werbesprüche? Raten Sie.

1. Ich will so bleiben wie ich bin. ....
2. Weißer geht's nicht. ....
3. Nicht immer, aber immer öfter. ....
4. Dieses Wasser muss durch einen tiefen Stein. ....
5. Der nächste Winter kommt bestimmt. ....
6. Bezahlen Sie einfach mit Ihrem guten Namen. ....
7. Er hat überhaupt nicht gebohrt! ....
8. Quadratisch, praktisch, gut. ....
9. Man gönnt sich ja sonst nichts. ....
10. Wenn's ums Geld geht. ....
11. Alle reden vom Wetter. Wir nicht. ....
12. Der Duft der großen weiten Welt. ....
13. Gute Preise. Gute Besserung. ....

◊ Waschmittel
◊ fettreduzierte Lebensmittel
◊ alkoholfreies Bier
◊ Kreditkarte
◊ Zigaretten
◊ Medikamente
◊ Mineralwasser
◊ Braunkohle
◊ Bank (Sparkasse)
◊ Schokolade (Ritter Sport)
◊ Zahncreme
◊ Schnaps
◊ Deutsche Bahn

A32 Produkte anpreisen

Erfinden Sie in Gruppen deutsche Werbesprüche für die folgenden Produkte.
Beschreiben Sie dann die Produkte werbewirksam. Stellen Sie Ihre Ergebnisse im Plenum vor.

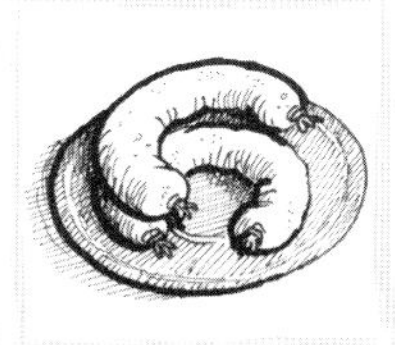

Von Fleisch und Wurst

Teil B – fakultativ

Die Texte und Aufgaben in diesem fakultativen Teil B stellen ein Angebot für Lerner und Lerngruppen dar, die ihre sprachlichen Fähigkeiten zusätzlich erweitern möchten.

B1 Berichten Sie.

- Welche Fleischsorten bevorzugt man in Ihrem Heimatland?
- Gibt es Fleisch, das nicht gegessen werden darf?
- Wird der Verzehr von Fleisch durch Meldungen über Fleisch als BSE-Überträger oder mit bestimmten Zusatzstoffen verseuchtes Fleisch (Hormonen z. B.) beeinträchtigt? Wenn ja, wie äußert sich das?
- Ändert sich Ihr eigenes Essverhalten, wenn Sie negative Berichte über Fleisch hören/lesen/sehen?

B2 Redensarten mit *Wurst* und *Fleisch*

a) Ordnen Sie die passende Erklärung zu.

ein dummer, lächerlicher Mensch ◊ stark abnehmen ◊ sich selbst ungewollt schaden ◊ ein bemitleidenswerter, unbedeutender Mensch ◊ es geht jetzt um alles ◊ verärgert sein ◊ die eigenen Kinder ◊ mit kleinem Einsatz etwas Größeres erreichen wollen ◊ zur Gewohnheit werden ◊ das ist mir egal

1. Es geht um die Wurst! ....
2. sich ins eigene Fleisch schneiden ....
3. die beleidigte Leberwurst spielen ....
4. mit der Wurst nach dem Schinken werfen ....
5. Das ist mir wurst! ....
6. ein Hanswurst ....
7. etwas geht in Fleisch und Blut über ....
8. vom Fleisch fallen ....
9. ein armes, kleines Würstchen ....
10. sein eigen Fleisch und Blut ....

b) Warum sagen wir eigentlich *beleidigte Leberwurst*?
Lesen Sie die folgende Erklärung und ergänzen Sie die Endungen der Adjektive und Artikel.

Die Geschichte von der beleidigten Leberwurst

Die Leberwurst gehört zusammen mit der Blutwurst auf die „Schlachtplatte" und damit zu einem der typisch deutschen Gerichte. Aber sie ist kein.......... Erfindung der Deutschen. Wie die Blutwurst war auch die Leberwurst schon in d.......... Antike bekannt. Vor allem d...... alt....... Römer waren begeistert....... Wurstesser – bei ihnen kamen ganz........ gebraten....... Schweine auf d...... Tisch, deren Bauch mit Würsten gefüllt war. Die Leber galt in d.......... alt.......... Medizin bis weit in d.......... Renaissance hinein als Sitz der Gefühle. Davon zeugen auch Ausdrücke wie: jemandem ist ein.......... Laus über d.......... Leber gelaufen oder ein......... beleidigt......... Leber haben, wenn sich jemand ärgerte. Damit ist die Leber erklärt, aber wieso heißt es Leberwurst? Die Redewendung „beleidigte Leberwurst" beruht auf ein........ alt........ Erzählung. In der geht es um eine Leberwurst, die im kochend........ Wasser ein........ Kessels vor Wut platzt. Denn der Metzger nimmt all.......... ander.......... Würste, wie zum Beispiel die Blutwurst, vor der Leberwurst heraus, weil sie nicht so lange kochen müssen. Und da die Leberwurst allein im Kochtopf bleiben soll, ist sie beleidigt.

 Lesen Sie die folgende Zeitungsmitteilung.

Braten vor Gericht

Bei dem Hahn, der 1474 auf dem Kohlenberg zu Basel öffentlich verbrannt wurde, handelte es sich zweifellos um einen Kriminellen: Er hatte ein Ei gelegt. Im Mittelalter wurde verbrecherischen Tieren der Prozess gemacht – sie konnten sich nicht darauf berufen, nicht Mensch zu sein. Tierische Täter wurden angeklagt, von einem Anwalt verteidigt, und ein Richter sprach Recht. Noch im 18. Jahrhundert erhielt in England ein Schwein, das ein Kind getötet hatte, den Strick. Ein Pferd wurde von einem Richter vom Kutschpferd zum Arbeitspferd degradiert, der Kutscher hatte einen Unfall nicht überlebt.

Aber nun haben sich die Zeiten geändert. In der modernen Welt wird nicht mehr ganzes Getier vor den Richter gezerrt. Im sächsischen Auerbach stand unlängst bloß ein Stück Rindfleisch vor dem Amtsgericht. Es handelte sich um den vogtländischen Sauerbraten.

Folgendes hatte sich zugetragen: In der Gaststätte *Schützenhaus* im Dorf Mylau hatte ein Gast seinen Sauerbraten* zurückgehen lassen und sich geweigert, das Gericht zu bezahlen. Die Soße war ihm zu hell, zu mehlig und das Rotkraut sei zerkocht gewesen. Die Wirtin fand das nicht spaßig, sie rief die Polizei. Die riet ihr, auf das Geld zu verzichten. Später aber klagte sie die Zahlung ein: „Mir geht es ums Prinzip und um die Ehre."

Und so beschäftigte sich das Auerbacher Amtsgericht mehrere Monate lang mit Kochkünsten sowie Geschmäckern und rätselte über die korrekte Zubereitung eines Sauerbratens „mittlerer Güte". Keine leichte Aufgabe für den Richter, zumal es ihm nicht vergönnt war, am „Corpus Delicti" zu schnuppern. Es stand nicht mehr zur Verfügung. Die Wirtin bestand darauf, das Fleisch korrekt im Sud aus Zwiebeln, Möhren und Essig ziehen gelassen zu haben. Mit Soßenkuchen (brauner Pfefferkuchen) habe sie die Soße gebunden. Essig und Zucker habe dann dem Ganzen einen fürstlichen Geschmack verliehen.

Da musste ein Sachverständiger her. Doch das Rezept für den hundertprozentigen Original-Vogtländer Sauerbraten konnte der Kochausbilder nicht präsentieren. Zu viele Möglichkeiten gibt es, das Fleisch sauer einzulegen. Die Zubereitung variiert von Gasthaus zu Gasthaus.

Deshalb musste der Richter passen. Er wies die Klage der Gastwirtin ab, denn ein „Sauerbraten mittlerer Güte" war nicht zu beweisen.

* Sauerbraten = Braten aus in Essigmarinade eingelegtem Rindfleisch

B4 Fassen Sie den Zeitungstext mit eigenen Worten zusammen.

B5 Formen Sie die Sätze um. Verwenden Sie dabei die in Klammern angegebenen Ausdrücke.

◊ Im Mittelalteralter wurde verbrecherischen Tieren der Prozess gemacht. *(Gericht, stellen)*
Im Mittelalter wurden verbrecherische Tiere vor Gericht gestellt.

1. In der Gaststätte *Schützenhaus* hatte ein Gast seinen Sauerbraten zurückgehen lassen. *(nicht schmecken)*
   ....
2. Dem Richter war es nicht vergönnt, am „Corpus Delicti" zu schnuppern. *(keine Möglichkeit)*
   ....
3. Da musste ein Sachverständiger her. *(Meinung, fragen)*
   ....
4. Der Richter musste passen. *(keinen Rat mehr wissen)*
   ....
5. Er wies die Klage der Gastwirtin ab, denn ein „Sauerbraten mittlerer Güte" war nicht zu beweisen. *(kein Beweis, erbringen, können [Passiv])*
   ....

B6 Sauerbraten ist ein typisch deutsches Fleischgericht.
Berichten Sie über ein typisches Fleischgericht aus Ihrem Heimatland und dessen Zubereitung.

B7 Die Currywurst

a) Kennen Sie die berühmteste deutsche Wurst – die Currywurst?
Haben Sie schon mal eine gegessen? Lesen Sie den folgenden Text.

Wer erfand die Currywurst?

Vor einiger Zeit trafen sich zwei Currywurstexperten in einer kleinen Buchhandlung in Berlin, um über den Herkunftsort der Leibspeise unzähliger Deutscher zu diskutieren: der Schriftsteller Uwe Timm und sein Berufskollege Gerd Rüdiger. Die beiden Schöngeister prallten mit ihren Ansichten so heftig aufeinander, dass nach Beobachtung der *Berliner Morgenpost* fast die Fleischfetzen flogen*.

Uwe Timm erzählt in seinem Roman *Die Entdeckung der Currywurst*, wie die Hamburgerin Lena Brückner zwei Jahre nach Kriegsende zufällig die herzhafte Würzwurst schuf. Als sie – in der einen Hand den Curry, in der anderen den Ketchup – auf einer Treppe stolperte, geschah das Wunder. Beide Zutaten vermengten sich zu jener Soße, die die Currywurst erst zur Currywurst macht. Von da an verkaufte die Romanheldin das Zufallsprodukt auf dem Hamburger Großneunmarkt und von dort aus begann die Spezialität ihren Siegeszug.

Gerd Rüdiger, der in Berlin lebt, widerspricht der Timmschen Darstellung entschieden. „Die Romanvariante ist vielleicht schöner. Aber die Geschichte der Currywurst ist eindeutig eine Berliner Geschichte", kontert der Autor. In seinem Buch *Currywurst. Ein anderer Führer durch Berlin* fängt die Ketchup-Spur in Berlin an und dort hört sie auch auf. Herta Heuwer machte am 9. September 1949 in ihrer Imbissbude am Stuttgarter Platz zuerst die sagenhafte Entdeckung.

Und sie ließ sich ihr Rezept patentieren: Das Zeugnis wurde am 21. Januar 1959 ausgestellt.

* die Fleischfetzen flogen = *ist eine Anspielung auf den Ausdruck:* die Fetzen fliegen = eine handgreifliche Auseinandersetzung

b) Suchen Sie für die unterstrichenen Wörter synonyme Wendungen im Text.

1. Lieblingsgericht ....
2. Ansichten kollidieren ....
3. etwas vermischt sich zu ....
4. erwidert der Autor ....
5. erstaunliche Entdeckung ....

B8 Berichten Sie über Imbissbuden in Ihrem Heimatland.
Wo gibt es welche? Was bieten sie an? Wer isst dort? Was sollte ein Ausländer unbedingt mal probieren, was lieber nicht?

B9 Und so bestellt man in Berlin eine Currywurst.
Lesen Sie den folgenden Text mit Ihrem Gesprächspartner/Ihrer Gesprächspartnerin im Dialog.

Spät war es geworden. Ich ging an einem Currywurst-Imbiss vorbei und blieb stehen. Es war fast acht Stunden her, dass ich eine Currywurst gegessen hatte.

„Abend."
„Abend."
„Ja, ich möchte gern zwei Currywürste, eine Portion Pommes und ein Bier."
„Auf einem Teller?"
„Ja."
„Einpacken oder gleich essen?"
„Zum Hieressen."
„Curry mit oder ohne Darm?"
„Mit."
„Scharf oder nicht so scharf?"
„Mittelscharf."
„Ein Brötchen dazu?"
„Nee."
„Ketchup oder Mayo auf die Pommes?"
„Nur Salz."
„Großes oder kleines Bier?"
„Kleines."
„Schultheiß oder Kindl?"
„Kindl."
„Flasche oder Dose?"
„Dose."
„Kalt?"
„Ja."

Deklination der Adjektive

Typ A: Adjektive nach *der/dieser/jener/jeder/mancher*/solcher*/welcher*/sämtliche*/beide/alle*

Kasus	Singular									Plural		
	maskulin			feminin			neutral					
Nominativ	der	alte	Mann	die	schöne	Frau	das	kleine	Kind	die	reichen	Leute
Akkusativ	den	alten	Mann	die	schöne	Frau	das	kleine	Kind	die	reichen	Leute
Dativ	dem	alten	Mann	der	schönen	Frau	dem	kleinen	Kind	den	reichen	Leuten
Genitiv	des	alten	Mannes	der	schönen	Frau	des	kleinen	Kindes	der	reichen	Leute

Typ B: Adjektive nach *ein/mein/dein/sein/ihr/unser/euer/Ihr/kein*

Kasus	Singular									Plural		
	maskulin			feminin			neutral					
Nominativ	ein	alter	Mann	eine	schöne	Frau	ein	kleines	Kind	keine	reichen	Leute
Akkusativ	einen	alten	Mann	eine	schöne	Frau	ein	kleines	Kind	keine	reichen	Leute
Dativ	einem	alten	Mann	einer	schönen	Frau	einem	kleinen	Kind	keinen	reichen	Leuten
Genitiv	eines	alten	Mannes	einer	schönen	Frau	eines	kleinen	Kindes	keiner	reichen	Leute

Typ C: Adjektive, vor denen kein Artikel steht

Kasus	Singular						Plural		
	maskulin		feminin		neutral				
Nominativ	roter	Wein	frische	Milch	kaltes	Wasser	reiche	Leute	
Akkusativ	roten	Wein	frische	Milch	kaltes	Wasser	reiche	Leute	
Dativ	rotem	Wein	frischer	Milch	kaltem	Wasser	reichen	Leuten	
Genitiv	roten	Weines	frischer	Milch	kalten	Wassers	reicher	Leute	
Nominativ							viele	reiche	Leute
Akkusativ							viele	reiche	Leute
Dativ							vielen	reichen	Leuten
Genitiv							vieler	reicher	Leute

▶ Wie Typ C werden auch: *einige, einzelne, verschiedene, zahlreiche, viele, wenige, manche*, solche*, welche*, sämtliche** dekliniert und die danach stehenden Adjektive.

* Deklination nach Typ A oder Typ C (beides möglich)

Achtung!

viele (↓ Adjektiv) langjährige (↓ Adjektiv) Mitarbeiter → **Typ C**

alle (↓ Artikel) langjährigen (↓ Adjektiv) Mitarbeiter → **Typ A**

Ergänzen Sie die fehlenden Adjektive zum Thema *Essen*.

welk ◇ sauer ◇ scharf ◇ fade ◇ zäh ◇ frisch ◇ schal ◇ knusprig ◇ süß ◇ gebunden ◇ abgestanden ◇ verwelkt ◇ zerkocht

1. Die Brötchen sind aber schön ....
2. Marmelade mag ich nicht, sie ist mir zu ....
3. Der Salat ist nicht mehr .... Er ist an manchen Stellen sogar schon ..../ ....
4. Die Äpfel sind nicht süß, sondern ....
5. Da ist ja gar kein Schaum mehr auf dem Bier. Wahrscheinlich ist es ganz ..../ ....
6. Die meisten Currygerichte sind mir zu ....
7. In der Suppe ist nicht genug Salz, sie schmeckt ein bisschen ....
8. Das Rotkraut ist viel zu weich, es ist ....
9. Der Braten wird mit einer .... Soße serviert.
10. Das Fleisch ist so ...., da beißt man sich die Zähne dran aus.

Ergänzen Sie die Endungen der Artikel und Adjektive, wenn nötig.

Ein...... klein...... Geschichte des Essbestecks

Der Weg von Messern und Löffeln hat schon in vorchristlich..... Zeiten an römisch....... Tischen begonnen, an denen vornehm...... Esser saßen oder vielmehr lagen. Auf ein...... niedrig....., gepolstert...... Bank ließen sich d..... reich..... Römer von Sklaven bereits zerschnitten..... und angerichtet..... Stücke reichen und führten diese per Messer oder Löffel in den Mund. Die Gabel war damals ein selten vorkommend...... Essgerät, das nur zum Aufspießen groß...... Früchte verwendet wurde. Einfach...... Leute handhabten das schlichter. Sie nahmen nur d...... eisern...... Messer zum Zerkleinern der Speisen, für den Rest gebrauchten sie ihre Finger.

D...... stürmisch...... Zeit der Völkerwanderung im früh...... Mittelalter ließ d...... römisch...... Tafelkultur für einig...... Zeit in Vergessenheit geraten. Erst im 15. Jahrhundert zogen, gemeinsam mit den Tischsitten, die Essgeräte in d...... mitteleuropäisch...... Haushalte ein: schlicht...... Messer aus Eisen mit Horn- oder Holzgriffen, selbst geschnitzt..... Holzlöffel oder Löffel aus Messing, Zinn oder Silber.

Die Gabel stach mit königlich...... Hilfe unter den Esswerkzeugen hervor. Ausgerechnet Heinrich der Dritt....., auch der Sittenlos..... genannt, verschaffte der Gabel ein...... fest..... Platz an der Tafel. Für d..... einfach...... Leute blieb die Gabel suspekt, zum einen, weil man auf dem Wege vom Teller zum Mund die Hälfte der Speisen wieder verlor, zum anderen, weil die Ähnlichkeit der Gabel mit dem Dreizack d...... bös...... Satans d...... oft abergläubisch...... Volk erschreckte.

D......französisch......Lebensstil machte an fast all...... deutsch...... Fürstenhöfen des 18. Jahrhunderts Furore, vor allem am Hofe Friedrichs des Groß...... (1730–1789), der ein...... leidenschaftlich...... Anhänger d...... französisch...... Kultur war. Leicht hatte es aber die Gabel trotz all...... königlich...... Unterstützung nicht. England und Schottland widersetzten sich noch lange d..... angeblich sündhaft..... Gabelgebrauch.

Ab dem 19. Jahrhundert übernahm d...... gehoben..... Bürgertum die Esskultur d...... adlig...... Gesellschaftsschicht, später folgte die ganze Bevölkerung. D...... steigend...... Ansprüchen kam das Anwachsen der Besteckindustrie entgegen, die bald das Essbesteck als Massenware zu günstig...... Preisen liefern konnte. Bis ca. 1950 lagen die Benutzer von Messer und Gabel mit 320 Millionen hinter den Stäbchen-Essern (550 Millionen) und den Verwendern der gottgegeben...... handeigen...... Werkzeuge (740 Millionen) zurück. Heute liegt das Verhältnis etwa bei je einem Drittel.

C3 Ergänzen Sie die Endungen der Artikel und Adjektive, wenn nötig.

Es gibt keine Glückspilze oder Pechvögel

Es gibt kein..... ausgesprochen..... Glückspilze, diese Binsenweisheit* bestärkte jetzt ein........ britisch...... Psychologe von der Universität Herfordshire. In sein..... interessant..... Studie wurden über ein.... länger.... Zeitraum 400 freiwillig...... Kandidaten untersucht, die von sich behaupteten, sie würden ein..... glücklich...... oder unglücklich...... Leben führen.

Einige erzählten zum Beispiel, dass sie genau zur richtig..... Zeit am richtig..... Ort waren, um ein..... toll..... Job zu bekommen. Oder sie hätten auf ein...... langweilig...... Party, die sie eigentlich gar nicht besuchen wollten, d..... lang gesuch..... Lebenspartner getroffen. Andere wiederum klagten, dass sie einen Zug versäumten und dann zu ihr....... noch größer....... Pech im nächst....... Zug ein....... schrecklich....... Unfall hatten.

Das „Glück" oder „Unglück" d..... befragt...... Personen erklärt sich aber nach Meinung des Wissenschaftlers nicht aus ein........ Laune des Schicksals heraus, sondern aus der Persönlichkeit jed...... einzeln..... Menschen. So zeigten bei den Tests die „Glückskinder" d...... besser...... Menschenkenntnis, die sie gegen lügend...... und betrügend...... Zeitgenossen schützte.

Der Wissenschaftler kam zu d...... wenig überraschend...... Erkenntnis, dass d...... alt...... römisch...... Motto: „D...... Tapfer...... hilft das Glück" immer noch stimmt. Die „Glückspilze" waren in der Regel optimistisch......, extrovertiert...... und risikofreudig...... Menschen, während sich d....... zurückgezogen........ „Unglücksraben" von frühest....... Jugend an als Versager betrachteten.

* Binsenweisheit = allgemein bekannte Tatsache

C4 Ergänzen Sie die fehlenden Endungen der Artikel und Adjektive (Typ A und C).

1. Auf der Buchmesse kann man sich über zahlreich.......... neu.......... Bücher informieren.
2. Für viel.......... alt.......... und neu.......... Verlage ist es wichtig, auf der Buchmesse auszustellen.
3. Das Geschäft auf der Buchmesse läuft aber nur bei wenig.......... groß.......... Verlagen gut.
4. Einige Verleger versuchen sich mit einzeln.......... hoch bezahlt.......... Bestsellerautoren über Wasser zu halten.
5. All.......... anwesend.......... Verlage klagen über d.......... hoh.......... Mietpreise für die Messestände.
6. Viel.......... kleiner.......... Verlage können sich in diesem Jahr d.......... überhöht.......... Preise nicht mehr leisten.
7. Die Messeverwaltung will jetzt mit der Stadt Frankfurt über die Finanzlage viel.......... klein.......... deutsch.......... Verlage sprechen und einig.......... groß.......... Preisnachlässe erzielen.
8. Der Verantwortliche der Buchmesse betonte heute, dass ein Entgegenkommen der Stadt im Interesse all.......... deutsch.......... Bücherfreunde sei.

C5 Für Kochrezepte: Partizipien als Adjektive
Bilden Sie Partizipialattribute nach dem folgenden Beispiel. Achten Sie auf die Endungen.

Bitte nehmen Sie:

◊ Zwiebeln (drei/klein schneiden) *drei klein geschnittene Zwiebeln*

1. Eier (zwei/aufschlagen)
2. Fleisch (1 kg/in Essig einlegen)
3. Kartoffeln (fünf/klein würfeln)
4. Möhren (zwei/biologisch anbauen)
5. Petersilie (klein wiegen)
6. Gartenkräuter (trocknen)
7. Äpfel (1 Pfund/nicht spritzen)
8. Sahne (½ Liter/schlagen)
9. Mandeln (200 g/zerkleinern)
10. Backform (mit Butter bestreichen)

Besondere Attribute

Teil C

Eine	der erfolgreichsten Werbemethoden	ist es, das Produkt als gesund zu präsentieren.
↓	↓	
Platzhalter für: *eine (die) Methode*	Attribut und Nomen im Genitiv Plural	

C6 Bilden Sie Sätze nach dem folgenden Beispiel.

◊ Venedig ist *(ein) – (die, schönst-, italienisch, Stadt).* Venedig ist eine der schönsten italienischen Städte.

1. Das ist *(ein) – (der, lustigst-, Witz)* über Blondinen. ....
2. Götz George ist *(ein) – (der, bekanntest-, deutsch, Schauspieler).* ....
3. Elisabeth Taylor besitzt *(ein) – (der, schönst-, Diamant)* der Welt. ....
4. Sie ging mit *(ein) – (ihr, best-, Freund)* ins Kino. ....
5. Dieses Bild ist *(ein) – (das, wertvollst-, Bild)* des Museums. ....
6. Bach ist für mich *(ein) – (der, bedeutendst-, Komponist)* aller Zeiten. ....
7. Er hat bei der theoretischen Fahrprüfung *(fünf) – (die, gestellt-, Frage)* falsch beantwortet. ....
8. Er hat *(kein) – (das, Gedicht)* gelesen. ....
9. Ihr hat *(kein) – (dieses, wundervoll, Geschenk)* gefallen. ....
10. *(Kein) (mein, Schüler)* ist durch die Prüfung gefallen. ....

Adjektive mit Umlaut im Komparativ und Superlativ

Teil C

die älteste Werbung der Welt

Einige einsilbige Adjektive mit den Vokalen a, o und u bilden im Komparativ und Superlativ einen Umlaut, andere nicht.

das alte Auto – das ältere Auto – das älteste Auto
→ mit Umlaut

das brave Kind – das bravere Kind – das bravste Kind
→ ohne Umlaut

Adjektive mit Umlaut: alt, arg, arm, hart, kalt, lang, nah, scharf, schwach, schwarz, stark, warm, grob, groß, hoch, dumm, gesund, jung, klug, kurz

C7 Mit oder ohne Umlaut? Bilden Sie den Komparativ und den Superlativ.

Positiv	Komparativ	Superlativ
das flache Gebäude		
das klare Wasser		
die lange Schlange		
die schwache Leistung		
der hohe Turm		
das bunte Kleid		
das große Tier		
die kurze Reise		
das stumpfe Messer		
der kluge Schüler		

Positiv	Komparativ	Superlativ
das junge Kind die gesunde Ernährung die dumme Entscheidung die schlanke Frau das warme Klima die straffe Zeitplanung das zarte Fleisch das arme Land das scharfe Gewürz die rasche Entscheidung		

Adversativangaben

Teil C

Verbalform

während	Während die erste Schülergruppe einen Cocktail aus Vitaminen und Spurenelementen <u>bekam</u>, erhielt die zweite Gruppe ein Scheinmedikament. Die erste Schülergruppe bekam einen Cocktail aus Vitaminen und Spurenelementen, während die zweite Gruppe ein Scheinmedikament <u>erhielt</u>.	→ Subjunktion
wohingegen/ wogegen	Die erste Schülergruppe bekam einen Cocktail aus Vitaminen und Spurenelementen, wohingegen/wogegen die zweite Gruppe ein Scheinmedikament <u>erhielt</u>.	→ Subjunktion *(Die Subjunktionen wohingegen/wogegen sind nur im Nachsatz möglich.)*
dagegen/ demgegenüber	Die erste Schülergruppe bekam einen Cocktail aus Vitaminen und Spurenelementen, dagegen/demgegenüber <u>erhielt</u> die zweite Gruppe ein Scheinmedikament. Die erste Schülergruppe bekam einen Cocktail aus Vitaminen und Spurenelementen, die zweite Gruppe <u>erhielt</u> dagegen/demgegenüber ein Scheinmedikament.	→ Konjunktionaladverbien

Nominalform

Im Gegensatz zur ersten Gruppe erhielt die zweite ein Scheinmedikament.

C8 Vervollständigen Sie die Sätze.

1. Während Sandra das Obst immer beim Biobauern kauft, ...
2. ...., wohingegen die Landwirte aus Neuhausen auf eine artgerechte Haltung der Tiere achten.
3. Fabian isst für sein Leben gern Fleisch, während ....
4. ...., Speisen aus Indien dagegen empfinden Europäer oft als scharf.
5. ...., wohingegen ich auf Kalorien achte.
6. Frau Dr. Zdrawa schwört auf natürliche Heilkräuter, demgegenüber ....
7. ...., während es bei Familie Kaufmann fast jeden Abend Pommes mit Currywurst gibt.

Unterschiede zwischen Männern und Frauen
Verbinden Sie die Sätze. Verwenden Sie unterschiedliche grammatische Möglichkeiten.

1. Die Männer mussten früher wilde Tiere jagen. Die Frauen blieben in der Höhle.

2. Bei den Männern hat sich im Laufe der Evolution der Tunnelblick herausgebildet. Bei den Frauen entwickelte sich der Breitband-Nahblick.

3. Frauen leiden unter Orientierungsschwierigkeiten. Männer können ohne Mühe Stadtpläne lesen.

4. In der Steinzeit beschränkte sich die Kommunikation des Mannes auf den Austausch essenzieller Informationen. Die Kommunikation der Frauen hatte soziale Bedeutung.

5. Frauen verfügen über fünf Zuhörlaute. Männer gebrauchen nur drei.

6. Eine Frau kann zwei Gesprächen gleichzeitig folgen. Ein Mann ist manchmal schon mit einem Gespräch überfordert.

7. Kommt ein Mann nach getaner Arbeit nach Hause, will er mal schweigen. Seine Frau möchte sofort den ganzen Tag mit ihm durchsprechen.

8. Eine Frau produziert innerhalb von zehn Sekunden durchschnittlich sechs verschiedene Gesichtsausdrücke. Das Gesicht des Mannes bleibt beim Zuhören nahezu gleich.

9. Frauen verarbeiten Sprache in der linken und rechten Gehirnhälfte. Männer nutzen fast ausschließlich die linke.

10. Frauen denken mit Powerbooks. Männer denken mit Tischcomputern.

11. Männer erzielen bessere Ergebnisse in Mathematik. Frauen besitzen bessere sprachliche Fähigkeiten.

Rückblick

 Hier finden Sie die wichtigsten Redemittel des Kapitels.

Das Reich der Sinne

Unsere Sinne können:
- einen Angriff erleben
- gereizt werden
- mit Reizen überflutet werden
- überfordert werden/sein
- verkümmern/veröden/verwahrlosen
- unausgewogen angesprochen werden
- trainiert werden

Riechen
- gut riechen/duften
- schlecht riechen/stinken
- schnuppern/schnüffeln
- einen Riechsinn haben
- Riechzellen senden Informationen ans/ins Gehirn.
- Der Geruch wirkt direkt auf das Nervensystem.
- Duftwolken wabern durch Wohnungen.
- Wunderbare Aromen stammen von Gewürzen.
- Gewürze lösen über Geruchsrezeptoren positive Gefühle aus.
- Gemahlene Gewürze können schnell das Aroma verlieren.

Tasten
- etwas/jemanden berühren/anfassen/antasten/ertasten
- etwas/jemanden streicheln/gestreichelt werden
- Der Tastsinn beschränkt sich nicht auf die Hände und Fingerspitzen.
- Die Hautoberfläche fühlt mit.
- Berührung ist lebensnotwendig.

Schmecken
- (die Soße) abschmecken/kosten
- schmausen/schlemmen
- Geschmacksrichtungen: süß, salzig, sauer, bitter
- den Geschmack verlieren/keinen Geschmack mehr haben
- Die Geschmacksbotschaft wird gefiltert und weitergeleitet.
- Die Geschmacksempfindung kann sich ändern.
- Winzige Geschmacksknospen befinden sich auf der Zunge.
- ein Feinschmecker sein/etwas genießen

Hören
- jemandem zuhören/lauschen
- unangenehme Geräusche hören/wahrnehmen: anhaltenden Lärm/das Tropfen des Wasserhahns/das Schnarchen des Partners/das Quietschen von Kreide
- die Stille/das Schweigen
- die Töne/sich auf bestimmte Töne konzentrieren
- harmonische Klänge lieben

Sehen
- etwas/jemanden ansehen/betrachten/beobachten/erspähen
- Der Sehsinn ist das meistgenutzte Sinnesorgan.
- Über ein Drittel des Gehirns beschäftigt sich mit visueller Datenverarbeitung.
- Das Auge lässt sich leicht in die Irre führen.
- Die Netzhaut filtert Informationen heraus.
- der helle/dunkle Hintergrund

Ernährung

- die falsche/richtige Ernährung/sich ernähren
- die Nahrung/das (die) Nahrungsmittel/das (die) Lebensmittel/fetthaltige/kohlenhydratreiche Nahrungsmittel/Lebensmittel essen
- gestörtes/normales Essverhalten
- gemeinsam/alleine Mahlzeiten einnehmen/gemeinsam kochen
- das Übergewicht/übergewichtig sein/unter Übergewicht leiden/zunehmen
- das Untergewicht/untergewichtig sein/abnehmen
- keine normalen Mengen mehr zu sich nehmen
- Es können Krankheiten auftreten.
- Ursachen sind: mangelnde Bewegung, stundenlanges Sitzen vor dem Fernseher, der Ausfall von Sportstunden
- Auswirkungen auf das Verhalten haben
- das Hungergefühl stillen
- aus Frust/Ärger essen
- eine Diät machen
- ausreichend/selbst angebautes Obst und Gemüse/Treibhausgemüse/(kein) Fast Food/(keine) Fertigprodukte/Snacks/Süßigkeiten essen
- (keine) Nahrungszusätze/Konservierungsstoffe/Geschmacksverstärker verwenden
- einen bewussten Umgang mit Lebensmitteln lernen/fördern
- Bioprodukte: aus ökologisch kontrolliertem Anbau oder aus artgerechter Tierhaltung stammen
- keine Pestizide einsetzen/keinen Kunstdünger verwenden
- keine Behandlung mit Antibiotika und Wachstumshormonen/keine gentechnischen Veränderungen
- dem Umweltschutz dienen

Werbung

- die Tricks der (Lebensmittel-)Werbung
- das werbetreibende Unternehmen
- der Werbespot/der TV-Spot
- das raffinierte Vorgehen der Kreativabteilungen
- die Kunden beeinflussen
- die Hemmschwelle zum Kauf senken
- Produkte in familiäre Erlebniswelten packen
- Eigenschaften suggerieren, die das Produkt nicht besitzt
- das Produkt als wichtigen Bestandteil einer glücklichen Eltern-Kind-Beziehung darstellen
- etwas als gesund/fettfrei präsentieren/bezeichnen
- das Produkt mit einem sozialen Mehrwert verbinden
- dem Produkt eine positive Bedeutung beimessen
- Schüler/Kunden sollen sich mit speziellen Werbebotschaften auseinandersetzen/ihre Wahrnehmung schärfen.
- der Werbespruch/der Werbeslogan
- Ein Werbespruch lässt die Konsumenten kalt/perlt an den Kunden ab/löst starke/keine Reaktionen aus.
- Die Werbewirkung bleibt aus.
- als kaufkräftige Zielgruppe gelten

Fleisch und Wurst

- eine Fleisch-/Wurstsorte bevorzugen
- ein Lieblingsgericht/eine Lieblingsspeise haben
- den Verzehr von Fleisch durch negative Pressemeldungen (nicht) beeinträchtigen
- die beleidigte Leberwurst spielen
- Die Leber- und die Blutwurst gehören auf die „Schlachtplatte".
- ein Gericht/ein Essen zurückgehen lassen/sich über ein Essen beschweren/beklagen
- ein begeisterter Wurstesser sein
- sich mit der korrekten Zubereitung eines Bratens beschäftigen
- einem Gericht/Essen durch Zutaten einen fürstlichen Geschmack verleihen
- einen Braten in einem Sud ziehen lassen/das Fleisch einlegen
- sich ein Rezept patentieren lassen

Evaluation
Überprüfen Sie sich selbst.

Ich kann	gut	nicht so gut
Ich kann über die menschlichen Sinne, über Essverhalten, Esssitten, Lebensmittel und Werbung für Lebensmittel berichten und diskutieren.	❐	❐
Ich kann Vor- und Nachteile benennen und Folgen aufzeigen.	❐	❐
Ich kann eine ausführliche Stellungnahme zum Thema *Sinne und Wahrnehmungen* schreiben.	❐	❐
Ich kann problemlos eine Gliederung erarbeiten und einen strukturierten Aufsatz/Kurzvortrag über Ernährungsprobleme bei Kindern und Jugendlichen schreiben/halten.	❐	❐
Ich kann populärwissenschaftliche Texte über menschliche Sinne, Gewürze und Lebensmittelwerbung verstehen und zusammenfassen.	❐	❐
Ich kann ein Radiointerview mit einem Experten über Ernährung und ihre Folgen fast vollständig verstehen.	❐	❐
Ich kann Produkte werbewirksam beschreiben.	❐	❐
Ich kenne verschiedene Redewendungen zu den Themen des Kapitels und einige deutsche Werbesprüche.		
Ich kann satirische und literarische Texte über verschiedene Geschichten zum Thema *Fleisch und Wurst* verstehen und mich fließend zu diesem Thema äußern. *(fakultativ)*	❐	❐

Kapitel 6

Geschichte und Politik

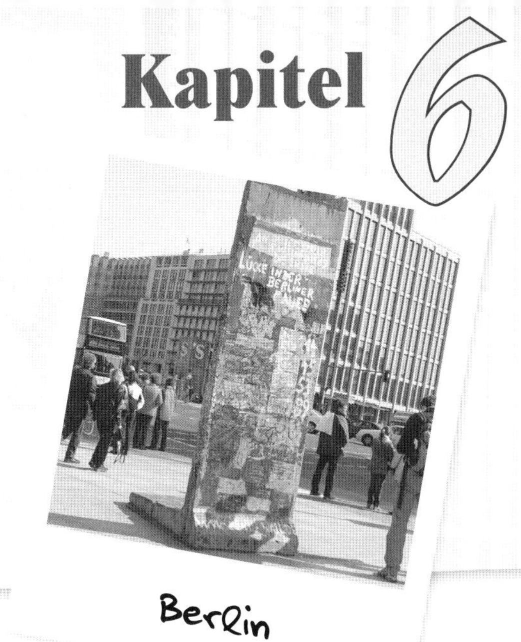
Berlin

Geschichte

Teil A

A1 Stellen Sie zwei Gesprächspartnern/-partnerinnen zum Thema *Geschichtsinteresse* die folgenden Fragen.

	Name	**Name** ....
Interessieren Sie sich für Geschichte? Wenn ja, für welchen Zeitraum interessieren Sie sich am meisten und warum?		
Hören oder hörten Sie von Ihren Eltern/Großeltern/Urgroßeltern Geschichten von früher? Wenn ja, was hat Sie am meisten beeindruckt?		
Welche geschichtlichen Ereignisse sind für die Bewohner Ihres Heimatlandes noch immer von großer Bedeutung?		
Wie informieren Sie sich über Geschichte und Politik?		
Mochten Sie in Ihrer Schulzeit das Fach Geschichte? Warum bzw. warum nicht?		

A2 Welche Ereignisse fallen Ihnen ein, wenn Sie an die Weltgeschichte nach 1945 denken? Welche davon halten Sie für die wichtigsten und warum?

....

....

....

Die kurze Geschichte der Teilung Deutschlands

Teil A

In der folgenden Übersicht finden Sie einige ausgewählte Ereignisse, die die deutsche Geschichte nach 1945 prägten.

a) Ergänzen Sie die Informationen mit den passenden Nomen in der richtigen Form.

Neuordnung ◊ Währungsreform ◊ ~~Aufteilung~~ ◊ Kapitulation ◊ Armeen ◊ Flüchtlinge ◊ Siegermächte ◊ Volksaufstand ◊ sowjetische Besatzungszone ◊ Zahlungsmittel ◊ Reaktion ◊ Versorgung ◊ Arbeitsbelastung ◊ Flugzeuge ◊ Wirtschaftssystem ◊ Lebensbedingungen ◊ Mauer ◊ Rückzug ◊ Grundgesetz

4. bis 11. Februar 1945	Konferenz von Jalta: Die Alliierten beschließen die *Aufteilung* Deutschlands nach dem abzusehenden Kriegsende in vier Sektoren (amerikanisch, britisch, französisch, sowjetisch).
7. bis 9. Mai 1945	.... (1) der deutschen Wehrmacht: Der Zweite Weltkrieg in Europa ist beendet.
2. August 1945	Potsdamer Abkommen: Die .... (2) legen die politische und geografische .... (3) Mitteleuropas fest. Deutschland wird in Sektoren eingeteilt, die ehemalige Reichshauptstadt Berlin ebenfalls. Aus der amerikanischen, britischen und französischen Besatzungszone entstehen später Westdeutschland und Westberlin, aus der sowjetischen Ostdeutschland und Ostberlin.
20. bis 23. Juni 1948	.... (4): In Westdeutschland und Westberlin wird die D-Mark eingeführt, das ostdeutsche .... (5) ist die DM-Ost.
24. Juni 1948 bis 12. Mai 1949	Berliner Blockade: Als .... (6) auf die Währungsreform riegeln die Sowjets Westberlin ab, d. h., eine .... (7) Westberlins über Land- und Wasserwege durch die Alliierten war nicht mehr möglich. Fast ein Jahr lang wurde die Stadt mithilfe von .... (8) über die sogenannte Luftbrücke mit Lebensmitteln und Gebrauchsgütern beliefert. Die Sowjetunion wollte mit dieser Blockade einen .... (9) der Westalliierten aus Berlin erzwingen und ihren Anspruch auf das gesamte Berlin demonstrieren.
23. Mai 1949	In den drei Westzonen wird das .... (10) verkündet und damit die Bundesrepublik Deutschland (BRD) gegründet.
7. Oktober 1949	Auf dem Gebiet der .... (11) (SBZ) entsteht die Deutsche Demokratische Republik (DDR).
1. Januar 1951	Der erste Fünfjahrplan für die DDR tritt in Kraft. Die DDR ist damit an das .... (12) der Sowjetunion gekoppelt.
17. Juni 1953	.... (13) in der DDR: Es gibt Streiks und Demonstrationen gegen eine erhöhte .... (14) und schlechte .... (15). Der Aufstand wird mithilfe sowjetischer Truppen niedergeschlagen. Danach werden die Preise und die Arbeitsnormen wieder gesenkt.
5. Mai 1955 **1. März 1956**	Es entstehen zwei .... (16): In der Bundesrepublik wird die Bundeswehr, in der DDR die Nationale Volksarmee gegründet.
Juli 1961	Immer mehr Menschen, darunter viele Akademiker, fliehen aus der DDR. Die Zahl der .... (17) hat ihren Höhepunkt erreicht.
13. August 1961	Bau der .... (18).

b) Berichten Sie.

- Von welchem dieser Ereignisse haben Sie schon einmal gehört?
- Können Sie sich vorstellen, in einem geteilten Land mit verschiedenen politischen Systemen zu leben?
- Welche Probleme bringt eine solche Teilung Ihrer Meinung nach mit sich?

A4 Lesen Sie den Anfang des Romans *Am kürzeren Ende der Sonnenallee* von Thomas Brussig.

Am kürzeren Ende der Sonnenallee

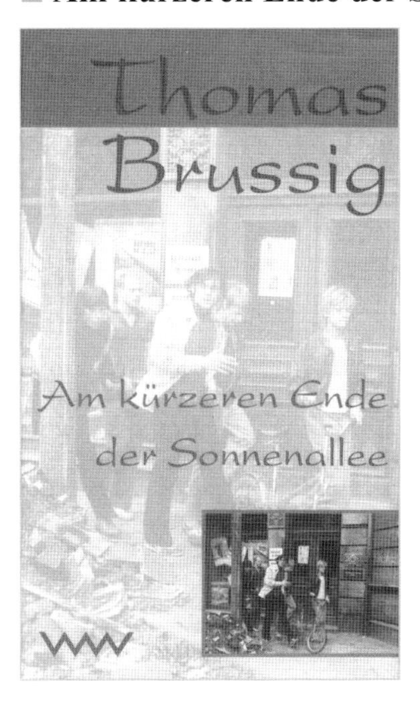

Es gibt im Leben zahllose Gelegenheiten, die eigene Adresse preiszugeben, und Michael Kuppisch, der in Berlin in der Sonnenallee wohnte, erlebte immer wieder, dass die Sonnenallee friedfertige, ja sogar sentimentale Regungen auszulösen vermochte. Nach Michael Kuppischs Erfahrung wirkt *Sonnenallee* gerade in unsicheren Momenten und sogar in gespannten Situationen. Selbst feindselige Sachsen wurden fast immer freundlich, wenn sie erfuhren, dass sie es hier mit einem Berliner zu tun hatten, der in der Sonnenallee wohnt.

Michael Kuppisch konnte sich gut vorstellen, dass auch auf der Potsdamer Konferenz im Sommer 1945, als Josef Stalin, Harry S. Truman und Winston Churchill die ehemalige Reichshauptstadt in Sektoren aufteilten, die Erwähnung der Sonnenallee etwas bewirkte. Vor allem bei Stalin; Diktatoren und Despoten sind bekanntlich prädestiniert dafür, poetischem Raunen anheimzufallen. Die Straße mit dem schönen Namen Sonnenallee wollte Stalin nicht den Amerikanern überlassen, zumindest nicht ganz. So hat er bei Harry S. Truman einen Anspruch auf die Sonnenallee erhoben – den der natürlich abwies. Doch Stalin ließ nicht locker, und schnell drohte es handgreiflich zu werden. Als sich Stalins und Trumans Nasenspitzen fast berührten, drängte sich der britische Premier zwischen die beiden, brachte sie auseinander und trat selbst vor die Berlin-Karte. Er sah auf den ersten Blick, dass die Sonnenallee über vier Kilometer lang ist. Churchill stand traditionell aufseiten der Amerikaner, und jeder im Raum hielt es für ausgeschlossen, dass er Stalin die Sonnenallee zusprechen würde. Und wie man Churchill kannte, würde er an seiner Zigarre ziehen, einen Moment nachdenken, dann den Rauch ausblasen, den Kopf schütteln und zum nächsten Verhandlungspunkt übergehen.

Doch als Churchill an seinem Stumpen[1] zog, bemerkte er zu seinem Missvergnügen, dass der schon wieder kalt war. Stalin war so zuvorkommend, ihm Feuer zu geben, und während Churchill seinen ersten Zug auskostete und sich über die Berlin-Karte beugte, überlegte er, wie sich Stalins Geste adäquat erwidern ließe. Als Churchill den Rauch wieder ausblies, gab er Stalin einen Zipfel von sechzig Metern Sonnenallee und wechselte das Thema. So muss es gewesen sein, dachte Michael Kuppisch. Wie sonst konnte eine so lange Straße so kurz vor dem Ende noch geteilt worden sein? Und manchmal dachte er auch: Wenn der blöde Churchill auf seine Zigarre besser aufgepasst hätte, würden wir heute im Westen leben.

Michael Kuppisch suchte immer nach Erklärungen, denn viel zu oft sah er sich mit Dingen konfrontiert, die ihm nicht normal vorkamen. Dass er in einer Straße wohnte, deren niedrigste Hausnummer die 379 war – darüber konnte er sich immer wieder wundern. Genauso wenig gewöhnte er sich an die tägliche Demütigung, die darin bestand, mit Hohnlachen vom Aussichtsturm auf der Westseite begrüßt zu werden, wenn er aus seinem Haus trat – ganze Schulklassen johlten, pfiffen und riefen „Guck mal, 'n echter Zoni[2]!" oder „Zoni, mach mal winke, winke, wir wolln dich knipsen!". Aber all diese Absonderlichkeiten waren nichts gegen die schier unglaubliche Erfahrung, dass sein erster Liebesbrief vom Wind in den Todesstreifen getragen wurde und dort liegen blieb – bevor er ihn gelesen hatte.

[1] Stumpen = (veraltet) Zigarre
[2] Zoni = abwertende Bezeichnung für DDR-Bürger, bezieht sich auf Zone bzw. sowjetische Besatzungszone

A5 Textarbeit

a) Beantworten Sie die Fragen zum Text in ganzen Sätzen.

1. Auf welches geschichtliche Ereignis bezieht sich der Anfang des Romans?
   ....
2. Was ist nach Meinung des Romanhelden bei diesem Ereignis passiert?
   ....
3. Warum unternimmt Michael diesen Erklärungsversuch?
   ....
4. Welche Merkwürdigkeiten in Michaels Leben werden genannt?
   ....

b) Welche im Text beschriebenen Ereignisse halten Sie für wahr, welche für erfunden?

c) Finden Sie für die unterstrichenen Ausdrücke Synonyme.

◊ zahllose Gelegenheiten — *viele*
1. die eigene Adresse preisgeben ....
2. die sentimentale Regungen auszulösen vermochte ....
3. Selbst feindselige Sachsen wurden freundlich. ....
4. Diktatoren und Despoten sind prädestiniert dafür, ... poetischem Raunen anheimzufallen. ....
5. Stalin ließ nicht locker. ....
6. während Churchill seinen ersten Zug auskostete ....
7. „Zoni, mach mal winke, winke, wir wolln dich knipsen!" ....
8. eine schier unglaubliche Erfahrung machen ....

vorbestimmt sein ◊ nahezu ◊ verfallen ◊ verraten ◊ genießen ◊ können ◊ feindlich gesinnt sein ◊ nicht nachgeben ◊ fotografieren ◊ viele

d) Welche Verben passen? Ordnen Sie zu.

1. Regungen bei jemandem ....
2. die Hauptstadt in Sektoren ....
3. einen Anspruch auf etwas ....
4. etwas auf den ersten Blick ....
5. etwas für ausgeschlossen ....
6. den Rauch der Zigarre ....
7. zu einem Verhandlungspunkt ....
8. jemandem Feuer ....
9. sich über eine Landkarte ....
10. das Thema ....
11. sich über eine Absonderlichkeit ....
12. sich mit etwas konfrontiert ....

beugen ◊ auslösen ◊ geben ◊ sehen (2 x) ◊ übergehen ◊ ausblasen ◊ wechseln ◊ aufteilen ◊ erheben ◊ halten ◊ wundern

Die Lösung

Nach dem Aufstand des 17. Juni
Ließ der Sekretär des Schriftstellerverbands
In der Stalinallee Flugblätter verteilen
Auf denen zu lesen war, dass das Volk
Das Vertrauen der Regierung verscherzt habe
Und es nur durch verdoppelte Arbeit
Zurückerobern könne. Wäre es da
Nicht einfacher, die Regierung
Löste das Volk auf und
Wählte ein anderes?

Bertolt Brecht (1898–1956)

A6 Berichten Sie.

1. Haben Sie in der Schule oder während des Studiums etwas über die Zeit des Kalten Krieges gelernt? Wenn ja, woran können Sie sich noch erinnern?
2. Gibt es ein Ereignis in Ihrem Heimatland/Ihrer Heimatstadt, das die politische, wirtschaftliche oder kulturelle Entwicklung in den 1950er- und 1960er-Jahren besonders beeinflusst hat?
3. Was wissen Sie über den Bau und den Fall der Mauer und die deutsche Wiedervereinigung?

Berlin 1961: Die Mauer

 Lesen Sie den folgenden Text.

Warum wurde eigentlich die Mauer gebaut?

Die beiden Teile Berlins nahmen in den 1950er-Jahren eine sehr unterschiedliche Entwicklung. Im wirtschaftlich traditionell schwächeren Ostberlin hielt die Planwirtschaft Einzug, die in erster Linie auf den Ausbau der Schwerindustrie ausgerichtet war und die die Konsumgüterbranche vernachlässigte. In Westberlin leisteten die USA und andere westliche Länder Aufbauhilfe. Zudem ließ die freie Marktwirtschaft die Teilstadt zwischen Wedding und Wannsee aufblühen.

Das äußere Erscheinungsbild Westberlins glich Mitte der 1950er-Jahre einem grellen Farbfoto, wogegen die Hauptstadt der DDR wie ein verblichener Schwarz-Weiß-Film offensichtlich den Anschluss an die neue Zeit verpasst hatte.

Das Westberliner Zentrum rund um den Kurfürstendamm glitzerte mit seinen vielen Geschäften, Kinos, Restaurants und Bars. Modemacher, Designer und andere Künstler strömten nach Westberlin. Im Ostteil herrschte rationierte Mangelwirtschaft und immer mehr DDR-Bürger gingen durch das letzte Schlupfloch Berlin „nach drüben", denn die innerdeutsche Grenze war bereits seit 1952 mit Stacheldrahtzäunen und Minenfeldern abgesperrt. Dem Land DDR drohte akuter personeller Notstand, weil viele gut ausgebildete Arbeitskräfte (z. B. Ärzte) die Flucht in den Westen ergriffen. Sie verdienten dort wesentlich mehr als in der sozialistischen Heimat.

„Westberlin ist das Hühnerauge der Westmächte, auf das man von Zeit zu Zeit kräftig treten muss", sagte der sowjetische Parteichef Chruschtschow 1958. Knapp zehn Jahre nach der Blockade Berlins unternahm die Sowjetunion mit Drohungen und mit einem Ultimatum erneut den Versuch, die Westmächte aus Westberlin hinauszudrängen. Die Kraftprobe um Berlin zog sich bis 1961 hin. Als aber der Flüchtlingsstrom wieder dramatisch anschwoll, fasste die DDR-Regierung im Einvernehmen mit den Staaten des Warschauer Pakts* den festen Entschluss, die Grenzen vollständig abzuriegeln. Dennoch erklärte DDR-Chef Walter Ulbricht am 15. Juni 1961 auf einer Pressekonferenz: „Die Bauarbeiter unserer Hauptstadt beschäftigen sich hauptsächlich mit Wohnungsbau und ihre Arbeitskraft wird voll dafür eingesetzt. Niemand hat die Absicht, eine Mauer zu errichten."

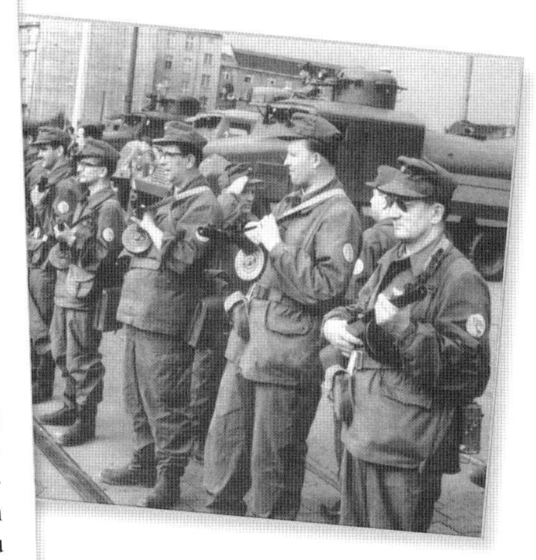

Am 13. August 1961, einem Sonntag, wurden an den Ostberliner Sektorengrenzen um 1.00 Uhr morgens die Übergänge abgeriegelt und Autofahrer von der Volkspolizei zurückgewiesen. Nachtschwärmer kamen zur Feststellung, dass der S-Bahnverkehr in Richtung Westen eingestellt war. Ein mit Stacheldraht bespannter und streng bewachter Zaun durchschnitt viele Verkehrsverbindungen und Familien. US-Präsident John F. Kennedy empörte sich über die Sperren, wollte aber keinen Krieg riskieren, solange die Sowjetunion nicht an der Anwesenheit der Westmächte sowie an der Freiheit der Bevölkerung in Westberlin rüttelte: „Es ist keine schöne Lösung, aber verdammt viel besser als ein Krieg." So dachten auch die meisten Ost- und Westberliner und hatten in jenen Augusttagen noch die Hoffnung, dass die Mauer eine kurzzeitige Übergangslösung sei, bis die erhitzten Gemüter des Kalten Krieges zur Ruhe kommen würden. Niemand ahnte damals, dass eine Mauer die Menschen in Ost und West 28 Jahre trennen wird.

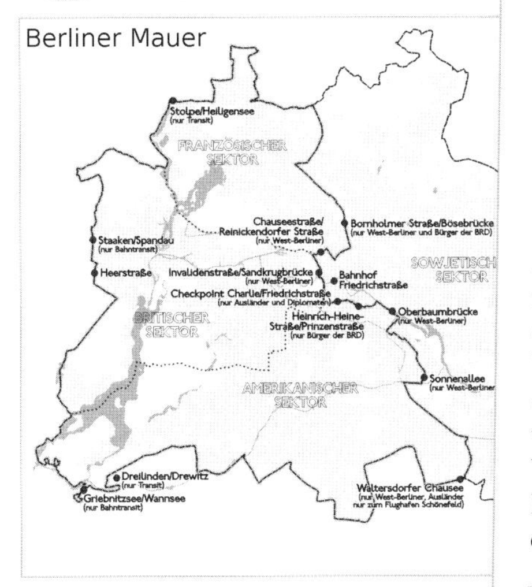

* Warschauer Pakt = militärischer Beistandspakt osteuropäischer Staaten unter Führung der Sowjetunion

A8 Textarbeit

a) Kreuzen Sie an, ob die folgenden Fakten auf Westberlin, auf Ostberlin oder auf beide Stadtteile und deren Bewohner zutrafen.

		West	*Ost*	*West + Ost*
1.	Planwirtschaft	❐	❐	❐
2.	Hoffnung auf schnellen Abbau der Sperranlagen	❐	❐	❐
3.	Volkspolizei	❐	❐	❐
4.	Das Erscheinungsbild der Stadt war grell und bunt.	❐	❐	❐
5.	Kurfürstendamm	❐	❐	❐
6.	starke Orientierung auf Schwerindustrie	❐	❐	❐
7.	Luftbrücke	❐	❐	❐
8.	Mangel an Waren des täglichen Bedarfs	❐	❐	❐
9.	brausendes Stadtleben	❐	❐	❐
10.	getrennte Familien	❐	❐	❐
11.	Hauptstadt Berlin	❐	❐	❐
12.	eingebunden in den Warschauer Pakt	❐	❐	❐
13.	stark eingeschränktes Verkehrsnetz seit 1961	❐	❐	❐
14.	reichhaltiges Angebot an Konsumgütern	❐	❐	❐
15.	graues, eintöniges Stadtbild	❐	❐	❐
16.	Abwanderung gut ausgebildeter Arbeitskräfte	❐	❐	❐
17.	freie soziale Marktwirtschaft	❐	❐	❐

b) Beantworten Sie die folgenden Fragen.

1. Wie war das äußere Erscheinungsbild Westberlins?

   ....

2. Wie war das äußere Erscheinungsbild Ostberlins?

   ....

3. Warum flüchteten immer mehr Ostdeutsche Ende der 1950er-Jahre über Ostberlin in den Westen?

   ....

4. Warum gab es in den 1950er-Jahren so große Unterschiede zwischen Ost- und Westberlin?

   ....

5. Wie dachte der sowjetische Parteichef Chruschtschow über Westberlin?

   ....

6. Was war der Anlass für die endgültige Abriegelung der Grenze?

   ....

7. Was beinhaltet das Zitat des DDR-Staatschefs Walter Ulbricht?

   ....

8. Was forderte US-Präsident Kennedy und warum ließ er den Mauerbau zu?

   ....

9. Was hofften die Bürger in Ost- und Westberlin nach dem Mauerbau?

   ....

c) Schreiben Sie eine kurze Zusammenfassung des Textes A7.

d) Schreiben Sie die unterstrichenen Verben in der Infinitivform heraus und suchen Sie die dazugehörige Nomen-Verb-Verbindung. Hilfe finden Sie im Text.

◊ Ostberlin und Westberlin entwickelten sich ab 1949 in unterschiedliche Richtungen.
sich unterschiedlich entwickeln – eine unterschiedliche Entwicklung nehmen

1. In Ostberlin zog die Planwirtschaft und in Westberlin die Marktwirtschaft ein.
   ....
2. Die Westalliierten halfen Westberlin und den Westberlinern beim Aufbau der Stadt.
   ....
3. Gut ausgebildete Arbeitskräfte flüchteten aus der DDR über Westberlin in die Bundesrepublik Deutschland.
   ....
4. Zehn Jahre nach der Blockade versuchte die Sowjetunion erneut, die Westalliierten aus Westberlin hinauszudrängen.
   ....
5. Die DDR-Regierung entschloss sich 1961, die Grenze zu Westberlin und Westdeutschland vollständig abzuriegeln.
   ....
6. Nachtschwärmer stellten mit Entsetzen fest, dass der S-Bahnverkehr eingestellt war.
   ....
7. DDR-Staatschef Ulbricht sagte, dass niemand beabsichtige, eine Mauer zu bauen.
   ....
8. Manch einer sagte und hoffte damals: „Wenn sich die erhitzten Gemüter beruhigen, gehen die Grenzen auch wieder auf."
   ....

Zusatzübungen zu Nomen-Verb-Verbindungen ⇨ Teil C Seite 178

e) Hier ist etwas durcheinander. Suchen Sie sinnvolle Komposita und den jeweiligen Artikel. Orientieren Sie sich am Text A7.

1

Mode-arbeiter	*der Modemacher*
Not-bild	....
Bau-macher	....
Erscheinungs-stand	....

2

Kurfürsten-wirtschaft	....
Aufbau-auge	....
Hühner-hilfe	....
Markt-damm	....

3

Sektoren-probe	....
Kraft-film	....
Schlupf-grenze	....
Schwarzweiß-loch	....

4

Schwer-wirtschaft	....
Plan-branche	....
Konsumgüter-kräfte	....
Arbeits-industrie	....

5

Stachel-schwärmer	....
Nacht-bau	....
Wohnungs-polizei	....
Volks-draht	....

6

Mauer-lösung	....
Grenz-tage	....
August-sperren	....
Übergangs-bau	....

Bau auf, bau auf! – Leben in der DDR

Teil A

A9 Was wissen Sie über das Leben in der ehemaligen DDR? Berichten Sie.

Lesen Sie den folgenden Text.

Kindheit und Jugend in der DDR

Die Erziehung in der DDR war eine Erziehung zum Gruppenmenschen. Da fast alle Eltern berufstätig waren, wurden die Kleinen bereits mit wenigen Monaten in einer Kinderkrippe betreut. Alles wurde dort schon gemeinsam gemacht: Schlafen, Essen, Waschen, Zähneputzen. Für Individualität blieb wenig Raum. Nach der Kinderkrippe kam der Kindergarten und mit sechs Jahren begann die Grundschule. Die meisten DDR-Kinder wurden im ersten Schuljahr Jungpioniere. Als Jungpioniere trugen sie ein blaues Halstuch und hatten einmal pro Woche Pioniernachmittag. Da wurde gebastelt oder auch schon mal ein Fahnenappell geübt. Anders als im Westen gingen viele Schüler, auch die älteren, nach dem Unterricht nicht nach Hause, sondern in den Hort*. Die Ganztagsbetreuung war in der DDR üblich.

Von Anfang an wurde die politische Bildung sehr ernst genommen, denn alle sollten zu treuen Staatsbürgern erzogen werden. So ist es nicht verwunderlich, dass das erste Gebot der Jungpioniere lautete: „Wir Jungpioniere lieben unsere Deutsche Demokratische Republik."

In der DDR gab es keine verschiedenen Schulformen, sondern alle gingen von der 1. bis zur 10. Klasse auf die Polytechnische Oberschule (POS). Nur etwa zehn Prozent eines Jahrgangs durften Abitur auf der Erweiterten Oberschule (EOS) machen. Die Auswahl der Abiturienten fand nach bestimmten Kriterien statt. Die schulischen Leistungen waren natürlich wichtig, es wurde aber auch nach Herkunft entschieden. Ein Schüler mit Arbeitereltern hatte gegenüber einem Kind, dessen Eltern studiert hatten, bessere Chancen.

Mit 14 Jahren war es Zeit für die Jugendweihe, die an die Stelle der Konfirmation trat. Zur Vorbereitung auf die Jugendweihe mussten die Jugendlichen an Jugendstunden teilnehmen, die aus Betriebsbesichtigungen, politischen Vorträgen oder Tanzstunden bestanden. Die meisten Jugendlichen wurden mit 14 Jahren Mitglied der *Freien Deutschen Jugend* (FDJ).

Schon früh lernten die Kinder in der DDR, mit zwei Meinungen zu leben, einer öffentlichen und einer privaten Meinung. Viele sahen zu Hause westdeutsche Fernsehsender und schwärmten für westliche Popmusik, durften jedoch in der Schule darüber nicht offen reden. Die jungen DDR-Bürger begriffen schnell, dass man bestimmte Ansichten nur im Familien- oder Freundeskreis austauschen konnte. Andererseits gab es im Osten einige Probleme des Westens nicht: Lehrstellenmangel oder Arbeitslosigkeit waren unbekannt, Zukunftsängste selten.

* Hort = Ort zur Kinderbetreuung nach dem Schulunterricht

Textarbeit

a) Markieren Sie die richtige Antwort. Entscheiden Sie bei jeder Aussage: Steht das im Text? Ja oder nein? Wenn der Text dazu nichts sagt, markieren Sie X.

	ja	*nein*	*X*
1. Im Mittelpunkt der DDR-Erziehung stand die Erziehung zur Gemeinschaft.	❒	❒	❒
2. In der DDR gab es ein ganztägiges Betreuungssystem.	❒	❒	❒
3. Kinder und Jugendliche in der DDR waren durchweg glücklich.	❒	❒	❒
4. Nur die Schüler mit den besten Leistungen durften Abitur machen.	❒	❒	❒
5. Die politische Bildung war ein integraler Bestandteil der Erziehung.	❒	❒	❒
6. Die *Jungpioniere* liebten die Deutsche Demokratische Republik.	❒	❒	❒
7. Kinder und Jugendliche in der DDR lernten intuitiv, nicht überall ihre Meinung zu sagen.	❒	❒	❒
8. In der DDR brauchte man keine Angst vor Arbeitslosigkeit zu haben.	❒	❒	❒

b) Welche Komposita kann man bilden, die die Jugendzeit in der DDR charakterisieren? Ordnen Sie zu.

Kinder-	-weihe
Pionier-	-appell
Fahnen-	-bürger
Hals-	-nachmittag
Jugend-	-besichtigung
Staats-	-krippe
Betriebs-	-stunde
Tanz-	-tuch

Hinweis:
Mehr über das Leben von Jugendlichen in der DDR erfahren Sie in dem bereits genannten Roman „Am kürzeren Ende der Sonnenallee" von Thomas Brussig oder im gleichnamigen Film von Leander Haußmann.

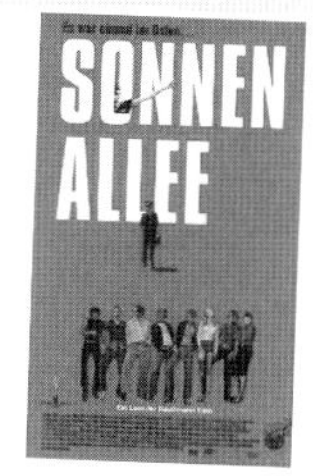

c) Ergänzen Sie die passenden Verben im Präteritum.

lernen ◇ lauten ◇ sehen ◇ tragen ◇ schwärmen ◇ teilnehmen ◇ bleiben ◇ stattfinden ◇ gehen ◇ üben ◇ dürfen

1. Für Individualität .... wenig Raum.
2. Nach der Kinderkrippe .... die Kleinen in den Kindergarten und mit sechs Jahren in die Grundschule.
3. Als Jungpioniere .... sie ein blaues Halstuch und .... auch schon mal einen Fahnenappell.
4. Das erste Gebot der Jungpioniere ....: „Wir Jungpioniere lieben unsere DDR."
5. Nur etwa zehn Prozent eines Jahrgangs .... Abitur machen.
6. Die Auswahl der Abiturienten .... nach bestimmten Kriterien ....
7. Zur Vorbereitung auf die Jugendweihe .... die Jugendlichen an Jugendstunden ....
8. Schon früh .... die Kinder in der DDR, mit zwei Meinungen zu leben.
9. Viele Jugendliche .... zu Hause westdeutsche Fernsehsender und .... für westliche Popmusik.

A12 Ostalgie

„Glückliche Menschen haben ein schlechtes Gedächtnis und reiche Erinnerungen."
(Thomas Brussig)

a) Lesen Sie die Beschreibung von *Ostalgie* aus Wikipedia und wählen Sie aus der Tabelle das richtige Wort (a, b, oder c).

Der ....(1) *Ostalgie* entstammt einem Wortspiel aus den Wörtern *Osten* und *Nostalgie*. Wörtlich bedeutet *Ostalgie* „Heimweh nach dem Osten". Dabei kann es sich um echtes „Heimweh" ....(2), d. h. um Trauer darüber, dass vertraute Dinge und Verhältnisse, die mit der DDR oder anderen Ostblock-Staaten verbunden sind, nicht mehr oder nur in musealer Form existieren, ...(3) um ein Spiel mit Requisiten ohne tiefere Bedeutung.

Die *Ostalgie* wurde unter anderem durch einen Identitätsverlust in Ostdeutschland nach der Wiedervereinigung beider deutscher Staaten ....(4). „Verschwunden" ist im Jahr 1990 der Staat DDR. Zugleich erwiesen sich viele Konsumgüter aus der DDR-Produktion auf dem Weltmarkt ....(5) nicht konkurrenzfähig; sie „verschwanden", zumindest zeitweilig, ebenfalls. Selbst DDR-Kritiker, die in Ostdeutschland aufgewachsen sind, bewerten das Verschwinden der DDR und ihrer Symbole als „Verlust von Heimat".

Ein ....(6) Beispiel für *Ostalgie* sind sogenannte *Ostalgie*-Partys, auf ....(7) Erich-Honecker[1]-Doubles auftreten, DDR-Musiktitel gehört oder DDR-typische Lebensmittel verzehrt werden. Außerhalb solcher Veranstaltungen macht sich *Ostalgie* z. B. im Fahren eines Trabis[2], im Lesen von schon in der DDR existierenden Zeitschriften (z. B. „Das Magazin"), im Hören von DDR-Musik oder im Tragen von Kleidungsstücken mit DDR-Motiven bemerkbar.

Doch nicht jede positive ....(8) bestimmter Gegenstände oder kultureller Produkte, die in der DDR entstanden sind, ist Ausdruck von *Ostalgie*. Zum Beispiel lehnen es viele Freunde der Musik aus der DDR ab, ihre Vorliebe, die sich allein auf die Qualität der Musik gründet, als *Ostalgie* ....(9) zu lassen.

1. a) Wort b) Begriff c) Beschreibung
2. a) handeln b) gehen c) existieren
3. a) aber b) sondern c) oder
4. a) gelöst b) ausgelöst c) entstanden
5. a) als b) wie c) ob
6. a) typischen b) typischer c) typisches
7. a) denen b) deren c) dessen
8. a) Meinung b) Bewertung c) Stimmung
9. a) mitteilen b) nennen c) bezeichnen

[1] Erich Honecker war der letzte Staatsratsvorsitzende der DDR vor der Wende.
[2] Trabi = Kosename für Trabant (kleines Auto)

b) DDR-Kultobjekte, die eine Generation prägten
Haben Sie davon schon mal etwas gehört?

Das **Sandmännchen** ist eine Erfindung des Ost-Fernsehens. Es schickte seit 1960 die Kinder mit einem Abendgruß um 18.50 Uhr ins Bett. Ab 1962 produzierten einige westdeutsche Regionalsender ein West-Sandmännchen.

Die **Digedags** waren von 1955 bis 1975 die Haupthelden der in der DDR erscheinenden Comiczeitschrift MOSAIK. Die drei Protagonisten Dig, Dag und Digedag erlebten in mehreren großen Serien Abenteuer in Raum und Zeit. Abgelöst wurden sie von den Abrafaxen.

Der **Trabant** (Trabi), von seinen Verehrern auch „Rennpappe" genannt, ist das DDR-Symbol schlechthin. Ab 1957 träumten DDR-Bürger davon, endlich (nach 14 Jahren Wartezeit) einen Trabant fahren zu können. Den Trabant gab es natürlich auch als Spielzeugauto.

Wie im Westen träumten auch die Jugendlichen in der DDR von **Jeans**. Die Regierung der DDR musste irgendwie auf den Jeanskult reagieren und produzierte eine eigene DDR-Jeans, die „Nietenhose", oder ganz offiziell, die **„Doppelkappnahthose"**. Den Hunger nach Jeans brachte auch das beliebte Theaterstück „Die neuen Leiden des jungen W." von Ulrich Plenzdorf zum Ausdruck, das 1972 zum ersten Mal aufgeführt wurde.

c) Berichten Sie darüber, welche Fernsehsendungen, Bücher, Comics oder Wünsche Sie als Jugendliche/Jugendlichen geprägt haben.

Geschichte und Politik

Teil A

A13 Wortschatz: Geschichte und Staat

a) Zwei Staaten auf einen Blick: Zahlen und Fakten im Vergleich.
Ordnen Sie die passenden Überschriften zu.

Währung ◊ ~~Fläche~~ ◊ Bevölkerung ◊ Wirtschaftssystem ◊ Verfassung ◊ Gesetzgeber ◊ Bündniszugehörigkeit ◊ Staatsoberhaupt/Regierungschef ◊ Nationalfeiertag ◊ Hauptstadt ◊ Politisches System ◊ Rechtssystem ◊ Landesstruktur ◊ Landessprache

	 **Bundesrepublik Deutschland**	 **Deutsche Demokratische Republik (1949–1990)**
Fläche	1949: 248 626 Quadratkilometer 2008: 357 114 Quadratkilometer	108 174 Quadratkilometer
....	1949: 50,2 Millionen 2008: 82,3 Millionen	18,3 Millionen
....	1949–1990: Bonn seit 1990: Berlin	Ostberlin
....	Deutsch	Deutsch

	 **Bundesrepublik Deutschland**	 **Deutsche Demokratische Republik (1949–1990)**
....	1948–2001: Deutsche Mark seit 2001: Euro	1948–1964: Deutsche Mark der Deutschen Notenbank (DM-Ost) 1964–1967: Mark der Deutschen Notenbank 1968–1990: Mark der DDR
....	1954–1990: 17. Juni seit 1990: 3. Oktober (Tag der Deutschen Einheit)	7. Oktober (Tag der Republik)
....	parlamentarische Demokratie	sozialistischer Staat (Diktatur des Proletariats)
....	freie soziale Marktwirtschaft	sozialistische Planwirtschaft
....	föderale Republik, bestehend aus 11 (ab 1990: 16) Bundesländern mit jeweils eigener Verfassung, eigenem Parlament und eigener Regierung	zentralistischer Staat
....	Grundgesetz	DDR-Verfassung
....	Bundestag	Volkskammer
....	Bundespräsident(in) (repräsentativ) Bundeskanzler(in) (Regierungschef(in))	Staatsratsvorsitzender, identisch mit dem Generalsekretär der SED
....	Höchste Instanz ist das Bundesverfassungsgericht.	Oberstes Gericht der DDR, Ministerium für Staatssicherheit (unterlag nicht der Kontrolle der Justiz)
....	NATO, EU, UNO (ab 1973)	Warschauer Pakt, UNO (ab 1973)

b) Bilden Sie sinnvolle Komposita. Finden Sie den richtigen Artikel.

-mann ◊ -bild ◊ -sicherheitsdienst ◊ -anwalt ◊ -bewältigung ◊ -interesse ◊ -streich ◊ -auffassung ◊ -bürgerschaft ◊ -lehrer ◊ -besuch ◊ -buch ◊ -geheimnis ◊ -hymne ◊ -angehörige ◊ -wissenschaft ◊ -oberhaupt ◊ -empfang ◊ -akt ◊ -unterricht ◊ -kasse ◊ -dienst ◊ -flagge ◊ -macht ◊ -grenze ◊ -amt ◊ -note ◊ -theater ◊ -eigentum ◊ -haushalt ◊ -schreibung ◊ -feind ◊ -sekretär

Geschichts-	Staats-
	der Staatsmann, ...

c) Ordnen Sie den Erklärungen die passenden Komposita zu.

1. der höchste Beamte in einem Ministerium der Bundesrepublik Deutschland

   ....

2. die schriftliche Darstellung der Geschichte

   ....

3. jemand, der im Auftrag des Staates Verbrechen untersucht und vor Gericht die Anklage vertritt

   ....

4. die geheime politische Polizei der DDR bis 1989, auch Stasi genannt

   ....

5. die Person, die an der Spitze eines Staates steht und ihn repräsentiert, wie z. B. der Bundespräsident der Bundesrepublik Deutschland

   ....

6. öffentliche Gelder

   ....

7. eine feierliche Veranstaltung der Regierung eines Staates

   ....

8. jemand, der das politische System beseitigen will

   ....

Partizipien als Nomen

a) Lesen Sie die folgenden Sätze.

In der DDR hatte der Staatsratsvorsitzende große Macht.
In der DDR hatte ein Staatsratsvorsitzender große Macht.

In der BRD leitete der Bundeskanzler die Regierung.
In der BRD leitete ein Bundeskanzler die Regierung.

▶ Der Staatsratsvorsitzende ist abgeleitet aus dem Partizip *vorsitzend*. Als Nomen gebrauchte Partizipien und Adjektive werden wie Adjektive dekliniert. Besonders deutlich wird dies beim Gebrauch unterschiedlicher Artikel: *der Vorsitzende – ein Vorsitzender*

b) Benennen Sie die folgenden Personen. Bilden Sie aus den Partizipien Nomen wie im Beispiel.

Partizip	Singular – maskulin	Singular – feminin	Plural
◊ vorsitzend	*der Vorsitzende* *ein Vorsitzender*	*die/eine Vorsitzende*	*die Vorsitzenden*
1. angestellt			
2. bekannt			
3. verwandt			
4. angeklagt			
5. fortgeschritten			
6. abgeordnet			
7. reisend			
8. beamtet		*die/eine Beamtin (!)*	
9. verletzt			

Zusatzübungen zu Partizipien als Nomen ⇨ Teil C Seite 180

A15 Interviews

Wählen Sie fünf Fragen aus und befragen Sie zwei Kursteilnehmer.

1. Informieren Sie sich regelmäßig über das aktuelle Tagesgeschehen? Wenn ja, wie tun Sie das?
2. Welchen Politiker Ihres Heimatlandes schätzen Sie besonders und warum?
3. Lesen Sie gern Berichte oder Zeitungsartikel über Parteienpolitik?
4. Herrscht unter den Politikern und politischen Parteien Ihres Heimatlandes eine Streitkultur? Wie gehen die Politiker miteinander um?
5. Diskutieren Sie gern über aktuelle Politik? Wenn ja, warum? Wenn nein, warum nicht?
6. Wissen Sie vor einer Wahl in Ihrem Heimatland immer genau, wen Sie wählen wollen?
7. Engagieren Sie sich im gesellschaftlichen Bereich (politisch, sozial, kulturell)?
8. Lassen Sie sich bei der Wahl einer Partei auch von der Ausstrahlung eines Spitzenkandidaten beeinflussen?
9. Welche Parteien sind in Ihrem Heimatland die größten und die bekanntesten?
10. Kommt es in Ihrem Heimatland oft zu Arbeitsniederlegungen (Streiks)? Wenn ja, welche Branchen betrifft das besonders?
11. Sehen Sie sich Werbesendungen oder Diskussionen an, in denen sich Spitzenkandidaten vor einer Wahl präsentieren?
12. Beteiligen Sie sich manchmal an politischen oder gesellschaftlichen Diskussionen in einem Blog?
13. Sind in Ihrem Heimatland in den vergangenen 10 bis 20 Jahren neue Parteien gegründet worden?
14. Mit wem sprechen Sie gern über aktuelle politische Themen?
15. Informieren Sie sich vor einer Wahl über die Programme und Vorhaben der einzelnen Parteien?
16. Kennen Sie deutsche Politiker/Politikerinnen? Welche?

A16 Schriftlicher Ausdruck

Politik ist Privatsache – diese Meinung ist in Deutschland weit verbreitet. Außer im persönlichen Umfeld hält man sich mit seinen politischen Ansichten zurück, vor allem im Geschäftsleben. Es gilt sogar als Verstoß gegen die Etikette, bei einem Geschäftsessen ein politisches Thema anzuschneiden.

- Wie geht man in Ihrem Heimatland mit dem Thema *Politik* um?
- Wann spricht man mit wem und wo über politische Themen?
- In welchen Situationen sollte man besser schweigen?
- Berichten Sie darüber und belegen Sie Ihre Ausführungen mit Beispielen.

A17 Mündlicher Ausdruck

Was ist für Sie ein guter Politiker?

- Beschreiben Sie die Charaktereigenschaften und Verhaltensweisen, die Sie von einem Politiker und einer Führungskraft erwarten.
- Gibt es eine Politikerin/einen Politiker in Ihrem Heimatland oder in der Welt, die/der Ihren persönlichen Anforderungen/Erwartungen entspricht oder nahekommt? Wenn ja, stellen Sie sie/ihn bitte vor.

Wahlen

Teil A

Jetzt ist Wahlkampf!

Sie sind im Wahlkampfteam der größten Oppositionspartei in *Euranien* (oder Ihrem Heimatland) und sollen Ideen für den anstehenden Wahlkampf sammeln.

- Sammeln Sie zunächst Themen (auf Karteikarten oder an der Tafel), die Sie für „wahlkampfgeeignet" halten (z. B. Bekämpfung der Arbeitslosigkeit, Bildungsreform, neue Gesetze im Gesundheitswesen und Umweltschutz, Erhöhung der Hundesteuer oder ähnliches).
- Bilden Sie kleinere Gruppen. Einigen Sie sich in der Kleingruppe auf drei bis fünf Themen, die Sie im Wahlkampf für wichtig halten, und überlegen Sie sich Argumente.
- Präsentieren Sie Ihre Ideen und Argumente.
- Am Ende wird entschieden, welche Themen den Wahlkampf der Opposition bestimmen.

Diskussionsrunde

Das ist die Situation im Land:

1

Es herrscht Verkehrschaos: Öffentliche Verkehrsmittel kommen oft zu spät, der Autoverkehr steigt an, die Staus auf den Straßen nehmen zu. Die Bürger beschweren sich immer häufiger über Verkehrslärm. Einige Ortschaften sind inzwischen ohne Auto nicht mehr erreichbar, weil aus finanziellen Gründen keine öffentlichen Verkehrsmittel mehr fahren.

2

Besser verdienende Eltern schicken ihre Kinder immer öfter auf Privatschulen. Die Privaten haben eine größere Auswahl an Lernformen und bieten eine individuelle Betreuung der Schüler. Staatliche Schulen geraten ins Hintertreffen. Die Gewalt unter Schülern und gegen Lehrer hat an einigen staatlichen Schulen zugenommen.

3

Unter uns leben immer mehr ältere Menschen. Weder der Staat noch die Familien können auf Dauer für die steigenden Kosten der Betreuung aufkommen. Vielen Menschen droht trotz eines arbeitsreichen Lebens die Altersarmut.

4

Bei den Bürgern regt sich Widerstand gegen die Gehälter von Spitzenmanagern. Selbst wenn ein Manager scheitert, bekommt er eine hohe Abfindungssumme für seine schlechte Arbeit. Viele Arbeitnehmer empfinden die hohe Differenz zwischen Spitzengehältern und Normalgehältern als ungerecht.

- Wählen Sie eines der genannten oder ein anderes aktuelles Thema als Diskussionsthema.
- Ernennen Sie einen Diskussionsleiter.
- Bilden Sie Gruppen mit unterschiedlichen Meinungen zu diesem Thema.
- Sammeln Sie Argumente für Ihren Standpunkt.
- Suchen Sie sich aus den angegebenen Redemitteln zu jeder Situation (zustimmen/widersprechen usw.) ein bis zwei Redemittel heraus, die Sie verwenden wollen.
- Führen Sie die Diskussion.

Informationen zu aktuellen politischen Diskussionen in Deutschland finden Sie im Internet z. B. unter *www.spiegel.de* oder *www.focus.de.*

die eigene Meinung äußern

- Meiner Meinung/Meiner Ansicht/Meiner Auffassung nach .../Meines Erachtens ...
- Ich bin der Meinung/zu der Auffassung gelangt/zu der Überzeugung gekommen, dass ...
- Besonders wichtig/Entscheidend ist (für uns) ...
- Ich möchte besonders betonen/unterstreichen, dass ...

Zustimmung ausdrücken

- Ich bin ganz Ihrer Meinung./Das sehe ich auch so/genauso.
- Da stimme ich mit Ihnen überein./Dem kann ich voll zustimmen.

Zweifel anmelden

- ◇ Auf der einen Seite … auf der anderen Seite/Einerseits … andererseits …
- ◇ Mir kommen da doch ein paar Zweifel …
- ◇ Ich bin mir nicht so sicher/Ich weiß nicht genau, ob …

Widerspruch formulieren

- ◇ Das sehe ich doch etwas anders./ Das kann ich mir so (wie Sie es sagen) nicht vorstellen.
- ◇ (In diesem Punkt) möchte ich Ihnen gern widersprechen.
- ◇ Tut mir leid, dazu habe ich eine etwas andere Meinung./Da bin ich aber ganz anderer Meinung.
- ◇ Ihre Argumente überzeugen mich nicht.

jemanden unterbrechen

- ◇ Darf ich dazu kurz etwas bemerken/anmerken/sagen?
- ◇ Darf ich da kurz einhaken?
- ◇ Entschuldigung, dass ich Sie unterbreche/Ihnen ins Wort falle, aber …

sich nicht unterbrechen lassen

- ◇ Darf ich bitte erst mal ausreden?
- ◇ Lassen Sie mich das bitte noch zu Ende führen.
- ◇ Ich bin gleich fertig, einen Moment noch.

etwas ergänzen/klarstellen

- ◇ Ich würde gerne noch etwas ergänzen/hinzufügen.
- ◇ Das würde ich gern noch etwas genauer erläutern/erklären …
- ◇ Ich habe mich vorhin vielleicht nicht ganz klar/missverständlich ausgedrückt. Ich meinte Folgendes …
- ◇ Lassen Sie mich das noch einmal anders formulieren.
- ◇ Ich möchte gern etwas richtigstellen.

sich auf andere beziehen

- ◇ Ich möchte noch einmal darauf eingehen/zurückkommen, was … gesagt hat …
- ◇ Was genau verstehen Sie unter …?
- ◇ Wenn ich das richtig verstanden habe, meinten Sie …
- ◇ Könnten Sie noch mal erklären/erläutern, was …/wie …

ein Gespräch leiten

- ◇ Ich begrüße Sie (alle) herzlich zu …
- ◇ Unser Thema heute ist/lautet … Wir befassen/beschäftigen uns heute mit der Frage/dem Thema/dem Problem … Es geht heute um …
- ◇ Ich schlage vor, dass … beginnt. Herr/Frau … wollte, glaube ich, dazu etwas anmerken …
- ◇ Moment, lassen Sie bitte Herrn/Frau … erst ausreden!
- ◇ Was ist Ihre Meinung dazu, Herr/Frau …?
- ◇ Könnten wir vielleicht noch mal auf die Äußerung von Herrn/Frau … zurückkommen? Er/Sie hatte gesagt, dass …
- ◇ Wenn ich das noch mal kurz zusammenfassen darf …
- ◇ An dieser Stelle müssen wir die Diskussionsrunde leider beenden …
- ◇ Ich danke Ihnen für Ihre Beiträge …

A20 Indirekte Rede

Die folgenden Aussagen wurden im Wahlkampf gemacht. Geben Sie die Sätze in der indirekten Rede wieder.

Die Rede des Oppositionsführers:	Der Oppositionsführer sagte, …
◇ Ich möchte ein wichtiges Thema ansprechen: die Finanzen.	er möchte ein wichtiges Thema ansprechen: die Finanzen.
1. Die jetzige Regierung ist nicht in der Lage, den Staatshaushalt zu sanieren.	....
2. Wenn ich gewählt werde, wird alles anders.	....
3. Der Staat braucht mehr Geld!	....
4. Ich habe vor, das Steuersystem zu vereinfachen.	....
5. Es muss den Bürgen ermöglicht werden, ihre Steuererklärung auf einem einzigen Blatt Papier zu machen.	....

Die Rede des Oppositionsführers: | Der Oppositionsführer sagte, …

6. Reiche müssen aber in Zukunft tiefer in die Tasche greifen. ……………………
7. Es kann nicht sein, dass der einfache Arbeiter mehr Steuern zahlt als mancher Besserverdienende. ……………………
8. Es gilt, die Schlupflöcher für Steuersünder zu schließen. ……………………
9. Ich werde dafür sorgen, dass die Belastungen für die Bürger anders verteilt werden. ……………………
10. Wer ein großes Auto fährt, zahlt auch mehr Steuern, das ist doch klar! ……………………

Zusatzübungen zur indirekten Rede ⇨ Teil C Seite 180

A21 Ratschläge für einen schlechten Redner
Lesen Sie Auszüge aus dem Text von Kurt Tucholsky (1890–1935).

Ratschläge für einen schlechten Redner

Fang nie mit dem Anfang an, sondern immer drei Meilen vor dem Anfang! Etwa so:

„Meine Damen und meine Herren! Bevor ich zum Thema des heutigen Abends komme, lassen Sie mich Ihnen kurz …"

Hier hast du schon so ziemlich alles, was einen schönen Anfang ausmacht: eine steife Anrede; der Anfang vor dem Anfang; die Ankündigung, dass und was du zu sprechen beabsichtigst, und das Wörtchen kurz. So gewinnst du im Nu die Herzen und die Ohren der Zuhörer.

Denn das hat der Zuhörer gern: dass er deine Rede wie ein schweres Schulpensum aufbekommt; dass du mit dem drohst, was du sagen wirst, sagst und schon gesagt hast. Immer schön umständlich.

Sprich nicht frei – das macht einen so unruhigen Eindruck. Am besten ist es, du liest deine Rede ab. Das ist sicher, zuverlässig, auch freut es jedermann, wenn der lesende Redner nach dem viertel Satz misstrauisch hochblickt, ob auch noch alle da sind.

Sprich, wie du schreibst. Und ich weiß, wie du schreibst. Sprich mit langen, langen Sätzen … Nebensätze schön ineinandergeschachtelt, so dass der Hörer, ungeduldig auf seinem Sitz hin und her träumend, sich in einem Kolleg wähnend, in dem er früher so gern geschlummert hat, auf das Ende solcher Periode wartet.

Fang immer bei den alten Römern an und gib stets, wovon du auch sprichst, die geschichtlichen Hintergründe der Sache. Das ist nicht nur deutsch, das tun alle Brillenmenschen. Die Leute sind doch nicht in deinen Vortrag gekommen, um lebendiges Reden zu hören, sondern das, was sie auch in den Büchern nachschlagen können, sehr richtig! Immer gib ihm Historie, immer gib ihm. Kümmere dich nicht darum, ob die Wellen, die von dir ins Publikum laufen, auch zurückkommen – das sind Kinkerlitzchen*. Sprich unbekümmert um die Wirkung, um die Leute, um die Luft im Saale; immer sprich, mein Guter. Gott wird es dir lohnen.

Du musst alles in die Nebensätze legen. Sag nie: „Die Steuern sind zu hoch." Das ist zu einfach. Sag: „Ich möchte zu dem, was ich soeben gesagt habe, noch kurz bemerken, dass mir die Steuern bei weitem …" So heißt das!

Trink den Leuten ab und zu ein Glas Wasser vor – man sieht das gerne. Wenn du einen Witz machst, lach vorher, damit man weiß, wo die Pointe ist.

Eine Rede ist, wie könnte es anders sein, ein Monolog. Weil doch nur einer spricht. Du brauchst auch nach vierzehn Jahren öffentlicher Rednerei noch nicht zu wissen, dass eine Rede nicht nur ein Dialog, sondern ein Orchesterstück ist: Eine stumme Masse spricht nämlich ununterbrochen mit. Und das musst du hören. Nein, das brauchst du nicht zu hören. Sprich nur, lies nur, donnere nur, geschichtle nur.

Zu dem, was ich soeben über die Technik der Rede gesagt habe, möchte ich noch kurz bemerken, dass viel Statistik eine Rede immer sehr hebt. Das beruhigt ungemein, und da jeder imstande ist, zehn verschiedene Zahlen mühelos zu behalten, so macht das viel Spaß.

Kündige den Schluss deiner Rede lange vorher an, damit die Hörer vor Freude nicht einen Schlaganfall bekommen, und dann beginne deine Rede von vorne und rede noch eine halbe Stunde. Dies kann man mehrere Male wiederholen.

Sprich nie unter anderthalb Stunden, sonst lohnt es gar nicht erst anzufangen. Wenn einer spricht, müssen die anderen zuhören – das ist deine Gelegenheit! Missbrauche sie.

* Kinkerlitzchen = Kleinigkeiten, Nichtigkeiten

A22 Textarbeit

a) Suchen Sie aus dem Text die Kennzeichen für einen schlechten Redner. Machen Sie Stichpunkte.

- ◊ *ein Thema lange einleiten*
- ◊ ....
- ◊ ....
- ◊ ....
- ◊ ....
- ◊ ....
- ◊ ....
- ◊ ....

b) Erarbeiten Sie in Gruppen *Ratschläge für einen guten Redner.*

c) Vergleichen Sie Ihre Tipps mit den folgenden Ratschlägen und formulieren Sie Empfehlungen.

1. Eine gute Vorbereitung ist die halbe Miete!
2. Klare Struktur, logischer Aufbau!
3. Viel im Kopf – möglichst wenig auf dem Papier!
4. Hauptsätze, Hauptsätze, Hauptsätze!
5. Tatsachen oder Appelle an das Gefühl!
6. Ein Redner ist kein Lexikon, das haben die Leute zu Hause.
7. Keine Effekte erzielen wollen, die nicht im Wesen des Redners liegen.
8. Was gestrichen ist, kann nicht durchfallen.
9. Man kann über alles reden, nur nicht über 45 Minuten.

d) Unterstreichen Sie im Text alle Imperativformen.

Zusatzübungen zum Imperativ ⇨ Teil C Seite 182

A23 Wortschatz: Wahlen

a) Lesen Sie die folgenden Redemittel.

vor der Wahl
- ◊ eine Wahlbenachrichtigung erhalten/das Wahlrecht/wahlberechtigt sein/das Politbarometer/die Meinungsumfrage/Meinungsumfragen zufolge ... liegt der Kandidat/die Kandidatin weit/knapp vor ...
- ◊ eine Wahlprognose erstellen/das Wahlergebnis vorhersagen
- ◊ eine Wahlrede halten/in Wahlsendungen debattieren/diskutieren/einen Meinungsstreit haben/einen (fairen) Wahlkampf führen/am Wahlkampf teilnehmen/Wahlveranstaltungen besuchen/bei Wahlveranstaltungen auftreten

die Wahl
- ◊ das Wahllokal
- ◊ für/gegen jemanden stimmen/seine Stimme abgeben/seine Stimme jemandem geben
- ◊ an einer Kommunalwahl/Landtagswahl/ Bundestagswahl teilnehmen
- ◊ einen Spitzenkandidaten/eine Spitzenkandidatin wählen
- ◊ die Stimmen auszählen

nach der Wahl
- ◊ Die Wahlbeteiligung betrug ... Prozent./An der Wahl beteiligten sich ... Erste Hochrechnungen sind gegen 18.00 Uhr zu erwarten/liegen schon vor.
- ◊ Das Wahlergebnis liegt (erst gegen 20.00 Uhr/noch nicht) vor.
- ◊ die Mehrheit bekommen/erhalten/erzielen/erreichen/eine knappe Mehrheit erhalten: ein Kopf-an-Kopf-Rennen
- ◊ Verluste erleiden, ein schlechtes/gutes Wahlergebnis/Gewinne erzielen/verzeichnen
- ◊ Die Prognosen/Vorhersagen haben sich (nicht) bestätigt.
- ◊ die Ergebnisse auswerten, besprechen, Schlussfolgerungen ziehen, eine neue Regierung bilden

b) Ergänzen Sie die fehlenden Verben

1. Bei den gestrigen Wahlen haben sich die Prognosen nicht ....
2. Die Regierungspartei .... schwere Verluste.
3. Sie .... zehn Prozent der Wählerstimmen.
4. Die Opposition konnte vor allem in den Großstädten Gewinne ....
5. Insgesamt .... 80 % aller Wahlberechtigten ihre Stimme ....
6. Die Opposition .... einen erfolgreichen Wahlkampf.
7. Sie .... eine knappe Mehrheit und wird jetzt die neue Regierung ....

c) Ergänzen Sie die fehlenden Verben in der richtigen Form.

hervorgehen ◊ treffen ◊ erstellen ◊ geraten ◊ fallen ◊ bestimmen ◊ erleiden ◊ bilden ◊ fassen ◊ üben ◊ liegen ◊ erzielen ◊ halten ◊ nehmen ◊ ~~abgeben~~

◊ Die Wähler haben ihre Stimme *abgegeben*.
1. Sie haben eine Entscheidung ....
2. Die Entscheidung ist ....
3. Die Partei X hat Gewinne ....
4. Kandidat A ist als Sieger aus der Wahl ....
5. Er hat eine feurige Wahlrede ....
6. Der Schwerpunkt .... auf der Bekämpfung der Arbeitslosigkeit.
7. Sie muss jetzt in Angriff .... werden.
8. Der neue Kanzler wird die Regierung ....
9. Er wird auch wichtige politische Entschlüsse ....
10. Er wird den politischen Kurs des Landes ....
11. Die Partei Y hat Verluste ....
12. Sie ist in Schwierigkeiten ....
13. Die Meinungsforscher haben verkehrte Prognosen ....
14. An ihnen wurde deshalb Kritik ....

d) Wie heißt das Gegenteil? Finden Sie Antonyme ohne das Präfix *un-*.

◊ die meisten ↔ *wenigsten* Wähler
1. ein überraschendes ↔ .... Wahlergebnis
2. ein knappes ↔ .... Wahlergebnis
3. eine hohe ↔ .... Wahlbeteiligung
4. ein spannender ↔ .... Wahlkampf
5. ein bedeutender ↔ .... Unterschied
6. eine genaue ↔ .... Vorhersage
7. großes Interesse ↔ .... zeigen
8. ein unsinniges ↔ .... Argument

A24 Wahlen in der Bundesrepublik Deutschland

a) Lesen Sie den folgenden Text.

Das Wahlrecht für die Wahlen zum Deutschen Bundestag

Bei einer Bundestagswahl hat jeder Wähler zwei Stimmen. Mit der Erststimme entscheidet er sich für einen der Bewerber, die in seinem Wahlkreis (Wohngebiet) persönlich kandidieren. Insgesamt gibt es 299 solcher Wahlkreise. Gewählt ist in jedem Wahlkreis der Kandidat mit der größten Stimmenzahl. Dieser Kandidat kann direkt Abgeordneter im Bundestag werden.

Für das politische Kräfteverhältnis aber ist die Zweitstimme ausschlaggebend. Mit ihr unterstützt der Wähler eine politische Partei (die Landesliste einer Partei). Solche Landeslisten gibt es in jedem der 16 Bundesländer. Nach Abgabe der Stimmen werden zunächst alle 598 Bundestagsmandate im Verhältnis der abgegebenen Zweitstimmen aufgeteilt – also auf die einzelnen Parteien. Eine Partei muss aber über fünf Prozent der gesamten Zweitstimmen erreicht haben, um in den Bundestag zu kommen. (Ausgenommen davon sind nur Parteien nationaler Minderheiten.) Sind alle

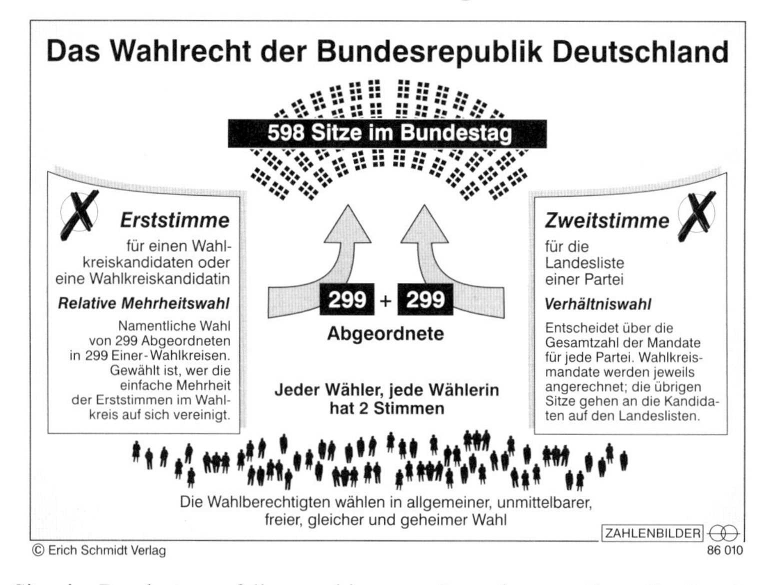

© Erich Schmidt Verlag

Sitze im Bundestag auf die verschiedenen Parteien verteilt worden, zieht man die Direktmandate ab – diese bekommen die Kandidaten der Partei, die mit einer Direktstimme (Erststimme) gewählt wurden. Die restlichen Sitze werden von den Parteien mit den Kandidaten aus der Landesliste besetzt.

So gelangen über die Landeslisten ebenfalls 299 Kandidaten in den Bundestag. Erhält eine Partei in einem Bundesland mehr Direktmandate, als ihr nach dem Zweitstimmenergebnis zustehen, bleiben ihr die sogenannten Überhangmandate erhalten und der Bundestag vergrößert sich entsprechend.

b) Ordnen Sie die Begriffe zu.

die Erststimme ◊ die Koalition ◊ die Fraktion ◊ das Überhangmandat ◊ die Fünf-Prozent-Hürde/Klausel ◊ die Zweitstimme ◊ der Landtag ◊ der Abgeordnete ◊ die große Koalition ◊ der Bundestag

1. ein Bündnis zwischen Parteien, die zusammen die Regierung bilden oder bilden wollen

   ....

2. ein Volksvertreter, ein gewähltes Mitglied eines Parlaments

   ....

3. die Stimme bei einer Wahl, die man einem Kandidaten gibt

   ....

4. das direkt gewählte Parlament in der Bundesrepublik Deutschland

   ....

5. das Parlament eines Bundeslandes

   ....

6. die Stimme bei einer Wahl, die man einer Partei gibt

   ....

7. das Regierungsbündnis zwischen den Volksparteien CDU/CSU und SPD

   ....

8. eine Regelung, bei der eine Partei für den Einzug in den Bundestag fünf Prozent der Zweitstimmen haben muss

   ....

9. die Gruppe aller Abgeordneten einer Partei

   ....

10. ein zusätzliches Mandat, das erteilt wird, wenn eine Partei über die Erststimme mehr Sitze erhält, als ihr eigentlich aufgrund der Sitzverteilung durch die Zweitstimme zustehen

    ....

c) Beschreiben Sie die folgende Statistik.

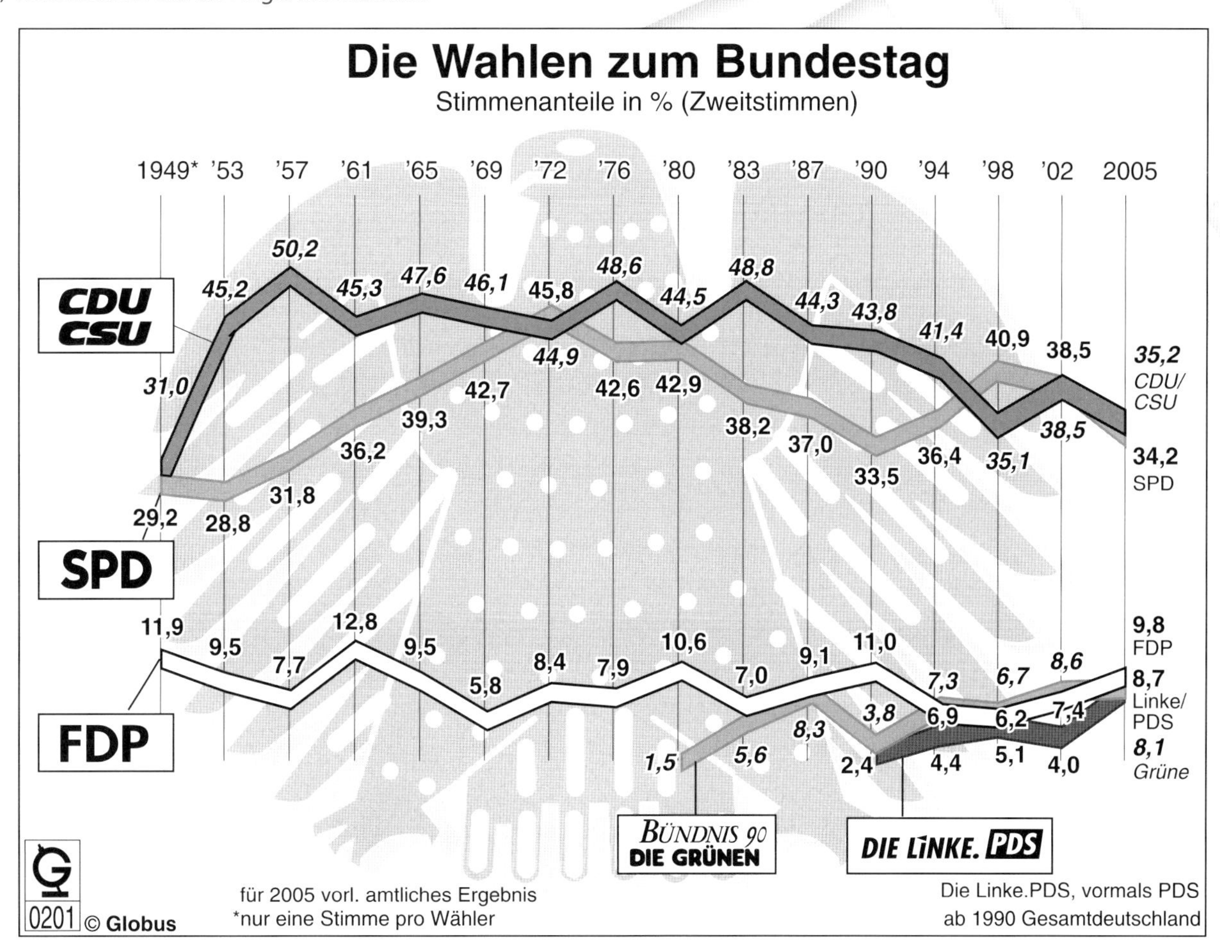

d) Parteien im Bundestag
Ergänzen Sie die folgenden Fakten durch aktuelle Informationen aus dem Internet.

Die Christlich-Demokratische Union wurde im Juni 1945 gegründet und ist seit 1949 mit der Christlich-Sozialen Union in einer Fraktionsgemeinschaft verbunden. In Bayern ist die Christlich-Soziale Union noch immer selbstständig. Die Christdemokraten können in der Geschichte der Bundesrepublik bislang auf fünf Bundeskanzler/-innen zurückblicken: Konrad Adenauer, Ludwig Erhard, Kurt Georg Kiesinger, Helmut Kohl und Angela Merkel.

DIE LINKE. Die Partei entstand im Juni 2007 durch den Zusammenschluss der Linkspartei PDS (Partei des Demokratischen Sozialismus) und der WASG (Wahlalternative Arbeit und Soziale Gerechtigkeit). Die PDS ging aus der SED (Sozialistische Einheitspartei Deutschlands der DDR) hervor. Die Linke hat in den ostdeutschen Bundesländern den Stellenwert einer Volkspartei. Prominente Vertreter sind Oskar Lafontaine und Gregor Gysi.

Die Partei der Liberalen (die Freie Demokratische Partei) wurde am 11. Januar 1948 gegründet und ist seit der Gründung der Bundesrepublik im Bundestag vertreten. Die Partei trug als kleinerer Koalitionspartner (mit CDU/CSU oder SPD) oft Regierungsverantwortung mit. Die Liberalen stellten drei Außenminister, wobei Hans-Dietrich Genscher am eindrucksvollsten deutsch-deutsche Geschichte schrieb.

Die Sozialdemokratische Partei Deutschlands ist wie die CDU/CSU eine deutsche Volkspartei und die älteste parlamentarisch vertretene Partei Deutschlands. Die Gründung der Partei geht auf das Jahr 1875 zurück. Die SPD übernahm in der Geschichte der Bundesrepublik mehrmals Regierungsverantwortung und stellte die drei Bundeskanzler: Willy Brandt, Helmut Schmidt und Gerhard Schröder.

Die Grünen wurden im Januar 1980 gegründet und zogen 1983 zum ersten Mal in den Bundestag ein. Die Partei vereinte sich 1993 mit dem ostdeutschen Bündnis 90, das aus Bürgerrechtlern und Oppositionellen der ehemaligen DDR bestand. Von 1998–2005 bildete die Partei mit der SPD eine rot-grüne Regierungskoalition. Ihr prominentester Vertreter Joschka Fischer war von 1998–2005 deutscher Außenminister.

Mündlicher Ausdruck: Berlin, Berlin

Sie wollen mit Ihrem Gesprächspartner drei Tage nach Berlin fahren und Berlin unter einem bestimmten Gesichtspunkt kennenlernen. Wählen Sie ein Thema und erläutern Sie Ihrem Gesprächspartner, warum Sie dieses Thema bevorzugen und welche Themen für Sie an zweiter und an dritter Stelle stehen.
Versuchen Sie sich dann mit Ihrem Gesprächspartner auf ein Thema zu einigen oder kombinieren Sie zwei Themen, so dass Sie ein komplettes Drei-Tage-Programm erstellen können.

- kulinarische Spaziergänge
- ein Szene-Viertel: Kultur und Kneipen in Friedrichshain
- das neue Regierungsviertel vom Land und vom Wasser
- die seen- und waldreiche Umgebung Berlins
- Berlin in einem Zuge: die Berliner U- und S-Bahn
- eine Museumstour mit dem Fahrrad
- Kulturelles: Theaterstadt Berlin
- Kulturelles: Musikstadt Berlin
- Historisches: Berlin und Preußen
- Historisches: Berlin im Kalten Krieg

Alles Süße kommt von oben: Die Luftbrücke

Teil B – fakultativ

Die Texte und Aufgaben in diesem fakultativen Teil B stellen ein Angebot für Lerner und Lerngruppen dar, die ihre sprachlichen Fähigkeiten zusätzlich erweitern möchten.

 Lesen Sie den Text.

Berlin 1948: Die Luftbrücke

Die Westalliierten führten am 20. Juni 1948 im Alleingang in den drei westlichen Besatzungszonen (ohne Westberlin) die D-Mark ein. Am 23. Juni 1948 führte auch die sowjetische Führung in der SBZ (sowjetischen Besatzungszone) eine Währungsreform* durch. Für den Westen kam dieser Schritt keineswegs überraschend. Seit Monaten war man in Moskau entschlossen, die Währungsreform zum Anlass für eine Machtprobe mit den Amerikanern zu nehmen, und zwar in Berlin, der Nahtstelle zwischen Ost und West. Die Viersektorenstadt lag wie eine Insel in der sowjetischen Besatzungszone, umzingelt von sowjetischen Truppen. Die Gelegenheit war günstig, ganz Berlin in den sowjetischen Machtbereich einzubeziehen.

Am 24. Juni 1948 eskalierte die Berlinkrise. Die sowjetische Besatzungszone (SBZ) erhielt am 23. Juni 1948 eine neue Währung (DM-Ost), die laut sowjetischer Anordnung in ganz Berlin gelten sollte.

Die Westalliierten erklärten diesen Befehl für null und nichtig und bestimmten für ihre Berliner Sektoren die DM-West. Das wollten sich die Sowjets nicht gefallen lassen und rächten sich blitzschnell.

Gegen Mitternacht gingen in Westberlin die Lichter aus. Die Sowjets verhängten eine totale Blockade über den Westteil der Stadt. Alle Eisenbahnlinien, Straßen und Schifffahrtswege wurden gesperrt, Strom- und Lebensmittellieferungen aus dem Ostteil Berlins und aus der SBZ wurden unterbrochen. Zwei Millionen Westberliner und 8 000 alliierte Soldaten nebst 22 000 Angehörigen saßen in der Falle. Das Ziel Moskaus war es, die Westmächte zum Abzug ihrer in Berlin stationierten Truppen zu zwingen, um dann die gesamte Stadt in Besitz zu nehmen. Doch zur Überraschung der sowjetischen Führung gaben Amerikaner und Briten nicht klein bei, sondern reagierten mit einer Luftbrücke, dem größten Lufttransportunternehmen, das die Welt bislang gesehen hatte.

Fast ein Jahr lang transportierten amerikanische und britische Piloten alles, was über zwei Millionen Menschen in Westberlin zum Leben und Arbeiten benötigten, Milchpulver und Kohlen, Trockenkartoffeln und Benzin, Nähnadeln und Papier, Medikamente und Kleidung und vieles andere mehr. Alle zwei bis drei Minuten landete eine Maschine, im Volksmund „Rosinenbomber" genannt, auf einem Westberliner Flughafen. Es war wie ein Wunder, aber es gelang den Westalliierten, die „Festung" Westberlin ohne Gewaltanwendung zu halten. Auch die Sowjets respektierten die 1945 geschlossenen Vereinbarungen über die Benutzung der Luftkorridore von und nach Berlin.

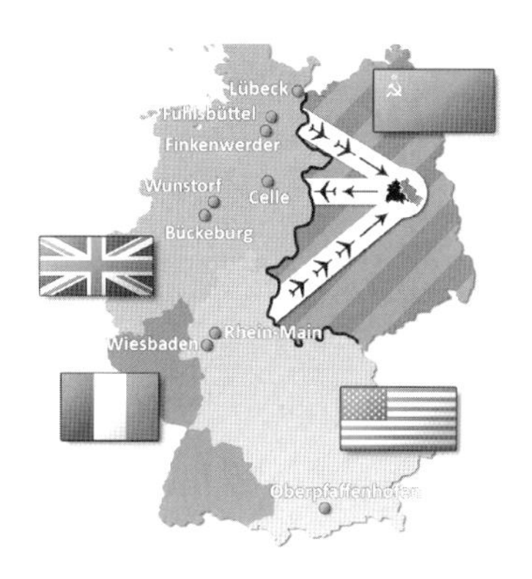

Am 12. Mai 1949 gaben die Sowjets endgültig auf. Ihr Ziel – ganz Berlin zu vereinnahmen und zur Hauptstadt des Deutschlands in ihrer damaligen Besatzungszone zu erklären – hatten sie nicht erreicht. Die Westmächte verteidigten zwar erfolgreich Westberlin, aber eine Spaltung Berlins und Deutschlands konnte damit nicht mehr verhindert werden. Nach der Beendigung der Luftbrücke war die Gründung zweier deutscher Nachkriegsstaaten besiegelt. Noch 1949 entstanden die Bundesrepublik Deutschland mit Bonn als Hauptstadt und die Deutsche Demokratische Republik mit Ostberlin als Hauptstadt.

* Währungsreform = Veränderung der Geldeinheiten eines Landes

 Textarbeit

a) Was steht im Text? Markieren Sie die richtige Antwort.

1. Westberlin wird im Text beschrieben
   - a) ❒ als ein Gebiet, das zwischen Ost- und Westdeutschland liegt.
   - b) ❒ als ein Ort, an dem alle Berliner 1948 DM-Ost erhielten.
   - c) ❒ als eine Insel, die von sowjetischen Truppen umgeben ist.

2. Die Sowjets wollten
   a) ❒ eine eigenständige Währung für ganz Berlin.
   b) ❒ die Durchsetzung der DM-Ost als Zahlungsmittel in Westberlin.
   c) ❒ die Einführung der DM-West in Westberlin.
3. Die Blockade hatte zur Folge,
   a) ❒ dass die Ostberliner nicht mehr nach Westberlin durften.
   b) ❒ dass die Westberliner aus der Luft versorgt werden mussten.
   c) ❒ dass die Westalliierten ihre Truppen aus Westberlin abzogen.
4. Die Sowjets verhängten eine Blockade,
   a) ❒ weil sie ganz Berlin in ihren Machtbereich einbeziehen wollten.
   b) ❒ weil sie die Berliner Zufahrtswege besser kontrollieren wollten.
   c) ❒ weil sie den Luftkorridor nicht akzeptierten.
5. Die Westmächte
   a) ❒ vereinnahmten ganz Berlin.
   b) ❒ gaben kampflos auf.
   c) ❒ hielten der Blockade stand.
6. Nach Beendigung der Blockade
   a) ❒ hatten die Sowjets ihr Ziel erreicht.
   b) ❒ war die Teilung der Stadt Berlin unausweichlich.
   c) ❒ wird Westberlin die Hauptstadt der Bundesrepublik.

b) Was gehört zusammen?

etwas zum Anlass für eine Machtprobe	... erhalten
einen Befehl	... einbeziehen
Vereinbarungen	... vereinnahmen
Straßen und Schifffahrtswege	... verhängen
eine Währungsreform	... zwingen
in der Falle	... transportieren
eine neue Währung	... nehmen
Berlin	... erklären
Milchpulver und Kohlen	... sperren
die Truppen zum Abzug	... für null und nichtig erklären
Berlin in den sowjetischen Machtbereich	... sitzen
eine totale Blockade	... respektieren
Berlin zur Hauptstadt	... durchführen

c) Beantworten Sie die Fragen.

1. Wie war das Verhältnis der vier Siegermächte untereinander im Jahr 1948?

   ....

2. Welche Währungen wurden in Deutschland im Jahr 1948 eingeführt und wo genau?

   ....

3. Was hatten die sowjetischen Besatzer mit Berlin vor?

   ....

4. Wie reagierten die Sowjets auf den Widerstand der Westalliierten gegen die DM-Ost in Westberlin?

   ....

5. Was war die Luftbrücke und warum richteten die Westalliierten diese ein?

   ....

6. Was geschah am 12. Mai 1949?

   ....

7. Wie sah die Lage in Berlin nach dem 12. Mai 1949 aus?

   ....

d) Ergänzen Sie in der Textzusammenfassung die fehlenden Wörter. Orientieren Sie sich am Text B1.

Die Westalliierten setzen am 20. Juni 1948 in ihren Besatzungszonen ....(1) durch. Auch die SBZ ....(2) eine neue Währung. Auf Wunsch der sowjetischen ....(3) sollte die DM-Ost in ganz Berlin gelten. Damit waren die Westalliierten nicht ....(4) und erklärten die DM-Ost in Westberlin für ....(5). Die Sowjets rächten sich und sperrten alle ....(6) zum Westteil Berlins ab. Die sowjetische Führung wollte Gesamtberlin ....(7) und die Westalliierten zum Abzug der Truppen zwingen. Die Westalliierten machten jedoch keine Zugeständnisse, sondern organisierten ....(8). Die Westberliner wurden fast ein Jahr mithilfe von ....(9) versorgt. Die Piloten flogen sogar Kohlen nach Westberlin. Am 12. Mai 1949 ....(10) die Sowjets die Blockade. Sie hatten ihr ....(11) nicht erreicht.

e) Welches Wort gehört nicht in die Reihe?

1. gültig sein – in Kraft sein – im Umlauf sein – Kraft haben – gelten – Geltung haben ....
2. abrechnen – abzahlen – abstrafen – rächen – heimzahlen – ahnden ....
3. der Grund – das Motiv – die Tatsache – die Ursache – der Anlass – der Anstoß ....
4. umgehen – umgeben – umzingeln – umringen – umkreisen – einkreisen ....
5. wertlos – null und nichtig – nutzlos – ungültig – entwertet – verfallen ....
6. die Anordnung – der Befehl – die Bestimmung – das Gebot – die Anweisung – das Verbot ....
7. Druck ausüben – zwingen – Zwang ausüben – sich drücken – nötigen – erzwingen ....
8. die Errichtung – die Begründung – die Gründung – die Entstehung – der Aufbau – die Schaffung ....

B3 Quiz: Die Luftbrücke – Hilfe aus den Wolken
Nutzen Sie auch die Informationen aus dem Text B1.

1. Die Luftbrücke dauerte
   a) ❒ 322 Tage b) ❒ 122 Tage c) ❒ 422 Tage
2. In welchen Zeitabständen landeten die Flugzeuge in Spitzenzeiten auf den Westberliner Flughäfen?
   a) ❒ alle fünf Minuten b) ❒ jede Minute c) ❒ alle drei Minuten
3. Wie viele Westberliner mussten aus der Luft versorgt werden?
   a) ❒ etwa eine Million b) ❒ etwa zwei Millionen c) ❒ etwa drei Millionen
4. Was transportierten die Flugzeuge der Westalliierten?
   a) ❒ alles, was zum Leben benötigt wurde b) ❒ hauptsächlich Süßigkeiten c) ❒ Rosinen und Lebensmittel

B4 Verfilmte Geschichte
Berichten Sie über Filme, die geschichtliche Ereignisse darstellen.

◊ Welcher Film hat Sie am meisten beeindruckt, welcher Film hat Sie enttäuscht?
◊ Welches geschichtliche Ereignis sollte Ihrer Meinung nach unbedingt noch (einmal) verfilmt werden?

Filmtipp zum Thema Luftbrücke

Die Luftbrücke – Nur der Himmel war frei

Drei Jahre nach Kriegsende blockieren sowjetische Truppen alle Zufahrtswege ins zerstörte Westberlin. Im Minutentakt landen auf dem Tempelhofer Flughafen die „Rosinenbomber", um die Versorgung der Stadt sicherzustellen. Inmitten dieser dramatischen Situation findet sich die junge Mutter Luise Kielberg zwischen zwei Männern wieder: zwischen ihrem nach Jahren der Ungewissheit aus der Kriegsgefangenschaft heimgekehrten und traumatisierten Ehemann, dem Arzt Alex, und dem US-General und Luftbrücken-Strategen Philip Turner, bei dem Luise als Sekretärin arbeitet. Während die politische Lage sich zuspitzt und der nahende Winter die Flugmanöver der Piloten immer riskanter werden lässt, muss sich Luise zwischen Vernunft und Liebe entscheiden …

Feste Verbindungen

Teil C

etwas bauen	sich im Bau befinden
etwas abschließen	etwas zum Abschluss bringen
↓	↓
einfaches Verb	feste Verbindung aus Nomen und Verb

- gibt der Sprache einen offiziellen Charakter
- Feste Verbindungen werden gerne in der Wissenschaft, auf Ämtern oder in der Politik verwendet.
  (siehe auch Erkundungen B2, Kapitel 6)

C1 Ordnen Sie die richtigen Verben zu. Einige Verben können mehrfach zugeordnet werden.

(1) etwas zum Abschluss → (b)
(2) Einfluss
(3) Entscheidungen
(4) Begeisterung
(5) Anforderungen
(6) Rücksicht
(7) etwas zum Anlass
(8) Weichen
(9) etwas in Betracht
(10) Anstoß
(11) Kritik
(12) auf Distanz
(13) einen Standpunkt

(a) üben
(b) bringen
(c) nehmen
(d) ziehen
(e) treffen
(f) zeigen
(g) stellen
(h) vertreten
(i) ausüben
(j) gehen

C2 Ergänzen Sie die fehlenden Verben aus C1.

- Die Kommission *brachte* heute ihre viermonatige Arbeit zum Abschluss.

1. Das .... der Kanzler zum Anlass, eine Fraktionssitzung einzuberufen.
2. Bei der Erarbeitung der Vorschläge wurde auf alle Parteien Rücksicht ....
3. Die Anforderungen, die an die Kommission .... wurden, waren hoch.
4. Alle Regierungsmitglieder .... Begeisterung für die Vorschläge.
5. Auch der Bundeskanzler machte deutlich, welchen Standpunkt er ....
6. Die Oppositionspolitiker .... zu den Vorschlägen auf Distanz.
7. Sie .... an mehreren Punkten Kritik.
8. Besonderen Anstoß .... sie am Vorschlag zur Kürzung des Arbeitslosengeldes.
9. Eine Änderung der Vorschläge würde nicht mehr in Betracht ...., meinte der Kanzler.
10. Die Entscheidungen sind ...., die Weichen für die Zukunft sind ....
11. Die Kommissionsvorschläge werden einen großen Einfluss auf die zukünftige Arbeitsmarktpolitik ....

C3 Suchen Sie die passenden Verben. Manchmal sind mehrere Lösungen möglich.

- ein Ende *nehmen*

1. etwas in Angriff ....
2. zu Wort ....
3. in Mode ....
4. Eindruck ....
5. auf einem Standpunkt ....
6. sich ein Beispiel ....
7. ein Gespräch ....
8. in Erfüllung ....
9. sich an die Arbeit ....
10. sich mit jemandem in Verbindung ....
11. eine Rolle ....
12. etwas in Kauf ....
13. etwas in Erfahrung ....

C4 Ergänzen Sie die fehlenden Verben aus C3.

◊ Die Sitzung *nahm* mal wieder kein Ende.
1. Die Theatervorstellung hat auf mich großen Eindruck ....
2. Der deutsche Verteidigungsminister .... Gespräche mit seinem französischen Amtskollegen.
3. Nicht alle Wünsche können in Erfüllung ....
4. Jetzt müssen wir die Sache endlich mal in Angriff ....
5. Lange Röcke sind wieder in Mode ....
6. Ich muss mich gleich morgen an die Arbeit ...., sonst kann ich den Termin nicht einhalten.
7. Herbert hat zu lange geredet, deshalb bin ich in der Sitzung nicht mehr zu Wort ....
8. Wenn du was erreichen willst, solltest du dich noch mal mit dem zuständigen Bearbeiter in Verbindung ....
9. Die optische Gestaltung der Homepage .... für uns eine große Rolle.
10. Ich .... in dieser Frage auf einem ganz anderen Standpunkt.
11. An seinem Fleiß solltest du dir ein Beispiel ....!
12. Wenn du etwas Besonderes willst, musst du den hohen Preis in Kauf ....
13. Könntest du mal in Erfahrung ...., wie lange die Lieferzeit für meinen neuen Sportwagen ist?

C5 Bilden Sie aus den Nomen-Verb-Verbindungen *einfache* Verben.

◊	einen Antrag stellen	*etwas beantragen*
1.	einen Beschluss fassen	....
2.	jemandem einen Vorwurf machen	....
3.	von jemandem Abschied nehmen	....
4.	auf etwas Rücksicht nehmen	....
5.	etwas in Erwägung ziehen	....
6.	Unterstützung bieten	....
7.	Protest erheben	....
8.	Hilfe leisten	....
9.	auf etwas Bezug nehmen	....
10.	auf jemanden/etwas Einfluss nehmen	....
11.	Protokoll führen	....
12.	eine Rede halten	....
13.	eine Verabredung treffen	....
14.	in Streik treten	....
15.	Vorbereitungen treffen	....
16.	Anstrengungen unternehmen	....

C6 Beantworten Sie die Fragen mit einem *einfachen* Verb.

◊	Habt ihr das Projekt zum Abschluss gebracht?	Ja, wir haben es *abgeschlossen*.
1.	Hast du schon eine Entscheidung getroffen?	Ja, ich hab mich schon ....
2.	Hast du das Problem zur Sprache gebracht?	Ja, ich habe es auf der Sitzung ....
3.	Hat dir der Beamte darüber Auskunft erteilt?	Ja, er hat mich ausführlich ....
4.	Habt ihr der Firma den Auftrag gegeben?	Ja, wir haben die Firma ....
5.	Hegst du noch Zweifel an seiner Aussage?	Ja, ich .... sie.
6.	Hast du dir wirklich Mühe gegeben?	Ja, ich habe mich wirklich ....
7.	Hat er deine Hilfe in Anspruch genommen?	Ja, er hat meine Hilfe ....
8.	Ist der Streit jetzt zu Ende?	Ja, er ist ....

Partizipien und Adjektive als Nomen

Teil C

Als Nomen gebrauchte Partizipien und Adjektive werden wie Adjektive dekliniert. Besonders deutlich wird dies beim Gebrauch unterschiedlicher Artikel: *der Abgeordnete – ein Abgeordneter.*

Ergänzen Sie das Adjektiv als Nomen. Achten Sie auf den Kasus.

◊ Der Erste, der fertig ist, bekommt eine Belohnung. *(erst-)*
1. Louis Braille entwickelte 1825 eine Schrift für .... *(blind)*
2. Sie liebt ihre Arbeit mit den .... *(krank)*
3. Die meisten .... bereiteten den .... einen herzlichen Empfang. *(einheimisch, fremd)*
4. Er ist kein Schwede, er ist ein .... *(deutsch)*
5. Der Bürgermeister bedankte sich bei den .... für ihren Einsatz. *(freiwillig)*
6. Alle außer dem .... wohnen jetzt in der Stadt. *(jüngst-)*
7. Trinkst du ein .... oder ein ....? *(hell, dunkel*)* [* Es handelt sich um Bier.]
8. Der Boxer landete den Treffer mit seiner .... *(links)*

Konjunktiv I

Teil C

Die indirekte Rede

Der Oppositionsführer sagte, die jetzige Regierung sei nicht in der Lage, den Staatshaushalt zu sanieren.

▶ Aussagen von anderen Personen werden im offiziellen Sprachgebrauch, z. B. in den Nachrichten oder in anderen offiziellen Berichten, im Konjunktiv I wiedergegeben.

Gegenwart

	können		werden		haben		sein
	Konj. I	**Konj. II**	**Konj. I**	**Konj. II**	**Konj. I**	**Konj. II**	**Konj. I**
ich	könne		werde	(würde)	habe	(hätte)	sei
du	könnest		werdest		habest		sei(e)st
er/sie/es	könne		werde		habe		sei
wir	können	(könnten)	werden	(würden)	haben	(hätten)	seien
ihr	könnet		werdet		habet		seiet
sie/Sie	können	(könnten)	werden	(würden)	haben	(hätten)	seien

→ Wenn der Konjunktiv I mit dem Indikativ identisch ist, wird er durch den Konjunktiv II ersetzt.
Die am häufigsten verwendeten Formen sind: 3. Person Singular und 3. Person Plural.

Vergangenheit

Aktiv:
Der Minister sagte: „Ich war in Frankreich und habe mit dem Außenminister gesprochen."

Der Minister sagte, er sei in Frankreich gewesen und habe mit dem Außenminister gesprochen.

→ Konjunktiv I von *haben* oder *sein* + Partizip II

Passiv:
Der Minister sagte: „Die Arbeitssituation ist verbessert worden."

Der Minister sagte: „Die Arbeitssituation sei verbessert worden."

→ Konjunktiv I von *sein* + Partizip II + *worden*

Perspektivenwechsel
Der Bundeskanzler sagte: „Ich werde die hohe Arbeitslosigkeit bekämpfen."

Der Bundeskanzler sagte, er werde die hohe Arbeitslosigkeit bekämpfen.

C8 Missverständnisse im Büro
Erzählen Sie die Ereignisse im Büro weiter. Geben Sie die folgenden Aussagen der Personen im Konjunktiv I wieder.

1. **Peter:** „Ich kann heute nicht arbeiten, ich bin krank."
   Peter rief an und sagte, er könne heute nicht arbeiten, er ....
2. **der Chef:** „Heute kommen die Kunden aus Paris. Ich hoffe, alles ist organisiert."
   ....
3. **die Sekretärin:** „Ich wusste nicht, dass die Kunden heute vorbeikommen. Niemand hat mir etwas davon gesagt."
   ....
4. **Sabine:** „Ich bin darüber auch nicht informiert worden. Klaus hat mal wieder nicht mit mir gesprochen."
   ....
5. **Klaus:** „Ich will auf keinen Fall der Schuldige an dem Missverständnis sein. Ich habe alle Informationen weitergegeben."
   ....
6. **Otto:** „Diese Kommunikationsstörungen gibt es schon lange. Warum versuchen wir nicht, die Situation zu verbessern?"
   ....
7. **Martine:** „Ich halte es für das Beste, wenn die ganze Abteilung mal an einem Teambildungsworkshop teilnimmt."
   ....
8. **der Chef:** „Das ist eine tolle Idee. Auf diese Weise können wir die Probleme aus dem Weg räumen und alles funktioniert wieder reibungslos."
   ....

Aufforderungen und Appelle

Den Konjunktiv I in der Aufforderung findet man heute kaum noch. Früher war er häufig in Rezepten *(man nehme ein Ei)* oder Bedienungsanleitungen zu finden.
Die meisten Anweisungen, z. B. in Kochbüchern oder Bedienungsanleitungen, werden heute im Imperativ gegeben: *Nehmen Sie ein Ei.*
Auch in der pathetischen Rhetorik sind Konjunktiv I-Formen zu finden: *Es lebe der König! Man höre und staune! Möge der Herr ihm den richtigen Weg weisen!*

C9 Lesen Sie das Gedicht von Katharina Elisabeth Goethe (1731–1808) und unterstreichen Sie die Verben im Konjunktiv I.

Rezept für ein ganzes Jahr

Man nehme 12 Monate,
putze sie ganz sauber von Bitterkeit, Geiz, Pedanterie und Angst
und zerlege jeden Monat in 30 oder 31 Teile,
so dass der Vorrat genau für ein Jahr reicht.

Es wird jeder Tag einzeln angerichtet
aus 1 Teil Arbeit und 2 Teilen Frohsinn und Humor.
Man füge 3 gehäufte Esslöffel Optimismus hinzu,
1 Teelöffel Toleranz, 1 Körnchen Ironie und 1 Prise Takt.
Dann wird die Masse sehr reichlich mit Liebe übergossen.

Das fertige Gericht schmücke man
mit Sträußchen kleiner Aufmerksamkeiten
und serviere es täglich mit Heiterkeit
und mit einer guten erquickenden Tasse Tee …

Katharina Elisabeth Goethe (1731–1808)

Imperativ *(Wiederholung)*

Teil C

Eine Bitte oder eine Aufforderung richtet man an eine oder mehrere Personen: informell: du bzw. ihr, formell: Sie.

Singular

Fang nie mit dem Anfang an!

Bei der Anrede mit du fallen die Endung *-st* und das Personalpromen weg:
- du fragst → Frag!
- du arbeitest → Arbeite!
- du nimmst → Nimm!

Sonderformen: du wirst → Werde nicht unsachlich!
du läufst → Lauf!
du fängst an → Fang an!
du hast → Hab nur Mut!
du bist → Sei ganz aufmerksam!

Plural

Fangt nie mit dem Anfang an!

Bei der Anrde mit ihr bleibt die Verbform unverändert. Das Personalpronomen fällt weg:
ihr fragt = Fragt!
ihr arbeitet = Arbeitet!
ihr nehmt = Nehmt!

Höflichkeitsform (Singular und Plural)

Fangen Sie nie mit dem Anfang an!

Die formelle Anrede entspricht der 3. Person Plural. Das Personalpronomen Sie wird nachgestellt:
- Sie fragen → Fragen Sie!

C10 Ergänzen Sie den Imperativ und die Höflichkeitsform.

Infinitiv	Imperativ: Singular	Imperativ: Plural	Höflichkeitsform
nehmen	*Nimm!*	*Nehmt!*	*Nehmen Sie!*
helfen	....	....	....
essen	....	....	....
vergessen	....	....	....
aufhören	....	....	....
sich bewerben	....	....	....
lesen	....	....	....
einsteigen	....	....	....
sprechen	....	....	....
messen	....	....	....
fahren	....	....	....

C11 Ergänzen Sie die Verben im Imperativ Singular.

anrufen ◊ abschließen ◊ abnehmen ◊ vergessen ◊ vorwerfen ◊ lesen ◊ sein ◊ verstehen ◊ argumentieren ◊ essen ◊ bringen

1. .... ihm seine Unentschlossenheit nicht ...., es ist wirklich eine schwere Entscheidung.
2. .... doch nicht so chaotisch, so kannst du niemanden überzeugen!
3. .... mir doch mal den Stapel Papiere ...., sonst fällt gleich alles runter.
4. .... das Paket bitte heute noch zur Post.
5. .... nicht so viel Süßes, sonst wird dir schlecht.
6. .... doch bitte mal das Protokoll, es ist ja unglaublich, was da drinsteht.
7. .... mich bitte nicht falsch, ich habe es doch nur gut gemeint.
8. .... bitte Frau Wendt heute noch ....!
9. .... nicht, dass heute Abend der Empfang ist.
10. .... doch bitte so freundlich und .... die Tür richtig ...., wenn du heute Abend die Letzte im Haus bist.

Rückblick

 Hier finden Sie die wichtigsten Redemittel des Kapitels.

Geschichte

- sich für Geschichte interessieren/sich über Geschichte informieren
- Ein geschichtliches Ereignis ist von großer Bedeutung.
- das Fach Geschichte mögen

Die deutsche Teilung
- die Alliierten/die Besatzungsmächte
- die Teilung Deutschlands beschließen
- Deutschland in Sektoren/Besatzungszonen einteilen/aufteilen
- Eine Währungsreform findet statt./eine neue Währung einführen
- neue Staaten gründen
- das Wirtschaftssystem an das System der Besatzungsmächte koppeln
- eine unterschiedliche ökonomische Entwicklung nehmen
- Die Planwirtschaft hält Einzug.
- Es kommt zu Streiks und Demonstrationen.
- einen Aufstand niederschlagen
- Armeen entstehen/werden gegründet
- aus einem Land fliehen
- Die Anzahl der Flüchtlinge steigt./Der Flüchtlingsstrom schwillt dramatisch an.
- eine Mauer bauen
- Grenzübergänge abriegeln/den S-Bahnverkehr einstellen/Autofahrer zurückweisen/Sperren aufbauen
- etwas als kurzzeitige Übergangslösung betrachten

Das Leben in der DDR
- Kinder ganztags betreuen
- als Jungpioniere blaue Halstücher tragen/Pioniernachmittage und Fahnenappelle haben
- Ganztagsbetreuung ist üblich.
- Erziehung zu Gruppenmenschen und treuen Staatsbürgern
- Abiturienten nach Kriterien wie Herkunft und schulischer Leistung auswählen
- Mitglied der *Freien Deutschen Jugend* werden
- Die Jugendweihe/Die Teilnahme an Jugendstunden ist verpflichtend.
- lernen, mit zwei Meinungen zu leben
- heimlich westliche Fernsehsender sehen/für westliche Popmusik schwärmen
- politische Ansichten nur im Freundeskreis austauschen
- Lehrstellenmangel/Arbeitslosigkeit/Zukunftsangst sind unbekannt.

Ostalgie
- „Heimweh nach dem Osten"
- das Gefühl des Verlustes von Heimat haben
- Trauer über das Verschwinden der DDR und ihrer Symbole empfinden
- einen Identitätsverlust auslösen
- sich im Tragen von Kleidung mit DDR-Symbolen u. ä. bemerkbar machen

Politik

- das Wirtschaftssystem: freie soziale Marktwirtschaft/sozialistische Planwirtschaft
- das politische System: parlamentarische Demokratie/sozialistischer Staat (Diktatur des Proletariats)
- die Landesstruktur: föderale Republik/zentralistischer Staat
- die Verfassung: das Grundgesetz
- der Gesetzgeber: der Bundestag
- das Staatsoberhaupt
- der Regierungschef/die Regierungschefin
- der Nationalfeiertag
- die Bündniszugehörigkeit
- einen Politiker schätzen/ablehnen/kritisieren
- sich von jemandem/etwas beeinflussen lassen
- eine Partei gründen
- sich an einer Arbeitsniederlegung/einem Streik/einer politischen Diskussion beteiligen

Wahlen

- das Wahlrecht/wahlberechtigt sein
- an einer Kommunalwahl/Landtagswahl/Bundestagswahl teilnehmen
- Meinungsumfragen zufolge liegt der Kandidat/die Kandidatin weit/knapp vor/hinter …
- eine Wahlprognose erstellen/das Wahlergebnis vorhersagen
- einen (fairen) Wahlkampf führen
- Wahlveranstaltungen besuchen/bei Wahlveranstaltungen auftreten
- für/gegen jemanden stimmen/seine Stimme abgeben/einen Spitzenkandidaten/eine Spitzenkandidatin wählen
- Die Stimmen werden ausgezählt.
- Die Wahlbeteiligung beträgt … Prozent.
- Erste Hochrechnungen sind gegen 18.00 Uhr zu erwarten.
- Das Wahlergebnis liegt vor.
- die Mehrheit bekommen/erhalten/erzielen/erreichen
- eine knappe Mehrheit erhalten – ein Kopf-an-Kopf-Rennen gewinnen/verlieren
- Verluste erleiden, ein schlechtes/gutes Wahlergebnis/Gewinne erzielen/verzeichnen
- die Ergebnisse auswerten/besprechen/Schlussfolgerungen ziehen

Die Luftbrücke

- ◇ etwas zum Anlass für eine Machtprobe nehmen
- ◇ eine Krise eskaliert
- ◇ sich an jemandem rächen
- ◇ einen Befehl für null und nichtig erklären
- ◇ eine Blockade verhängen
- ◇ Land- und Wasserwege blockieren
- ◇ eine Stadt/ein Land umzingeln/abriegeln/absperren/ vereinnahmen
- ◇ etwas erzwingen wollen
- ◇ in der Falle sitzen
- ◇ nicht nachgeben/klein beigeben
- ◇ die Bevölkerung über den Luftweg/die Luftbrücke versorgen
- ◇ eine Festung ohne Gewaltanwendung halten
- ◇ etwas erfolgreich verteidigen
- ◇ endgültig aufgeben

Evaluation
Überprüfen Sie sich selbst.

Ich kann	gut	nicht so gut
Ich kann über wichtige geschichtliche und politische Ereignisse sowie über Politiker und Wahlen berichten und diskutieren.	❒	❒
Ich verfüge über die notwendigen Redemittel für eine Diskussion, kann meine Meinung deutlich machen, Zweifel anmelden, etwas klarstellen, jemanden unterbrechen und eine Diskussion leiten und strukturieren.	❒	❒
Ich kann mich zu ausgewählten Themen wie *Politik ist Privatsache* oder *Was kennzeichnet einen guten Politiker?* zusammenhängend und strukturiert äußern.	❒	❒
Ich kann populärwissenschaftliche und literarische Texte über politische oder geschichtliche Ereignisse verstehen und zusammenfassen.	❒	❒
Ich besitze einige landeskundliche Informationen über wichtige geschichtliche Ereignisse nach dem Zweiten Weltkrieg und über Parteien und Wahlen in Deutschland.	❒	❒
Ich kann Gehörtes und Gesagtes mithilfe der indirekten Rede wiedergeben.	❒	❒
Ich kenne die Elemente einer guten und einer schlechten Rede und kann Empfehlungen für eine gute Rede geben.	❒	❒
Ich kann populärwissenschaftliche Lesetexte über das Thema *Luftbrücke* verstehen. *(fakultativ)*	❒	❒

Kapitel 7

Ton, Bild und Wort

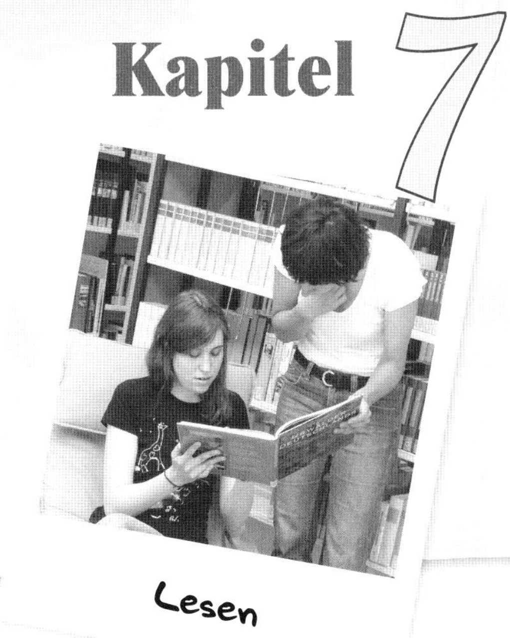

Lesen

Musik und ihre Wirkung

Teil A

(A1) Partnerarbeit

Sie sind zu Gast in München und wollen heute Abend mit Ihrer Gesprächspartnerin/Ihrem Gesprächspartner in ein Konzert gehen. Vergleichen Sie die Angebote miteinander und begründen Sie Ihre Wahl. Gehen Sie auf die Meinung Ihrer Gesprächspartnerin/Ihres Gesprächspartners ein. Treffen Sie am Ende gemeinsam eine Entscheidung.

Musical
Die Absolventen der Hochschule für Musik und Schauspielkunst präsentieren George Gershwins „Crazy for you". Eintritt: frei.

Ein klassisches Konzert
In der Philharmonie am Gasteig hören Sie unter anderem Mozarts Konzerte für Klavier und Orchester Nr. 14 und 15. Eintrittskarten ab 20 Euro.

Ein Volksmusikabend
Ein besonderes Erlebnis für Volksmusikfreunde: Bayerische Volksmusik live in der Gaststätte Paulaner. Genießen Sie die Musik bei Bier und bayerischen Spezialitäten. Eintritt: frei.

Ein Flamenco-Konzert
Im Brunnenhof der Residenz spielt der in Deutschland (Essen) geborene Flamenco-König Rafael Cortéz mit seiner Gruppe. Karten für einen heißblütigen Flamenco-Abend ab 30 Euro.

Ein Jazz-Konzert
Im Jazzklub Unterfahrt spielt der Schlagzeuger Wolfram Dix. Zusammen mit den Tänzern Sebastian Weber und der Inderin Smruti Patel können Sie eine einzigartige Aufführung von Klang und Bewegung miterleben. Eintritt: 5 Euro.

Rockkonzert
Open-Air-Konzert auf dem Königsplatz: Eric Clapton. Nur noch einzelne Karten ab 56 Euro. Heute Abend.

Vorschläge machen
- Ich schlage vor, dass …
- Vielleicht sollten wir …
- Mir würde … am besten gefallen.

Sich einigen
- Was halten Sie/hältst du von …?
- Das ist zwar eine gute Idee, aber …
- Vielleicht können wir uns darauf einigen, dass …

 Partnerarbeit: Fragen Sie Ihre Nachbarin/Ihren Nachbarn und berichten Sie anschließend, was Sie von Ihrer Nachbarin/Ihrem Nachbarn erfahren haben.

1. Welche Musik hören Sie am liebsten?
2. Welche Musik mögen Sie überhaupt nicht?
3. Was halten Sie von Musicals, Operetten und Opern?
4. Wann hören Sie Musik?
5. Können Sie bei Musik lesen oder lernen? Wenn ja, bei welcher Art von Musik?
6. Hören Sie manchmal Musik, um sich zu beruhigen oder zu entspannen?

 Die Wirkung von Musik

a) Lesen Sie den folgenden Text und wählen Sie das richtige Wort (a, b oder c).

Die unheimliche Wirkung von Musik

.....................(1) es die Musik nicht geben würde, dann ....(2) sie erfunden werden. Denn keine andere Kunst kann uns so beruhigen, be-

schwingen, beglücken oder traurig machen wie Musik. Sie greift tief in unsere emotionale Balance ein, aktiviert das Belohnungssystem im Gehirn und wirkt auf das zentrale Nervensystem. Der ....(3) für die Vielzahl der Reaktionen ....(4) in der Wirkungsweise von Musik auf unser Gehirn: Es registriert und verarbeitet Musik gleichzeitig in vielen seiner Regionen.

Musik ....(5) unsere Erinnerungsregionen mit den kognitiven Hirnbereichen kommunizieren und mäßigt die sogenannten stresshormonellen Netzwerke. ....(6) ist Musik sogar in der Lage, körperliche Wirkungen zu ....(7). Sie kann zum Beispiel Schmerzen lindern. Studien beweisen, dass bei Menschen, die ihre Lieblingsplatten hören, sehr oft Gänsehaut, Tränen oder erhöhter Puls festzustellen sind. Aber nicht alle Menschen reagieren auf ....(8) Musik gleich, ...(9) Musik, die man kennt, ist automatisch mit persönlichen Erfahrungs- und Erinnerungsmustern gekoppelt.

1. a) Wann b) Wenn c) Als
2. a) musste b) muss c) müsste
3. a) Bedingung b) Grund c) Voraussetzung
4. a) liegt b) steht c) kommt
5. a) macht b) ist c) lässt
6. a) Davon b) Dadurch c) Darüber
7. a) erzielen b) bekommen c) haben
8. a) derselben b) dieselben c) dieselbe
9. a) denn b) deswegen c) weil

b) Ergänzen Sie in der Übersicht die fehlenden Präpositionen und vergleichen Sie die Angaben mit Ihren eigenen Erfahrungen. Diskutieren Sie darüber mit Ihrem Nachbarn/Ihrer Nachbarin.

die Wirkung .... Musik

- Musik trägt .... Beruhigung und Entspannung bei.
- Musik ist ....der Lage, Schmerzen zu lindern.
- Laute Musik .... Kneipen animiert die Gäste .... schnellem Trinken.
- .... Studien wurde bewiesen, dass Musik die körperliche Ausdauer .... sportlichen Aktivitäten .... 15 Prozent erhöhen kann.
- Musik kann .... uns Glück oder Trauer hervorrufen.
- Musik unterstützt das Gehirn .... Lernen.
- Musik ist .... persönlichen Erfahrungen und Erinnerungen gekoppelt.

Zusatzübungen zu verschiedenen Präpositionen ⇨ Teil C Seite 208

Johann Sebastian Bach und die Thomaner

A4 Berichten Sie.

- Wann waren Sie das letzte Mal in einem Konzert, einer Oper oder einem Musical?
- Kennen und mögen Sie die Musik von Johann Sebastian Bach?

A5 Einige biografische Daten zu Johann Sebastian Bach
Bilden Sie aus den angegebenen Informationen Sätze.

1685	geboren in Eisenach
1695	Aufnahme beim älteren Bruder Johann Christoph in Ohrdruf
1700–1702	Besuch der Michaelisschule in Lüneburg
1703	Hofmusiker und Lakai in Weimar
1703-1707	Organist an der Neuen Kirche in Arnstadt
1707	Organist in Mühlhausen Eheschließung mit Maria Barbara in Dornheim
1708–1717	Kammermusiker, ab 1714 Konzertmeister am Hof von Sachsen-Weimar
1717–1723	Kapellmeister des Fürsten Leopold von Anhalt-Köthen
1720	Tod seiner ersten Frau (sieben gemeinsame Kinder)
1721	Eheschließung mit Anna Magdalena (13 gemeinsame Kinder)
1723	Wahl zum Thomaskantor in Leipzig

A6 Lesen Sie den folgenden Text.

Johann Sebastian Bach in Leipzig

Im Jahre 1722 suchte die Stadt Leipzig einen neuen Kantor für die Thomaskirche, ein ehrenwertes und anspruchsvolles Amt, denn der Dienst erforderte eine doppelte Qualifikation. Der Thomaskantor musste nicht nur ein ausgezeichneter Kirchenmusiker sein, sondern auch als Lehrer an der Thomasschule arbeiten. Im 16. und 17. Jahrhundert war es den Leipzigern immer gelungen, das Amt mit Bewerbern zu besetzen, die als Musiker und als Pädagogen gleichermaßen bedeutend waren. Ihnen war zu verdanken, dass sich das Thomaskantorat wegen der zahlreichen Messegäste zu einem überregionalen Aushängeschild der Stadt entwickelte.

Im Herbst 1722 fiel die Wahl auf Georg Philipp Telemann. Doch Telemann, der als Musikdirektor in Hamburg tätig war, wollte lieber seinen Neigungen als Opernkomponist nachgehen und erteilte Leipzig eine Absage. Auch mit der zweiten Wahl hatte man kein Glück. Sie fiel auf Christoph Graupner, der als ein Lieblingsschüler der ehemaligen Thomaskantoren galt und als Kapellmeister in Darmstadt eine Anstellung gefunden hatte. Der Landgraf von Hessen-Darmstadt verweigerte Graupner die Freigabe.

Am 22. April 1723 wurde Johann Sebastian Bach, Konzertmeister in Weimar und Kapellmeister des Hofes von Anhalt-Köthen, zum Kantor der Thomaskirche in Leipzig gewählt. Im Vergleich zu Telemann und Graupner erschien Bach weniger qualifiziert. Ihm fehlte eine höhere akademische Ausbildung und so tauchten Zweifel an seiner pädagogischen Eignung auf. Als Kirchenkomponist konnte Bach vergleichsweise wenige, wenn auch bedeutende Kompositionen vorweisen und sein hohes Ansehen als Orgelspieler nützte ihm nicht viel, denn der Organistendienst gehörte nicht zu den Amtspflichten. Heute ist der Name Graupner fast vergessen und Telemann wird oft als ein Vielschreiber abgetan.

Am 5. Mai 1723 erschien Bach in der Ratsstube von Leipzig, wurde vom Bürgermeister Lange in sein Amt berufen, versprach „alle Treu und Fleiß" und unterzeichnete einen Vertrag, in dem seine Pflichten festgehalten waren. Die Erteilung von Lateinunterricht wurde ihm gegen eine Kürzung des Gehalts um 50 Taler im Jahr erlassen. Anschließend musste sich Bach noch einer Prüfung durch den Theologieprofessor Johann Schmid unterziehen.

In den ersten Jahren seiner Amtszeit hat Bach mit unerschöpflicher Fantasie und eiserner Selbstdisziplin eine kaum nachvollziehbare Arbeitsleistung vollbracht. Nahezu Sonntag für Sonntag, zusätzlich noch für die zahlreichen Festtage, die man mit Gottesdiensten beging, sind Kantaten entstanden. Im Verlauf von zweieinhalb Jahren komponierte Bach 150 Kirchenkantaten. 1724 erklang erstmals die ⇨

Johannes-Passion, 1727 wurde, so die Überlieferung, die Matthäus-Passion erstmals aufgeführt (1736 wurde sie von Bach überarbeitet).

Gegen 1730 schien Bach für eine gewisse Zeit als Thomaskantor zu resignieren. In einem Brief an seinen Jugendfreund beklagt er sich über den sozialen Abstieg vom höfischen Kapellmeister zum Kirchenmusikdirektor und ließ als einzigen Lichtblick die Universität als Ausbildungsstätte der älteren Söhne und die Hoffnung auf ein gutes Salär gelten. Doch auch in den folgenden Jahren sind repräsentative Werke, allen voran das Weihnachtsoratorium (1734/35), entstanden.

Bach litt an Altersdiabetes, die ihm in seinen letzten Jahren das Leben erschwerte und seine Arbeit behinderte. Zu Lähmungserscheinungen kam ein kontinuierliches Nachlassen der Sehkraft. In der größten Not entschied man sich für eine Augenoperation, von deren Folgen Bach sich nicht mehr erholte. Am 28. Juli 1750 verstarb er und wurde drei Tage später auf dem Johannesfriedhof in Leipzig beigesetzt. Seiner Witwe Anna Magdalena Bach wurde noch ein paar Monate Gehalt gewährt, in denen sie die Musikausübung in den Kirchen organisierte. Am Jahresende 1750 musste sie mit den Kindern die Kantorenwohnung verlassen. Sie starb in Armut am 27. Februar 1760.

Nur die 1742 geborene Tochter Regina Susanne konnte noch miterleben, wie sich seit 1800 der Ruhm des Vaters ständig vergrößerte.

A7 Textarbeit

a) Geben Sie nach den folgenden Stichpunkten den Inhalt des Textes wieder.

1. Aufgaben eines Thomaskantors
2. der Verlauf der Wahl des Thomaskantors in den Jahren 1722/1723
3. die Eignung Johann Sebastian Bachs für dieses Amt
4. die ersten zweieinhalb Jahre in Leipzig
5. die letzten Jahre Bachs

b) Ordnen Sie die passenden Verben aus dem Text zu.

(1) seinen Neigungen

(2) Zweifel an Bachs Eignung
(3) bedeutende Kompositionen
(4) als ein Vielschreiber
(5) einen Vertrag
(6) Lateinunterricht
(7) eine kaum nachvollziehbare Arbeitsleistung
(8) sich über den sozialen Abstieg
(9) sich von den Folgen der Krankheit nicht mehr

(a) vorweisen können
(b) unterzeichnen
(c) nachgehen
(d) erteilen
(e) abgetan werden
(f) erholen
(g) tauchen auf
(h) vollbringen
(i) beklagen

c) Ergänzen Sie die fehlenden Verben.

erteilen ◊ gehören ◊ festhalten ◊ komponieren ◊ leiden ◊ nachlassen ◊ versterben ◊ beisetzen ◊ erfordern ◊ wählen ◊ erklingen ◊ nützen ◊ gelingen ◊ besetzen ◊ fallen ◊ berufen

1. Der Dienst als Thomaskantor .... eine doppelte Qualifikation.
2. Im 16. und 17. Jahrhundert war es den Leipzigern immer ...., das Amt mit geeigneten Bewerbern zu ....
3. Im Herbst 1722 .... die Wahl auf Georg Philipp Telemann, der Leipzig aber eine Absage ....
4. Am 22. April 1723 wurde Johann Sebastian Bach zum Kantor der Thomaskirche ....
5. Sein hohes Ansehen als Orgelspieler .... ihm nicht viel, denn der Organistendienst .... nicht zu den Amtspflichten.
6. Am 5. Mai 1723 wurde Bach vom Bürgermeister Lange in sein Amt ....

7. In einem Vertrag waren seine Pflichten ....
8. In den ersten Jahren seiner Amtszeit .... Bach 150 Kirchenkantaten.
9. 1724 .... erstmals die Johannes-Passion.
10. In den letzten Jahren .... Bach an Altersdiabetes.
11. Auch seine Sehkraft ....
12. Am 28. Juli 1750 .... er an den Folgen einer Augenoperation und wurde drei Tage später auf dem Johannesfriedhof in Leipzig ....

A8 Nominalisierung
Verkürzen Sie die folgenden Sätze wie im angegebenen Beispiel.

◊ Weil die Ansprüche an den Thomaskantor hoch waren, erwies sich die Suche nach einem geeigneten Kandidaten als schwierig.

Wegen der hohen Ansprüche an den Thomaskantor erwies sich die Suche nach einem geeigneten Kandidaten als schwierig.

1. Es war den ehemaligen Thomaskantoren zu verdanken, dass sich das Thomaskantorat zu einem überregionalen Aushängeschild der Stadt entwickelte.

   ....

2. Nachdem Georg Philipp Telemann abgesagt hatte, fiel die Wahl zunächst auf Christoph Graupner.

   ....

3. Als man Telemann und Graupner mit Bach verglich, erschien Bach weniger qualifiziert.

   ....

4. Obwohl Bach ein hohes Ansehen als Orgelspieler genoss, war er nicht die erste Wahl der Leipziger.

   ....

5. Indem er sehr diszipliniert, fleißig und fantasievoll war, gelang ihm in den ersten zweieinhalb Jahren eine unglaubliche Arbeitsleistung.

   ....

6. In einem Brief an seinen Jugendfreund beklagt er sich darüber, dass er vom höfischen Kapellmeister zum Kirchenmusikdirektor sozial abgestiegen war.

   ....

7. Weil seine Sehkraft in den letzten Jahren nachließ, bereitete ihm das Schreiben große Mühe.

   ....

8. Weil er zusätzlich an Altersdiabetes und Lähmungserscheinungen litt, wurde seine Arbeit insgesamt sehr erschwert.

   ....

9. Nachdem Johann Sebastian Bach gestorben war, wurde seiner Witwe nur noch ein paar Monate Gehalt gewährt.

   ....

10. Wie der Überlieferung zu entnehmen ist, starb Anna Magdalena in Armut.

   ....

Zusatzübungen zur Umformung von Nebensätzen in Präpositionalgruppen ⇨ Teil C Seite 203

 Der Thomanerchor 

a) Hören Sie das folgende Radiointerview und notieren Sie Stichworte. Sie hören den Dialog nur einmal. Lesen Sie zuerst die Aufgaben.

◊ Wann wurde der Thomanerchor gegründet?
1212, vor 800 Jahren

1. Wie viele Jungen leben im Internat der Thomaner?
   ....
2. Was durften Frauen im Mittelalter nicht?
   ....
3. Wann finden die Musikproben bei den Thomanern statt?
   ....
4. Welche Fähigkeiten müssen die jungen Thomaner besitzen?
   ....
5. Wer erzieht die Thomaner?
   ....
6. Wie viel müssen die Thomaner für ihre Ausbildung bezahlen?
   ....
7. Welche Gründe werden für den Besuch des Thomaner-Internats in der heutigen Zeit genannt?
   ....
8. Was ist für Dr. Schramm das Wichtigste, das ihm in seiner Thomanerzeit beigebracht wurde?
   ....

b) Wenn Sie einen Sohn hätten, würden Sie ihn zu den Thomanern geben? Begründen Sie Ihre Aussage.

Musikinstrumente

Teil A

 Ordnen Sie die Musikinstrumente in die Gruppen ein.

die Geige ◊ das Klavier ◊ die Pauke ◊ die Bratsche ◊ der Triangel ◊ die Orgel ◊ der Kontrabass ◊ die Blockflöte ◊ das Waldhorn ◊ das Becken ◊ die Trompete ◊ das Saxofon ◊ die Klarinette ◊ die Gitarre ◊ die Posaune ◊ das Cello ◊ der Gong ◊ das Fagott ◊ das Akkordeon ◊ die Harfe ◊ die Trommel ◊ die Mandoline ◊ das Jagdhorn ◊ die Querflöte

Streichinstrumente	Zupfinstrumente	Tasteninstrumente

Blasinstrumente	Schlaginstrumente

(A11) Berichten Sie.

1. Spielen Sie selbst ein Instrument? Wenn ja, welches?
2. Welches Instrument/Welche Instrumente hören Sie am liebsten?
3. Gibt es Instrumente, deren Klang Sie nicht mögen?
4. Sollten Kinder Ihrer Meinung nach ein Instrument erlernen? Wenn ja, warum?

(A12) Lesen Sie die drei Texte, in denen verschiedene Musikinstrumente vorgestellt werden. In welchen Texten (A–C) gibt es Aussagen zu den Themenschwerpunkten 1–5? Es gibt nicht in allen Texten Aussagen zu jedem Themenschwerpunkt.

A

Das älteste Musikinstrument der Welt

Das womöglich älteste Musikinstrument der Welt ist eine Flöte, die aus dem Schwabenland* kommt und vor ca. 30 000 bis 37 000 Jahren aus Mammut-Elfenbein geschnitzt wurde. Obwohl das Leben und Überleben in der Eiszeit schwer war, entwickelten die Menschen zunehmend kulturelle und musische Neigungen: Sie malten Bilder und machten Musik. Einen Beleg präsentierte jetzt ein Archäologenteam der Universität Tübingen. Mit viel Aufwand und erheblichen finanziellen Mitteln haben die Forscher verstreute Splitter eines Mammut-Stoßzahnes zusammengesetzt, die schon seit den 1970er-Jahren im Archiv des Archäologischen Seminars in Tübingen lagen. Handwerklich ist das Stoßzahn-Instrument ungewöhnlich anspruchsvoll: Der harte Stoßzahn musste zweigeteilt, geschnitzt, ausgehöhlt, wieder zusammengesetzt und luftdicht verleimt werden. Vermutlich hat der eiszeitliche Handwerker dazu Pech verwendet.

Eine Holzrekonstruktion des Elfenbein-Instruments hat ergeben, dass sich auf den drei Löchern der Flöte sieben Töne spielen ließen. Die Flöte hat kein Mundstück und war rechtwinklig abgeschnitten – wie heute noch manche Hirtenflöten, zum Beispiel in der Mittelmeerregion. Die Elfenbeinflöte belegt die Bedeutung der Musik im Leben unserer Vorfahren. Elfenbein war zu jener Zeit das schönste und sicher kostbarste Material. Es wurde gewiss nicht für einen belanglosen Zweck verwendet.

* Schwabenland = Gebiet im Bundesland Baden-Württemberg

1. Herstellungszeit

Text A ....

Text B ....

Text C ....

2. Hersteller/Erbauer

Text A ....

Text B ....

Text C ....

3. verwendetes Material

Text A ....

Text B ....

Text C ....

4. Besonderheiten bei der Herstellung

Text A ....

Text B ....

Text C ....

5. Klang/Spielbarkeit

Text A ....

Text B ....

Text C ....

B

Das größte Musikinstrument der Welt

Die Orgel der Boardwalk Hall (bekannt unter dem Namen Atlantic-City-Convention-Hall-Orgel) in Atlantic-City (New Jersey) ist die größte Orgel und somit das größte Musikinstrument der Welt. Sie wurde zwischen Mai 1929 und Dezember 1932 von der Orgelbauwerkstatt Midmer-Losh erbaut. Offiziell besitzt sie 33 112 Pfeifen, wobei die genaue Zahl nicht bekannt ist und Experten diese eher auf unter 32 000 schätzen.

Die Orgel ist die einzige auf der Welt, die Hochdruckregister mit einen Winddruck von 2 540 mmWS besitzt, was den üblichen Winddruck einer Orgel um mehr als das 30-fache übersteigt. Die gesamte Orgel wird mit Wind aus sieben Gebläsen mit einer Gesamtleistung von 745,7 kW (1 000 PS) versorgt, auch das ist weltweit einzigartig.

Seit der Beschädigung der mechanischen Teile durch ein Erdbeben im Jahr 1944 ist die Orgel in einem sehr schlechten Zustand und nur teilweise funktionsfähig. Von den acht Orgelteilen kann nur noch ein Teil, die Right Stage Chamber, Töne erzeugen. Allerdings ist selbst dieser Orgelteil jahrelang nicht gestimmt worden. Erst seit 1998 gibt es Bemühungen, die Mittel für eine notwendige Renovierung und Restaurierung aufzubringen. Eine eigens hierfür gegründete Vereinigung sammelt Spenden.

C

Das teuerste Musikinstrument der Welt

Die 1707 von Antonio Stradivari gebaute Violine, die den Namen *Hammer* trägt, kam 2006 im Auktionshaus Christie's in New York unter den Hammer. Ihren Namen hat sie von ihrem ersten urkundlich belegten Besitzer, dem schwedischen Hofjuwelier und Sammler Christian Hammer. Er hatte die Geige im 19. Jahrhundert erworben. Experten schätzten vor der Versteigerung, dass das rund 300 Jahre alte Instrument für 1,5 bis 2,5 Millionen US-Dollar verkauft werde. Doch fünf Minuten nach Beginn der Auktion (Startpreis: 700 000 US-Dollar) wurde ein Verkaufspreis von 3,544 Millionen US-Dollar erreicht. Dies ist der höchste Versteigerungspreis, der je für ein Instrument erzielt wurde.

Seit etwa 1800 genießen die Instrumente Antonio Stradivaris einen hohen Beliebtheitsgrad. Das Stradivari-Phänomen, dass Jahrhunderte alte Instrumente eines einzigen Herstellers allen anderen als klanglich überlegen gelten, ist einzigartig. Nach einer im Jahre 2005 aufgestellten Theorie waren die besonderen klimatischen Verhältnisse in Europa vom 16. bis zum 19. Jahrhundert dafür verantwortlich, dass zum Instrumentenbau Holzqualitäten verwendet werden konnten, die es heute nicht mehr gibt. Die geringeren Durchschnittstemperaturen in dieser Zeit führten zu verändertem Holzwachstum mit engeren Jahresringen und geringerem Spätholzanteil, was sich offenbar günstig auf die Tonerzeugung des Instrumentes auswirkte. Holzuntersuchungen der Instrumente Stradivaris bestätigen, dass dem Geigenbauer ein akustisch ungewöhnlich gutes Material zur Verfügung stand. So konnte nachgewiesen werden, dass das Deckenholz eines Stradivari-Cellos eine sehr hohe Dichte von 390 kg/m³ aufweist.

 Textarbeit

a) Ergänzen Sie die Tabelle. Bilden Sie nominale Ausdrücke oder Passivkonstruktionen.

Satz im Passiv Präteritum	Nominalisierung
1. Kulturelle und musische Neigungen wurden entwickelt.	....
2.	die Aushöhlung des harten Stoßzahnes
3. Das Elfenbein-Instrument wurde rekonstruiert.	....
4. Es wurde für einen belanglosen Zweck verwendet.	....
5.	die Nutzung besonderer Holzqualitäten
6. Die Hammer-Violine wurde versteigert.	....
7. Enge Jahresringe wurden im Holz gebildet.	....
8.	der Nachweis einer sehr hohen Holzdichte
9. Das größte Musikinstrument der Welt wurde gebaut.	....
10. Die Orgel wurde mit Wind aus sieben Gebläsen versorgt.	....
11.	die Erzeugung der Töne
12.	das Stimmen der Orgel
13. Die Orgel wurde beschädigt.	....
14. Die Orgel wurde renoviert und restauriert.	....
15.	die Sammlung von Spenden
16.	das Schnitzen eines Musikinstruments

b) Bilden Sie aus den vorgegebenen Wörtern Sätze im Passiv Präteritum. Achten Sie u. a. auf fehlende Präpositionen.

◊ ältest-, Musikinstrument, Welt – ca. 30 000 bis 37 000 Jahre – Mammut-Elfenbein – schnitzen

Das älteste Musikinstrument der Welt wurde vor ca. 30 000 bis 37 000 Jahren aus Mammut-Elfenbein geschnitzt.

1. viel Aufwand + erhebliche finanzielle Mittel – verstreut Splitter, ein Mammut-Stoßzahn – zusammensetzen

....

2. hart, Stoßzahn – schnitzen, aushöhlen + luftdicht verleimen – müssen

....

3. kostbar, Elfenbein – jene Zeit – gewiss nicht – belanglose Zwecke – einsetzen

4. 16. bis 19. Jahrhundert – Instrumentenbau – besondere Holzqualitäten – verwenden – können

5. Untersuchungen, ein Stradivari-Cello – eine sehr hohe Holzdichte – nachweisen – können

6. Orgel der Boardwalk Hall – Mai 1929 bis Dezember 1932 – erbauen

7. gesamt, Orgel – Wind aus sieben Gebläsen – versorgen

8. Erdbeben 1944 – mechanische Teile, Orgel – beschädigen

9. einzig, noch funktionierend, Orgelteil – jahrelang – nicht – stimmen

10. 1998 – Vereinigung – Renovierung + Restaurierung, Orgel – gründen

Zusatzübungen zum Passiv ⇨ Teil C Seite 205

A14 Wortschatz: Rund um die Musik und ums Hören

a) Was gehört zum Begriff *Musik* und was zu *Theater und Film*? Ordnen Sie zu.

die Tonleiter ◇ der Schauspieler ◇ das Instrument ◇ die Opernsängerin ◇ die Außenaufnahme ◇ der Orchestergraben ◇ das Drama ◇ der erste Akt ◇ „Bretter, die die Welt bedeuten" ◇ der Chor ◇ die Tonkunst ◇ der Synchronsprecher ◇ die Komödie ◇ die Tragödie ◇ die Operette ◇ der Bratschist ◇ die Schnittmeisterin ◇ der Notenschlüssel ◇ das Fagott ◇ der Drehbuchautor ◇ der Dreivierteltakt ◇ die Rückblende ◇ die Partitur ◇ der Abspann ◇ der Einakter ◇ der Schlager ◇ der Gesang ◇ das „Reich der Töne" ◇ das Konzert ◇ die Arie ◇ das Wiegenlied ◇ die Leinwand ◇ der Vorspann ◇ der Stuntman ◇ die Chansonsängerin ◇ die Naheinstellung ◇ die Mundharmonika ◇ das Schauspiel ◇ der Sketch ◇ das Mundstück ◇ das Streichinstrument ◇ der Notenständer

Musik	Theater und Film

b) Ergänzen Sie die Verben mit *-hören* in der richtigen Form.

abhören (2 x) ◇ überhören ◇ anhören ◇ umhören ◇ zuhören ◇ hinhören ◇ weghören ◇ einhören ◇ mithören

1. Ich habe dir doch genau gesagt, wo wir uns treffen. Hast du mir mal wieder nicht ....?
2. Ich suche eine neue Wohnung. Kannst du dich vielleicht mal ein bisschen ...., ob bei dir in der Gegend eine Wohnung vermietet wird?
3. Wenn ein Patient Schmerzen in der Lunge hat, muss der Arzt ihn ....
4. In meiner Schulzeit musste ich fleißig Englischvokabeln lernen. Abends hat mich dann meine Mutter ....
5. Der Chef hat gesagt, dass das Protokoll bis gestern fertig sein sollte. Das muss ich .... haben.
6. Du kannst ihn doch nicht so einfach beschuldigen. Du musst dir doch erst mal ...., was er dazu sagt.
7. In die zeitgenössische klassische Musik von Hans Werner Henze muss man sich erst ....
8. Da schleicht doch jemand durchs Haus! .... doch mal genau ....!
9. Manchmal kann ich das Gequatsche von Martina nicht mehr ertragen. Dann lasse ich sie weiterreden und .... einfach ....
10. In manchen Fällen ist es der Polizei gestattet, Telefongespräche ....

c) Ordnen Sie den Redewendungen die richtigen Erklärungen zu.

(1) ins gleiche Horn blasen
(2) Man höre und staune!
(3) die zweite Geige spielen
(4) jmdm. vergeht Hören und Sehen
(5) jmdn. zum Singen bringen
(6) Das ist Musik in den Ohren.
(7) Das/Den/Die kenne ich nur vom Hörensagen.
(8) große/dicke Töne schwingen/spucken *(umg.)*
(9) die erste Geige spielen
(10) den Ton angeben
(11) Lass mal was von dir hören!
(12) jmdm. etwas geigen/eine Standpauke halten *(umg.)*
(13) etwas ist flöten gegangen *(umg.)*
(14) etwas gehört zum guten Ton
(15) mit Pauken und Trompeten durchfallen

(a) Das hört man gern.
(b) bestimmen, was getan wird
(c) sehr angeben/prahlen
(d) Melde dich mal wieder!
(e) Etwas ist verloren gegangen.
(f) z. B. eine Prüfung nicht bestehen
(g) jmdn. heftig kritisieren
(h) die gleichen Ansichten wie jmd. anderes haben
(i) Man weiß nicht mehr, was mit einem geschieht.
(j) Etwas ist nötig, wenn man höflich sein will.
(k) eine führende Position haben
(l) etwas/jmdn. nur aus der Erzählung kennen
(m) jmdn. dazu bringen, ein Verbrechen zu gestehen
(n) Es ist kaum zu glauben.
(o) wenig Einfluss haben

Fotografie

(A15) Interviewen Sie zwei Gesprächspartner und tragen Sie die Antworten in Stichpunkten in die Tabelle ein.

	Name	Name ....
Fotografieren Sie selbst? Wenn ja, digital oder analog?		
Wenn Sie selbst Fotos machen, was fotografieren Sie?		
Wenn Sie digital fotografieren, wie speichern bzw. archivieren Sie Ihre Fotos?		
Welche Art von Fotos sehen Sie sich am liebsten an?		
Mögen Sie Fotos, auf denen Sie selbst zu sehen sind?		
Sammeln Sie Familienfotos bzw. haben Sie ein Fotoalbum von sich und Ihrer Familie?		
Besuchen Sie manchmal Fotoausstellungen?		
Können Fotografien Kunst sein? Wenn ja, welche Kriterien machen ein Foto zur Kunst?		
Würden Sie zwei Millionen Dollar für ein Foto bezahlen, wenn Sie es sich leisten könnten?		

(A16) Lesen Sie den folgenden Text.

Andreas Gursky – Fotograf vom anderen Stern

Auf den ersten Blick ist das Foto bunt. Es zeigt schier endlos aufgereihte Regale, die mit Süßigkeiten gefüllt sind, Höchstpreis 99 Cent. Erst auf den zweiten Blick sind Kunden zu erkennen, die einsam wie Schiffbrüchige durch das Warenmeer des Discounters treiben.

Schriller Kampf der Produkte und Marken, anonymer Konsument: Das Bild *99 Cent* (1999) machte den Düsseldorfer Andreas Gursky zum teuersten Fotografen der Gegenwart. Im Mai 2006 wurde das Foto bei Sotheby's in New York für den Rekordpreis von 2,25 Millionen US-Dollar versteigert. Ob im New Yorker Museum of Modern Art, im Pariser Centre Pompidou oder in der Londoner Tate Modern: Wo immer die bis zu mehr als sieben Quadratmeter großen Arbeiten von Andreas Gursky zu sehen sind, herrscht Raunen und Staunen im Saal.

Es ist vor allem eine neue, überraschende Seh-Erfahrung, die so nachhaltig beeindruckt. Der Meister des zweiten Blicks steuert die Wahrnehmung seiner Bilder durch eine ausgefeilte Choreografie der Dinge und Figuren: „Meine Bilder sind immer von zwei Seiten komponiert. Sie sind aus extremer Nahsicht bis ins kleinste Detail lesbar. Aus der Distanz werden sie zu Megazeichen."

⇨

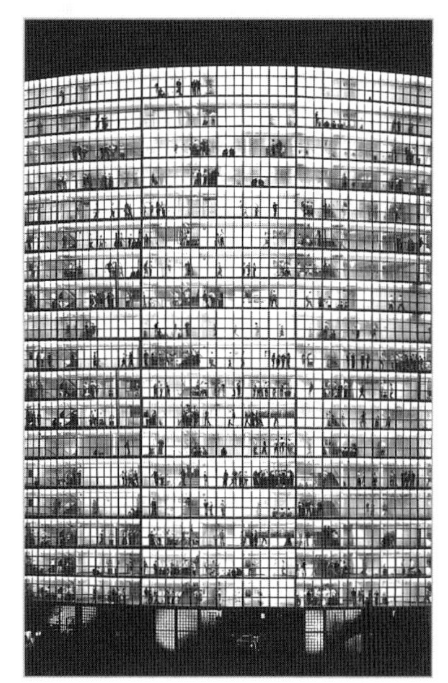

Zu Beginn des neuen Jahrtausends reiste Andreas Gursky nach São Paulo und fotografierte einen Superlativ aus Stahl, Glas und Beton: den gigantischen, 140 Meter hohen Wohnhauskomplex *Copan*. Auf seinem gleichnamigen Foto wird die Anlage zum allgemeingültigen Symbol moderner Metropolen. Erst beim näheren Hinschauen entdeckt der Betrachter, dass es ein Leben hinter der gerasterten Fassade gibt: Deutlich sind einzelne Bewohner hinter wehenden Vorhängen zu erkennen. In vielen Bildern des Fotografen steckt der Mensch nur noch als Detail – als anonymes Massenteilchen oder als einsamer Statist in den Kulissen der Globalisierung. Andreas Gursky erzählt keine Geschichten, sondern zeigt Masterbilder, unter künstlerischen Gesichtspunkten aus vielen Einzelmotiven zusammengebaut.

Der passionierte Marathonläufer, Ferrari-Fahrer und ehemalige Düsseldorfer Tennis-Jugendmeister arbeitet oft in schwindelerregender Höhe. Mal lässt er sich samt Plattenkamera und Stativ von einem Kran in den Himmel heben, mal schwebt er im Helikopter über seinem Motiv. „Ich gehe auf Distanz, um den Überblick zu behalten." Das erzeugt Befremdung – nicht nur beim Betrachter: „Manchmal habe ich das Gefühl, mit dem Blick eines außerplanetarischen Wesens durch den Sucher zu schauen."

Der Fotograf als Besucher von einem anderen Stern. Andreas Gurskys irdischer Lebenslauf beginnt 1955 in Leipzig: Sein Vater ist, wie schon sein Großvater, Werbefotograf von Beruf. Einige Monate nach seiner Geburt zieht die Familie ins Ruhrgebiet. 1978 beginnt Gursky III ein Fotografiestudium an der renommierten Folkwang-Hochschule in Essen. Drei Jahre später wechselt er an die Staatliche Kunstakademie nach Düsseldorf.

Andreas Gursky startet mit Plattenkamera-Porträts von Pförtnerpaaren. Ende der 1980er-Jahre zeigt er großformatige Architektur- und Landschaftsbilder auf ersten Ausstellungen. Foto für Foto erobert er sich einen eigenen Themenkreis: die Vereinsamung des Menschen in der Menge; der Fetischcharakter* der modernen Konsumgesellschaft – unter anderem am Beispiel von endlosen Schuhregalen der Luxusmarke Prada und breit angelegten Börsenpanoramen –, die monströse Monumentalität von Masseninszenierungen wie Boxkämpfen, Popkonzerten oder politischen Aufmärschen.

Seit 1992 bedient sich Andreas Gursky der „avancierten Technik": Er digitalisiert seine analog aufgenommenen Fotos und bearbeitet sie am Computer. „Am Anfang waren es nur kleinere Eingriffe, die aus kompositorischen Gründen vorgenommen wurden. Mittlerweile gibt es komplette Bilderfindungen, die sich aus vielen einzelnen Details zu einem komplexen Bildganzen zusammenfügen." Da Andreas Gursky höchstens zehn Bilder in je sechsfacher Ausfertigung pro Jahr produziert, konkurrieren Museen und Sammler um jedes neue Werk. Nur ein kleiner Kreis von Auserwählten kann auf ein Bild des berühmten Fotokünstlers hoffen.

* Fetisch = Zaubermittel, Kult

Textarbeit

a) Beantworten Sie die folgenden Fragen zum Text.

1. Was zeigt das Foto *99 Cent*?
2. Wie reagieren Museumsbesucher auf Gurskys Fotografien?
3. Warum nennt man Andreas Gursky den Meister des zweiten Blicks?
4. Was erfährt man im Text über den Lebenslauf des Künstlers?
5. Was bedeutet „avancierte Technik"?
6. Wie ist die Nachfrage nach den Fotografien von Andreas Gursky?

b) Ergänzen Sie die passenden Adjektive und Partizipien in der richtigen Form.

anonym (2 x) ◊ aufgereiht ◊ wehend ◊ zweit- ◊ überraschend ◊ teuerst- ◊ groß ◊ ~~erst-~~ ◊ neu ◊ ausgefeilt ◊ kleinst- ◊ hoch ◊ gleichnamig ◊ aufgenommen ◊ modern ◊ näher- ◊ einzeln ◊ schwindelerregend ◊ renommiert

1. Auf den *ersten* Blick zeigt das Foto schier endlos .... Regale, die mit Süßigkeiten gefüllt sind.
2. Erst auf den .... Blick sind Kunden zu erkennen, ... Konsumenten.
3. Das Bild *99 Cent* machte Andreas Gursky mit dem Preis von 2,25 Millionen US-Dollar zum .... Fotografen der Gegenwart.
4. Die bis zu mehr als sieben Quadratmeter .... Arbeiten des Andreas Gursky vermitteln eine ...., ... Seh-Erfahrung.
5. Die Bilder bestechen durch eine .... Choreografie der Dinge und Figuren.
6. Sie sind aus extremer Nahsicht bis ins .... Detail lesbar.
7. Andreas Gursky fotografierte in São Paulo den 140 Meter .... Wohnhauskomplex *Copan*.
8. Auf dem .... Foto wird die Wohnanlage in São Paulo zum Symbol .... Metropolen.
9. Erst beim .... Hinschauen entdeckt der Betrachter Leben hinter der Fassade.
10. Deutlich sind .... Bewohner hinter .... Vorhängen zu erkennen.
11. In vielen Bildern des Fotografen steckt der Mensch nur noch als .... Massenteilchen.
12. Der Fotograf arbeitet oft in .... Höhe.
13. Andreas Gursky studierte an der .... Folkwang-Hochschule in Essen.
14. Seit 1992 digitalisiert er seine analog .... Fotos und bearbeitet sie am Computer.

c) Vervollständigen Sie die Sätze und bilden Sie Attribute im Genitiv.

Die Fotos von Andreas Gursky zeigen

◊ Macht – Konsum — *die Macht des Konsums*
1. Kampf – Produkte ....
2. Vereinsamung – Mensch ....
3. Monumentalität – Masseninszenierungen ....
4. Mensch als Statist – Globalisierung ....
5. Symbole – moderne Metropolen ....
6. Charakter – Konsumgesellschaft ....
7. ausgefeilte Choreografie – Dinge und Figuren ....

Die Fotos von Andreas Gursky besitzen

8. Blick – außerplanetarisches Wesen *(Sg.)* ....
9. Magie – das Fremde ....

A18 Manipulierte Fotos

a) Was fällt Ihnen ein, wenn Sie das Wort *Bildmanipulation* hören? Nennen Sie Beispiele.

....
....
....
....
....
....

Bildmanipulation

....
....

b) Wie echt muss, wie frei darf Fotografie sein?

Gibt es Ihrer Meinung nach Gründe, die für eine Manipulation von Bildern sprechen? Wenn ja, stellen Sie die Gründe vor und nennen Sie Beispiele. Wenn nein, begründen Sie Ihren Standpunkt.

A19 Fotoausstellungen 10

a) Kulturtipps im Rundfunk: Heute werden drei Fotoausstellungen vorgestellt.
Hören Sie Teil 1 zum Thema *Bilder, die lügen*. Welche Aussage ist richtig? Kreuzen Sie an.

1. Die Manipulierbarkeit von Bildern
   a) ❒ wurde durch Berichte aus Kriegsgebieten wieder zum Mittelpunkt des öffentlichen Interesses.
   b) ❒ wurde durch den Kriegsverlauf beim Publikum wieder interessant.
   c) ❒ stand schon immer im Mittelpunkt des allgemeinen Interesses.
2. Manipulation von Bildern
   a) ❒ erfolgt immer am Bild selbst.
   b) ❒ ist eine Erfindung der digitalen Fotografie.
   c) ❒ gab es schon früher.
3. Die Ausstellung
   a) ❒ will an Beispielen entlang des Alphabets die Grundmuster der Manipulation aufzeigen.
   b) ❒ will 300 verschiedene Arten von Manipulation aufzeigen.
   c) ❒ zeigt nur die wichtigsten Beispiele der Manipulation.

b) Hören Sie die Teile 2 und 3. Ergänzen Sie die Informationen in Stichpunkten.

Ausstellung: *Unverschämtes Glück*

◊ Wie alt wurde Robert Lebeck im März 2009? 80 Jahre
1. Was studierte Robert Lebeck in New York? ....
2. Warum kehrte er nach Deutschland zurück? ....
3. Zu welcher Zeitschrift wechselte Lebeck 1966? ....
4. Nennen Sie ein Thema der in Hamburg entstandenen Bildreportagen, die bis heute legendär sind. ....
5. Was sind wesentliche Momente seiner Porträtfotografien? ....
6. Was kostet ein Besuch der Ausstellung? ....

Ausstellung: *Pigozzi und die Paparazzi*

7. Welche Art von Fotografien wird in der Ausstellung gezeigt? ....
8. Wie viele Bilder sind zu sehen? ....
9. Wie werden die fotografierten Menschen dargestellt? ....
10. Warum trug der Fotograf Ron Galella in der Nähe von Marlon Brando einen Football-Helm? ....
11. Was zeigen die Bilder von Arthur Fellig? ....
12. Bis wann läuft die Ausstellung? ....

c) Ergänzen Sie die fehlenden Verben in der richtigen Form.

interpretieren ◊ fragen ◊ zeigen ◊ vermitteln ◊ prägen ◊ rücken ◊ wünschen ◊ ~~spielen~~ ◊ herausreißen ◊ veranschaulichen

Bilder haben in unserer Kultur schon immer eine große Rolle *gespielt*, da sie die Vorstellung von der Realität ....(1). Die Medienberichterstattung aus Krisen- oder Kriegsgebieten hat aber auch die Diskussion über die Manipulierbarkeit von Bildern wieder in den Mittelpunkt des öffentlichen Interesses ....(2). Bildbeiträge werden z. B. aus dem Kontext ....(3) und von den verschiedenen Kriegsparteien ....(4). Auf diese Weise kann die Berichterstattung den Eindruck des Kriegsverlaufs bei den Zuschauern ....(5), der von den Berichterstattern ....(6) wird. Die Ausstellung mit dem Titel *Bilder, die lügen* ....(7) nach der Objektivität von Bildern und ....(8) Grundmuster der Manipulation, die anhand von rund 300 Objekten ....(9) werden.

Bücher und Kritiken

A20 Berichten Sie.

- Lesen Sie Kritiken/Rezensionen zu Büchern, Filmen, CDs, Theater- oder Konzertaufführungen, Ausstellungen der bildenden Kunst? Wenn ja, vor oder nach dem Lesen/Sehen/Hören?
- Wo lesen/hören/sehen Sie die Rezensionen? In Fachzeitschriften, Fernsehzeitschriften, Tageszeitungen, Wochenblättern, im Rundfunk, bei einer Kultursendung im Fernsehen, im Internet o. ä.?
- Gibt es Ihrer Meinung nach Unterschiede zwischen z. B. einer Rezension im Internet (bei einem Internetbuchhändler) und einer Rezension in einer Zeitung? Wenn ja, beschreiben Sie die Unterschiede.
- Lassen Sie sich von Kritiken beeinflussen, d. h. zum Beispiel bei schlechten Kritiken vom Kauf eines Buches abhalten oder bei guten Kritiken zum Kauf eines Buches animieren?

A21 Jemand hat Ihnen den Roman *Johannisnacht* von Uwe Timm empfohlen.
Bevor Sie sich das Buch kaufen, informieren Sie sich über Einzelheiten bei einem deutschen Internetanbieter.
Dort lesen Sie die folgenden Kurzkritiken.

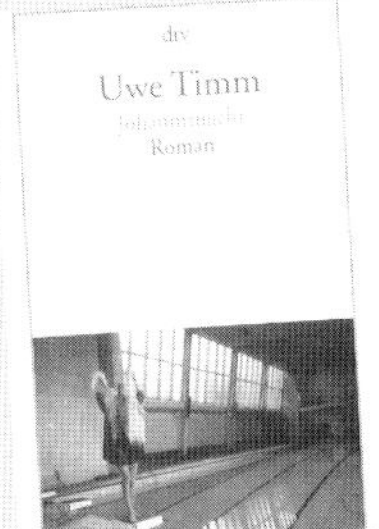

Johannisnacht
Roman von Uwe Timm
Deutscher Taschenbuch Verlag
244 Seiten
ISBN: 978-3-423-12592-5

A

Rezension 1

Rahmenroman mit tiefgründigem Humor und Selbstironie. Mit der Ausrede, einen Artikel über die Kartoffel zu schreiben und das entsprechende Material zu sammeln, fährt der Erzähler aus München nach Berlin auf der Suche nach der Bedeutung der letzten Worte seines Onkels, der Kartoffelsorten nach dem Geschmack auseinanderhalten konnte. In drei Tagen lernt er alle möglichen merkwürdigen Menschen kennen und sammelt unglaubliche, einzigartige Erfahrungen.

Der Roman ist wie ein Schreibtisch, in dessen Schubladen man seit Jahren eine unglaubliche Menge nutzloser und komischer Dinge übereinanderlegt und sie dann wiederum vergisst. Und jedes Mal, wenn man eine dieser Schubladen öffnet, springt ein neuer verrückter Charakter heraus und erzählt seine seltsame Geschichte. Und wie so oft im Leben liegt die Lösung des Rätsels ganz offen und scheinbar unübersehbar auf dem Schreibtisch selbst, wo wir nie hingucken. *(Serena Spreafico)*

B

Rezension 2

Der Roman *Johannisnacht* beschreibt drei außergewöhnliche Tage, die ein momentan nicht inspirierter Schriftsteller in Berlin verbringt, um Material für einen scheinbar harmlosen Artikel über die Kartoffel zu sammeln. Er trifft dort eine Reihe von Menschen, die ihm erstaunliche Geschichten erzählen und ihn manchmal in wahnsinnige, peinliche oder komische Situationen ziehen. Da sind ein italienischer Lederverkäufer, der durch das Verkaufen einer Pappjacke dem Helden fast das Leben rettet; Herr Bucher, der seine Frau verliert und den ganzen Tag klassische Musik in der Gesellschaft eines Tuareg genießt oder eine verführerische und geheimnisvolle Ex-Literaturstudentin, die jetzt ihren Lebensunterhalt mit Telefonsex verdient.

Durch die Aufeinanderfolge von Aktionsszenen und Gesprächen unter vier Augen, die mit dem Kartoffelmotiv nur schlaff verbunden sind, schafft es der Autor, die Aufmerksamkeit und Neugier des Lesers zu wecken. Mit den Protagonisten geht der Leser durch ein immer intensiv lebendes Berlin spazieren, wo sich äußerlich nach der Wende viel verändert hat, die Einstellungen vieler Einwohner, Wessis sowie Ossis, dagegen wie blockiert in der ehemaligen künstlichen Trennung erscheinen.

Dieses vielschichtige Buch würde ich als einen sehr lesenswerten Roman empfehlen. In oft melancholischer Stimmung behandelt es die menschlichen Konsequenzen eines der größten politischen Irrtümer unserer Zeit und trotzdem macht das Lesen großen Spaß. *(Sarah Girard)*

C

Rezension 3

In dem mosaikartigen Buch führt der Ich-Erzähler den Leser in drei Tagen durch Berlin kurz vor der Johannisnacht. Von Anfang an bekommt der Leser den Eindruck, dass dieses kein normal geschriebenes Buch ist: Der Ich-Erzähler muss einen Artikel über die Kartoffel schreiben und dazu fliegt er von München nach Berlin, wo er sich wie durch einen Traum bewegt. Die Geschichte hat einen roten Faden: die Suche nach Informationen über die Kartoffel und die Lösung eines Rätsels. Was wollte der Onkel des Erzählers, der Kartoffeln schmecken konnte, auf dem Totenbett mit den Worten „roter Baum" sagen?

Eine fast zwecklose Suche, eine irreale Suche. Ein Vorwand für den Autor, eine Gemäldegruppe ohne Altaraufsatz zu malen. Die Johannisnacht ist eine Nacht der Wende in den Sommer, die Nacht, in der alle magischen Typen, Hexen, Kobolde herauskommen. Der Erzähler trifft einige von ihnen, aus Ost- und Westberlin, aus zwei Welten, die doch getrennt bleiben. Die leichte und witzige Prosa von Uwe Timm verwebt die kleinen Geschichten zu einem spannenden Buch, das sich viele Male lesen lässt. *(Alex Flores Jiménez)*

A22 In welchen Rezensionen (A–C) gibt es Aussagen zu den Themenschwerpunkten 1–8? Es gibt nicht in allen Texten Aussagen zu jedem Themenschwerpunkt.

1. Ort und Zeit der Handlung

Text A ....

Text B ....

Text C ....

2. Rolle der Kartoffel

Text A ....

Text B ....

Text C ....

3. Bedeutung des Titels

Text A ....

Text B ....

Text C ....

4. Aufbau des Romans und bildliche Vergleiche

Text A ....

Text B ....

Text C ....

5. Bemerkungen zum Protagonisten

Text A ....

Text B ....

Text C ....

6. Bemerkungen zu den anderen Personen im Buch

Text A ....

Text B ....

Text C ....

7. politischer Hintergrund

Text A ....

Text B ....

Text C ....

8. persönliche Meinung der Rezensenten

Text A ....

Text B ....

Text C ....

A23 Gefallen/Missfallen ausdrücken
Welche Redemittel eignen sich für eine Rezension, welche eher für eine mündliche, informelle Einschätzung eines Buches (Filmes/Theaterabends)?

Gefallen ausdrücken

◊ ein ausgezeichnetes/erstklassiges/bemerkenswertes/gut gemachtes/beeindruckendes/interessantes/spannendes/überzeugendes Buch

◊ … ist/war toll/super/wahnsinnig gut/stark

◊ … lässt sich gut/einfach/leicht lesen

◊ … machte betroffen/nachdenklich

◊ … kann man empfehlen/… sollte jeder lesen

◊ Dem Autor gelang/gelingt es …/Der Autor schafft es …/Der Autor versteht es, den Leser zu fesseln/zu unterhalten/mitzureißen …

Missfallen ausdrücken

◊ ein mittelmäßiges/nicht gelungenes/langweiliges/nicht überzeugendes/schlecht gemachtes/schreckliches/ganz furchtbares/grässliches/grauenhaftes Buch

◊ … ist/war nicht lesbar/schwer zu lesen

◊ Der Autor war nicht in der Lage …/Dem Autor gelang es nicht …

◊ Von einer Lektüre dieses Buches kann man nur abraten!

Allgemeine Redemittel zu Rezensionen

◊ Der Roman handelt von …/Es geht in diesem Roman um …

◊ Der Autor beschreibt/erzählt die Geschichte *(eines jungen Mannes)* …

◊ Der Erzähler/Ich-Erzähler/Romanheld reist/verbringt/erlebt/trifft …

◊ Der Roman ist wie …/Der Aufbau des Romans erinnert an …

◊ Der Leser erfährt/kann miterleben/taucht ein in …

A24 Schreiben Sie selbst eine Rezension über ein Buch, das Sie kürzlich gelesen, oder über einen Film, den Sie gesehen haben, und nutzen Sie die angegebenen Redemittel.

Kreativität

Teil B – fakultativ

Die Texte und Aufgaben in diesem fakultativen Teil B stellen ein Angebot für Lerner und Lerngruppen dar, die ihre sprachlichen Fähigkeiten zusätzlich erweitern möchten.

B1 Kreatives Schreiben

a) Lesen Sie die Pressemeldung.

Spitze Federn in Uniform

Pressemitteilungen von Behörden zählen nicht unbedingt zu jener Art Lektüre, die junge Menschen üblicherweise verschlingen. Dröge und kryptisch* ist noch das Freundlichste, was man im Allgemeinen der Amtssprache nachsagt. Nicht so im Fall der täglichen Pressemitteilungen der Polizeidirektion Leipzig. Diese sind mittlerweile unter Leipziger Bloggern Kult geworden. Mit Schlagzeilen wie „Honda jetzt HonWeg" oder „Cannabis als Vogelfutter" versenden die Mitarbeiter der Pressestelle täglich ihre Berichte. In denen ist dann von einem „warm angezogenen" Dieb die Rede, der gleich zwei Anzüge unter seiner Bekleidung aus dem Geschäft tragen wollte. Oder von Wildschweinen, die sich „pflichtwidrig von der Unfallstelle entfernten". Auch „friedliche" Gartenzwerge, die attackiert wurden, waren schon Gegenstand der Berichterstattung. Der saloppe Ton sprach sich unter den Betreibern von Webblogs schnell herum. Die unverhofften Webstars der Polizei-Pressestelle zeigen sich hocherfreut über die Resonanz auf ihre sprachliche Kreativität.

* dröge und kryptisch = trocken und unverständlich

b) Geben Sie den Inhalt der Meldung wieder.

B2 Berichten Sie.

a) Einzelarbeit: Würden Sie sich selbst im alltäglichen Leben oder im Beruf als kreativen Menschen bezeichnen? Wenn ja, in welchen Bereichen sind Sie besonders kreativ?

b) Gruppenarbeit: Welche Faktoren spielen Ihrer Meinung nach für kreative geistige Tätigkeit eine Rolle? Erarbeiten Sie in Gruppen Tipps zur Verbesserung der Kreativität und geistigen Leistungsfähigkeit und präsentieren Sie sie anschließend.

B3 Ist Kreativität erlernbar?

a) Lesen Sie die folgenden Texte.

A

Nutzen Sie Ihr kreatives Potenzial!

Wenn wir über Kreativität sprechen, gibt es zwei Grundsätze. Erstens: Jeder Mensch verfügt über ein kreatives Potenzial, d. h. über die Möglichkeit, schöpferisch zu handeln. Und zweitens: Kreativität ist lernbar. Das Problem besteht nur darin, wie man sein kreatives Potenzial am besten ausschöpft.

Am Anfang des kreativen Prozesses steht oft ein Problem oder ein (oft unbewusster) Wunsch, etwas bewegen oder verändern zu wollen. Nicht immer hilft langes Nachdenken weiter, denn oft stellt man fest, dass man noch einiges lernen muss, um das Problem lösen zu können oder weiterzukommen. Deshalb sollte man zuerst alles sammeln, was man zum Thema wissen bzw. finden kann, und versuchen, die offenen Fragen zu beantworten. Diese Phase kann relativ lange dauern. In der nächsten Phase werden alle Informationen, die der Verstand aufgenommen hat, auf der unbewussten Ebene neu zusammengesetzt. Irgendwann, beim Einschlafen, auf dem Nachhauseweg oder während einer Diskussion, ist die Lösung plötzlich da, wie ein Geistesblitz: Aus den verwirrenden Einzelteilen ist ein Ganzes geworden. In der letzten Phase geht es darum, die Idee in die Tat umzusetzen. Selbstkritisch muss sie überprüft, geändert und angepasst werden.

Man kann den Kreativitätsprozess unterstützen, indem man zum Beispiel viel liest, sich Ausstellungen ansieht, in Konzerte geht oder mit anderen Leuten über unterschiedliche Themen spricht. Das Allerwichtigste ist aber, dass man an vielem, was einem begegnet, interessiert ist, und dass man sich gegenüber neuen Ideen offen zeigt, ohne sie gleich bewerten zu wollen. Man sollte immer versuchen, sowohl die Arbeit als auch das Privatleben vielfältig zu gestalten, und jede Möglichkeit nutzen, etwas Neues zu lernen. Allerdings gehört zur Kreativität auch, allein sein zu können, sich mit sich selbst zu beschäftigen und sich nicht immer ablenken zu lassen.

B

Geistesblitze sind kein Zufall

Bewegung, Ernährung und Denken sind für die meisten Ärzte die wichtigsten Schritte zu Kreativität und Höchstleistungen. Wissenschaftliche Untersuchungen zeigen, dass das Gehirn ein Fettspeicher ist. Zu viel Fett kann somit den Strom der Geistesblitze lähmen. Deshalb, so die Meinung der Mediziner, müssten sich viele mit der Hälfte der maximal möglichen Denkgeschwindigkeit zufrieden geben. Wird das Gehirn infolge sportlicher Betätigung mit Sauerstoff durchflutet, bekommt es einen geistigen Frischeschub.

Auch Farben können auf den Geist stimulierend wirken. Dass sie positive oder negative Stimmungen erzeugen, hat schon Johann Wolfgang von Goethe in seiner Farbenlehre Ende des 18. Jahrhunderts beschrieben. Die Erkenntnisse der Farbenpsychologie finden sich heute in den Verschönerungskonzepten vieler Unternehmen wieder, mit denen Betriebsgebäude und die Arbeitsplätze der Mitarbeiter farbpsychologisch und künstlerisch gestaltet werden. In den Produktionsräumen eines Gesundheitsschuhherstellers z. B. dominieren die Farben Rot, Blau und Grün. Das *Kreative Haus* in Worpswede bekennt sich zur Farbe Gelb mit einem kleinen Spritzer Rot. Für den Architekten des Gebäudes bedeutet die Mischung nicht nur die „Farbe des Lichtes und der Sonne", er verbindet damit auch eine kreative Befreiung, denn Gelb soll bekanntlich die Seele beruhigen und den Geist auf kreatives Denken vorbereiten.

b) Was kann unsere Kreativität positiv beeinflussen? Tragen Sie die Informationen in Stichworten zusammen.

....
....
....
....

wichtig für die Kreativität

c) Vergleichen Sie die Vorschläge des Textes mit Ihren eigenen Vorschlägen aus B2b.

B4 *Farben, können auf den Geist stimulierend wirken. Sie können positive oder negative Stimmung erzeugen.*
Welchen Einfluss haben die Farben *Blau, Rot, Gelb, Grün, Weiß, Schwarz* auf Sie? Beschreiben Sie ihre Wirkung.

B5 Wortschatz

a) Ergänzen Sie die Nomen und die Artikel, wenn nötig.

1. Wissenschaftliche Untersuchungen zeigen, dass .... ein Fettspeicher ist.
2. Zu viel Fett kann somit den Strom .... *(Pl.)* lähmen.
3. Viele müssen sich mit der Hälfte der maximal möglichen .... zufrieden geben.
4. Auch Farben können auf .... stimulierend wirken.
5. Gelb soll bekanntlich .... beruhigen und auf kreatives .... vorbereiten.

.... Geistesblitze
.... Denken
.... Geist
.... Denkgeschwindigkeit
.... Gehirn
.... Seele

b) Ergänzen Sie die fehlenden Verben.

überdenken ◊ ausdenken ◊ überlegen ◊ nachdenken ◊ denken

1. Wir kommen schon wieder zu spät. Diesmal müssen wir uns aber eine wirklich gute Ausrede ....
2. Wo hast du den Schlüssel hingelegt? .... noch mal genau ....!
3. Die Geschichte kann so nicht passiert sein. Das glaube ich einfach nicht. Wahrscheinlich hat sie sich das alles nur ....
4. Ich glaube, du machst da einen Fehler. Du solltest deine Entscheidung noch mal ....
5. .... gehört nicht zu seinen herausragenden Fähigkeiten.

Nominalisierung

Ich gebe Ihnen die neue Preisliste, damit Sie Bescheid wissen.	→	Zu Ihrer Information erhalten Sie die neue Preisliste.
Es ist nicht einfach, die Frage zu beantworten.	→	Die Beantwortung der Frage ist nicht einfach.
↓		↓
eher mündlich		*eher schriftlich*
Alltagssprache		*Sprache der Technik, Wissenschaft, Verwaltung, Politik*

C1 Verkürzen Sie die folgenden Sätze wie im angegebenen Beispiel.

◊ Weil die Ansprüche an den Thomaskantor hoch waren, erwies sich die Suche nach einem geeigneten Kandidaten als schwierig.

Wegen der hohen Ansprüche an den Thomaskantor erwies sich die Suche nach einem geeigneten Kandidaten als schwierig.

1. Es bestehen gute Aussichten, dass sich die Situation bald ändert.

   ....

2. Vonseiten der Gewerkschaften gab es ein paar gute Anregungen, um die Arbeitsmarktlage zu verbessern.

   ....

3. Wir gewähren nur Rabatt, wenn Sie bar bezahlen.

   ....

4. Nachdem er seine berufliche Laufbahn beendet hatte, kaufte er sich ein Haus auf den Kanarischen Inseln.

   ....

5. Weil es für Autofahrer sicherer ist, gilt auf dieser Bergstraße Tempo 30.

   ....

6. Obwohl sich die Schwimmer auf die Olympischen Spiele gut vorbereitet hatten, zeigten sie enttäuschende Ergebnisse.

   ....

7. Wenn Sie es wünschen, können Sie die CDs mit Hörübungen ausleihen.

   ....

8. Die Autotür lässt sich schon von Weitem öffnen, indem man einen Knopf auf der Fernbedienung drückt.

   ....

9. Um sich vor Grippe zu schützen, kann man sich impfen lassen.

   ....

10. Die Zahlung wird fällig, wenn wir die Waren liefern.

    ....

11. Jetzt musst du die Aufgaben aber mal lösen, ohne dass ich dir dabei helfe.

    ....

12. Wenn das Raumschiff in die Erdatmosphäre eintritt, können technische Probleme auftreten.

    ....

13. Sie freute sich so sehr, dass sie jeden umarmte.

    ....

14. Du hättest deine Finanzen mal überprüfen sollen, bevor du dir eine Eigentumswohnung kaufst.

    ....

15. Die Firma muss ihre Umsätze steigern, damit alle Arbeitsplätze erhalten bleiben können.

....

16. Soweit ich informiert bin, beginnt das nächste Semester erst Anfang Oktober.

....

17. Ich hatte genügend Geld bei mir, was ein großes Glück für mich war.

....

18. Er weiß über Musik so viel, als wäre er ein Musikwissenschaftler.

....

19. Obwohl die Regierung Maßnahmen ergriff, hat sich die Lage noch nicht wesentlich verbessert.

....

20. Er konnte sein Können noch nicht unter Beweis stellen, weil eine Gelegenheit dazu fehlte.

....

C2 Verkürzen Sie die Sätze wie im Beispiel. Verwenden Sie dazu die folgenden Adjektive.

verbindlich ◊ vereinbart ◊ monatlich ◊ ausführlich ◊ einmalig ◊ einheitlich ◊ abschlägig ◊ endlos ◊ vorläufig ◊ geheim ◊ nachhaltig ◊ widersprüchlich ◊ üblich

◊ Das ist ein Angebot, das es nur einmal gibt.
Das ist ein einmaliges Angebot.

1. Wir brauchen Gesetze, die sich gleichen.
Wir brauchen .... *Gesetze.*
2. Betriebsrat und Betriebsvorstand trafen eine Absprache, von der niemand etwas wusste.

....

3. Der Vorstandsvorsitzende machte eine Zusage, die nicht mehr zurückgenommen werden kann.

....

4. Die Sitzung begann mit einer Darstellung der neuen Strategien, die lang und detailliert war.

....

5. Die Maßnahmen sollen eine Wirkung erzielen, die lange andauert.

....

6. Ich erhielt von der Behörde einen Bescheid, in dem stand, dass meinem Wunsch nicht nachgekommen wird.

....

7. Die Zeugen haben Aussagen gemacht, die sich widersprechen.

....

8. In dem Prospekt stehen die Preise, die wir abgesprochen hatten.

....

9. Die Raten, die jeden Monat gezahlt werden müssen, gehen am jeweils Ersten automatisch vom Konto ab.

....

10. Das war mal wieder eine Diskussion, die kein Ende fand.

....

11. Der Kostenplan, der noch nicht endgültig ist, muss heute dem Chef vorgelegt werden.

....

12. Das sind die Geschäftsbedingungen, die wir immer haben.

....

Passiv und Passiversatzformen

C3 Einfache Passivsätze *(Wiederholung)*

Was passiert an einem Tag in Deutschland? Umschreiben Sie die Information mit Passivsätzen.

3	Morde	*Es werden täglich drei Morde begangen/verübt. Jeden Tag werden drei Menschen ermordet.*
14	Verkehrstote	....
30	Selbstmorde	....
480	Ehescheidungen	....
1 200	Eheschließungen	....
7 100	Diebstahlanzeigen	....
789 041	Liter Benzinverbrauch	....
2 540 000	Mahlzeiten bei McDonald's	....
8 767 123	Euro Umsatz bei Ikea	....
26 142 740	Liter Bier	....
46 421 112	Eier	....
249 315 086	Zigaretten	....
329 240 000	Tassen Kaffee	....

C4 Passiv mit Modalverben

Bei Otto ist mal wieder einiges schiefgegangen. Geben Sie nachträglich Ratschläge im Passiv.

◊ Ottos Hemd ist total zerknittert. *(bügeln)* *Es/Das Hemd hätte gebügelt werden müssen.*

1. Der Bibliotheksausweis ist abgelaufen. *(verlängern)* ....
2. Die Daten sind unvollständig. *(ergänzen)* ....
3. Der Drucker ist kaputt. *(reparieren)* ....
4. Der Brief liegt noch immer in Ottos Büro. *(schon gestern – abschicken)* ....
5. Otto hat einfach so Urlaub genommen. *(beantragen)* ....
6. Ottos Chef wusste von nichts. *(benachrichtigen)* ....
7. Die Preisangaben in dem Angebot waren falsch. *(vorher – kontrollieren)* ....
8. Alle warten auf Ottos Protokoll. *(schon längst – schreiben)* ....
9. Otto hat noch immer 200 Euro Schulden bei Ingo. *(schon vor einem Monat – begleichen)* ....

Umformung von Aktivsätzen in Passivsätze

Bei der Umformung von Aktivsätzen ins Passiv wird das Akkusativobjekt des Aktivsatzes zum Subjekt des Passivsatzes.

Aktiv: Die Ausstellungsbesucher betrachten das Bild.
Passiv: Das Bild wird betrachtet.

Genitiv-, Dativ- und Präpositionalobjekte bleiben von der Passivumformung unberührt.

Aktiv: Der Lehrer hilft mir bei den Hausaufgaben.
Passiv: Mir wird bei den Hausaufgaben geholfen.

Wenn es im Aktivsatz kein Akkusativobjekt gibt, beginnt der Passivsatz mit einem anderen Satzglied (z. B. einem Dativobjekt) oder mit *es*.

Aktiv: Mein Nachbar half mir bei den Hausaufgaben.
Passiv: Mir wurde bei den Hausaufgaben geholfen.
Es wurde mir bei den Hausaufgaben geholfen.

C5 Formen Sie die Aktivsätze in Passivsätze um.

◊ Der Fotograf manipulierte die Bilder. *Die Bilder wurden (von dem Fotografen) manipuliert.*

1. Die Behörde antwortete mir nicht auf mein Schreiben. ....
2. Viele Firmen werben noch immer in Kindersendungen für Süßigkeiten. ....
3. Frau Kümmel unterbrach den Chef in seiner Rede dreimal. ....
4. Der Trainer redete dem Boxer in der Pause gut zu. ....
5. Der Internetanbieter verschickte die Bücher per Luftpost. ....
6. Ein Expertenteam untersucht die Ursache der Stromstörung. ....
7. Einige radikale Demonstranten steckten Autos in Brand. ....
8. Die Unterhändler brachen die Verhandlungen heute ab. ....
9. Die Jury ehrte die Schriftstellerin mit dem Georg-Büchner-Preis. ....
10. Viele junge Leute verstehen Ausdrücke aus der ehemaligen DDR nicht mehr. ....
11. Polizeibeamte sicherten die Unfallstelle und sperrten die Straße ab. ....
12. Die Galerieleitung sicherte die kostbaren Bilder durch ein besonderes Alarmsystem. ....
13. Der Direktor kündigte dem Sicherheitsbeauftragten nach dem Diebstahl. ....
14. Ein unbekannter Künstler malte das Bild im 17. Jahrhundert. ....

Passiversatzformen

Möglichkeit	
Das Material kann verformt werden.	Das Material ist verformbar. *sein* + Adjektiv auf *-bar/-lich/-abel* Das Material lässt sich verformen. *sich lassen* + Infinitiv Das Material ist zu verformen. *sein* + Infinitiv mit *zu*
Notwendigkeit/Auftrag/Verbot	
Die Tür muss abgeschlossen werden.	Die Tür ist abzuschließen. *sein* + Infinitiv mit *zu*
Die Nebenwirkungen dürfen nicht verharmlost werden.	Die Nebenwirkungen sind nicht zu verharmlosen. *sein* + Infinitiv mit *zu*

C6 Formen Sie die Passivsätze um und verwenden Sie eine Passiversatzform.

1. Die alte Geige kann nicht verkauft werden. ....
2. Die Vorschläge können nicht akzeptiert werden. ....
3. Der Patient muss heute noch untersucht werden. ....
4. Der DVD-Spieler kann von jedem Kind programmiert werden. ....
5. Die Verdächtigen müssen sofort festgenommen werden. ....
6. Die Sitzbezüge können ausgewechselt werden. ....
7. Die Lieferprobleme müssen sofort gelöst werden. ....
8. Ihr lautes Lachen kann nicht überhört werden. ....
9. Das Medikament kann sowohl bei Gelenk- als auch bei Kopfschmerzen eingesetzt werden. ....
10. Jede Teambesprechung muss protokolliert werden. ....
11. Der Stürmer kann verletzungsbedingt noch nicht eingesetzt werden. ....
12. Das Ziel kann in einem Monat nicht erreicht werden. ....
13. Mit dem explosiven Material darf nicht gespielt werden. ....
14. Von der Verwendung dieses Holzschutzmittels muss abgeraten werden. ....

Auch Aktivformen bestimmter Nomen-Verb-Verbindungen können eine Passivform umschreiben.

Das Museum wird umgebaut. — Das Museum befindet sich im Umbau.
→ *Nomen-Verb-Verbindung*

C7 Formen Sie die Passivsätze um und verwenden Sie die angegebene Nomen-Verb-Verbindung. Achten Sie auf eventuell fehlende Präpositionen.

1. Bei der Razzia wurden auch zehn Polizeihunde eingesetzt. *(Einsatz – sein)*
....
2. Die Qualität der Ware wird ständig kontrolliert. *(Kontrolle – unterliegen)*
....
3. Die Vorschläge der Architekten werden auf der heutigen Sitzung diskutiert. *(Diskussion – stehen)*
....
4. Die zu spät eingereichten Entwürfe können nicht mehr berücksichtigt werden. *(Berücksichtigung – finden)*
....
5. Der Entwurf des Architektenteams aus Sachsen wurde heftig kritisiert. *(Kritik – stoßen)*
....
6. Ende des Monats wird das Projekt abgeschlossen. *(Abschluss – kommen)*
....
7. Das Kunstwerk im Eingangsbereich wurde von allen beachtet. *(große Beachtung – schenken)*
....
8. Einige der Künstler werden sicher schnell wieder vergessen. *(Vergessenheit – geraten)*
....

Verschiedene Präpositionen

Teil C

C8 Ergänzen Sie die fehlenden Präpositionen und Artikelendungen.

◊ Wir sind *mit dem* Taxi *zum* Bahnhof gefahren.
1. Der Einbruch geschah .... d........ Nacht.
2. Sie können auch .... Kreditkarte bezahlen.
3. Ich habe heute mal wieder .... eine Stunde .... Stau gestanden.
4. .... diesem Straßenlärm kann ich nicht schlafen.
5. Die Anzahl der Patentanmeldungen ist .... d........ letzten Jahren .... 20 % gestiegen.
6. .... Haus befindet sich eine Arztpraxis.
7. Das Beurteilungsgespräch findet .... Jahresende .... vier Augen statt.
8. Ich habe ihn erst .... Kurzem kennengelernt.
9. Das natürliche Heilwasser .... dieser Gegend soll .... alle möglichen Krankheiten helfen.
10. Herr Müller ist nicht .... Urlaub, er ist .... Geschäftsreise.
11. Die Schäden .... d........ Häusern sind noch .... letzten Sturm.
12. Können wir den Termin .... zwei Wochen verschieben?
13. .... der Presse wurde bekannt, dass sich der Fußballstar .... seiner Frau trennen will.
14. Die Informationen .... die Insel sind nur .... Spanisch.
15. .... Ufer des Flusses findet man einige wunderschöne Villen.
16. Wir waren uns .... vielen Punkten einig.
17. .... d........ Preisverleihung sah sie den Schauspieler .... ersten Mal .... der Nähe.
18. Hast du dich meinet............ (............ mir) so beeilt?
19. .... der Süddeutschen Zeitung gab es .... Thema Kündigungsschutz Auseinandersetzungen .... den Sozialdemokraten.
20. Unsere Preise haben sich .... 240 .... 260 Euro erhöht.
21. Die Versuchsreihe muss .... ein........ längeren Zeitraum laufen, sonst können .... d........ Ergebnissen Fehler auftreten.
22. Das Flugzeug flog .... ein........ Höhe .... 10 000 Metern.
23. .... Wunsch bringen wir Ihnen gern das Frühstück .... Zimmer.
24. .... Sommerschlussverkauf bekommt man manche Sachen .... halben Preis.
25. Der Zug hat eine Verspätung .... 30 Minuten.
26. Die Entscheidung fällt .... den nächsten 24 Stunden.
27. .... eines Lehrbuchs kaufte sie sich .... dem Geld eine CD.
28. .... allen Erwartungen konnte der Konflikt friedlich beigelegt werden.
29. Der Autofahrer ist .... d........ Fahrbahn abgekommen und .... einen Baum gefahren.
30. .... des schnellen Eintreffens der Feuerwehr blieb der Schaden gering.

C9 Der Fotograf Helmut Newton
Bilden Sie aus den vorgegebenen Wörtern Sätze. Achten Sie unter anderem auf die fehlenden Präpositionen.

1. Helmut Newton – 1920 – Sohn, wohlhabende jüdische Fabrikantenfamilie – Berlin – Name: Helmut Neustädter – geboren werden

   ....

2. 1936 – er – Gymnasium – abbrechen + bekannte Berliner Fotografin – eine Lehre – Fotograf – beginnen

   ....

3. 5. Dezember 1938 – er – Deutschland – Richtung Singapur – verlassen

   ....

4. Newton – dort – Bildreporter – Singapore Straits-Times – arbeiten, nach zwei Wochen – er – Unfähigkeit – entlassen werden

   ....

5. Kriegsjahre, 1940 bis 1945 – er – Australien – verbringen, wo – er – 1959 – Melbourne – Fotostudio – eröffnen

   ....

6. 1956 – Helmut Newton – australische *Vogue* arbeiten, später – auch – viele internationale Modemagazine

   ....

Rückblick

 Hier finden Sie die wichtigsten Redemittel des Kapitels.

Musik und ihre Wirkung

Wirkungsweise von Musik

Musik kann:

- eine Vielzahl von Reaktionen auslösen
- beruhigen, beschwingen, beglücken, traurig machen
- in unsere emotionale Balance eingreifen
- das Belohnungssystem im Gehirn aktivieren
- auf das zentrale Nervensystem wirken
- Schmerzen lindern
- Gänsehaut, Tränen oder erhöhten Puls hervorrufen

- Die Reaktionen auf Musik sind an persönliche Erinnerungen und Erfahrungen gekoppelt.

Instrumente

- Ein Instrument wird gebaut/erbaut/geschnitzt/hergestellt.
- musische/musikalische Neigungen entwickeln
- ein Instrument erlernen/spielen/kaufen/erwerben
- Den Instrumentenbauern steht akustisch gutes Material zur Verfügung.
- etwas wirkt sich günstig auf die Tonerzeugung aus
- Töne erzeugen/Töne lassen sich spielen
- gut klingen/anderen Instrumenten klanglich überlegen sein
- einen hohen Beliebtheitsgrad genießen
- versteigert werden/unter den Hammer kommen/bei einer Versteigerung einen guten Preis erzielen
- sich in einem schlechten Zustand befinden/nur noch teilweise funktionstüchtig sein
- Geld für die Restaurierung aufbringen/Spenden sammeln

Fotografie

- digital/analog fotografieren
- Fotos archivieren/sammeln
- Fotoausstellungen besuchen
- Etwas ist auf den ersten/zweiten Blick zu erkennen.
- eine neue Seh-Erfahrung machen
- jemanden nachhaltig beeindrucken
- eine ausgefeilte Choreografie/Komposition von Dingen und Figuren besitzen/zeigen
- etwas bei näherem Hinschauen entdecken
- mit Plattenkamera und Stativ arbeiten
- Bilder aus vielen Einzelmotiven zusammensetzen/Details zu einem komplexen Bild zusammenfügen
- Befremdung beim Betrachter erzeugen/auslösen
- Fotomotive sind: die Vereinsamung des Menschen, die moderne Konsumgesellschaft, die Monumentalität von Masseninszenierungen
- sich einer avancierten Technik bedienen
- Fotos am Computer bearbeiten
- Fotos manipulieren/Bilder sind manipulierbar/Bilder „lügen"
- Bilder vermitteln eine Vorstellung von Realität.
- Bilder stehen im Mittelpunkt des öffentlichen Interesses.
- Bilder aus dem Kontext/aus dem Zusammenhang reißen

Kritiken/Rezensionen

- eine Kritik/eine Rezension lesen/schreiben
- sich von einer guten/schlechten Kritik beeinflussen lassen
- sich ein Buch empfehlen lassen/eine Bücherempfehlung lesen
- sich zum Bücherkauf animieren lassen
- Freude und Interesse am Lesen haben
- sich an Bestsellerlisten orientieren

Eine Rezension schreiben

- Der Roman handelt von .../Es geht in diesem Roman um ...
- Der Autor beschreibt/erzählt die Geschichte (eines jungen Mannes).
- Der Erzähler/Ich-Erzähler/Romanheld reist/verbringt/erlebt/trifft ...
- Der Roman ist wie .../Der Aufbau des Romans erinnert an ...
- Der Leser erfährt/kann miterleben/taucht ein in ...
- Es ist ein ausgezeichnetes/erstklassiges/bemerkenswertes/gut gemachtes/beeindruckendes/interessantes/spannendes/überzeugendes Buch.
- Es lässt sich gut/einfach/leicht lesen.
- Das Buch/Die Geschichte macht betroffen/nachdenklich.
- Den Roman kann man empfehlen/sollte jeder lesen.
- Dem Autor gelang/gelingt es .../Der Autor schafft es .../Der Autor versteht es, den Leser zu fesseln/zu unterhalten/mitzureißen ...
- Bei diesem Roman handelt es sich um ein mittelmäßiges/nicht gelungenes/langweiliges/nicht überzeugendes/schlecht gemachtes/schreckliches/ganz furchtbares/grässliches/grauenhaftes Buch.
- Das Buch ist/war nicht lesbar/schwer zu lesen.
- Der Autor war nicht in der Lage ...
- Von einer Lektüre dieses Buches kann man nur abraten!

Kreativität

- über ein kreatives Potenzial verfügen/sein kreatives Potenzial ausschöpfen
- schöpferisch handeln
- Kreativität ist lernbar.
- Am Anfang des kreativen Prozesses steht ein Problem.
- Wissenswertes zu einem Thema sammeln
- Alle Informationen werden auf der unbewussten Ebene neu zusammengesetzt.
- einen Geistesblitz haben
- eine Idee in die Tat umzusetzen
- den Kreativitätsprozess unterstützen
- sich offen gegenüber neuen Ideen zeigen
- das Privatleben vielfältig gestalten
- sich nicht immer ablenken lassen
- Weitere Einflussfaktoren sind Bewegung, Ernährung oder Farben.
- Zu viel Fett kann den Strom der Geistesblitze lähmen.
- Viele geben sich mit der Hälfte der möglichen Denkgeschwindigkeit zufrieden.
- Durch Sport wird das Gehirn mit Sauerstoff durchflutet. Es bekommt einen geistigen Frischeschub.
- Farben wirken auf den Geist stimulierend/beruhigen die Seele.

Evaluation
Überprüfen Sie sich selbst.

Ich kann	gut	nicht so gut
Ich kann mich fließend zu Themen wie *Musik, Kunst, Fotografie* oder *Literatur* äußern.	❒	❒
Ich kann im Gespräch Vorschläge unterbreiten, auf Gegenvorschläge eingehen und zu einer Einigung gelangen.	❒	❒
Ich kann schriftsprachliche Formulierungen anwenden und entsprechende Umformungen vornehmen.	❒	❒
Ich kann populärwissenschaftliche Lese- und Hörtexte zu den Themen *Musik* und *Fotografie* verstehen und wiedergeben.	❒	❒
Ich verstehe Buchrezensionen auch im Detail einschließlich implizierter Bedeutungen.	❒	❒
Ich kann eine Buchrezension schreiben.	❒	❒
Ich kann populärwissenschaftliche Lesetexte zum Thema *Kreativität* verstehen und mich zu diesem Thema äußern. *(fakultativ)*	❒	❒

Kapitel 8

Lebenswege

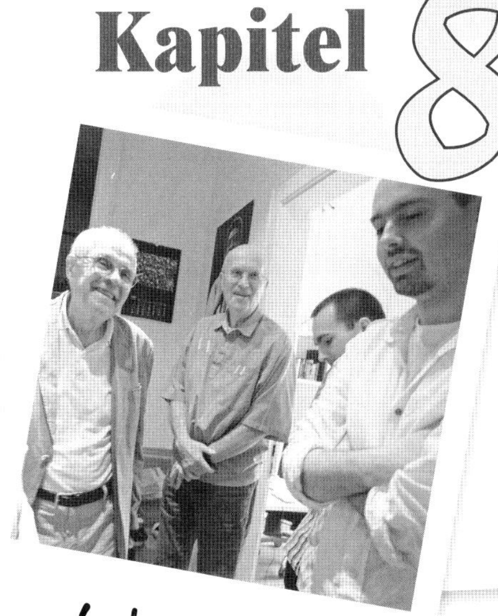

Lebenswege

Teil A

(A1) Sprechen Sie möglichst ausführlich über diese Fotos.

- Schildern Sie die dargestellte Situation, die Personen und Dinge, die Sie auf dem Foto sehen.
- Sprechen Sie anschließend über das dargestellte Thema. Ziehen Sie Vergleiche zu Ihrem Heimatland und sprechen Sie über persönliche Erfahrungen.

Die Bilder

Beschreiben Sie kurz:

- Personen
- Ort
- Tätigkeit
- Besonderheiten, die Ihnen auffallen
- Wirkung der Fotos

Stellen Sie Vermutungen an.

Wo und wann könnte das Bild aufgenommen worden sein?

Wie fühlen sich/Was denken die dargestellten Personen?

Das Thema

Überlegen Sie:

Was verbindet die Fotos miteinander, was unterscheidet sie?

Gibt es ein gemeinsames Thema?

Was sagen die Fotos über das Thema aus?

Wie würden Fotos in Ihrem Heimatland zu dem Thema aussehen und warum?

Was weiß ich über das Thema?

Wie ist meine Meinung dazu?

Kann ich persönliche Beispiele anführen?

Über Bilder sprechen

- Auf dem linken/rechten/oberen/unteren Foto …
- Im Vordergrund/Im Hintergrund/In der Mitte des Bildes/Am rechten/linken Seitenrand … kann man sehen/erkennen …/ist … abgebildet …
- Das Foto zeigt …
- Bemerkenswert/Seltsam/Auffällig finde ich …
- Das Foto … wirkt auf mich …/vermittelt den Eindruck, als ob …
- Das Foto … könnte/dürfte/muss … aufgenommen worden sein.
- Vielleicht/Bestimmt/Sicherlich …/Ich nehme an/vermute, dass …

Über ein Thema sprechen

- Gemeinsamkeiten/Unterschiede sehe ich in …
- Die Fotos behandeln das Thema …/zeigen …
- Wenn man in meinem Heimatland zu dem Thema … Fotos machen würde, dann …
- Ich habe mich mit … schon intensiv/eigentlich noch gar nicht beschäftigt …
- Meiner Meinung/Meiner Ansicht nach …

Jung und Alt

a) Partnerarbeit: Wie stellen Sie sich das Älterwerden vor? Erarbeiten Sie mit Ihrer Nachbarin/Ihrem Nachbarn eine Liste von Dingen, die Sie beim Älterwerden als positiv oder als negativ empfinden.

positiv	**negativ**

b) Berichten Sie.

- Wie ist das Verhältnis zwischen Jung und Alt in Ihrem Heimatland?
- Welchen Einfluss haben ältere Menschen in der Familie und in anderen Bereichen des gesellschaftlichen Lebens?

Lesen Sie den folgenden Text.

Lebenswege

„Achtzig Jahre! Keine Augen mehr, keine Ohren mehr, keine Zähne mehr, keine Beine mehr, kein Atem mehr! Und das Erstaunlichste ist", sinnierte einst der französische Dichter Paul Claudel, „dass man letztlich auch ohne all das auskommt!"

Ist das nun Lebenskunst? Senilität? Oder ein echter Hinweis darauf, wie man sich am Ende eines Weges durch die Welt fühlen kann?

Wissenschaftler haben sich bisher hauptsächlich damit beschäftigt, wie sich der Körper beim Prozess des Älterwerdens verändert. Dabei, so fanden sie heraus, gibt es individuelle Variationen. Die Haut eines Vierzigjährigen zum Beispiel kann der eines Zwanzigjährigen, aber auch der eines Sechzigjährigen entsprechen.

Doch jeder Mensch altert, das steht fest. Den meisten gefällt das nicht. Man bemerkt die Probleme beim täglichen Treppensteigen und die Veränderung des eigenen Körpers: Muskel- und Knochensubstanz werden nach und nach durch Fett ersetzt, dadurch wächst im Laufe der Zeit die Taillenweite. Und man kann es nicht als Trost ansehen, dass synchron dazu die Haare dünner werden. Ihr Durchmesser verringert sich bis zum 70. Lebensjahr um 20 Prozent.

Welcher böse Geist hat nur das Älterwerden als Abstieg in die körperliche Unvollkommenheit konstruiert? Nach Meinung der Biologen ist die Evolution dafür verantwortlich: Es kommt darauf an, möglichst viele gesunde Nachkommen zu zeugen. Ist das geschehen, läuft die Maschinerie des Körpers noch zehn bis zwanzig Jahre relativ störungsarm, bis die Kinder aus dem Gröbsten heraus sind. Danach gibt es keinen Grund mehr, unseren Körper funktionsfähig zu erhalten, denn soll das Leben etwa Energie darauf verschwenden, Gene für eine schöne Seniorenzeit zu erfinden?

Und wie steht es mit der Psyche und den Leistungen des Gehirns? Gibt es auch hier einen Abstieg in die Unvollkommenheit?

Nehmen wir z. B. die „biologische Hardware", unser Gehirn. Es verliert mit der Zeit an Leistungskraft. Das Arbeitsgedächtnis – also die Fähigkeit, mehrere Informationen gleichzeitig parat zu haben und miteinander zu verknüpfen – wird schlechter. Auch die Fähigkeit, Reize schnell aufzunehmen und blitzartig zu reagieren, lässt nach. Einige der altersbedingten Abwärtsentwicklungen lassen sich durch Training auffangen, andere nicht.

Ganz anders aber als die „Hardware" verhält sich unsere individuell erworbene „Software". Zur „Software" gehören Fachkompetenz, Ausdrucksvermögen, Wissen um soziale Zusammenhänge und die Gabe, komplexe Probleme zu lösen. Diese Fähigkeiten verbessern sich nach dem Jugendalter noch enorm. Sie können bis ins späte Erwachsenenalter erhalten bleiben und unter Umständen sogar anwachsen.

Viel zu einfach ist also die Vorstellung vom jugendlichen Aufstieg, der Hochebene des Erwachsenseins mit Jogging, Yoga, Schminke und sorgfältiger Kleiderwahl und das Bild vom Alter als traurigem Abstieg. Wir bewältigen unser Leben in jedem Moment mit unserer höchst eigenen Kombination aus langsam sinkender geistiger Schnelligkeit und langsam steigender Erfahrung.

A4 Textarbeit

a) Nennen Sie die im Text beschriebenen negativen und positiven Veränderungen beim Älterwerden und vergleichen Sie sie dann mit Ihrer eigenen Übersicht in A2.

positive Veränderungen	negative Veränderungen

b) Suchen Sie aus dem Text Wörter, die Zunahme und Abnahme ausdrücken.

Zunahme	Abnahme
(die Taillenweite) wächst	....
....	....
....	....
....	....
....	....

c) Ergänzen Sie die fehlenden Verben in der richtigen Form.

gehen ◇ belegen ◇ verzeichnen ◇ feststellen ◇ zurückentwickeln ◇ wachsen ◇ beschäftigen ◇ beschreiben ◇ verringern ◇ erfüllen ◇ verlieren ◇ verbessern ◇ mögen ◇ verantwortlich machen ◇ großziehen

Bisher haben sich die Wissenschaftler hauptsächlich damit ....(1), die Veränderungen des menschlichen Körpers beim Prozess des Älterwerdens zu ....(2). Sie haben ....(3), dass sich die Muskeln ....(4), das Fettpolster ....(5) und sich die Dicke der Haare um 20 Prozent ....(6). Diese Tatsache ....(7) die meisten Menschen nicht.
Für diesen Alterungsprozess .... die Biologen die Evolution ....(8): Wenn der Mensch gesunde Nachkommen gezeugt und ....(9) hat, hat er seine Aufgabe ....(10). Danach ....(11) es mit dem körperlichen Befinden nur noch bergab.
Neue Studien haben ....(12), dass wir Menschen neben den Verlusten auch Gewinne ....(13) können. Zwar ....(14) das Gehirn mit der Zeit an Leistungskraft, aber Fähigkeiten wie Fach- und Sozialkompetenz oder das Ausdrucksvermögen können sich mit zunehmendem Alter ....(15).

d) Ergänzen Sie die fehlenden Präpositionen.

Den meisten Menschen gefällt das Älterwerden nicht. Man bemerkt die Probleme .... täglichen Treppensteigen und die Veränderung des eigenen Körpers: Muskel- und Knochensubstanz werden langsam .... Fett ersetzt, dadurch wächst .... Laufe der Zeit die Taillenweite. Der Durchmesser der Haare verringert sich .... 20 Prozent.
.... Meinung der Biologen ist die Evolution .... den körperlichen Abstieg verantwortlich. Es kommt darauf an, möglichst viele Kinder zu zeugen. Man kann .... Körper nicht erwarten, dass er Energie .... Gene verschwendet, die dem Menschen eine schöne Seniorenzeit ermöglichen.

 Was ist passiert, wird passieren, muss noch passieren?

a) Beschreiben Sie die Veränderungen mit Verben mit *ver-* .

◊	besser werden	Die Lebensbedingungen *verbessern* sich.
1.	einheitlicher werden	Die Gesetze in Europa müssen .... werden.
2.	feiner werden	Der Geschmack der Suppe muss noch .... werden.
3.	deutlicher werden	Der Politiker muss seine Ziele noch besser ....
4.	dreimal so viel werden	Der Trinkwasserverbrauch der Bevölkerung .... sich.
5.	mehr werden	Das Geld hat sich auf dem Sparbuch ....
6.	einfacher werden	Die Grammatikregeln müssen .... werden.
7.	blöder werden	Leute, die nur fernsehen, ... langsam.
8.	kürzer werden	Die Arbeitszeit wird ....

b) Ergänzen Sie die Verben in der richtigen Form.

vervollständigen ◊ verteilen ◊ verschieben ◊ verstaatlichen ◊ veröffentlichen ◊ verringern ◊ verlängern ◊ versetzen ◊ verdünnen

◊ Unser Urlaub muss um drei Tage *verlängert* werden.
1. Der Inhalt des Dokuments muss unbedingt .... werden.
2. Die Adressenliste der Kunden muss .... werden.
3. Die Arbeit muss besser .... werden.
4. Die hohen Kosten müssen .... werden.
5. Unser Chef sollte endlich nach München .... werden.
6. Der Termin sollte um eine Woche .... werden.
7. Die dicke Soße muss noch etwas .... werden.
8. Nach den vielen Verschlechterungen des Reiseangebots sollte die Bundesbahn wieder .... werden.

 Geistig und körperlich fit bis ins hohe Alter

Was kann man Ihrer Meinung nach tun, um gesund und geistig fit alt zu werden?
Erarbeiten Sie in der Gruppe mindestens fünf Vorschläge und vergleichen Sie diese dann mit einer anderen Gruppe. Einigen Sie sich dann auf die drei besten und wirksamsten Vorschläge.

Gruppe 1	Gruppe 2
1.	1. ....
2.	2. ....
3.	3. ....
4.	4. ....
5.	5. ....

Die besten drei gemeinsamen Vorschläge
1. ....
2. ....
3. ....

(A7) Kluge Frauen leben länger

Schreiben Sie einen Leserbrief von ca. 200 Wörtern Länge an eine Zeitschrift.
Gehen Sie in Ihrem Brief auf die Forschungsergebnisse in dem Text ein, schildern Sie Ihre eigene Meinung und berichten Sie von persönlichen Erfahrungen zu diesem Thema.

Steigern Sie Ihre Lebenserwartung!

Intelligente, an Politik interessierte Frauen leben länger als ihre passiveren Zeitgenossinnen. Die Konzentration auf die Familie hingegen, so berichten Wissenschaftler, wirke sich für Frauen lebensverkürzend aus. Die Psychologen vom Max-Planck-Institut und vom Zentrum für Altersforschung hatten in einem gemeinsamen Projekt nach „psychologischen Determinanten von Langlebigkeit" gesucht.

„Produktive und konsumtive Aktivitäten", so hat sich gezeigt, steigern offenbar bei Mann und Frau gleichermaßen die Lebenserwartung. Dagegen können ausgedehnte Ruhepausen und der Drang, sich selbst allzu pfleglich zu behandeln und zu schonen, eher das Gegenteil bewirken – nach der alten Weisheit: „Wer rastet, der rostet."

(A8) Lebensweisheiten und gute Ratschläge

Lesen Sie die folgenden Lebensweisheiten bzw. Ratschläge. Bewerten Sie jede Lebensweisheit/jeden Ratschlag auf der Skala von 1 bis 10 (1 = sehr unsinnig; 10 = sehr sinnvoll). Begründen Sie Ihre Entscheidung und erläutern Sie die Bedeutung und Nützlichkeit der Lebensweisheiten, denen Sie eine hohe Note erteilt haben.

Lebensweisheit	Note	Erläuterung
1. Es gelingt, wonach man ringt.	....	....
2. Beharrlichkeit vermag alles.	....	....
3. Wer zwei Wege gehen will, muss zwei lange Beine haben.	....	....
4. Es jedem recht machen zu wollen, ist der sichere Weg, es keinem recht zu machen.	....	....
5. Wer Wind sät, wird Sturm ernten.	....	....
6. Höflich und bescheiden sein, kostet nichts und bringt viel ein.	....	....
7. Wer deutlich spricht zur rechten Zeit, spart Kosten sich und Streitigkeit.	....	....
8. Das Fallen ist keine Schande, aber das Liegenbleiben.	....	....
9. Lust und Liebe zum Ding machen Müh' und Arbeit gering.	....	....
10. Mit Fragen kommt man durch die ganze Welt.	....	....

Interview
Stellen Sie zwei Gesprächspartnern die Fragen zum Thema *Gute Ratschläge und Lebensweisheiten*. Fassen Sie dann vor der Gruppe die Antworten der beiden Gesprächspartner zusammen.

	Name	**Name** ....
Können Sie sich an Lebensweisheiten/Ratschläge Ihrer Großeltern/Eltern erinnern? Wenn ja, welche Ratschläge haben Sie befolgt, welche nicht?		
Was halten Sie selbst von Bauernregeln, Lebensweisheiten und Ratschlägen?		
Gibt es Bauernregeln oder Lebensweisheiten, die typisch für Ihr Heimatland/Ihren Kulturkreis sind?		
Bekommen Sie heute noch manchmal Ratschläge? Wenn ja, von wem? Befolgen Sie diese auch?		
Geben Sie selbst manchmal Ratschläge? Wenn ja, wem und welche?		

Wortschatz: Ratschläge geben

a) Lesen Sie die folgenden Redemittel und unterstreichen Sie die Wörter und Wendungen, die Sie am meisten nutzen.

Ratschläge geben
- ratlos sein
- um Rat/Ratschläge/Tipps/Hinweise bitten
- Rat suchen/sich bei jmdm. Rat (ein)holen/einen Ratgeber lesen
- einen Rat/Ratschläge/Tipps/Hinweise geben/Ratschläge erteilen
- auf einen Rat/Ratschläge/Tipps/Hinweise hören
- einen Rat/Ratschläge bekommen/befolgen
- einen Rat/Ratschläge/Tipps/Hinweise ausschlagen/ignorieren/überhören/nicht befolgen
- der Ratgeber/die Ratgeberin/der Berater/die Beraterin

Sprachliche Mittel
- Unser Rat: Nehmen Sie sich Zeit!
- Sie sollten sich Zeit nehmen.
- Es wäre gut, wenn Sie sich Zeit nehmen würden.
- Ich empfehle/rate Ihnen, sich Zeit zu nehmen.
- Ich an Ihrer Stelle würde mir Zeit nehmen.
- Wenn ich an Ihrer Stelle wäre, würde ich mir Zeit nehmen.

b) Ergänzen Sie die Sätze. Orientieren Sie sich an den Redemitteln in A10a.

1. Ulrich hat nie auf den Rat seiner Eltern ....
2. Manche Mütter wollen sogar ihren heranwachsenden Kindern ständig gute Ratschläge ....
3. Der neue .... mit dem Titel *Fit im Alter* ist leider schon vergriffen.
4. Sie war fast 20 Jahre lang eine sehr gute Finanz............................ .
5. Es wäre gut, wenn Sie sich in Sachen Alterssicherung mal .... lassen würden!

6. Frau Richter ist zwar eine tatkräftige Frau, aber beim Anblick der Unordnung im Kinderzimmer ist sie manchmal einfach ....
7. Herr Appen hat schon seit Wochen Rückenschmerzen. Er sollte den Arzt um Rat ....
8. Der Arzt .... ihm, sich mehr zu schonen.
9. „Regelmäßig Sport treiben" ist ein Tipp, den man sicher nicht .... sollte.

c) Setzen Sie erst die fehlenden Nomen ein und ordnen Sie dann die Wendungen den entsprechenden Erklärungen zu.

Geduld ◊ Löffel ◊ Ratschläge *(Pl.)* ◊ Zeit ◊ Tat ◊ Schluss ◊ Wörterbuch ◊ Ende

(1) Da ist guter Rat teuer.
(2) mit seiner Weisheit am .... sein
(3) jmdm. mit Rat und .... zur Seite stehen
(4) jmd. weiß immer Rat
(5) Behalte deine Weisheiten für dich!
(6) etwas zu Rate ziehen
(7) jmd. hat die Weisheit nicht gerade mit dem .... gegessen
(8) Das ist der Weisheit letzter ....
(9) Kommt ...., kommt Rat.

(a) Mit etwas .... findet man eine Antwort/einen Ausweg.
(b) Das ist eine ideale Lösung.
(c) z. B. eine Lösung mithilfe eines .... finden
(d) jmd. ist nicht gerade sehr klug
(e) sich keinen Rat mehr wissen
(f) Deine .... werden nicht gebraucht.
(g) jmd. weiß zu jeder Zeit einen Ausweg
(h) Es ist schwierig, eine Lösung zu finden.
(i) jmdm. helfen, so gut man kann

A11 Persönlicher Brief: Erwartungen an das eigene Leben

Ein deutscher Freund schreibt Ihnen in einem persönlichen Brief, dass er sich in einer Krise befindet. Er studiert an der Universität in Marburg Geschichte und das Fach gefällt ihm nicht mehr. Er weiß nicht, ob er mit dem Studium aufhören, das Fach wechseln oder doch Geschichte zu Ende studieren soll. Darum bittet er Sie jetzt, ihm etwas über Ihre persönlichen Lebenserwartungen zu schreiben.

Antworten Sie Ihrem Freund.
Gehen Sie kurz auf seine Situation ein.

Berichten Sie dann:
- etwas über Ihre eigene Situation,
- was Sie von Ihrem Berufsleben erwarten,
- wie Sie sich Ihr zukünftiges Privatleben vorstellen,
- was Sie an der Stelle Ihres Freundes tun würden.

Schreiben Sie einen Brief von ca. 200 Wörtern.
Nehmen Sie sich dafür 60 Minuten Zeit.

Welche Erwartungen haben Sie an Ihr eigenes Leben?

→ *Erwartungen haben an etwas/jemanden*

Wie Verben und Adjektive können auch bestimmte Nomen mit einem präpositionalen Objekt auftreten.

Zusatzübungen zu Nomen mit präpositionalem Objekt ⇨ Teil C Seite 233

Was bringt die Zukunft?

Teil A

Bevölkerung in Deutschland – Veränderungen der Altersstruktur

a) Beschreiben Sie die folgende Grafik.

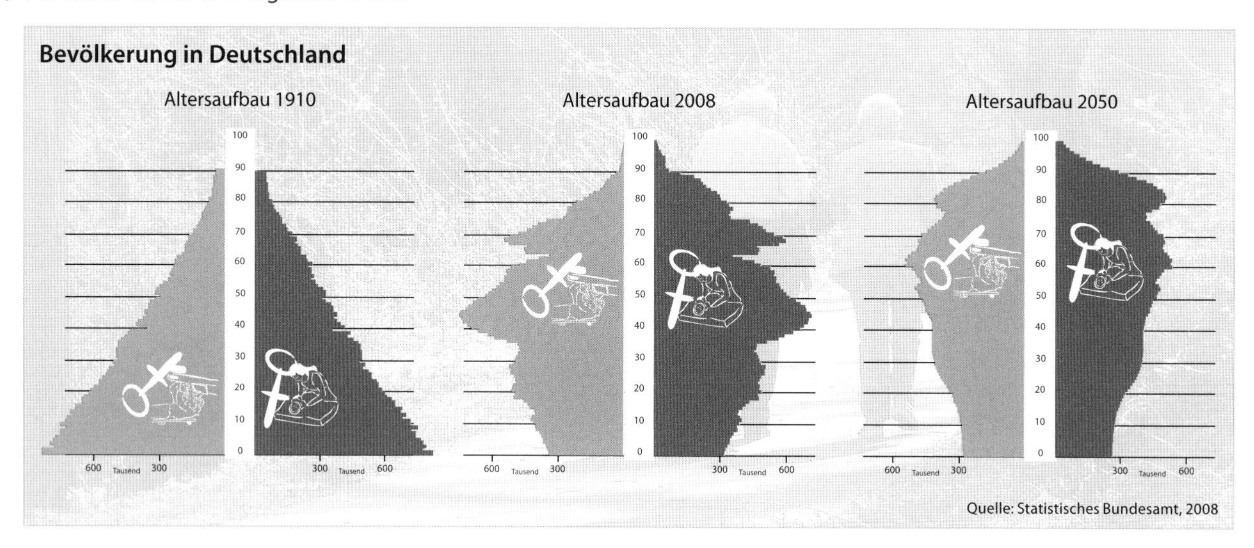

b) Gruppenarbeit
Welche Folgen hat diese Entwicklung auf die Gesellschaft und das Leben in der Zukunft?
Entwerfen Sie gemeinsam eine Gedankenkarte und präsentieren Sie Ihre Ideen vor der Gruppe.

A13 Lesen Sie den folgenden Text.

Der Methusalem-Spuk

Wer seinen 100. Geburtstag feiert, dem gratuliert der Bundespräsident persönlich. 1965 erhielten in der damaligen Bundesrepublik 158 Altjubilare Glückwunschschreiben vom Staatsoberhaupt, im Jahr 2004 waren es schon 4 122 Einhundertjährige. Die Nachfolger des derzeitigen Amtsinhabers werden noch mehr zu tun bekommen. Die Lebenserwartung Neugeborener wird im Jahr 2050 nach den Hochrechnungen von Bevölkerungsforschern wahrscheinlich rund sechs Jahre höher sein als heute. Männer werden dann im Durchschnitt 81, Frauen 87 Jahre alt – Hundertjährige keine Seltenheit.

Dass Menschen älter werden, ist nicht neu. Um 1900 lag die Lebenserwartung von Männern in Deutschland bei gerade mal 45 Jahren. Relativ neu ist jedoch ein demografischer Doppeltrend: Während die Alten immer länger leben, werden immer weniger Kinder geboren – seit 1972 ist die Zahl der Geburten in Deutschland geringer als die der Sterbefälle. Jetzt fehlen die vor 30 Jahren nicht geborenen Kinder ⇨

als potenzielle Eltern, das heißt, die Deutschen werden in den kommenden Jahrzehnten weiter schrumpfen und zusätzlich ergrauen.

„Zum ersten Mal in der Menschheitsgeschichte wird die Zahl der Älteren größer sein als die der Kinder", schreibt Frank Schirrmacher in seinem Buch „Das Methusalem-Komplott". Die Verschiebungen der Altersstruktur werden die Sozialsysteme erschüttern. Und sie werden auch einschneidende Folgen für den Arbeitsmarkt und die ganze Wirtschaft haben, ebenso für den Wohnungsbau und die Städteplanung, für Konsum und Kultur, für Freizeit und Lifestyle.

Betroffen davon sind alle westlichen Industriestaaten, außer den USA, wo neben vielen Zuwanderern auch eine hohe Geburtenrate (2,07 Kinder je Frau) die Einwohnerzahl weiter steigen lässt. In ganz Europa schrumpfen die Nationen, weil die Frauen weniger Kinder zur Welt bringen, als nötig wäre, um die Bevölkerungszahl konstant zu halten. In Deutschland ist – neben Japan und Italien – die demografische Alterung am intensivsten.

FRANK SCHIRRMACHER
Das Methusalem-Komplott
Die Menschheit altert in unvorstellbarem Ausmaß. Wir müssen das Problem unseres eigenen Alterns lösen, um das Problem der Welt zu lösen.

Wie sich die Vergreisung konkret auf die Gesellschaft auswirkt, darüber streiten sich die Gelehrten und Publizisten. Niemandem ist es bisher gelungen, ein stimmiges Bild der alternden Gesellschaft von morgen zu entwerfen. Im Moment beherrschen zwei gegensätzliche Szenarien die öffentliche Debatte: Zum einen sind da die gierigen Rentner, die im Bewusstsein ihrer Mehrheit höhere staatliche Ausgaben für ihre Pensionen und medizinischen Behandlungen fordern, zum anderen gibt es die forschen Jungen, die das Geld für die Alten erwirtschaften müssen – oder sich auch verweigern können.

So manche Untergangspropheten warnen vor der Übermacht der hinfälligen, pflegebedürftigen und geistig verwirrten Greise, die mit ihrem Egoismus das Land erstarren lassen. Andere meinen, dass viele Ältere noch nie so fit, tatendurstig und wissenshungrig waren. Die Erkenntnisse der Altersforschung zeigen, dass künftige Senioren beste Voraussetzungen haben werden, bei blühender Geisteskraft alt zu werden.

A14 Textarbeit

a) Beantworten Sie die folgenden Fragen zum Text.

1. Welche allgemeine Entwicklung wird beschrieben?

   ....

2. Mit welchen konkreten Zahlen wird die These unterstützt?

   ....

3. Welche Länder sind von der Entwicklung besonders betroffen?

   ....

4. Für welche Bereiche wird die Entwicklung besondere Folgen haben?

   ....

5. Welche Meinungen und Zukunftsszenarien gibt es in der Öffentlichkeit?

   ....

b) Wie heißen die Personen? Hilfe finden Sie im Text.

	maskulin	feminin	Plural
nachfolgen	der Nachfolger	....	....
jubilieren	....	....	....
forschen	....	....	....
ein Amt innehaben	....	....	....
in einem Land wohnen	....	....	....
alt/älter sein	....	....	....
jung/jünger sein	....	....	....
zuwandern	....	....	....
gelehrt sein	....	....	....
publizieren	....	....	....

c) Gibt es für diese Nomen eine Singular- bzw. eine Pluralform? Wenn ja, ergänzen Sie sie.

Singular	Plural
die Bevölkerung	....
der Trend	....
....	die Eltern
....	die Systeme
der Arbeitsmarkt	....
die Geburtenrate	....
das Alter	....
....	die Strukturen
die Erziehung	....
die Debatte	....
die Voraussetzung	....
....	die Kosten

▶ Die Mehrzahl der Nomen verfügt über Singular und Plural.
Es gibt aber Ausnahmen, vor allem bei Stoff- bzw. Materialnamen, Sammelnamen und einigen Abstrakta, die entweder nur im Singular oder nur im Plural verwendet werden.

Zusatzübungen zu Besonderheiten im Numerus ⇨ Teil C Seite 234

d) Bilden Sie aus den vorgegebenen Wörtern Sätze. Achten Sie auf den Satzbau, den Kasus und fehlende Präpositionen.

1. 1965 – Staatsoberhaupt – 158 Menschen – 100. Geburtstag – gratulieren – 2004 – Zahl, Jubilare – 4 122 – steigen

   ....

2. 2050 – Lebenserwartung, Neugeborene – Hochrechnungen – Bevölkerungsforscher – wahrscheinlich – sechs Jahre – höher sein – heute – werden

   ....

3. 1900 – Lebenserwartung – Männer – Deutschland – gerade mal – 45 Jahre – liegen

   ....

4. heute – Zahl, Geburten – Deutschland – geringer – Zahl, Sterbefälle – sein

   ....

5. Verschiebung, Altersstruktur – einschneidend, Folgen – Arbeitsmarkt + ganze Wirtschaft – haben – werden

   ....

6. konkrete Auswirkungen – Gesellschaft – Gelehrte und Publizisten – sich streiten

   ....

7. niemand – bisher – ein stimmiges Bild, alternde Gesellschaft – von morgen – entwerfen – können

   ....

8. einige – Angst – selbstbewusste Rentner – haben – die – viel Geld – ihre Pensionen und medizinischen Behandlungen – fordern

   ....

9. Untergangspropheten – Erstarrung, Gesellschaft – warnen

   ....

A15 Kurzvortrag: Ist die Vergreisung der Gesellschaft ein Problem?
Halten Sie einen Kurzvortrag (drei bis vier Minuten) und orientieren Sie sich an folgenden Punkten:

1. Entwicklung der Altersstruktur in Ihrem Heimatland
2. Entwicklung der Anzahl der Neugeborenen
3. Folgen für die Gesellschaft
4. notwendige Maßnahmen
5. Ihre persönliche Ansicht zu dem Thema

A16 Zukunftsvorhersagen

a) Interview: Befragen Sie möglichst viele Kursteilnehmer und berichten Sie anschließend über die Ergebnisse.

Lesen Sie regelmäßig Horoskope?

Machen Sie sich Sorgen um Ihre Zukunft?

Haben Sie Warnungen von anderen schon mal in den Wind geschlagen?

Interview
- Ich habe herausgefunden, dass … Kursteilnehmer/… Prozent der Kursteilnehmer regelmäßig Horoskope lesen, …
- Meiner Umfrage zufolge lesen … Horoskope, …

Sehen Sie die Zukunft Ihres Heimatlandes eher optimistisch oder eher pessimistisch?

Nehmen Sie einen Regenschirm mit, wenn schlechtes Wetter vorhergesagt wird?

Glauben Sie an Zukunftsvorhersagen?

Können Zukunftsvorhersagen Ihrer Meinung nach etwas Positives bewirken?

Handeln Sie immer überlegt?

Hören oder lesen Sie regelmäßig Börsennachrichten oder Wirtschaftsprognosen?

Vertrauen Sie den Empfehlungen von Bankberatern?

Interessieren Sie sich beruflich oder privat für Trends?

Sind Sie eher ein vergangenheits-, gegenwarts- oder zukunftsorientierter Mensch?

b) Berichten Sie.

Welche Arten von Zukunftsvorhersagen kennen Sie?

Wettervorhersagen ....

....

....

A17 Sie hören jetzt ein Interview zum Thema *Was bringt die Zukunft?* 11
Hören Sie den Dialog zweimal. Beantworten Sie die folgenden Fragen in Stichworten.
Lesen Sie zuerst die Fragen.

Teil 1

- Wen fragten die Menschen früher, was die Zukunft bringt?
  Medizinmänner und Orakel

1. Wie reagierten die Menschen früher auf Zukunftsvorhersagen?
   ....
2. Welche Absicht steckt hinter dem Interesse der Versicherungen an schlechten Nachrichten?
   ....
3. Welche Mittel setzen die Versicherungen ein, um ihr Ziel zu erreichen?
   ....

Teil 2

4. Was machen Trendforscher?
   ....
5. Welche Kritikpunkte an der Trendforschung führt Herr Graupner an?
   ....

Teil 3

6. Was sagt Herr Graupner über die Richtigkeit von Börsenvorhersagen?
   ....
   ....
7. Worin liegen die Ursachen für unrichtige Börsenvorhersagen?
   ....
   ....
8. Was werden nach Aussagen von Leo Nefiodow in den nächsten Jahrzehnten die Schwerpunkte sein?
   ....
   ....
   ....
9. Wie genau kann man die Zukunft vorhersagen?
   ....
   ....
   ....

A18 Ergänzen Sie die fehlenden Verben in der richtigen Form.

empfehlen ◊ geben ◊ ankreuzen ◊ glauben ◊ vorsehen ◊ verhindern ◊ befragen ◊ richten ◊ bedeuten ◊ verringern ◊ ansteigen ◊ betrachten ◊ feststellen ◊ liegen ◊ ~~beschäftigen~~ ◊ interessieren ◊ bringen ◊ zunehmen ◊ verunsichern ◊ versichern

Das Phänomen, sich mit der Zukunft zu *beschäftigen*, ist absolut nicht neu. Es hat die Menschen schon immer .... (1), was die Zukunft .... (2) wird. Früher wurden Medizinmänner oder Orakel .... (3) und die Menschen .... (4) sich danach, was die Wahrsager ihnen .... (5) hatten. Gute Nachrichten wie Kinderreichtum, Regen oder gute Ernte .... (6) den Leuten Zuversicht und Hoffnung. Bei schlechten Nachrichten .... (7) die Menschen, die Katastrophe mit dem richtigen Verhalten .... (8) zu können.
Heute .... (9) vor allem Versicherungen etwas daran, die Menschen mit negativen Prognosen zu .... (10). Indirekt .... (11) schlechte Voraussagen: Wer sich gegen alles Mögliche .... (12), der kann das Risiko .... (13) und ruhiger leben. Nach einer Umfrage von Versicherungsunternehmen habe die Furcht vor Terroranschlägen .... (14) und die Sorge um die Wirtschaftslage und die Lebenshaltungskosten sei in Deutschland enorm .... (15). Wenn man sich aber mal die eingesetzten Fragebögen genauer .... (16), dann .... man .... (17), dass es bei den Antwortmöglichkeiten nur sieben verschiedene Stufen von Angst gibt, die man .... (18) kann. Dass jemand das eine oder andere auch optimistisch sehen könnte, ist im Fragebogen gar nicht .... (19).

A19 Formen Sie die Sätze um. Verwenden Sie dabei die in Klammern angegebenen Ausdrücke.

◊ Wie die Mode von morgen aussieht, entscheidet sich in Paris. *(Entscheidung)*
Die Entscheidung über die Mode von morgen wird in Paris getroffen/gefällt.
Die Entscheidung, wie die Mode von morgen aussieht, wird in Paris getroffen/gefällt.

1. In Deutschland versuchen Trendforscher im Auftrag großer Firmen, Veränderungen im Konsumverhalten zu analysieren. *(verändern)* ....
2. Sie sollen prognostizieren, wie sich das Kaufverhalten auf die Entwicklung der nächsten Jahre auswirkt. *(Prognose/Auswirkungen)* ....
3. Es gibt eine Reihe von Kritikern, die die Meinung vertreten, Trendforschung sei eine rein kommerzielle Angelegenheit. *(halten)* ....
4. Wenn der Trendforscher am nächsten Tag für die Konkurrenz schreiben würde, wäre das Ergebnis ganz anders. *(sollte/kommen)* ....
5. Die meisten Trendforscher können nicht auf eigene Forschungsergebnisse blicken. *(Verfügung)* ....
6. Sie nehmen meist vorhandene empirische Arbeiten von Universitäten und interpretieren sie in die eine oder andere Richtung. *(zurückgreifen)* ....
7. Die meisten der Vorhersagen für die Entwicklungen bei Aktien, Wertpapieren und Wechselkursen sind falsch. *(anzweifeln müssen)* ....
8. Die meisten Menschen verhalten sich nicht immer diszipliniert, das gilt auch für Aktienhändler. *(Disziplin/zutreffen)* ....

Risikoforschung

A20 Was verbinden Sie mit den Begriffen *Risiko* und *Sicherheit*? Assoziieren Sie.

....

....

....

....

Risiko

Sicherheit

....

....

....

....

A21 Partnerarbeit
Fragen Sie Ihre Nachbarin/Ihren Nachbarn nach ihren/seinen Befürchtungen. Erkundigen Sie sich auch nach den Gründen.

Was sehen Sie für sich selbst als Risiko? Wovor fürchten Sie sich?	Ich fürchte mich sehr	ein bisschen	gar nicht	Gründe
vorm Autofahren bzw. vor einem Verkehrsunfall	❐	❐	❐	....
vorm Fliegen	❐	❐	❐	....
vor der Rinderseuche BSE	❐	❐	❐	....
vor chemischen Rückständen in Nahrungsmitteln	❐	❐	❐	....
vor den Folgen des Aktiv- bzw. Passivrauchens	❐	❐	❐	....
vor kaputten Toastern	❐	❐	❐	....
vor Haifischen	❐	❐	❐	....
vor Terroranschlägen	❐	❐	❐	....
vor Atommüll und Kernkraftwerken	❐	❐	❐	....

A22 Lesen Sie den folgenden Text.

Risikoforschung

Es gibt in Deutschland Tausende Büros und Labore, in denen Experten Risiken und ihre Folgen erkennen und bewerten müssen.

Allein bei der Bundesanstalt für Materialforschung (BAM) in Berlin sind 700 Wissenschaftler damit befasst, alltägliche Gefahren für die Bürger abzuwehren. Sie berechnen die Ermüdung von Stahlträgern im Berliner Hauptbahnhof, das Unfallrisiko von Silvesterfeuerwerken oder den Wahrscheinlichkeitsgrad, mit dem Termiten* Stromkabel zerfressen.

Ganz in der Nähe, im Bundesministerium für Risikobewertung, sind 650 Mitarbeiter auf der Suche nach Säure im Knetgummi oder Bakterien in der Geflügelwurst. Etwas weiter, in Potsdam und Karlsruhe, untersuchen Experten die Wahrscheinlichkeiten von Erdbeben, Stürmen oder Überschwemmungen. Aber, was ist eigentlich ein Risiko?

Ein Risiko, so die Definition, ist „das Produkt aus Eintrittswahrscheinlichkeit eines Ereignisses und dem Umfang des möglichen Schadens“. ⇨

Wahrscheinlichkeit, Schadenspotenzial, Unsicherheit, Angst: Die verwirrend vielfältigen Faktoren, die in der Risikoforschung eine Rolle spielen, haben Namen aus der griechischen Mythologie: Damokles und Zyklop, Pandora und Kassandra.

Zu den *Kassandra-Risiken* zählen der Klimawandel oder das Rauchen. Davon ausgelöste extreme Schäden sind sehr wahrscheinlich, aber erst in ferner Zukunft zu erwarten, so dass eine warnende Kassandra nötig ist, um auf sie aufmerksam zu machen.

Pandora-Risiken zeichnen sich durch Allgegenwart und Hartnäckigkeit aus, ihre tatsächliche Gefährlichkeit aber ist schwer zu ergründen. Zu ihnen zählt der Einsatz von Chemikalien. Die Folgen werden eventuell einmal aus der unheilvollen „Büchse der Pandora" freigesetzt und sind womöglich kaum noch zu kontrollieren.

Terror und Naturkatastrophen gehören zum *Risikotyp Zyklop*. Hier können die Forscher zwar abschätzen, wie groß der befürchtete Schaden sein wird, aber die Eintrittswahrscheinlichkeit können sie nicht vorhersagen.

Mit dem *Risikotyp Damokles* verbinden sich besonders verheerende Schäden, die wissenschaftlich sehr genau zu beschreiben sind. Doch anders als bei den anderen Risiken ist ihr Eintreten selten oder äußerst unwahrscheinlich und das Wissen darüber ist in der Bevölkerung ziemlich gering. Zu dieser Risikogruppe gehören vor allem Großtechnologien wie die Kernkraft, aber auch das Versagen von Technik, was unter anderem zu Flugzeughavarien führen kann.

Doch wovor haben die Menschen wirklich Angst, welches Risiko nehmen sie wahr, welches fürchten sie am meisten?

Je zufälliger ein befürchtetes Ereignis und je geringer das Wissen darüber ist, so glaubt der Stuttgarter Risikoforscher Ortwin Renn, desto stärker ist die von der Bevölkerung empfundene Bedrohung – und zwar ganz unabhängig davon, wie Experten das Risiko tatsächlich bewerten.

„Viele Deutsche halten etwa die Rinderseuche BSE noch immer für gefährlicher als das Rauchen – obwohl jedes Jahr allein in Deutschland schätzungsweise 140 000 Menschen an den Folgen des Rauchens sterben, 33 000 an denen des Passivrauchens." BSE hingegen habe in den vergangenen 30 Jahren rund 140 Todesopfer gefordert. Ein vergleichsweise geringes Risiko. „Im selben Zeitraum starben ebenso viele Leute durch versehentliches Trinken von Lampenöl." „Wir brauchen mehr Aufklärung über das Verhältnis von tatsächlichen und nur vermeintlichen Gefahren", sagt Renn. Die Menschen glauben intuitiv, das Risiko durch ungesunde Handlungen wie Rauchen selbst steuern zu können. Aber sie fürchten, einer Seuche wie BSE hilflos ausgeliefert zu sein.

Andere Gefahren werden fast völlig ausgeblendet. So zeigt die Statistik der OECD, dass Menschen im Alter zwischen 20 und 40 Jahren in Industrieländern öfter durch Suizid sterben als durch Verkehrsunfälle. Das erhebliche Risiko, in der Mitte des Lebens in eine Depression abzugleiten und Selbstmord zu begehen, wird offenbar unterschätzt, während die Menschen gleichzeitig Angst vor Dingen haben, die bislang kaum oder nur wenig erwiesene Todesfälle herbeigeführt haben – chemische Rückstände im Essen zum Beispiel.

Verzerrte Wahrnehmung, Übervorsicht auf der einen und große Sorglosigkeit auf der anderen Seite – wer mag, kann dieses Argument auch auf die Spitze treiben: Terror ist seit dem 11. September 2001 das meistgefürchtete Risiko. Keine Statistik aber kann die Todesfälle jener Menschen erfassen, die nach dem 11. September aus Angst vor Terroranschlägen Flugreisen gemieden haben – und dann im noch viel gefährlicheren Autoverkehr ums Leben gekommen sind. Fast ebenso groß scheint die Angst der Menschen vor Haifischen zu sein. Im Aquarium von Sydney kämpft ein Schild mit der folgenden Information dagegen an: „Jährlich werden in Australien vier Menschen von Haien getötet – und 486 sterben durch defekte Toaster."

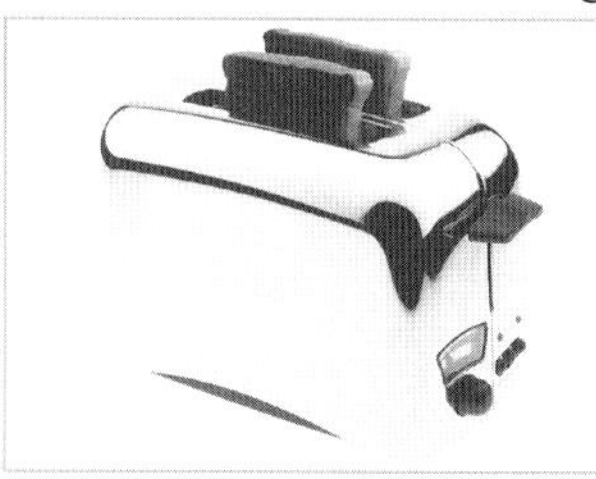

* Termiten = weiße Ameisen

A23 Textarbeit

a) Fassen Sie den Inhalt des Textes mit eigenen Worten zusammen.

b) Ergänzen Sie in der folgenden Zusammenfassung die passenden Wörter.

Viele Hundert Wissenschaftler .... (1) sich damit, die Bürger .... (2) alltäglichen Gefahren zu schützen. Sie .... (3) Risiken bei Stahlträgern, Feuerwerken oder in der Geflügelwurst. Sie errechnen, wie .... (4) es ist, dass die Erde .... (5) oder ein Stück Land überflutet wird. Wahrscheinlichkeit, Schadenspotenzial, Unsicherheit und Angst sind .... (6) Faktoren in der Risikoforschung. Wissenschaftler haben die Risiken in vier .... (7) eingeteilt, die Namen aus der griechischen Mythologie haben: Damokles und Zyklop, Pandora und Kassandra. Doch wie die .... (8) von der Bevölkerung wirklich wahrgenommen wird, hängt nicht von wissenschaftlichen .... (9) ab. Je zufälliger ein Ereignis ist, desto größer ist die .... (10) davor. Das könnte auch der Grund dafür sein, dass viele Deutsche in der Rinderseuche BSE eine .... (11) Gefahr sehen als im Rauchen. Andere Risiken werden völlig .... (12), wie zum Beispiel der Tod durch Selbstmord. Überbewertet wird das .... (13) Risiko eines Flugzeugabsturzes durch einen Terroranschlag oder einer Haifischattacke. .... (14) die Menschen also auf der einen Seite übermäßige Vorsicht walten lassen, machen sie sich auf der anderen Seite zu wenig .... (15). Wissenschaftler sprechen sich deshalb für mehr Aufklärung über .... (16) Gefahren aus.

c) Suchen Sie aus dem Text Verben, die man mit *Risiko und Gefahren* kombinieren kann.

....

....

....

Risiko und Gefahren

....

....

....

d) Verben mit trennbaren und nicht trennbaren Präfixen
Bilden Sie aus den vorgegebenen Wörtern Sätze. Achten Sie auf den Satzbau und fehlende Präpositionen.

1. Deutschland – Experten – versuchen – Risiken + Folgen – erkennen + bewerten
2. Bundesanstalt für Materialforschung – 700 Wissenschaftler – bemühen – alltäglich, Gefahren – Bürger – abwehren
3. Wissenschaftler – Ermüdung – Stahlträger – Berliner Hauptbahnhof – berechnen – oder – Wahrscheinlichkeiten – Erdbeben – untersuchen
4. einige Risiken – Wissenschaftler – Schäden – genau – vorhersagen – können
5. andere Risiken – es – nicht möglich sein – befürchtet, Schaden – abschätzen
6. viele Menschen – Gefahr, Selbstmord – 20. und 40. Lebensjahr – unterschätzen
7. chemisch, Rückstände – Essen – nur wenige Todesfälle – herbeiführen
8. Gefahren, Rauchen – viele Leute – ausblenden

Zusatzübungen zu Verben mit trennbaren und nicht trennbaren Präfixen ⇨ Teil C Seite 234

e) Modalwörter
Ersetzen Sie die unterstrichenen Ausdrücke durch passende Modalwörter und nehmen Sie eventuell notwendige Umformungen vor.

angeblich ◊ glücklicherweise ◊ möglicherweise ◊ vergleichsweise ◊ höchstwahrscheinlich ◊ erstaunlicherweise ◊ vermutlich ◊ ~~sicherlich~~ ◊ bedauerlicherweise ◊ zweifellos ◊ begreiflicherweise

◊ Die Veränderung des Klimas führt mit Sicherheit zu verheerenden Folgen. — *Die Veränderung des Klimas führt sicherlich zu verheerenden Folgen.*

1. Die Gefahr eines Flugzeugabsturzes ist im Vergleich gering. ....
2. Aktives Rauchen führt mit hoher Wahrscheinlichkeit zu gesundheitlichen Schäden. ....
3. Manche Leute behaupten, die Gefahr bei einem Atomtransport für die Bevölkerung ist riesengroß. ....
4. Es besteht die Möglichkeit, dass Termiten Stromkabel zerfressen. ....
5. Wissenschaftler vermuten, dass die Menschen große Angst vor zufälligen Ereignissen haben. ....
6. Das Risiko eines Selbstmordes in der Mitte des Lebens wird ohne jeden Zweifel unterschätzt. ....
7. Man begreift, dass Wissenschaftler ein Umdenken fordern. ....
8. Zum Erstaunen der Wissenschaftler fürchten sich viele Menschen immer noch vor Haifischen. ....
9. Zum Glück weisen Schilder wie im Aquarium in Sydney auf die geringe Gefahr hin, die von Haifischen ausgeht. ....
10. Zum Bedauern vieler wird dieses Informationsschild aber nicht ernst genommen. ....

f) Wie heißt das Gegenteil? Finden Sie Antonyme.

1.	Gefahren abwehren	↔	Gefahren ....
2.	Risiken unterschätzen	↔	Risiken ....
3.	vermeintliche Risiken	↔	.... Risiken
4.	ein erhebliches Risiko	↔	ein .... Risiko
5.	Sorglosigkeit	↔	....
6.	ein versehentlicher Fehler	↔	ein .... Fehler

A24 Kurzvortrag
Tatsächliche oder vermeintliche Risiken im Leben
Halten Sie einen Kurzvortrag (drei bis vier Minuten) und orientieren Sie sich an den folgenden Punkten:

◊ Mit welchen Risiken und Gefahren rechnen die Bürger in Ihrem Heimatland?
◊ Welche Risiken halten Sie für wahrscheinlich, welche nicht?
◊ Was kann man selbst tun, um bestimmte Risiken zu minimieren?
◊ Was kann der Staat tun, um Gefahren für die Bürger abzuwehren?

Kassandra-Risiko: Klimawandel in Europa
Lesen Sie die Texte.

Klimareport der EEA

Ein aktueller Klimareport bilanziert die bisherigen Veränderungen und warnt: In Zukunft werden nicht nur Flutkatastrophen und Waldbrände zunehmen.

Die Temperatur steigt in Europa schneller als im weltweiten Durchschnitt, die Gletscher der Alpen schmelzen rasch und viele Mittelmeerregionen haben jetzt schon 20 Prozent weniger Regen als vor einem Jahrhundert. Zugleich hat die Zahl der Flutkatastrophen drastisch zugenommen, fasst der Klimareport der Europäischen Umweltagentur (EEA) zusammen.

Irreversible Schäden für Mensch und Natur lassen sich nur abwenden, wenn es gelingt, den Anstieg der Temperatur auf maximal zwei Grad über dem vorindustriellen Niveau zu begrenzen. Das ist eine Kernaussage des Reports, an dem auch das Regionalbüro der Weltgesundheitsorganisation für Europa und das Forschungszentrum der Europäischen Kommission beteiligt waren.

Gesundheit

Der Klimawandel hat große Auswirkungen auf die Gesundheit der Menschen. Allein der Hitzesommer 2003 führte in zwölf europäischen Ländern zu insgesamt 70 000 Todesfällen. Solche Hitzewellen wird es dem Report zufolge künftig häufiger geben – die Zahl der Opfer werde entsprechend steigen. Auf der anderen Seite gebe es Hinweise darauf, dass im Winter immer weniger Menschen sterben. Insgesamt muss sich nach Ansicht der Experten das Gesundheitssystem an die Hitzewellen anpassen und vor allem für ältere Menschen sorgen.

Überschwemmungen

Die Zahl der Überflutungen ist stark gestiegen. Seit 1990 zählt der Report 259 große Überschwemmungen von Flüssen, davon allein 165 seit dem Jahr 2000. In den nächsten Jahrzehnten werde sich dieser Trend fortsetzen.

Natur

Einige Fischarten sind in den vergangenen 40 Jahren um etwa 1 000 Kilometer nordwärts gezogen. Von den 120 europäischen Säugetierarten sind in diesem Jahrhundert bis zu neun Prozent bedroht – wenn sie nicht auswandern. Viele Arten weichen in höhere Bergregionen aus, weil die Temperaturen in großen Höhen niedriger sind. In den Alpen ist meist noch unter 4 000 Metern Schluss – daher könnten zum Ende des Jahrhunderts bis zu 60 Prozent der Pflanzen in den Bergen vom Aussterben bedroht sein.

Gletscher und Schnee

„Die europäischen Gletscher schmelzen rasch", schreiben die Experten. Die Alpengletscher haben seit 1850 bereits zwei Drittel ihres Volumens verloren. Besonders schnell ist die Abnahme seit 1980. Die Schneedecke hat in den vergangenen 40 Jahren bereits um 1,3 Prozent pro Jahrzehnt abgenommen.

Land- und Forstwirtschaft

Die Agrarsaison ist in Nordeuropa länger, in einigen südlichen Regionen dagegen kürzer geworden. Zugleich befürchten die Experten mehr Unwetter und damit auch mehr Schäden. Viele Pflanzen blühen und reifen zwei bis drei Wochen früher, was das Risiko von Frostschäden erhöht.

Die Wälder wachsen schneller als vor 100 Jahren, weil mehr Stickstoff und Kohlendioxid verfügbar sind und die Temperatur höher ist. Der Klimawandel wird, so der Bericht, einige Arten bevorzugen und andere benachteiligen. Insgesamt werden sich durch die höheren Temperaturen mehr Baumschädlinge verbreiten. Zudem steige das Risiko von Waldbränden, schreiben die EEA-Fachleute.

Wirtschaftsschäden

Etwa 90 Prozent der Naturkatastrophen in Europa seit 1980 sind direkt oder indirekt auf Wetter und Klima zurückzuführen. Die wirtschaftlichen Schäden durch solche Katastrophen sind nach Angaben der Forscher von 7,2 Milliarden Euro im Durchschnitt der Jahre 1980 bis 1989 auf jährlich 13,7 Milliarden Euro von 1998 bis 2007 gestiegen.

A26 Textarbeit

a) Was steht in den Texten? Beschreiben Sie kurz die Folgen des Klimawandels in den folgenden Bereichen:

Hitze	....	Pflanzen	....
Überschwemmungen	....	Alpengletscher	....
Fischarten	....	Wälder	....

b) Was ist passiert? Ergänzen Sie die Verben im Perfekt. Manchmal gibt es mehrere Lösungen.

zunehmen ◇ erhöhen ◇ sterben ◇ ziehen ◇ steigen ◇ schmelzen ◇ abnehmen

1. Die Temperatur ist ....
2. Die Gletscher ....
3. Die Schneedecke .... um 1,3 Prozent ....
4. Die Anzahl der Flutkatastrophen ....
5. Im Hitzesommer 2003 .... 70 0000 Menschen ....
6. Einige Fischarten .... nordwärts ....
7. Das Risiko von Frostschäden bei Pflanzen und von Waldbränden .... sich ....

c) Was muss noch passieren? Ergänzen Sie die Verben.

begrenzen ◇ abwenden ◇ sorgen ◇ gelingen ◇ anpassen

Irreversible Schäden für Mensch und Natur lassen sich nur ....(1), wenn es ....(2), den Anstieg der Temperatur auf maximal zwei Grad über dem vorindustriellen Niveau zu ....(3). Nach Ansicht der Experten muss sich außerdem das Gesundheitssystem an die Hitzewellen ....(4) und vor allem für ältere Menschen ....(5).

d) Ergänzen Sie. Suchen Sie das Gegenteil der Verben und schreiben Sie Beispielsätze.

Verb	Antonym
sinken *In der Nacht sinken die Temperaturen.*	*steigen* In Europa steigen die Temperaturen schnell.
gefrieren Bei null Grad gefriert Wasser zu Eis.	....
....	zunehmen ....
misslingen	....
ausbreiten	....
....	auswandern Auch einige Säugetierarten sollten auswandern, damit sie nicht aussterben.
....	verlieren ....
bevorzugen Durch den Klimawandel werden einige Pflanzenarten bevorzugt.	....
....	erhöhen ....

e) Hier ist etwas durcheinander. Suchen Sie sinnvolle Komposita und den jeweiligen Artikel. Orientieren Sie sich an den Texten in A25.

1

Weltgesundheits-schädling	....
Alpen-wandel	der Alpengletscher
Baum-organisation	....
Klima-gletscher	....

2

Gesundheits-welle	....
Hitze-decke	....
Schnee-stoff	....
Stick-system	....

3

Berg-zentrum	....
Überschwemmungs-zehnt	....
Forschungs-gefahr	....
Jahr-region	....

4

Flut-dioxid	....
Wald-welle	....
Kohlen-aussage	....
Kern-brand	....

A27 Partnerarbeit: Diskutieren Sie zu zweit.

Sie sind Mitarbeiter in der Projektgruppe „Wir kämpfen für eine bessere Umwelt". Sie sollen ein kostengünstiges Konzept zur Aufklärung der Bewohner Ihrer Stadt entwickeln. Die nebenstehenden Vorschläge stehen zur Diskussion.

Für welchen Vorschlag bzw. für welche Vorschläge entscheiden Sie sich?

- Vergleichen Sie die Angebote und begründen Sie Ihren Standpunkt.
- Gehen Sie auf die Äußerungen Ihres Gesprächspartners/Ihrer Gesprächspartnerin ein.
- Am Ende sollten Sie zu einer Entscheidung kommen.

Vorschläge:

- Produktion eines Dokumentarfilms über Umweltschäden für Kino und Fernsehen
- Plakataktion
- Vortragsreihe mit Experten im Rathaus
- Aufruf zur Spendenaktion für den Tierschutz und den Zoo der Stadt
- Einrichtung eines Internetforums

A28 Lesen Sie zum Schluss das folgende Gedicht von Jakob van Hoddis (1887–1942).

Weltende

Dem Bürger fliegt vom spitzen Kopf der Hut,
In allen Lüften hallt es wie Geschrei.
Dachdecker stürzen ab und gehen entzwei
Und an den Küsten – liest man – steigt die Flut.

Der Sturm ist da, die wilden Meere hupfen
An Land, um dicke Dämme zu zerdrücken.
Die meisten Menschen haben einen Schnupfen.
Die Eisenbahnen fallen von den Brücken.

Jakob van Hoddis
(1911)

Literaturwissenschaftlicher Hinweis:
Das Gedicht „Weltende" gilt als erstes expressionistisches Gedicht der deutschen Literatur.

Die Dinge des Lebens

Teil B – fakultativ

Die Texte und Aufgaben in diesem fakultativen Teil B stellen ein Angebot für Lerner und Lerngruppen dar, die ihre sprachlichen Fähigkeiten zusätzlich erweitern möchten.

Das deutsche Durchschnittsleben in Zahlen

Ein Deutscher isst 45,5 Schweine, liest 9 304 Zeitungen und hat 105 372 Träume in seinem Leben. So weit die Zahlen. Der Film *So viel lebst du*, den das Erste Deutsche Fernsehen produzierte, hat das statistische Leben der Deutschen dokumentiert.

a) Ihr eigenes Leben in Zahlen: Raten, schätzen oder rechnen Sie.

1. Wie viele Tassen Kaffee oder Tee werden Sie im Laufe Ihres Lebens trinken? ....
2. Wie viele Tafeln Schokolade werden Sie essen? ....
3. Wie viele Urlaubsreisen werden Sie machen? ....
4. Wie viele Nächte werden Sie im Hotel schlafen? ....
5. Wie viele Stunden/Tage oder Jahre werden Sie fernsehen? ....
6. Wie viele Bücher werden Sie lesen? ....
7. Wie viele Menschen werden Sie kennenlernen? ....
8. Wie viele Autos werden Sie kaufen? ....
9. Wie viel Geld werden Sie für Weihnachtsgeschenke ausgeben? ....

b) Lesen Sie die folgenden Zahlen über das Leben der Deutschen im Durchschnitt und berichten Sie mündlich oder schriftlich über die für Sie wichtigsten Informationen. Gehen Sie auch darauf ein, was Sie erwartet haben und was Sie überrascht.

Das haben/machen/produzieren/verbrauchen die Deutschen im Laufe eines Lebens:

Das macht der deutsche Durchschnittsbürger:

28 936	Tage leben	247	Bücher lesen
25 169	km zu Fuß laufen	9 304	Zeitungen lesen
819 214	km Auto fahren	105 372	mal träumen
121	Urlaubsreisen	35 800	kg Hausmüll produzieren
1 078	Nächte im Hotel schlafen	32 535 060	mit den Wimpern schlagen
6,2	Jahre fernsehen	661 782 349	Wörter sprechen (wovon aber nur 2 000–4 000 verschiedene Wörter verwendet werden aus den ca. 75 000) Wörtern des deutschen Standardwortschatzes)
1 700	Menschen (mehr oder weniger gut) kennenlernen		
7 063	Vollbäder nehmen		
11 500	mal Haare waschen		
440	Friseurbesuche		

Das verbraucht/isst/trinkt der deutsche Durchschnittsbürger:

11 586	Liter Kaffee
77 243	Tassen Kaffee
8 857	Liter Bier (1 118 Kästen)
1 881	Liter Wein (2 508 Flaschen)
6 921	Liter Milch
88 287	Zigaretten
3 367	Tafeln Schokolade
4 049	Schokoriegel
45,5	Schweine
926	Hühner
16 269	Eier
5 000	Kilo Kartoffeln
5 192	Brote
8 028	Äpfel
26 597	Tabletten
44 820	Liter Benzin
3 796	Wegwerfwindeln pro Kind
3 651	Rollen Toilettenpapier

Das gibt der deutsche Durchschnittsbürger aus:

1 011 164 Euro	insgesamt
34 521 Euro	für Weihnachtsgeschenke
12 256 Euro	für Pflegeprodukte
39 334 Euro	für Kleidung

Das hat/besitzt/bekommt der deutsche Durchschnittsbürger:

9,8	Autos	1 452	Euro Nettoeinkommen
4	Fahrräder	1,3	Kinder
4	Kühlschränke	42,9	m² Wohnfläche
11	Computer		

B2 Interview

Lesen Sie das Interview mit dem Filmemacher Matthias Kremin zum Film *So viel lebst du.*

WDR.de: Wozu muss der Mensch denn wissen, wie viel Bier er im Leben trinkt oder wie viel Brot er isst?

Kremin: Der Mensch kann ein Bewusstsein für seinen persönlichen Verbrauch entwickeln. Wenn ich heute ein Bier mehr trinke, dann scheint das nichts auszumachen. Aber gesehen auf den Konsum in meinem Leben macht ein Bier mehr pro Tag oder auch Woche schon eine Menge aus. Auch wenn ich mir den Verpackungsmüll anschaue, den ich im Laufe meines Lebens produziere, oder das Abwasser, das durch meine Seife und mein Shampoo verschmutzt wird, dann hinterlasse ich ganz deutliche Spuren auf der Erde. Ich muss mich fragen, ob die Welt, die ich hinterlasse, besser ist als die, die ich von meinen Vorfahren übernommen habe.

WDR.de: Aber der Mensch muss essen und trinken, selbst wenn er dabei begrenzte Ressourcen wie Wasser verschwendet.

Kremin: Natürlich muss der Mensch Ressourcen verbrauchen. *So viel lebst du* zeigt dein Leben in vieler Hinsicht. Wie viele Ressourcen man in seinem Leben verschwendet, ist aber nur ein Teil des Films. Es geht auch um Fragen, wie viele Tränen weine ich in meinem Leben, wie oft gehe ich zu Wahlen oder wie viele meiner Bekannten sterben vor mir.

WDR.de: Welche statistische Zahl hat Sie am meisten überrascht?

Kremin: Der Kaffeekonsum, obwohl ich selbst sehr viel Kaffee trinke. Wenn wir nachzählen und nach Konsum gehen, ist das Nationalgetränk der Deutschen nicht Bier, wie man zunächst vermutet, sondern Kaffee. Davon trinken die Deutschen im Leben 77 243 Tassen. Dagegen ist der Bierverbrauch in den vergangenen Jahren eher rückläufig. Beeindruckend ist auch, dass der Mensch 6,2 Jahre seines Lebens Fernsehen guckt. Das finde ich schon sehr viel. Erschreckend ist natürlich, dass jeder in seinem Leben 35,8 Tonnen Verpackungsmüll produziert.

WDR.de: In der britischen Vorlage spricht man von „Human Footprint". Was bedeutet das?

Kremin: Hinter dem englischen Ausdruck „Human Footprint" verbirgt sich, dass 50 Prozent der Erdoberfläche von Menschen verändert wurde und jedes Menschenleben Spuren auf der Erde hinterlässt. In Deutschland ist der Begriff „Human Footprint" aber nicht geläufig, deswegen haben wir den Film *So viel lebst du* genannt. Von der englischen Vorlage sind letztlich nur 35 Prozent übrig geblieben.

WDR.de: Worin unterscheidet sich der „Human Footprint" eines Engländers von einem Deutschen?

Kremin: Der Fußabdruck eines Engländers und eines Deutschen unterscheidet sich letztlich nur marginal, etwa beim Teekonsum oder beim Brot. Blickt man dagegen nach Amerika, sieht es schon anders aus: Die Amerikaner verbrauchen wesentlich mehr Energie und Benzin als die Europäer. Ganz drastisch wird es, wenn wir unsere Fußabdrücke mit denen von Afrikanern vergleichen. Bei uns hat ein Kind allein wegen seiner durchschnittlich fünf Einwegwindeln, die es pro Tag benötigt, mit zwei Jahren schon so viel Energie verbraucht und CO_2 produziert wie ein Mensch in Tansania in seinem ganzen Leben.

B3 Textarbeit

a) Markieren Sie die richtige Antwort. Entscheiden Sie bei jeder Aussage: Steht das im Text? Ja oder nein? Wenn der Text dazu nichts sagt, markieren Sie X.

		ja	*nein*	*X*
1.	Jeder Mensch hinterlässt auf der Erde Spuren.	❒	❒	❒
2.	Die statistischen Angaben können den Menschen helfen, mit den alltäglichen Dingen des Lebens bewusster umzugehen.	❒	❒	❒
3.	Wenn die Deutschen wissen, wie viel Bier sie trinken oder wie viel Müll sie produzieren, werden sie ihr Verhalten ändern.	❒	❒	❒
4.	Vor allem die Menge des Verpackungsmülls hat das Fernsehpublikum entsetzt.	❒	❒	❒
5.	Deutsche und Engländer sind in ihrem Verbrauch von alltäglichen Dingen ziemlich ähnlich.	❒	❒	❒
6.	Große Unterschiede gibt es im Energieverbrauch zwischen Deutschen, Amerikanern und Afrikanern.	❒	❒	❒
7.	Der Autor des Films verurteilt den hohen Energieverbrauch.	❒	❒	❒

b) Ergänzen Sie die Adjektive und Partizipien in der richtigen Form.

steigend ◊ drastisch ◊ rückläufig ◊ deutlich ◊ begrenzt ◊ geläufig ◊ durchschnittlich ◊ persönlich

1. Der Mensch kann ein Bewusstsein für seinen .... Verbrauch entwickeln.
2. Jeder von uns hinterlässt auf der Erde .... Spuren.
3. Aber wir alle müssen essen und trinken, auch wenn wir dabei .... Ressourcen verbrauchen.
4. Die Tendenzen in den letzten Jahren beim Trinken sind ein .... Kaffeekonsum und ein .... Bierverbrauch.
5. Wir haben den in Deutschland nicht .... Begriff „Human Footprint" verändert in *So viel lebst du*.
6. Im Energieverbrauch gibt es zwischen Amerikanern und Afrikanern .... Unterschiede.
7. Der .... Verbrauch von Einwegwindeln für Babys beträgt fünf pro Tag.

c) Lösen Sie das Rätsel. Die Buchstaben in den farbigen Kästchen senkrecht ergeben ein Kompositum.

1. L
2.
3.
4.
5.
6.
7.
8.
9.
10.

1. Der deutsche Durchschnittsbürger verbraucht 26 597 davon.
2. modernes deutsches Nationalgetränk
3. deutsches Wort für *Footprint*
4. Synonym für *benutzen*
5. Synonym für *Verbrauch*
6. Synonym für *verunreinigen*
7. Der deutsche Durchschnittsbürger besitzt 11 davon.
8. jemand, der als Regisseur und Autor selbst einen Film produziert
9. Menschen, von denen man abstammt
10. Der deutsche Durchschnittsbürger isst davon 926.

B4 Schriftlicher Ausdruck

Nehmen Sie Stellung zu der Frage: *Sollten wir unser Leben verändern?* Gehen Sie dabei auf die folgenden vier Bereiche ein. Begründen Sie Ihre Darlegungen.

- Zeiteinteilung im Alltag
- Konsumverhalten
- Familienplanung
- Haltung zur Umwelt und zu Umweltproblemen

Besondere Nomen

Nomen mit präpositionalem Objekt

Welche Erwartungen haben Sie an Ihr eigenes Leben? → *Erwartungen haben an etwas/jemanden*

▶ Wie Verben und Adjektive können auch bestimmte Nomen mit einem präpositionalen Objekt auftreten.

In der Übersicht finden Sie einige Nomen, die mit einem präpositionalen Objekt auftreten können.

an	+ Akkusativ	eine Anpassung erfolgt an etwas ◇ eine Bitte an jmdn. haben ◇ Erinnerungen an etwas/jmdn. haben ◇ Erwartungen an etwas/jmdn. haben ◇ einen Glauben an etwas/jmdn. haben
an	+ Dativ	Bedarf an etwas haben ◇ Kritik an etwas/jmdm. üben ◇ Mangel an etwas haben ◇ Überschuss an etwas haben ◇ Zweifel an etwas/jmdm. haben
auf	+ Akkusativ	einen Antrag auf etwas stellen ◇ Einfluss auf etwas/jmdn. haben ◇ Folgen auf etwas haben ◇ Hoffnung auf etwas haben
für	+ Akkusativ	eine Vorliebe für etwas/jmdn. haben ◇ Folgen für etwas/jmdn. haben ◇ Begeisterung für etwas/jmdn. aufbringen
gegen	+ Akkusativ	eine Abneigung gegen etwas/jmdn. haben
mit	+ Dativ	einen Vergleich mit etwas/jmdm. ziehen
nach	+ Dativ	einen Wunsch nach etwas/jmdm. haben ◇ ein Bedürfnis nach etwas/jmdm. haben ◇ Nachfrage nach etwas besteht/herrscht
vor	+ Dativ	Angst vor etwas/jmdm. haben
zu	+ Dativ	einen Beitrag zu etwas leisten ◇ Gelegenheit zu etwas haben ◇ eine Neigung zu etwas haben ◇ es besteht kein Anlass zu etwas ◇ keinen Anlass zu etwas bieten

C1 Bilden Sie aus den vorgegebenen Wörtern Sätze. Achten Sie auf die richtigen Präpositionen.

◇ neue Theorie – Einfluss – weitere Entwicklung, Wissenschaft – haben werden — *Die neue Theorie wird Einfluss auf die weitere Entwicklung der Wissenschaft haben.*

1. einige mittlere Betriebe – Bedarf – Fachkräfte – haben ....
2. Dichter – Vorliebe – Gärten – englischer Stil – haben ....
3. viele Menschen – Angst – Alter – haben ....
4. auch Ältere – Beitrag – Entwicklung, Gesellschaft – leisten müssen ....
5. Finanzkrise – kein Anlass mehr – Sorge – bieten ....
6. Literaturprofessor – Kritik – Fernsehprogramm – üben ....
7. Klimawandel – Folgen – spätere Generationen – haben werden ....
8. Experten – Zweifel – Richtigkeit, Maßnahmen – haben ....
9. in diesem Falle – Sie – Antrag – Unterstützung – Sozialamt – stellen müssen ....
10. nur wenige Menschen – noch Erinnerungen – Krieg – haben ....

Besonderheiten im Numerus

▶ Die Mehrzahl der Nomen verfügt über Singular und Plural. Es gibt aber Ausnahmen, vor allem bei Stoff- bzw. Materialnamen, Sammelnamen und einigen Abstrakta.

Beispiele	Stoff-/Materialnamen	Sammelnamen	Abstrakta
Nomen, die nur im **Singular** verwendet werden.	Butter ◇ Holz ◇ Honig ◇ Milch ◇ Schnee ◇ Stahl	Bevölkerung ◇ Gepäck ◇ Obst ◇ Personal ◇ Polizei ◇ Schmuck ◇ Wild	Alter ◇ Ärger ◇ Aufbau ◇ Erziehung ◇ Frieden ◇ Gesundheit ◇ Hass ◇ Liebe ◇ Unrecht ◇ Verdacht ◇ Verkehr
Nomen, die nur im **Plural** verwendet werden.	Makkaroni ◇ Spaghetti ◇ Streusel	Eltern ◇ Gliedmaßen ◇ Leute ◇ Möbel ◇ Spirituosen ◇ Trümmer	Ferien ◇ Kosten ◇ Schliche ◇ Wirren

C2 Welche der kursiv gedruckten Nomen können nicht im Plural stehen?

1. Der *Kommissar* hegt gegen den *Beamten* einen *Verdacht*. ....
2. Die *Polizei* regelt den *Verkehr*. ....
3. Die *Erziehung* der Kinder ist nicht nur *Aufgabe* der Schule. ....
4. Er hat seine *Krankheit* erfolgreich bekämpft, jetzt achtet er mehr auf seine *Gesundheit*. ....
5. Das *Gebäude* ist ein *Koloss* aus *Eisen* und *Stahl*. ....
6. *Thema* der Aphorismen von Friedrich Nietzsche sind *Liebe* und *Hass*. ....
7. Die *Arbeitsgruppe* untersucht *Recht* und *Unrecht* in der DDR. ....

C3 Singular oder Plural? Ergänzen Sie das Nomen in der richtigen Form und den Artikel, wenn nötig.

1. Wie lange hast du .... gekocht? *(Spaghetti)*
2. Nach der Aufsichtsratssitzung wird .... die Entscheidung mitgeteilt. *(Personal)*
3. Bei den Gesprächen ging es um .... im Nahen Osten. *(Frieden)*
4. Ein gründlich arbeitender Mitarbeiter kam der Verwaltungsleiterin auf .... *(Schliche)*
5. Nach dem Krieg räumten vor allem Frauen .... weg. *(Trümmer)*
6. .... für die Anreise müssen die Teilnehmer selbst übernehmen. *(Kosten)*
7. In .... machen wir eine Fahrradtour. *(Ferien)*
8. Was hast du mit .... gemacht? *(alt, Möbel)*

Verben mit Präfixen

Trennbar oder nicht trennbar?

▶ Die meisten ersten Teile von abgeleiteten oder zusammengesetzten Verben sind trennbar.

nicht trennbar	trennbar oder nicht trennbar	trennbare Verben
sind die immer unbetonten Präfixe: be- emp- ent- er- ge- miss- ver- zer-	sind die betonten oder unbetonten Präfixe: durch- über- um- unter- wider- wieder- hinter- voll- Bei den trennbaren Verben bleibt der Sinn des betonten Präfixes erhalten. Bei den nicht trennbaren Verben wird das unbetonte Präfix meist in einer bildlichen oder übertragenen Bedeutung gebraucht.	Verben mit allen anderen Präfixen sind trennbar. **Achtung:** Nicht trennbar sind Verben, die von folgenden Nomen abgeleitet sind: das Frühstück – frühstücken die Langeweile – langweilen die Mutmaßung – mutmaßen die Rechtfertigung – rechtfertigen die Schlussfolgerung – schlussfolgern der Wetteifer – wetteifern

C4 Sammeln Sie in Gruppen Verben mit nicht trennbaren Präfixen.

be-	**emp-**	**ent-**	**er-**
beantworten			

ge-	**miss-**	**ver-**	**zer-**

C5 Trennbar oder nicht trennbar?
Ergänzen Sie die passenden Verben in der richtigen Form. Achten Sie auf die Präfixe.

1. ausdenken – bedenken – nachdenken
   a) Habt ihr bei eurer Planung auch *bedacht*, dass zwei Mitarbeiter im Urlaub sind?
   b) Worüber hast du so lange ....?
   c) Die Geschichte ist nicht wahr. Er hat sie sich ....
2. absprechen – freisprechen – versprechen
   a) Der Angeklagte wurde heute ....
   b) Der Vorgang ist mit dem Direktor ....
   c) Hattet ihr nicht ...., den Wein zu besorgen?
3. abarbeiten – ausarbeiten – bearbeiten
   a) Der Künstler hat den Stein lange ....
   b) Hast du die Liste der Aufträge schon ....?
   c) Nach der anstrengenden Woche im Büro hat er sich im Garten ....
4. abbrechen – zerbrechen – zusammenbrechen
   a) Der Marathonläufer ist 100 Meter vor dem Ziel ....
   b) Die Gläser sind beim Transport ....
   c) Das Experiment wurde nach 30 Sekunden ....
5. auffallen – gefallen – verfallen
   a) Die Medikamente sind alt. Sie sind schon ....
   b) Ist dir ...., dass er keinen Ehering mehr trägt?
   c) Die Bilder von Neo Rauch haben vielen Ausstellungsbesuchern ....

6. abnehmen – aufnehmen – benehmen
   a) Das war ein tolles Konzert. Ich habe einen Titel mit meinem Handy ....
   b) Du siehst super aus! Hast du .... ?
   c) Das war peinlich! Otto hat sich wieder mal voll daneben ....

7. abregen – aufregen – erregen
   a) In der Fernsehdiskussion hatte sich der Minister sehr ....
   b) Es hat lange gedauert, bevor er sich wieder .... hat.
   c) Der amerikanischer Schwimmer hat mit seinen Leistungen in Peking weltweit großes Aufsehen ....

8. anzweifeln – bezweifeln – verzweifeln
   a) Der amerikanische Forscher hat die Ergebnisse seines französischen Kollegen ....
   b) Als das Auto im Urlaub plötzlich nicht mehr ansprang, bin ich fast ....
   c) Der Sachverständige hat die Aussagen des Zeugen ....

C6 Trennbar oder nicht trennbar?
Die folgenden Verben mit Präfixen können trennbar oder nicht trennbar sein. Überlegen Sie, ob das Präfix in einer bildlichen bzw. übertragenen Bedeutung verwendet wird oder nicht.

◊ hinterlassen: Die alte Dame hat ihr gesamtes Vermögen ihren Katzen *hinterlassen*.
1. hinterschlucken: Der Patient hat die großen Tabletten ohne Probleme ....
2. hintergehen: Conrad fühlt sich von seinem Geschäftspartner ....
3. überweisen: Conrads Geschäftspartner hatte Firmengelder auf sein Privatkonto ....
4. übersetzen: Hast du den Brief schon .... ?
5. überkochen: Warum hast du nicht aufgepasst? Die ganze Milch ist ....
6. überspringen: Das Kapitel ist langweilig. Trotzdem ist es ratsam, es nicht ....
7. überhören: Ich habe dir doch gerade gesagt, dass Max nicht kommt. – Tut mir leid, das habe ich bei dem Lärm hier ....
8. unterstellen: Es regnete in Strömen. Wir haben uns an der Bushaltestelle kurz ....
9. unterstellen: Martin hat das Geld nicht genommen! Warum hast du ihm das .... ?
10. umfahren: Sie haben eine alte Bombe auf dem verlassenen Gelände gefunden. Wir haben das Gebiet weiträumig ....
11. umfahren: Frau Krause muss eine hohe Strafe zahlen. Sie hat beim Einparken ein Verkehrsschild ....
12. volltanken: Wir fahren morgen in den Urlaub. Hast du heute noch mal .... ?
13. vollbringen: Es ist ....! Ich habe die Jahresarbeit gestern abgegeben.
14. durchsehen: Hast du die Arbeit vorher nach Tippfehlern .... ?
15. durchschauen: Er ist ein Lügner und Betrüger! Ich habe ihn ....
16. durchführen: Vor einiger Zeit haben wir begonnen, neue Experimente ....
17. wiederholen: Ein Teil der Experimente muss regelmäßig .... werden.
18. wiederkommen: Wann ist er von seiner Reise .... ?
19. widersprechen: Sie hat es nicht gewagt, ihm ....
20. widerspiegelt: Frühere Untersuchungen haben die Vielfalt der verschiedenen Meinungen besser ....
21. widerrufen: Der Angeklagte hat sein Geständnis ....

Rückblick

 Hier finden Sie die wichtigsten Redemittel des Kapitels.

Fotos beschreiben

- Im Vordergrund/Im Hintergrund kann man ... sehen/ erkennen/ist ... abgebildet.
- Die Fotos behandeln das Thema ...
- Die Fotos zeigen ...
- Bemerkenswert/Seltsam/Auffällig finde ich ...
- Das Foto vermittelt den Eindruck, als ob ...
- Das Foto ... könnte/dürfte/muss ... aufgenommen worden sein.
- Wenn man in meinem Heimatland zu dem Thema ... Fotos machen würde, dann ...

Lebenswege

- Jeder Mensch altert.
- der Abstieg in die körperliche Unvollkommenheit
- Der Körper verändert sich beim Prozess des Älterwerdens.
- Muskel- und Knochensubstanz werden durch Fett ersetzt.
- Die Taillenweite wächst.
- Die Haare werden dünner./Der Durchmesser der Haare verringert sich.
- Altersbedingte Abwärtsentwicklungen lassen sich durch Training auffangen.
- Das Gehirn verliert seine Leistungskraft.
- Fachkompetenz und Ausdrucksvermögen steigen.
- das Leben mit einer Kombination aus sinkender geistiger Schnelligkeit und langsam steigender Erfahrung meistern
- Bedingungen für Langlebigkeit suchen
- Die Konzentration auf die Familie wirkt lebensverkürzend.
- Produktive Aktivitäten steigern die Lebenserwartung.
- „Wer rastet, der rostet."

Veränderung der Altersstruktur

- immer länger leben
- Die Lebenserwartung Neugeborener steigt.
- einen demografischen Doppeltrend feststellen
- Die Deutschen schrumpfen und ergrauen.
- Die Vergreisung wirkt sich auf die Gesellschaft aus.
- Die Sozialsysteme werden erschüttert.
- einschneidende Folgen für den Arbeitsmarkt/die Wirtschaft haben
- Fast alle westlichen Industriestaaten sind betroffen.
- die Bevölkerungszahl konstant halten
- höhere staatliche Ausgaben fordern
- Geld für die Alten erwirtschaften
- sich verweigern
- vor der Übermacht der hinfälligen und verwirrten Greise warnen
- tatendurstig und wissenshungrig sein
- bei blühender Geisteskraft alt werden

Zukunftsvorhersagen

- Horoskope/Börsennachrichten/Wirtschaftsprognosen lesen/hören
- ein vergangenheits-, gegenwarts-, zukunftsorientierter Mensch sein
- an Zukunftsvorhersagen glauben
- Empfehlungen von Beratern vertrauen/sich nach Empfehlungen von Wahrsagern richten
- Zuversicht und Hoffnung geben
- Warnungen in den Wind schlagen
- Vorhersagen für die nächsten Jahre treffen/anzweifeln
- Trends im Sinne der Auftraggeber sortieren
- eine rein kommerzielle Angelegenheit sein
- Auswirkungen auf das Kaufverhalten haben

Risikoforschung

- etwas für ein Risiko halten/als Risiko sehen
- sich vor etwas fürchten/vor etwas Angst haben
- etwas für gefährlich halten
- Risiken und ihre Folgen erkennen/bewerten/berechnen/untersuchen
- Gefahren abwehren
- Zu Risiken zählen: die Ermüdung von Stahlträgern/zerfressene Stromkabel/Erdbeben/Stürme/Überschwemmungen/Rauchen/Klimawandel/Technikversagen/ Flugzeughavarien/chemische Rückstände im Essen.
- die Eintrittswahrscheinlichkeit eines Ereignisses vorhersagen
- Der Umfang des möglichen Schadens ist genau zu beschreiben.
- Extreme Schäden sind sehr wahrscheinlich.
- Risiken werden in Gruppen eingeteilt/unterteilt.
- sich durch Allgegenwart und Hartnäckigkeit auszeichnen
- Die Gefährlichkeit ist schwer zu ergründen.
- über tatsächliche/vermeintliche Gefahren aufklären
- Gefahren ausblenden
- etwas/einer Seuche hilflos ausgeliefert sein
- in eine Depression abgleiten
- Selbstmord begehen
- an den Folgen des Rauchens/im Straßenverkehr sterben/ums Leben kommen
- Todesfälle fordern/herbeiführen/in einer Statistik erfassen

Klimawandel

- Die Temperaturen steigen.
- Die Gletscher schmelzen./Die Schneedecke nimmt ab.
- Die Flutkatastrophen/Überschwemmungen/Frostschäden/Baumschädlinge/Waldbrände nehmen zu.
- Auswirkungen auf die Gesundheit haben
- Hitzewellen führen zu Todesfällen.
- das Gesundheitssystem an die Bedingungen anpassen
- Ein Trend setzt sich fort.
- Fischarten ziehen in andere Gewässer/sterben aus.
- Naturkatastrophen lassen sich auf Klimaveränderungen zurückführen.

Die scheinbar normalen Dinge des Lebens

- ein Bewusstsein für den persönlichen Verbrauch entwickeln
- etwas macht viel/wenig aus
- Müll produzieren
- Wasser verschmutzen/verschwenden
- Ressourcen/Energie verbrauchen
- Der Konsum steigt/sinkt.
- Spuren auf der Erde hinterlassen
- sich von jemandem nur marginal/erheblich unterscheiden
- etwas beeinflussen
- Auswirkungen auf etwas/jmdn. haben

Evaluation
Überprüfen Sie sich selbst.

Ich kann	gut	nicht so gut
Ich kann mich fließend zu Themen wie *Älterwerden, Vergreisung der Gesellschaft, Zukunftsvorhersagen* oder *Risiken* schriftlich und mündlich äußern und darüber diskutieren.	❐	❐
Ich kann Fotos im Detail beschreiben und Vermutungen zu Aufnahme und Aussage der Fotos darlegen.	❐	❐
Ich kann populärwissenschaftliche Lese- und Hörtexte zu den Themen *Alter, Zukunft* und *Risikoforschung* verstehen und wiedergeben und mich ausführlich zu den Themen äußern.	❐	❐
Ich kann eine Gedankenkarte erstellen und mit deren Hilfe einen Vortrag zum Thema *Folgen der Vergreisung* halten.	❐	❐
Ich kann über Umfrageergebnisse berichten.	❐	❐
Ich kann statistische Informationen zusammenfassen und bewerten und Gespräche über alltägliche Dinge des Lebens verstehen. *(fakultativ)*	❐	❐

Anhang

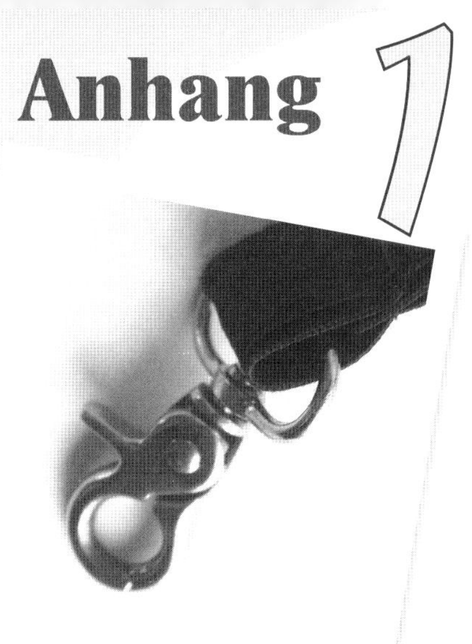

1. Wichtige Redemittel
2. Übungssatz: Goethe-Zertifikat C1
3. Grammatik in Übersichten
4. Übersicht unregelmäßiger Verben

Wichtige Redemittel

Eine Diskussion/Ein Gespräch führen

Die eigene Meinung ausdrücken
- Meiner Meinung nach/Meines Erachtens ...
- Ich bin der Auffassung/Meinung/Überzeugung, dass ...
- Ich bin davon überzeugt/Ich bin mir sicher, dass ...

Einen Vorschlag machen
- Ich schlage vor, dass ...
- Mein Vorschlag wäre, dass ...
- Ich finde es am besten, wenn ...

Ratschläge/Empfehlungen geben
- Sie sollten/Du solltest ...
- Ich an Ihrer/deiner Stelle würde ...
- ... kann ich Ihnen/dir sehr empfehlen.

Nach der Meinung anderer fragen
- Was halten Sie/hältst du von ...?
- Wie beurteilen Sie/beurteilst du ...?
- Was sind Ihrer/deiner Meinung nach die wichtigsten Gründe für ...?

Jemandem zustimmen
- Da gebe ich Ihnen/dir recht.
- Damit/Mit dieser Aussage bin ich einverstanden.
- Das sehe ich auch so.
- Das entspricht auch meiner Erfahrung.
- Dem kann ich nur zustimmen.

Jemandem widersprechen/Zweifel anmelden
- Ich glaube eher, dass ...
- Das sehe ich ganz anders.
- In diesem Punkt habe ich eine ganz andere Meinung.
- Ich kann mir nicht vorstellen, dass ...
- Ich befürchte/bezweifle, dass ...
- Man sollte bedenken, dass ...
- Wäre es nicht besser, wenn ...?

Pro- und Kontra-Argumente nennen
- Einerseits ... andererseits ...
- Auf der einen Seite ... auf der anderen Seite ...
- ... spricht dafür, ... spricht dagegen.
- Ein Vorteil ist ..., ein Nachteil ist ...

Jemanden unterbrechen
- Darf ich Sie/dich mal kurz unterbrechen?
- Dazu würde ich gerne auch etwas sagen.
- Ich wollte noch hinzufügen, dass ...

Sich einigen
- Ich schlage vor, dass ...
- Vielleicht können wir uns darauf einigen, dass ...
- Was halten Sie/hältst du von ...
- Ich habe gute Erfahrungen gemacht mit ... in ...

Prognosen stellen/Vermutungen ausdrücken

- Ich erwarte/vermute, dass ...
- Ich gehe davon aus, dass ...
- Es ist anzunehmen, dass ...
- Ich bin mir (ziemlich) sicher, dass ...
- Die bisherige Entwicklung lässt vermuten, dass ...
- Ich könnte mir vorstellen, dass ...
- Es kann/könnte sein, dass ...
- Etwas kann/könnte/dürfte/wird *(passieren)* ...
- Vermutlich/Wahrscheinlich/Vielleicht ...

Über Forschungsergebnisse berichten

- Laut neuesten Untersuchungen ...
- Forschungsergebnissen zufolge ...
- Nach neuesten Erkenntnissen ...
- Mithilfe von Experimenten konnte nachgewiesen/bewiesen werden, dass ...
- Untersuchungen haben gezeigt, dass ...
- Wissenschaftler haben herausgefunden, dass ...
- Das Ergebnis neuer Untersuchungen lautet: ...
- Fest steht inzwischen, dass ...

Etwas beschreiben/präsentieren

Eine Fotografie beschreiben

- Im Vordergrund/Im Hintergrund/In der Mitte des Bildes/ Am rechten/linken Seitenrand …
- … kann man sehen/erkennen.
- … ist … abgebildet.
- Das Foto zeigt …
- Bemerkenswert/Seltsam/Auffällig finde ich …
- … wirkt auf mich …
- … vermittelt den Eindruck, als ob …
- Ich nehme an/Ich vermute, dass …
- Das Foto … könnte/dürfte/muss … aufgenommen worden sein.
- Wenn man in meinem Heimatland zu diesem Thema Fotos machen würde, dann …

Eine Grafik/Statistik beschreiben

- Man kann in/aus der Grafik/Statistik deutlich erkennen …
- Aus der Grafik/Statistik kann man entnehmen …
- Aus der Grafik/Statistik geht hervor …/wird deutlich …
- Die Grafik/Statistik zeigt …
- An der Spitze/Auf Platz eins/zwei steht/liegt …
- Dahinter kommt/folgt …
- Am wichtigsten ist …/… ist weniger wichtig/… ist *(mir/ den Befragten)* gleichgültig/egal.

Etwas strukturieren

Eine Stellungnahme strukturieren

- *Einleitung:* Das Thema … ist ein Problem/Thema, das erst seit wenigen Jahren aktuell ist/das schon lange diskutiert wird/mit dem man sich unbedingt beschäftigen sollte/ das vor allem für … *(junge Leute)* von großer Wichtigkeit/ sehr wichtig ist.
  Es ist allgemein bekannt, dass …/Bekannt ist bisher nur, dass …/In der Öffentlichkeit herrscht die Meinung, dass …/Erst kürzlich stand in der Zeitung, dass …/Noch vor wenigen Jahren …/Bereits früher …/Wenn wir zurückblicken/die Entwicklung der letzten Jahre betrachten …
- *Hauptteil:* … spricht dafür/dagegen./Die Situation ist doch folgende …/Dazu kommt noch …/Man sollte nicht vergessen, dass …/Ein weiteres Beispiel wäre …/Meinen Erfahrungen/Meiner Ansicht nach …/… bin ich mit … nicht/ganz einer Meinung./Diese Ansicht kann ich nicht teilen./Als Gegenargument lässt sich hier anführen, dass …/Ich schlage vor, dass … /Vielleicht sollte man …/ Eine mögliche Lösung/Alternative wäre …
- *Schlussteil:* Zusammenfassend kann man feststellen/sagen, dass …/Daraus ergibt sich die Schlussfolgerung, dass …/Die Konsequenzen daraus sind …/Für die Zukunft könnte das … bedeuten/heißen, dass …

Eine Tagesordnung vorstellen

- Auf unserer Tagesordnung stehen heute folgende Punkte/Themen: …
- Ich schlage folgende Tagesordnungspunkte vor: …
- Wir befassen uns (heute) mit …
- Wir sprechen/diskutieren (heute) über …/Wir besprechen heute …
- Wir haben uns folgendes Programm vorgenommen: Erstens …/Zweitens …/Drittens …
- Der erste Punkt unserer Tagesordnung ist …
- Als zweiten Punkt haben wir … vorgesehen …
- Als letztes Thema steht … auf dem Programm.
- Am Anfang/Zu Beginn sprechen wir über …/Wir beginnen mit …/Danach werden wir …
- Anschließend …/Zum Schluss …

Texte zusammenfassen/bewerten

Einen Text bewerten

- *Gefallen ausdrücken:* ein ausgezeichnetes/erstklassiges/ bemerkenswertes/gut gemachtes/beeindruckendes/interessantes/spannendes/überzeugendes Buch
  - … ist/war toll/super/wahnsinnig gut/stark.
  - … lässt sich gut/einfach/leicht lesen.
  - … machte betroffen/nachdenklich.
  - … kann man empfehlen/… sollte jeder lesen.
  - Dem Autor gelang/gelingt es …/Der Autor schafft es …/Der Autor versteht es, den Leser zu fesseln/zu unterhalten/mitzureißen …
- *Missfallen ausdrücken:* ein mittelmäßiges/nicht gelungenes/langweiliges/nicht überzeugendes/schlecht gemachtes/schreckliches/ganz furchtbares/grässliches/ grauenhaftes Buch
  - … ist/war nicht lesbar/schwer zu lesen.
  - Der Autor war nicht in der Lage …/Dem Autor gelang es nicht …
  - Von einer Lektüre dieses Buches kann man nur abraten!

Einen Text zusammenfassen

- Das Thema des Textes/des Romans/des Gedichtes ist …/ Der Text/Der Roman/Das Gedicht handelt von …
- In dem Text/In dem Roman geht es hauptsächlich/in erster Linie um …
- Der Autor beschreibt/erzählt die Geschichte *(eines jungen Mannes)* …
- Der Erzähler/Der Ich-Erzähler/Der Romanheld reist/verbringt/erlebt/trifft …
- Der Roman ist wie …/Der Aufbau des Romans erinnert an …
- Der Leser erfährt/kann miterleben/taucht ein in …
- Der Autor behauptet/vertritt die These …
- Als Beispiele werden … angeführt./Das wird mit folgenden Beispielen verdeutlicht: …
- Der Autor zieht die Schlussfolgerung, dass …

Übungssatz: *Goethe-Zertifikat C1*

Diese Prüfung besteht aus vier Teilen: Leseverstehen, Hörverstehen, schriftlicher Ausdruck und mündlicher Ausdruck. Die Prüfung dauert insgesamt **ca. 210 Minuten**. In keinem Teil dürfen Sie Wörterbücher oder andere Hilfsmittel benutzen.

Leseverstehen

In diesem Prüfungsteil sollen Sie mehrere Texte lesen und die dazugehörenden Aufgaben lösen. Sie können mit jeder beliebigen Aufgabe beginnen. Sie haben für den Teil Leseverstehen **70 Minuten** Zeit.

Leseverstehen 1

Lesen Sie den Text und ergänzen Sie die fehlenden Informationen unter den Punkten (1–10) in der Zusammenfassung. Sie haben für diese Aufgabe 25 Minuten Zeit.

Abschied von der Kreidezeit

Multimediale Tafeln ziehen in deutsche Klassenzimmer ein. Hamburg will in den nächsten zwei Jahren alle Schulen so aufrüsten.

Der Schüler geht zur Tafel, nimmt statt Kreide einen speziellen Stift, wählt am Rand seine Wunschfarbe aus und schreibt drauflos – ohne Staub, ohne kreischende Geräusche. Denn sein Klassenzimmer ist mit einer elektronischen Schultafel ausgerüstet. Mitunter funktionieren diese multimedialen Tafeln auch völlig ohne Stift. Der Schüler löst die Matheaufgabe mit seinen Fingern, und zwar durch direktes Tippen auf die interaktive Fläche. Allmählich verabschieden sich staubige Kreide und weiße Hände aus Deutschlands Schulen. Menschen mit körperlicher Beeinträchtigung können die Tafel auch mithilfe eines Tennisballs benutzen – das vereinfacht das Schreiben und Lernen.

Statische Kreidebilder haben ausgedient. An der digitalen Wand können die Eleven direkt markieren, verschieben, korrigieren oder erweitern – wie an einem Computer.

Neuere Modelle stellen auch Funktionen wie Texterkennung, E-Mail-Versand oder Videokonferenzen mit anderen Klassen zur Verfügung, vom einfachen Einspielen von Filmsequenzen ganz abgesehen. Hinter der Technik stecken ein Projektor und eine große berührungsempfindliche Fläche, auf die der Rechner das Tafelbild projiziert, das sogenannte Whiteboard. Drückt oder schreibt der Anwender auf die Wand, reagiert das Whiteboard und aktualisiert die Ansicht. Verfügbar sind solche Geräte schon recht lange, in Unternehmen schätzt man in Konferenz- und Schulungsräumen deren Möglichkeiten. Nun sollen endlich auch die deutschen Schüler davon profitieren.

„Das ist eine wunderbare Sache“, freut sich Konrektor Wolfgang Mickels von der Walter-Gropius-Schule in Erfurt. Seine Schüler gehören zu denjenigen, die die Tafel bald nutzen werden. Die Berufsschule in Thüringen ist Teil des bisher größten Anwendungstests der neuen Geräte im Unterricht.

Ob sich mit diesen Tafeln tatsächlich besser lernen lässt, wurde bisher in Deutschland noch nicht untersucht. Genau das will man in Thüringen mit einer breit angelegten Untersuchung ändern: Ein Jahr lang erproben dort 60 Schulen gesponserte Geräte. Das Landesinstitut für Lehrerfortbildung, Lehrplanentwicklung und Medien begleitet das Projekt mit einer Studie. Bis Ende des Schuljahres will man herausfinden, ob die neuen Tafeln besser sind als ihre Vorgänger.

In Hamburg geht man gleich einen Schritt weiter: Für 5,6 Millionen Euro werden nach einem Beschluss des Senats alle allgemeinbildenden Schulen zusätzlich mit den digitalen Tafeln ausgerüstet. Bald sollen die Lehrer des Stadtstaats flächendeckend auf Whiteboards als zusätzliches Lehrmittel zurückgreifen können. Hamburgs Lehrer erhalten Fortbildungen, um die neuen Möglichkeiten sinnvoll einzusetzen. Eine lästige Aufgabe entfällt somit: das Tafelwischen. Ein Klick auf den Radiergummi an der Wand, und die Inhalte verschwinden, ohne Staubkrümel zu hinterlassen. Aber nur von der Anzeige, denn der Computer konserviert alles und der Lehrer kann die Tafelbilder jederzeit wieder aufrufen. Die neuen Tafeln haben deutliche Vorteile: Schreibfaulen kann das Tafelbild per E-Mail nachgesendet werden, kranke Klassenkameraden können auch zu Hause weiterlernen. Es gibt jedoch auch einen Nachteil: Fällt der Strom aus, versagen die E-Tafeln den Dienst.

Ergänzen Sie im folgenden Text die fehlenden Informationen (1–10).

An Deutschlands Schulen sollen die Klassenzimmer in den nächsten Jahren mit elektronischen Tafeln *ausgerüstet* werden. Die .... (1) der interaktiven Flächen wird dann auch für viele körperbehinderte Menschen möglich. Markierungen und .... (2) können mit einem Spezialstift, den Fingern oder einem Tennisball .... (3) werden. Zahlreiche Modelle der digitalen Tafeln .... (4) ebenfalls über Funktionen wie z. B. Texterkennung und E-Mail-Versand. In Unternehmen sind Whiteboards .... (5) und werden oft bei Schulungen .... (6). Zur .... (7) der Geräte im Unterricht finden derzeit Gerätetests statt. In Hamburg hat der Senat .... (8), 5,6 Millionen Euro in digitale Tafeln zu investieren und Hamburger Lehrer an .... (9) zum Thema elektronisches Klassenzimmer teilnehmen zu lassen. Die Tafeln besitzen nachweislich sehr viele Vorteile. Allerdings funktionieren sie bei .... (10) nicht.

Leseverstehen 2

Lesen Sie bitte die vier Texte. In welchen Texten (A–D) gibt es Aussagen zu den Themenschwerpunkten 1–5? Bei jedem Themenschwerpunkt sind ein, zwei oder drei Stichpunkte möglich, insgesamt aber nicht mehr als zehn. Dafür haben Sie 30 Minuten Zeit.

A

Münster

Wenn der Prinzipalmarkt festlich leuchtet und der Duft von Glühwein und Lebkuchen durch die Straßen zieht, beginnt in Münster wohl die feierlichste Zeit des Jahres: Fünf Weihnachtsmärkte verwandeln die Altstadt im November und Dezember in ein winterliches Märchen. Unter einem Lichterhimmel im Innenhof des Rathauses findet dann der älteste und größte der Märkte statt. Nur einen kleinen Spaziergang entfernt, zu Füßen der Lambertikirche und umgeben von historischen Bogenhäusern, setzt der Lichtermarkt St. Lamberti mit seinen blauen Spitzdachbuden einen Glanzpunkt in die dunkle Jahreszeit. Im Weihnachtsdorf rund um das Denkmal des münsterschen Kiepenkerls verbinden sich an urigen Ständen Genuss und Tradition aufs Feinste.

Mit einer beeindruckenden Krippe und einer sechs Meter hohen Holzpyramide lädt der Aegidii-Weihnachtsmarkt zum Bummeln und Staunen ein. Studentisches Flair und eine entspannte Atmosphäre finden sich direkt gegenüber auf dem Markt an der Pferdegasse vor dem Lichterspiel an der Südfassade des Landesmuseums. Wer nach so viel festlicher Vorfreude etwas mehr über Münsters Geschichte und Tradition erfahren möchte, nimmt am besten an einer der sehr unterhaltsam gestalteten Adventsführungen teil. Selbstverständlich ist an diesen Tagen auch für das Wohl der kleinen Besucher gesorgt: Die Kinderbetreuung am Prinzipalmarkt 15 kümmert sich gern um alle Kinder von vier bis zehn Jahren.

B

Dresden

Seit mehr als einem halben Jahrtausend ist in der sächsischen Landeshauptstadt der Markt beheimatet, der zu den ältesten deutschen Weihnachtsmärkten zählt. Sein Ursprung geht auf ein landesherrliches Privileg von 1434 zurück. Der Striezel gab dem Markt im ausgehenden Mittelalter seinen Namen und hat seinen Fortbestand im echten Dresdner Christstollen. Noch heute ist deshalb das Stollenfest ein Höhepunkt: Ein rund vier Tonnen schwerer Riesenstollen zieht vom Zwinger über Semperoper, Hofkirche und Frauenkirche bis zum Striezelmarkt. Der Stollen wird mit dem Dresdner Stollenmesser angeschnitten und anschließend an die Besucher des Festes verkauft. An den traditionellen Marktständen liegt der Duft von dampfendem Glühwein, Bratäpfeln und Zimtsternen in der Luft; hier sind auch Erzeugnisse regionaler Handwerkskunst zu finden, wie zum Beispiel Keramik, Plauener Spitze und die bis heute aus Papier gefertigten Herrnhuter Sterne aus der Lausitz.

An zentraler Stelle des Striezelmarktes dreht sich die weltgrößte erzgebirgische Stufenpyramide. Mit ihrer respektablen Höhe von 14,61 Meter und den 42 Figuren schaffte sie den Eintrag ins Guinessbuch der Rekorde. Beim alljährlichen Pyramidenfest bieten Chöre, Gesangsgruppen und Solisten weihnachtliche Vokalmusik dar. Die Bühne mit dem riesigen Adventskalender ist in der Form eines Märchenschlosses samt einem Märchenwald mit über 100 Figuren aufgebaut und zieht vor allem Kinder in ihren Bann.

C

Leipzig

Ein überregionaler Anziehungspunkt ist der Leipziger Weihnachtsmarkt, dessen Geschichte bis in das Jahr 1767 zurückreicht. Traditioneller Hauptbereich des Weihnachtsmarktes ist der Marktplatz, wo eine etwa 20 Meter hohe sächsische Fichte steht.

Die Besucher schätzen vor allem die Kinderfreundlichkeit des Leipziger Weihnachtsmarktes. So gibt es für die kleinen Besucher auf dem Augustusplatz einen Märchenwald, die Weihnachtsmannsprechstunden und eine Modelleisenbahnausstellung. Der historische Weihnachtsmarkt *Alt-Leipzig* bringt den Besuchern auf dem Naschmarkt vor allem die Kunst- und Handwerkstraditionen Leipzigs nahe. Außerdem kann man Schnitzereien und gedrechselte Waren aus dem Erzgebirge sowie mundgeblasenen Baumschmuck aus der Glasbläserstadt Lauscha erwerben.

Eine Attraktion ist auch der mit 857 Quadratmetern größte Adventskalender in der Böttchergasse, der jedes Jahr von Leipziger Schulen gestaltet wird. Dort wird vom 1. bis zum 24. Dezember täglich eines der 3 x 2 Meter großen Fenster geöffnet. Viele Leckereien, wie ofenfrische Brezeln, Pulsnitzer Lebkuchen oder die sehr beliebte Feuerzangenbowle, laden zum Naschen und Verweilen ein.

Der Besucher sollte nicht versäumen, den traditionellen Posaunenbläsern zu lauschen, die in jedem Jahr vom Balkon des Alten Rathauses musizieren.

◊ Ursprung und Geschichte des Marktes

Text A --
Text B *Ursprung geht auf ein landesherrliches Privileg von 1434 zurück*
Text C *Geschichte reicht bis ins Jahr 1767 zurück*
Text D --

1. Düfte

Text A ....
Text B ....
Text C ....
Text D ....

2. Attraktionen für Kinder

Text A ....
Text B ....
Text C ....
Text D ....

3. Licht und Beleuchtung

Text A ....
Text B ....
Text C ....
Text D ....

4. regionale Handwerkskunst

Text A ....
Text B ....
Text C ....
Text D ....

5. kulinarische Spezialitäten der Region/Stadt

Text A ....
Text B ....
Text C ....
Text D ....

D

Bremen

An der Weser herrscht festliches Flair, die Schiffe am Kai glitzern im blauen Licht und in der Luft liegt der Duft von geräuchertem Fisch und frisch gebackenem Brot. Im November und Dezember präsentiert sich die Bremer Weserpromenade mit historischem, winterlichem und maritimem Ambiente. Wer an den Wehrtüren vorbeigeht und hinter die mächtigen Holzpalisaden tritt, findet sich direkt im Mittelalter wieder. Im *Dorf der Fogelvreien* duftet es beim Gewürzkrämer nach Weihrauch und allerlei Spezereien aus dem Orient. In den Tavernen können Besucher den für Bremen typischen Met, Fruchtwein oder sogar Liebestrank kosten und dem Gesang des Spielmanns lauschen, während die Planken der historischen Schiffe leise am Ufer knarren.

So mag es damals zugegangen sein, als die Koggen mit ihrer kostbaren Fracht aus fernen Ländern zum Umschlagplatz in die Hansestadt kamen. Rund um Rathaus und Roland (UNESCO-Welterbe) lädt der stimmungsvolle Bremer Weihnachtsmarkt mit seinen über 170 weihnachtlich geschmückten Ständen zum ausgedehnten Bummel ein. Seine historische Kulisse, die liebevoll dekorierten Buden und Stände, die romantische Beleuchtung – all das macht sein besonderes Flair aus und begeistert Jahr für Jahr immer mehr Besucher. Turmbläser und regelmäßige Orgelkonzerte mit Weihnachtsmusik runden das Angebot ab.

Leseverstehen 3

Lesen Sie den folgenden Text und wählen Sie bei den Aufgaben 1–10 die Wörter (a, b, c oder d), die in den Satz passen. Es gibt jeweils nur eine richtige Antwort. Dafür haben Sie 15 Minuten Zeit.

Etikettenschwindel mit Produkten aus der „Region“?

Supermärkte *werben (b)* oft mit der Bezeichnung „regionale Herkunft“ für ihre Produkte. Das ist ein starkes Verkaufsargument, ...(1) viele Verbraucher kaufen gern einheimische Produkte, weil die Lebensmittel dann nicht auf langen Wegen transportiert werden und außerdem die heimische Wirtschaft unterstützt wird.

Das ....(2) einer Untersuchung in Sachsen, Sachsen-Anhalt und Thüringen überraschte jedoch. Etliche ....(3) Lebens- und Genussmittel, die angeblich aus diesen Regionen stammen, sind längst nicht mehr so regional, wie es die Schildchen in den Supermärkten annehmen lassen. ....(4) den Produkten, die mittlerweile nicht mehr in der Region hergestellt werden, befinden sich „Pfeffibonbons“. Wer glaubt, beim Kauf der kleinen weißen Pfefferminz-Pastillen den Produktionsstandort Leipzig zu stärken und dort Arbeitsplätze zu sichern, der ....(5). Pfeffi und Zitrus werden längst in Bayern produziert. Auch Streichhölzer aus Riesa haben mit ihrer sächsischen Heimat kaum noch etwas zu tun. Die Hölzchen stammen aus osteuropäischen Ländern ....(6) Polen und der Ukraine.

Wer Meißner Bienenhonig in den Einkaufskorb legt, hat vielleicht im Sinn, einheimische Imker ....(7). Fehlanzeige! Der Honig wird zwar in Meißen abgefüllt, stammt jedoch von Bienen aus allen Teilen der Welt. Auch die Hauptzutaten im Mühlhäuser Pflaumenmus haben keinen wesentlichen ....(8) zu Thüringen. Die Pflaumen der aktuellen Ware stammen aus Serbien und Kroatien. Der Kommentar von Pflaumenpflückern aus Thüringen: „Wir könnten viel, viel mehr liefern. Allerdings nicht zum angebotenen Niedrigpreis.“

Für Käufer, ...(9) mit ihrem Verhalten bewusst ihre Region stärken wollen, ist die Lage problematisch. Sie dürfen sich zu Recht getäuscht fühlen. Die Unternehmen trifft kaum Schuld. Dass gut funktionierende Markennamen erhalten werden, auch wenn längst anderswo und von anderen Firmen produziert wird, gehört zum Geschäftsalltag. Auch der weltweite Rohstoffeinkauf, um den Kunden in Deutschland preiswerte Waren anbieten zu können, ist Praxis und liegt allein im ....(10) der Unternehmen.

◊ a) erwerben b) ~~werben~~ c) bewerben d) kaufen

1. a) da b) aber c) damit d) denn
2. a) Ereignis b) Folge c) Ergebnis d) Auswirkung
3. a) denen b) deren c) der d) die
4. a) Auf b) Unter c) Mit d) Nach
5. a) irrt sich b) verirrt sich c) stimmt d) lügt
6. a) dann b) wie c) als d) genauso wie
7. a) fordern b) fördern c) zu fördern d) zu fordern
8. a) Blitz b) Beziehung c) Bezug d) Hinsicht
9. a) der b) die c) dessen d) denen
10. a) Abwägen b) Vermessen c) Entscheidung d) Ermessen

Hörverstehen

In diesem Prüfungsteil hören Sie zwei Dialoge und sollen die dazugehörigen Aufgaben lösen. Den ersten Dialog hören Sie einmal, den zweiten Dialog hören Sie zweimal. Sie haben für den Teil Hörverstehen **40 Minuten** Zeit.

Hörverstehen 1 12

Hören Sie das Interview zum Thema *Panik über den Wolken*. Notieren Sie während des Hörens die Stichworte 1–10. Sie hören den Dialog nur einmal. Sie haben 15 Minuten Zeit.

◊ Frau Häuser ist Pilotin und *Flugangsttrainerin*.
1. Wer unter Flugangst leidet, schwört sich nach jedem spektakulären Unfall, nur noch ....
2. Wie viele Personen leiden Studien zufolge unter Flugangst? ....
3. Die meisten Fluggesellschaften raten den Kapitänen, Passagieren gegenüber ....
4. Wenn beim Flugzeug in der Luft ein Triebwerk ausfallen würde, könnte man problemlos ....
5. Man kann nicht mehr aus dem Flugzeug, wenn ....
6. Wenn man die Startzeit nicht einhält, kostet das ....
7. Eine Maschine muss landen, wenn ein Menschenleben ....
8. Wer freiwillig aussteigt, muss sich eigentlich ein neues Ticket ....
9. Bei Flugangst verstecken sich manche hinter ihren ....
10. Die Crew hat einen Blick für Leute, die schnell die ....

Hörverstehen 2 13

Sie hören das Interview zum Thema *Schlüsselkompetenzen* zweimal, zunächst einmal ganz, danach ein zweites Mal in Abschnitten. Kreuzen Sie die richtige Antwort a, b oder c an. Sie haben 25 Minuten Zeit.

◊ Schlüsselkompetenzen sind
- a) ❒ für Unternehmen genauso wichtig wie Fachwissen.
- b) ✗ wichtiger als Fachwissen.
- c) ❒ unwichtiger als Fachwissen.

1. Was sind die drei wichtigsten Kompetenzen für die befragten Arbeitgeber?
   - a) ❒ Teamfähigkeit, Kommunikationsfähigkeit, Selbstmanagement
   - b) ❒ Teamfähigkeit, Einsatzbereitschaft, Kommunikationsfähigkeit
   - c) ❒ Teamfähigkeit, Selbstmanagement, Einsatzbereitschaft
2. Ist Intelligenz messbar?
   - a) ❒ IQ und EQ sind auf einer gemeinsamen Skala messbar.
   - b) ❒ Nur der IQ ist auf einer Skala messbar.
   - c) ❒ Nur der EQ ist auf einer Skala messbar.
3. Warum brauchen wir kulturelle Sensibilität?
   - a) ❒ zum besseren Verständnis des Gesprächspartners/der Gesprächspartnerin
   - b) ❒ zur Vervollständigung/Komplettierung unseres Fachwissens
   - c) ❒ zum besseren Einsatz der messbaren Schlüsselkompetenzen
4. Worauf wird bei einer Einstellung geachtet?
   - a) ❒ auf fachliche Kompetenz
   - b) ❒ auf Kommunikationsfähigkeit
   - c) ❒ auf Schuldenken
5. Warum ist Zuhören eine wichtige Schlüsselkompetenz?
   - a) ❒ Damit man sein Wissen demonstrieren kann.
   - b) ❒ Damit man Input erhält.
   - c) ❒ Um ein offenes Unternehmensklima zu schaffen.
6. Wie wertet Herr Kluge die Kompetenzen „sich gut verkaufen" und „zuhören"?
   - a) ❒ Die Kompetenzen widersprechen sich: Gleichzeitig zuhören und sich gut verkaufen, das geht einfach nicht.
   - b) ❒ Zuhören ist wesentlich relevanter und entscheidender für einen guten Führungsstil als sich gut verkaufen können.
   - c) ❒ Beide Kompetenzen sind wichtig und müssen je nach Situation eingesetzt werden.

7. Was sagt Herr Kluge zu den unterschiedlichen Kompetenzen im Hinblick auf Männer und Frauen?
   a) ❐ Frauen besitzen von Natur aus größere emotionale Intelligenz.
   b) ❐ Frauen haben oft mehr Hemmungen, sich selbst zu präsentieren.
   c) ❐ Männer können sich gut durchsetzen.

8. Sind Schlüsselkompetenzen größtenteils erlernbar?
   a) ❐ Ja, aber manche Menschen tun sich damit schwerer als andere.
   b) ❐ Nein, denn Schlüsselkompetenzen beruhen ausschließlich auf Übung und Erfahrung.
   c) ❐ Ja, aber nur wenn eine entsprechende geistige Intelligenz vorliegt.

9. Was hält Herr Kluge von der „Auseinandersetzung mit sich selbst"?
   a) ❐ Sie ist wichtig, aber man sollte nicht zu sehr an sich zweifeln.
   b) ❐ Herr Kluge ist dagegen, weil sie kontraproduktiv ist.
   c) ❐ Sie ist wichtig, aber nur für Berufseinsteiger.

10. Was ist für Herrn Kluge die beste Methode, kompetenter zu werden?
   a) ❐ Seminare besuchen
   b) ❐ sich einen Coach nehmen
   c) ❐ ständiges Üben im Alltag

Schriftlicher Ausdruck

Dieser Prüfungsteil besteht aus zwei Aufgaben. Aufgabe 1 ist freier schriftlicher Ausdruck. Sie erhalten zwei Themen zur Auswahl. Bearbeiten Sie ein Thema. Aufgabe 2 ist die Umformung eines Briefes. Sie haben für den Teil Schriftlicher Ausdruck insgesamt **80 Minuten** Zeit.

Schriftlicher Ausdruck 1

Dafür haben Sie 65 Minuten Zeit. Wählen Sie eines der beiden Themen aus.

Thema A: *Zeit für Freizeit:* Ihre Aufgabe ist es, sich dazu zu äußern, wie sich Freizeitbeschäftigungen im Laufe der vergangenen Jahrzehnte verändert haben. Dazu erhalten Sie Informationen in Form einer Grafik. Schreiben Sie mindestens 200 Wörter.

Schreiben Sie,
- ◊ was Ihnen an der Statistik besonders auffällt,
- ◊ welchen Stellenwert Freizeitbeschäftigungen für Sie persönlich haben,
- ◊ was die vermutlichen Ursachen für die Veränderungen der Freizeitbeschäftigungen sind,
- ◊ welche Freizeitbeschäftigungen für junge Leute heute besonders attraktiv sind und warum,
- ◊ inwieweit die Veränderung der Freizeitbeschäftigungen soziale und gesellschaftliche Folgen hat.

Zeit für Freizeit

Die fünf beliebtesten Freizeitbeschäftigungen in Deutschland

	1957	1963	1975	1986	1995	2007
1.	Zeitung, Illustrierte lesen	Theater-, Konzertbesuche	Zeitung, Illustrierte lesen	Fernsehen	Fernsehen	Fernsehen
2.	Gartenarbeit	Ausruhen, ausschlafen	Radio hören	Zeitung, Illustrierte lesen	Zeitung, Illustrierte lesen	Radio hören
3.	Einkaufen	Freunde besuchen	Fernsehen	Radio hören	Radio hören	Telefonieren
4.	Reparaturen, kleinere Arbeiten	Fernsehen	Ausruhen, ausschlafen	Telefonieren	Telefonieren	Zeitung, Illustrierte lesen
5.	Mit Kindern spielen	Beschäftigung mit der Familie	Mit Nachbarn unterhalten	Mit Freunden treffen	Ausschlafen	Hausarbeiten erledigen
Quelle:	Allensbach	Divo	Emnid	BAT	BAT	BAT

© Globus 1957 – 1995 nur Westdeutschland 2356

Hinweise:

Bei der Beurteilung wird u. a. darauf geachtet,
- ◊ ob Sie alle Inhaltspunkte berücksichtigt haben,
- ◊ wie korrekt Sie schreiben,
- ◊ wie gut Sätze und Abschnitte sprachlich miteinander verknüpft sind.

Thema B: *Ein Leben lang:* Ihre Aufgabe ist es, sich schriftlich zum Thema *Lebenserwartung und deren Folgen* zu äußern. Dazu erhalten Sie Informationen in Form einer Grafik.
Schreiben Sie mindestens 200 Wörter.

Schreiben Sie,

- wie sich die Lebenserwartung in Deutschland in den vergangenen 80 Jahren verändert hat,
- welche Unterschiede es zwischen der älteren Generation heute und der älteren Generation vor 30–40 Jahren gibt,
- welche Folgen eine höhere Lebenserwartung für das Leben eines Einzelnen hat,
- welche Vor- und Nachteile eine durchschnittlich höhere Lebenserwartung für die gesamte Gesellschaft hat,
- wie eine Gesellschaft die Probleme lösen kann, die die zunehmende Vergreisung der Gesellschaft mit sich bringt.

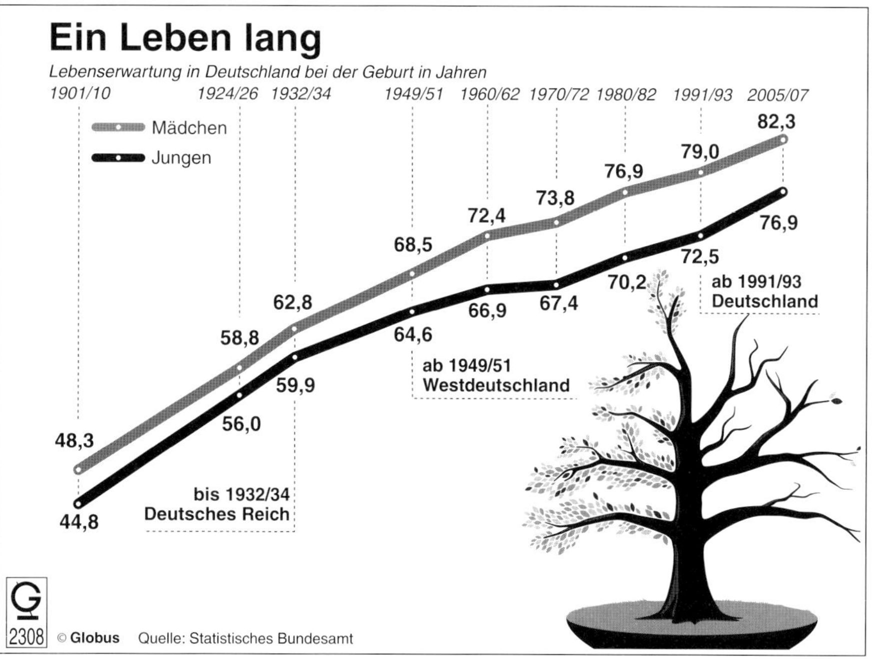

Hinweise:

Bei der Beurteilung wird u. a. darauf geachtet,

- ob Sie alle Inhaltspunkte berücksichtigt haben,
- wie korrekt Sie schreiben,
- wie gut Sätze und Abschnitte sprachlich miteinander verknüpft sind.

Schriftlicher Ausdruck 2

Ergänzen Sie die Lücken des Textes auf der folgenden Seite. In jede Lücke (1–10) passen ein oder zwei Wörter. Verwenden Sie dazu eventuell Informationen aus dem Brief. Dafür haben Sie 15 Minuten Zeit.

Lieber Peter,

Du weißt ja, dass ich seit Kurzem eine neue Aufgabe in der Firma übernommen habe. Jetzt liegt die Einarbeitungszeit hinter mir, ich hatte wirklich wahnsinnig viel zu tun und die Arbeit hat sich auf meinem Schreibtisch gestapelt. Nun habe ich die Anfangsschwierigkeiten überwunden und endlich wieder ein bisschen mehr Zeit für meine Familie und mein großes Hobby: das Wandern. Du weißt ja, dass ich gern neue Wanderwege ausprobiere. Da ich in den vergangenen Wochen ganz schön gestresst war, hatte Maria vorgeschlagen, dass wir uns zu viert mal ein bisschen Natur und Luxus gönnen und uns in der schönen fränkischen Gegend drei bis vier Tage erholen. Und das haben wir auch gemacht! Die Kinder konnten sich austoben und ihre Kräfte messen. Ich war anfangs ein bisschen skeptisch, aber wir hatten ein erlebnisreiches Wochenende und ich bin froh, dass Maria mich zu diesem Ausflug überreden konnte. In der Anlage schicke ich Dir mal den Werbetext, vielleicht hast Du ja Lust, mit Nina und den Kindern an einem der nächsten Wochenenden etwas zu unternehmen.

Viele Grüße
Dein Martin

Fränkisches Seenland

Wandern durchs Fränkische Seenland

Im fränkischen Seenland .... (1) Sie weite Wälder, bunte Wiesen, sanfte Hügel und eine Vielzahl malerischer Seen. Eine Landschaft, die dafür .... (2) ist, zu Fuß erkundet zu werden. Besucher, die sich diesen Luxus .... (3), können sich auf derzeit 1 500 Kilometer gut markierte Wanderwege verlassen, die zuweilen für spektakuläre Aussichten sorgen. Eine regelrechte Bilderbuchwanderung ist zum Beispiel der Mühlenweg: Er .... (4) an 17 Mühlen vorbei. Überaus beliebt ist auch der .... (5) am Rothsee, der die Orte Allersberg, Hilpolstein und Roth miteinander .... (6). Wer möchte, kann die 31 Kilometer lange Tour bequem in mehreren Etappen erwandern, so dass genug .... (7) bleibt, die Burgen und Schlösser am Rand dieser Route zu besichtigen. Ideal für Familien mit .... (8) ist der Sandbockelweg bei Pleinfeld. Dort können die Kleinen an besonderen Stationen ihre Kräfte .... (9), sich auf sprechende Bänke setzen oder im Indianerzelt verschnaufen. Unsere Luxusherberge am Rothsee bietet Ihnen allen Komfort. Eine hauseigene Sauna, ein Schwimmbad und ein Tennisplatz stehen Ihnen kostenlos zur .... (10).

Mündlicher Ausdruck

Dieser Prüfungsteil besteht aus zwei Aufgaben. In Aufgabe 1 sollen Sie sich zu einem bestimmten Thema äußern und in Aufgabe 2 sollen Sie ein Gespräch mit Ihrem Partner/Ihrer Partnerin führen. Sie haben **15 Minuten Zeit** zur Vorbereitung. Während der Prüfung sollen Sie frei sprechen. Wörterbücher und andere Hilfsmittel sind nicht erlaubt.

Mündlicher Ausdruck 1

Halten Sie einen kurzen Vortrag (ca. drei Minuten) und orientieren Sie sich an den folgenden Punkten.

Kandidat 1:

Sport: Freizeitvergnügen oder Leistungsdruck?

- Gründe, weshalb Menschen Sport treiben
- gesellschaftliche Akzeptanz und Stellenwert des Freizeitsports
- Vor- und Nachteile des Leistungssports
- persönliche Meinung zum Doping
- der Stellenwert des Leistungssports und die Position der Leistungssportler in Ihrem Heimatland

Kandidat 2:

Film: In Originalsprache oder synchronisiert?

- Stellenwert der Filmkultur in Ihrem Heimatland hinsichtlich der Gesamtkulturszene
- Stellenwert der Filmsynchronisation in Ihrem Heimatland oder in Deutschland
- kulturelle und sprachliche Aspekte synchronisierter und nicht synchronisierter Filme
- persönliche Meinung zur Synchronisation ausländischer Filme
- Qualität der gezeigten Spielfilme und Serien im Fernsehen in Ihrem Heimatland und/oder in Deutschland

Mündlicher Ausdruck 2

Sie wollen in Ihrem Wohnort gern eine ehrenamtliche Tätigkeit übernehmen, denn es mangelt in vielen Bereichen des gesellschaftlichen Lebens an freiwilligen Helfern. Es gibt folgende Angebote:

- Führungen im Heimatmuseum/Gemeindemuseum gestalten
- Kindern Schwimmunterricht erteilen
- die lokale Wahlkampagne einer Partei unterstützen
- eine Jugendtheatergruppe ins Leben rufen
- Mitglied der freiwilligen Feuerwehr werden

- Vergleichen Sie die Angebote und begründen Sie Ihren Standpunkt.
- Gehen Sie auch auf Äußerungen Ihres Gesprächspartners/Ihrer Gesprächspartnerin ein.
- Am Ende sollten Sie zu einer Entscheidung kommen.

Grammatik in Übersichten

Nomen

Nomengruppe

	Singular			Plural
Kasus	maskulin	feminin	neutral	
	der Tisch			
	großer Tisch			
Nominativ	der große Tisch			
	ein großer Tisch	die Bar	das Zimmer	die Bücher
	mein großer Tisch	gemütliche Bar	kaltes Zimmer	alte Bücher
		die gemütliche Bar	das kalte Zimmer	die alten Bücher
	den Tisch	eine gemütliche Bar	ein kaltes Zimmer	
	großen Tisch	meine gemütliche Bar	mein kaltes Zimmer	meine alten Bücher
Akkusativ	den großen Tisch			
	einen großen Tisch			
	meinen großen Tisch			
	dem Tisch		dem Zimmer	den Büchern
	großem Tisch		kaltem Zimmer	alten Büchern
Dativ	dem großen Tisch		dem kalten Zimmer	den alten Büchern
	einem großen Tisch	der Bar	einem kalten Zimmer	
	meinem großen Tisch	gemütlicher Bar	meinem kalten Zimmer	meinen alten Büchern
		der gemütlichen Bar		
	des Tisches	einer gemütlichen Bar	des Zimmers	der Bücher
	großen Tisches	meiner gemütlichen Bar	kalten Zimmers	alter Bücher
Genitiv	des großen Tisches		des kalten Zimmers	der alten Bücher
	eines großen Tisches		eines kalten Zimmers	
	meines großen Tisches		meines kalten Zimmers	meiner alten Bücher

Plural der Nomen

	Endung im Plural				
	---	*-e*	*-er*	*-(e)n*	*-s*
	(das Messer) die Messer	(das Telefon) die Telefone	(das Bild) die Bilder	(der Mensch) die Menschen	(das Büro) die Büros
	(das Zimmer) die Zimmer	(das Gerät) die Geräte	(das Kind) die Kinder	(die Banane) die Bananen	(das Hobby) die Hobbys
mit Umlaut	(der Mantel) die Mäntel	(der Baum) die Bäume	(der Mann) die Männer		

n-Deklination

Alle maskulinen Nomen, die auf *-e* enden, und einige andere maskuline Nomen werden wie folgt dekliniert:

	Singular		Plural	
Nominativ	der Kunde	der Mensch	die Kunden	die Menschen
Akkusativ	den Kunden	den Menschen	die Kunden	die Menschen
Dativ	dem Kunden	dem Menschen	den Kunden	den Menschen
Genitiv	des Kunden	des Menschen	der Kunden	der Menschen

Adjektive und Partizipien als Nomen

Einige Personenbezeichnungen leiten sich aus Adjektiven und Partizipien ab und werden wie Adjektive dekliniert:

	Singular		Plural
	maskulin	feminin	
Nominativ	der Angestellte ein Angestellter	die Angestellte eine Angestellte	Angestellte die Angestellten
Akkusativ	den Angestellten einen Angestellten		
Dativ	dem Angestellten einem Angestellten	der Angestellten einer Angestellten	Angestellten den Angestellten
Genitiv	des Angestellten eines Angestellten		Angestellter der Angestellten

Artikel

Artikel

	Singular						Plural	
Artikel	maskulin		feminin		neutral			
bestimmter Artikel	der	Tisch	die	Lampe	das	Telefon	die	Bücher
unbestimmter Artikel	ein	Tisch	eine	Lampe	ein	Telefon		Bücher
negativer Artikel	kein	Tisch	keine	Lampe	kein	Telefon	keine	Bücher
Possessivartikel	mein	Tisch	meine	Lampe	mein	Telefon	meine	Bücher
Demonstrativartikel	dieser	Tisch	diese	Lampe	dieses	Telefon	diese	Bücher
	derselbe	Tisch	dieselbe	Lampe	dasselbe	Telefon	dieselben	Bücher

Possessivartikel

	Pronomen		Singular						Plural	
			maskulin		feminin		neutral			
Singular	ich	und	mein	Vater	meine	Mutter	mein	Kind	meine	Freunde
	du	und	dein	Vater	deine	Mutter	dein	Kind	deine	Freunde
	er/es	und	sein	Vater	seine	Mutter	sein	Kind	seine	Freunde
	sie	und	ihr	Vater	ihre	Mutter	ihr	Kind	ihre	Freunde
Plural	wir	und	unser	Vater	unsere	Mutter	unser	Kind	unsere	Freunde
	ihr	und	euer	Vater	eure	Mutter	euer	Kind	eure	Freunde
	sie	und	ihr	Vater	ihre	Mutter	ihr	Kind	ihre	Freunde
formell	Sie	und	Ihr	Vater	Ihre	Mutter	Ihr	Kind	Ihre	Freunde

Pronomen

Personalpronomen

		Nominativ	Akkusativ	Dativ
Singular	1. Person	ich	mich	mir
	2. Person	du	dich	dir
	3. Person	er	ihn	ihm
		sie	sie	ihr
		es	es	ihm
Plural	1. Person	wir	uns	uns
	2. Person	ihr	euch	euch
	3. Person	sie	sie	ihnen
formell		Sie	Sie	Ihnen

Indefinitpronomen

	Nominativ	Akkusativ	Dativ
man	man	einen	einem
niemand	niemand	niemanden	niemandem
(irgend)jemand	(irgend)jemand	(irgend)jemanden	(irgend)jemandem
(irgend)etwas	(irgend)etwas	(irgend)etwas	(irgend)etwas
nichts	nichts	nichts	nichts

Verben

Zeitformen

haben, sein **und** ***werden***

	Präsens	Präteritum	Perfekt	Plusquamperfekt	Futur I
haben	er hat	er hatte	er hat gehabt	er hatte gehabt	er wird haben
sein	er ist	er war	er ist gewesen	er war gewesen	er wird sein
werden	er wird	er wurde	er ist geworden	er war geworden	er wird werden

Modalverben

	Präsens	Präteritum	Perfekt	Plusquamperfekt	Futur I
können	er kann	er konnte	er hat gekonnt	er hatte gekonnt	er wird können
müssen	er muss	er musste	er hat gemusst	er hatte gemusst	er wird müssen
sollen	er soll	er sollte	er hat gesollt	er hatte gesollt	er wird sollen
wollen	er will	er wollte	er hat gewollt	er hatte gewollt	er wird wollen
dürfen	er darf	er durfte	er hat gedurft	er hatte gedurft	er wird dürfen
mögen	er mag	er mochte	er hat gemocht	er hatte gemocht	er wird mögen

Regelmäßige Verben

	Präsens	Präteritum	Perfekt	Plusquamperfekt	Futur I
lernen	er lernt	er lernte	er hat gelernt	er hatte gelernt	er wird lernen
arbeiten	er arbeitet	er arbeitete	er hat gearbeitet	er hatte gearbeitet	er wird arbeiten
landen	er landet	er landete	er ist gelandet	er war gelandet	er wird landen
bestellen	er bestellt	er bestellte	er hat bestellt	er hatte bestellt	er wird bestellen
einkaufen	er kauft ein	er kaufte ein	er hat eingekauft	er hatte eingekauft	er wird einkaufen
studieren	er studiert	er studierte	er hat studiert	er hatte studiert	er wird studieren

Unregelmäßige Verben

	Präsens	Präteritum	Perfekt	Plusquamperfekt	Futur I
lesen	er liest	er las	er hat gelesen	er hatte gelesen	er wird lesen
fahren	er fährt	er fuhr	er ist gefahren	er war gefahren	er wird fahren
denken	er denkt	er dachte	er hat gedacht	er hatte gedacht	er wird denken
beginnen	er beginnt	er begann	er hat begonnen	er hatte begonnen	er wird beginnen
anrufen	er ruft an	er rief an	er hat angerufen	er hatte angerufen	er wird anrufen

Modalverben in subjektiver Bedeutung

Vermutungsbedeutung

Modalverb	synonyme Wendungen
Der Mann kann/könnte aus der Türkei kommen.	möglicherweise ◊ vielleicht ◊ eventuell ◊ es besteht die Möglichkeit ◊ ich halte es für möglich ◊ es ist denkbar
Der Stein dürfte/wird rund 100 000 Euro wert sein.	vermutlich ◊ wahrscheinlich ◊ es sieht danach aus ◊ ich nehme an ◊ ich glaube ◊ ich schätze
Das neue Produkt müsste sich gut verkaufen.	höchstwahrscheinlich ◊ sehr wahrscheinlich ◊ es spricht vieles dafür ◊ die Wahrscheinlichkeit ist groß
Die Frau da drüben muss Claudia Schiffer sein!	zweifellos ◊ sicher ◊ ganz bestimmt ◊ ich bin davon überzeugt ◊ für mich steht fest
Er kann diesen Kampf nicht gewinnen.	sicher nicht ◊ es ist ausgeschlossen ◊ für mich ist es unvorstellbar

Weitergabe von Informationen und Gerüchten

Modalverb	synonyme Wendungen
Klaus Kupfer soll der beste Trainer sein.	Man sagt, dass … ◊ Ich habe gehört/gelesen, dass …
Klaus Kupfer will der beste Trainer sein.	Er sagt über sich selbst, dass …

Zeitformen

Gegenwart	Vergangenheit
Wo ist Herr Gruber? – Er kann/könnte/wird/dürfte/muss/ kann nicht in seinem Büro sein.	Wo war Herr Gruber gestern zwischen 10.00 und 13.00 Uhr? – Er kann/könnte/wird/dürfte/müsste/ muss/kann nicht in seinem Büro gewesen sein.
Klaus Kupfer soll/will der beste Trainer sein.	Klaus Kupfer soll/will in den 90er-Jahren der beste Trainer gewesen sein.

Verben mit Präfix

nicht trennbare Verben	trennbare oder nicht trennbare Verben	trennbare Verben
Verben mit den Präfixen: be- emp- ent- er- ge- miss- ver- zer- sind nicht trennbar.	Verben mit den Präfixen: durch- hinter- über- um- unter- voll- wider- wieder- können trennbar oder nicht trennbar sein.	Verben mit allen anderen Präfixen sind trennbar.
beginnen: ich beginne empfangen: ich empfange entfernen: ich entferne erhalten: ich erhalte gefallen: es gefällt mir missachten: ich missachte vereinbaren: ich vereinbare zerstören: ich zerstöre	überziehen: Ich ziehe mir etwas über. *(trennbar im Sinne von „anziehen")* überziehen: Ich überziehe mein Konto. *(nicht trennbar im Sinne von „zu viel in Anspruch nehmen")*	anfangen: ich fange an aufstehen: ich stehe auf ausschalten: ich schalte aus einkaufen: ich kaufe ein fernsehen: ich sehe fern mitmachen: ich mache mit weglaufen: ich laufe weg zusehen: ich sehe zu

Imperativ

	kommen	nehmen	fahren	anfangen
du	Komm!	Nimm!	Fahr!	Fang an!
ihr	Kommt!	Nehmt!	Fahrt!	Fangt an!
Sie	Kommen Sie!	Nehmen Sie!	Fahren Sie!	Fangen Sie an!

Konjunktiv

a) Konjunktiv II

Zeitformen im Aktiv

Konjunktiv II – Gegenwart

Hilfsverben:
Ich hätte gern Geld.
Ich wäre gern gesund.
→ hätte/wäre

Die meisten anderen Verben:
Ich würde gern in den Urlaub fahren.
Ich würde gern weniger arbeiten.
Ich würde mir gern ein Auto kaufen.
→ würde + Infinitiv

Modalverben:
Könnte ich doch schneller rennen!
Müsste ich doch nicht jeden Tag so weit fahren!
→ könnte/müsste/dürfte/sollte/wollte + Infinitiv

Konjunktiv II – Vergangenheit

Ich hätte gern Geld gehabt.
Ich wäre gern gesund gewesen.
→ Konjunktiv II von haben oder sein + Partizip II

Ich wäre gern in den Urlaub gefahren.
Ich hätte gern weniger gearbeitet.
Ich hätte mir gern ein Auto gekauft.
→ Konjunktiv II von haben oder sein + Partizip II

Hätte ich doch schneller rennen können!
Hätte ich doch nicht jeden Tag so weit fahren müssen!
→ Konjunktiv II von haben + Infinitiv Verb + Infinitiv Modalverb

Zeitformen im Passiv

Konjunktiv II – Gegenwart

Das Haus würde gebaut.
→ würde + Partizip II

Konjunktiv II – Vergangenheit

Das Haus wäre gebaut worden.
→ Konjunktiv II von sein + Partizip II + worden

Gebrauch

Vorschläge, Meinungsäußerung und Kritik

Vorschläge	Wir sollten mit der Entscheidung noch warten.
Meinungsäußerung	Ich würde mir das (an deiner Stelle) noch einmal überlegen.
nachträgliche Kritik	Es wäre besser gewesen, wenn du vorher gefragt hättest.
	Du hättest vorher fragen sollen/müssen.
	Das hätte nicht passieren dürfen.

Weiterer Gebrauch

höfliche Frage	Könnte ich bitte Herrn Müller sprechen?
höfliche Aufforderung	Würdest du bitte das Fenster öffnen?
Wünsche (irreal)	Müsste ich doch nicht immer neue Wörter lernen!
Bedingung (irreal)	Wenn ich Zeit hätte, würde ich sofort zu ihm fahren.
verpasste Gelegenheit	Fast/Beinahe hätte ich fünf Millionen Euro gewonnen.
Vergleich (irreal)	Er tut so, als ob er mich nicht sehen würde.

b) Konjunktiv I

Der Konjunktiv I wird aus dem Verbstamm im Präsens und der Konjunktivendung gebildet.
In vielen Fällen ist der Konjunktiv I identisch mit dem Indikativ. In diesen Fällen nehmen wir den Konjunktiv II.

Gegenwart

	fehlen		werden		haben		sein
	Konj. I	**Konj. II**	**Konj. I**	**Konj. II**	**Konj. I**	**Konj. II**	**Konj. I**
ich	fehle	(würde fehlen)	werde	(würde)	habe	(hätte)	sei
du	fehlest		werdest		habest		sei(e)st
er/sie/es	fehle		werde		habe		sei
wir	fehlen	(würden fehlen)	werden	(würden)	haben	(hätten)	seien
ihr	fehlet		werdet		habet		seiet
sie/Sie	fehlen	(würden fehlen)	werden	(würden)	haben	(hätten)	seien

Zeitformen im Aktiv

Konjunktiv I – Gegenwart	Konjunktiv I – Vergangenheit
Der Politiker sagte, …	Der Politiker sagte, …
er habe kein Verständnis dafür. er sei zufrieden mit dem Wahlergebnis. er verstehe die Reaktion des Kollegen nicht.	er habe kein Verständnis dafür gehabt. er sei zufrieden mit dem Wahlergebnis gewesen. er habe die Reaktion des Kollegen nicht verstanden. → Konjunktiv I von haben oder sein + Partizip II
das dürfe nicht noch einmal passieren.	das habe nicht noch einmal passieren dürfen. → Konjunktiv I von haben + Infinitiv Verb + Infinitiv Modalverb

Zeitformen im Passiv

Konjunktiv I – Gegenwart	Konjunktiv I – Vergangenheit
Der Politiker sagte, …	Der Politiker sagte, …
er werde nicht rechtzeitig informiert. viele neue Straßen würden gebaut. → Konjunktiv I von werden + Partizip II	er sei nicht rechtzeitig informiert worden. viele neue Straßen seien gebaut worden. → Konjunktiv I von sein + Partizip II + worden

Gebrauch

indirekte Rede	Der Arbeitsminister sagte, er bekämpfe die hohe Arbeitslosigkeit erfolgreich. *(oft verwendet)*
Aufforderung	Man nehme zwei Eier und koche sie fünf Minuten. *(veraltet)*
pathetische Rhetorik	Man höre und staune! *(selten verwendet)*

Rektion (Das Verb regiert im Satz!)

a) Verben mit dem Nominativ (Frage: Wer? Was?)
sein ◊ werden ◊ bleiben

Er	wird	bestimmt	ein guter Arzt.	Das	ist	ein alter Fernseher.
NOMINATIV			NOMINATIV	NOMINATIV		NOMINATIV

b) Verben mit dem Akkusativ (Frage: Wen? Was?)
Auswahl: abholen ◊ anrufen ◊ beantworten ◊ besuchen ◊ bezahlen ◊ brauchen ◊ essen ◊ finden ◊ haben ◊ hören ◊ kennen ◊ kosten ◊ lesen ◊ machen ◊ möchte(n) ◊ öffnen ◊ parken ◊ sehen ◊ trinken

Ich	brauche	ein Auto.	Das Zimmer	hat	einen Fernseher.
NOMINATIV		AKKUSATIV	NOMINATIV		AKKUSATIV

c) Verben mit dem Dativ (Frage: Wem?)
Auswahl: antworten ◊ begegnen ◊ beistehen ◊ danken ◊ drohen ◊ gefallen ◊ gehören ◊ glauben ◊ gratulieren ◊ helfen ◊ imponieren ◊ missfallen ◊ misstrauen ◊ nachgeben ◊ nützen ◊ passen ◊ schaden ◊ schmecken ◊ vertrauen ◊ widersprechen ◊ zuhören ◊ zusehen ◊ zustimmen

Die Jacke	gefällt	mir.	Das Auto	gehört	meinem Bruder.
NOMINATIV		DATIV	NOMINATIV		DATIV

d) Verben mit Dativ und Akkusativ (Frage: Wem? Was?)
Auswahl: beantworten ◊ bewilligen ◊ borgen ◊ bringen ◊ empfehlen ◊ entziehen ◊ erlauben ◊ erzählen ◊ faxen ◊ geben ◊ kaufen ◊ leihen ◊ mitteilen ◊ sagen ◊ schenken ◊ schicken ◊ schreiben ◊ senden ◊ überreichen ◊ verbieten ◊ verdanken ◊ verschweigen ◊ versprechen ◊ verkaufen ◊ verzeihen ◊ wegnehmen ◊ wünschen ◊ zeigen

Ich	kaufe	mir	ein neues Kleid.
NOMINATIV		DATIV	AKKUSATIV

Wir	schenken	dem Chef	einen Blumenstrauß.
NOMINATIV		DATIV	AKKUSATIV

e) Verben mit zwei Akkusativen (Frage: Wen? Was?)
Auswahl: kosten ◊ lehren ◊ nennen ◊ schimpfen

Das Haus	kostet	mich	ein Vermögen.
NOMINATIV		AKKUSATIV	AKKUSATIV

f) Verben mit Akkusativ und Genitiv (Frage: Wen? Wessen?)
Auswahl: anklagen ◊ bezichtigen ◊ überführen ◊ verdächtigen

Die Polizei	verdächtigt	den Verwaltungsleiter	des Diebstahls.
NOMINATIV		AKKUSATIV	GENITIV

g) Verben mit präpositionalem Kasus

Ich	nehme	an der Besprechung	teil.
NOMINATIV		*an* + DATIV	

Ich	telefoniere	mit dem Chef.
NOMINATIV		*mit* + DATIV

Aussage: Ich telefoniere mit meinem Chef.
Ich interessiere mich für Musik.

Frage: Mit wem telefonierst du? *(Person)*
Wofür interessierst du dich? *(Sache)*

Passiv

a) Vorgangspassiv: *werden* + Partizip II

Bei einem Passivsatz steht die Handlung im Vordergrund, nicht die Person.

Zeitformen

	Präsens	Präteritum	Perfekt	Plusquamperfekt	Futur I
ohne Modalverb	er wird gefragt	er wurde gefragt	er ist gefragt worden	er war gefragt worden	er wird gefragt werden
mit Modalverb	er muss gefragt werden	er musste gefragt werden	er hat gefragt werden müssen	er hatte gefragt werden müssen	er wird gefragt werden müssen

Passiv im Nebensatz

Präsens: Ich weiß nicht, wann der Kühlschrank repariert wird.
Ich weiß nicht, warum der Computer nicht repariert werden kann.

Präteritum: Ich weiß nicht, wann der Kühlschrank repariert wurde.
Ich weiß nicht, warum der Computer nicht repariert werden konnte.

Perfekt: Ich weiß nicht, wann der Kühlschrank repariert worden ist.
Ich weiß nicht, warum der Computer nicht hat repariert werden können.

b) Zustandspassiv: ***sein*** **+ Partizip II**

Vorgang:	Die Tür ist abgeschlossen worden.	
Zustand:	Gegenwart:	Die Tür ist abgeschlossen.
	Vergangenheit:	Die Tür war abgeschlossen.

c) Passiversatzformen

Angabe einer Möglichkeit/Nicht-Möglichkeit	
sein + *zu* + Infinitiv	Die Tür ist abzuschließen. (= Die Tür kann abgeschlossen werden.) Das Bild ist nicht zu verkaufen.
sich lassen + Infinitiv	Die Tür lässt sich abschließen. Das Bild lässt sich nicht verkaufen.
Verbstamm + *-bar*	Die Tür ist abschließbar.
Verbstamm + *-lich*	Das Bild ist unverkäuflich.

Angabe einer Notwendigkeit	
sein + *zu* + Infinitiv	Die Tür ist jeden Abend abzuschließen. (= Die Tür muss jeden Abend abgeschlossen werden.)

Sätze

Stellung der Satzglieder

a) Wortstellung im Mittelfeld

Kasusergänzungen

Position 1	Position 2	Mittelfeld	Satzende
Ich	habe	dir den Weg doch ganz genau	beschrieben.
Paul	hat	ihn dir auch schon	erklärt.
Wir	gratulieren	dir zum Geburtstag.	
Frau Krause	erinnert	den Chef an den Termin.	

- ▶ Normalerweise ist die Reihenfolge: Dativ vor Akkusativ.
  Gibt es zwei Pronomen, steht der Akkusativ vor dem Dativ.
- ▶ Dativ- oder Akkusativergänzungen stehen vor präpositionalen Ergänzungen.

Angaben

Position 1	Position 2	Mittelfeld	Satzende
Ich	habe	ihn gestern im Krankenhaus	besucht.
Ich	habe	ihn gestern mit Franz im Krankenhaus	besucht.
Paul	fährt	morgen aus Sicherheitsgründen mit dem Zug nach München.	
Ich	muss	mir im September unbedingt einen neuen Mantel	kaufen.
Frau Krause	hat	den Chef vorhin in der Kantine an den Termin	erinnert.

- ▶ Die Reihenfolge der Angaben ist meistens:
  temporal (wann?) – kausal (warum?) – modal und instrumental (wie? mit wem? womit?) – lokal (wo? wohin?)
  Kleine Eselsbrücke: *te – ka – mo – lo*.
- ▶ Die Angaben stehen oft zwischen den Dativ- und Akkusativergänzungen.

b) Verbstellung im Hauptsatz und Nebensatz

Hauptsatz			Nebensatz		
	finites Verb		Subjunktion		finites Verb
Ich	kaufe	mein Brot im Supermarkt,	weil	es dort billiger	ist.

Nebensatz			Hauptsatz	
Subjunktion		finites Verb	finites Verb	
Weil	es im Supermarkt billiger	ist,	kaufe	ich dort mein Brot.

Satzverbindungen (Konnektoren)

a) Konjunktionen: Hauptsatz – Hauptsatz

Grund (Kausalangabe)		
Ich mache am liebsten im Januar Urlaub,	denn	ich liebe den Schnee.
Gegensatz (Adversativangabe)		
Früher habe ich im Sommer Urlaub gemacht,	aber	heute verreise ich lieber im Winter.
Ich fahre dieses Jahr nicht im Januar in den Urlaub,	sondern	ich fliege im August nach Spanien.
Alternative		
Vielleicht fahren wir in die Berge(,)	oder	wir fahren ans Meer.
Addition		
Wir fahren im Januar nach Österreich(,)	und	im Sommer fahren wir nach Irland.

Zweiteilige Satzverbindungen

Einschränkung (Konzessivangabe)		
Die Regeln klingen zwar einfach,	aber	ihre Umsetzung fällt vielen Menschen schwer.
Alternative		
Herr Krause starrt abends entweder in den Fernseher	oder	er liest die Sportnachrichten in der Zeitung.
Addition		
Unser Produkt bietet nicht nur gute Qualität,	sondern	wir haben auch niedrige Preise.

b) Subjunktionen: Hauptsatz – Nebensatz

Grund (Kausalangabe)		
Ich mache am liebsten im Januar Urlaub,	weil	ich den Schnee liebe.
Gegengrund/Einschränkung (Konzessivangabe)		
Ich mache am liebsten im Januar Urlaub,	obwohl	ich den Schnee hasse.
Bedingung (Konditionalangabe)		
Ich kann dich nur besuchen,	wenn	ich Zeit habe.
Zeit (Temporalangabe)		
Ich besuche dich,	wenn	ich meine Arbeit beendet habe.
Ich habe ihn besucht,	als	ich in München war.
Dem Patienten ging es besser,	nachdem	er die Tablette eingenommen hatte.
Bitte ruf mich an,	bevor/ehe	du kommst.
Er verbesserte sein Englisch enorm,	während	er in Lancaster studierte.
Oma sollte ihre Traumreise machen,	solange	sie noch so fit ist.
Ich warte,	bis	du mit dem Essen fertig bist.
Er hat noch nicht angerufen,	seit	er nach Berlin umgezogen ist.

Zweck/Ziel (Finalangabe)		
Ich lerne Deutsch,	damit	ich bessere Berufschancen habe.
Art und Weise (Modalangabe)		
Ich lerne Deutsch am besten,	indem	ich alle neuen Wörter aufschreibe.
Die Tür lässt sich dadurch öffnen,	dass	man den grünen Knopf drückt.
Gegensatz (Adversativangabe)		
Die erste Schülergruppe bekam einen Cocktail aus Vitaminen,	während wohingegen wogegen	die zweite Gruppe ein Scheinmedikament erhielt.
dass/ob		
Ich weiß,	dass	er heute noch ins Büro kommt.
Ich weiß nicht,	ob	er heute noch ins Büro kommt.

c) **Konjunktionaladverbien: Hauptsatz – Hauptsatz**

Erwartete Folge (Konsekutivangabe)		
Ich habe keine Zeit,	deshalb/deswegen/darum/ daher/infolgedessen/demzufolge	kann ich dich nicht besuchen.
Man muss die Wörter wiederholen,	sonst/andernfalls	vergisst man sie sehr schnell.
Nicht erwartete Folge/Einschränkung (Konzessivangabe)		
Ich habe keine Zeit,	trotzdem/dennoch	komme ich dich heute besuchen.
Zeit (Temporalangabe)		
Paul aß in einem italienischen Restaurant,	anschließend/ danach	ging er ins Kino.
Paul ging ins Kino,	davor	aß er in einem italienischen Restaurant.
Du servierst den Gästen den Aperitif,	währenddessen	kümmere ich mich um die Vorspeise.
Zweck/Ziel (Finalangabe)		
Er will die Prüfung diesmal bestehen,	dafür	lernt er Tag und Nacht.
Gegensatz (Adversativangabe)		
Die erste Schülergruppe bekam einen Cocktail aus Vitaminen,	dagegen/ demgegenüber	erhielt die zweite Gruppe ein Scheinmedikament.

Zweiteilige Satzverbindungen

Addition (negativ)		
Otto kann weder gut einparken	noch	ist er in der Lage, Stadtpläne zu lesen.
Einschränkung (Konzessivangabe)		
Frauen haben zwar kleinere Gehirne,	trotzdem	schneiden sie in IQ-Tests genauso gut ab wie Männer.
Gegensatz (Adversativangabe)		
Einerseits haben Frauen kleinere Gehirne,	andererseits	schneiden sie in IQ-Tests genauso gut ab wie Männer.

Infinitivkonstruktionen

Infinitiv mit *zu*	Ich habe keine Zeit, heute Wäsche zu waschen. Ich habe keine Lust, mein Zimmer aufzuräumen.
Infinitiv mit *um ... zu*	Man muss den Knopf drücken, um die Waschmaschine anzuschalten. *(Angabe eines Zwecks)*
Infinitiv mit *statt/anstatt ... zu*	Statt Bücher zu lesen, greifen die Totalverweigerer lieber zur TV-Fernbedienung. *(Angabe einer Möglichkeit, die nicht genutzt wird)*
Infinitiv mit *ohne ... zu*	Nichtleser können gut leben, ohne regelmäßig zu lesen. *(Angabe einer Erwartung, die nicht erfüllt wird)*

Relativsätze

a) Relativsätze mit den Relativpronomen *der, die, das*

	Singular			Plural
	maskulin	feminin	neutral	
Nominativ	der	die	das	die
Akkusativ	den	die	das	die
Dativ	dem	der	dem	denen
Genitiv	dessen	deren	dessen	deren

- Das ist der Mann, der mir gefällt.
- Das ist der Mann, den ich liebe.
- Das ist der Mann, dem ich mein Auto geliehen habe.
- Das ist der Mann, dessen Auto ich geliehen habe.

▶ Das Relativpronomen richtet sich in Genus und Numerus nach dem Bezugswort, im Kasus nach der Stellung im Relativsatz.

b) Relativsätze mit *wo* und *wohin/woher*

Das alte Haus, in dem ich wohne, wird renoviert. Das alte Haus, wo ich wohne, wird renoviert.	*Beide Relativpronomen sind möglich.*
Die Stadt, in die ich umgezogen bin, gefällt mir gut. Die Stadt, wohin ich umgezogen bin, gefällt mir gut.	*Beide Relativpronomen sind möglich.*
Die Stadt, aus der ich komme, war mir zu hektisch. Die Stadt, woher ich komme, war mir zu hektisch.	
Leipzig, wohin ich umgezogen bin, gefällt mir gut.	*Nach Städte- und Ländernamen steht nur* wo *oder* wohin/woher.

c) Relativsätze mit *was*

Nichts, was du mir versprochen hast, hast du gehalten. Alles, was er bei der Polizei ausgesagt hat, war gelogen.	*Nach nichts, alles, etwas, einiges, weniges, das* usw. *steht das Relativpronomen* was.
Er schenkte mir rote Rosen, was mich sehr überrascht hat.	*Bezieht sich der Relativsatz auf die gesamte Aussage des Satzes, wird der Relativsatz mit* was *eingeleitet.*

Präpositionen

Präpositionen mit dem Akkusativ

Präposition	**Beispielsätze**	
bis *(ohne Artikel)*	Der Zug fährt bis München.	*(lokal)*
durch	Wir fahren durch die Türkei. Die Mannschaft verbesserte sich durch hartes Training.	*(lokal)* *(modal)*
entlang *(nachgestellt)*	Wir fahren die Küste entlang.	*(lokal)*
für	Ich brauche das Geld für meine Miete. Die Blumen sind für meine Frau. Wir kommen nur für einen Tag.	*(final)* *(final)* *(temporal)*
gegen	Ich nehme die Tabletten gegen Kopfschmerzen. Das Auto fuhr gegen einen Baum. Ich komme gegen 8.00 Uhr.	*(kausal)* *(lokal)* *(temporal)*
ohne *(oft ohne Artikel)*	Ohne Brille kann ich nichts sehen.	*(modal)*
um	Die Besprechung beginnt um 9.00 Uhr. Wir sind um die Kirche (herum)gegangen.	*(temporal)* *(lokal)*
wider	So wurde der kleine Zauberer zum Helden wider Willen.	*(= gegen* [in festen Wendungen]*)*

Präpositionen mit dem Dativ

Präposition	Kurzformen	Beispielsätze	
ab *(oft ohne Artikel)*		Das Flugzeug fliegt ab Frankfurt. Ab nächster Woche habe ich Urlaub.	*(lokal)* *(temporal)*
aus *(bei Kausal- und Modalangaben ohne Artikel)*		Ich komme aus der Türkei. Die Tür ist aus Holz. Er heiratete sie aus Liebe.	*(lokal)* *(modal)* *(kausal)*
außer		Ich habe außer einer Scheibe Brot nichts gegessen.	*(konzessiv)*
bei	bei + dem = beim	Er wohnt bei seinen Eltern. Er sieht beim Essen fern. Bei schlechtem Wetter gehe ich nicht spazieren.	*(lokal)* *(temporal)* *(konditional)*
entgegen		Entgegen den Erwartungen verlor der Boxer den Kampf.	*(konzessiv)*
gegenüber *(vor- oder nachgestellt)*		Das Restaurant befindet sich gegenüber dem Theater. Das Restaurant befindet sich dem Theater gegenüber. Fremden gegenüber benimmt er sich manchmal etwas merkwürdig. *(personenbezogen, immer nachgestellt)*	 *(lokal)*
mit		Ich fahre mit dem Zug.	*(modal)*
nach		Meiner Meinung nach steigen die Benzinpreise noch. Ich fahre nach Hause. Nach dem Essen gehe ich ins Bett.	*(modal)* *(lokal)* *(temporal)*
seit		Es regnet seit zwei Tagen.	*(temporal)*
von	von + dem = vom	Ich komme gerade vom Zahnarzt. Vielen Dank für Ihren Brief vom 18. Februar. Das ist der Schreibtisch vom Chef.	*(lokal)* *(temporal)* *(Genitiversatz)*
zu	zu + dem = zum zu + der = zur	Ich gehe zu Fuß. Zum Einparken sollte man beide Außenspiegel benutzen. Ich gehe zur Bibliothek.	*(modal)* *(final)* *(lokal)*

Wechselpräpositionen

Präposition	Kurzformen	Kasus	Beispielsätze	
an	an + dem = am an + das = ans	Wo? + D Wohin? + A Wann? + D	Das Bild hängt an der Wand. Ich hänge den Mantel an die Garderobe. Ich komme am Montag.	*(lokal)* *(lokal)* *(temporal)*
auf	auf + das = aufs	Wo? + D Wohin? + A Wie? + A	Das Buch liegt auf dem Tisch. Ich lege das Buch auf den Tisch. Er macht es auf seine Art.	*(lokal)* *(lokal)* *(modal)*
hinter		Wo? + D Wohin? + A	Der Brief liegt hinter dem Schreibtisch. Der Brief ist hinter den Schreibtisch gefallen.	*(lokal)* *(lokal)*
in	in + dem = im in + das = ins	Wo? + D Wohin? + A Wann? + D Wie? + D	Ich war in der Schweiz. Ich fahre in die Schweiz. Wir haben im August Ferien. Er war in guter Stimmung.	*(lokal)* *(lokal)* *(temporal)* *(modal)*
neben		Wo? + D Wohin? + A	Der Tisch steht neben dem Bett. Ich stelle den Tisch neben das Bett.	*(lokal)* *(lokal)*
über		Wo? + D Wohin? + A	Das Bild hängt über dem Sofa. Otto hängt das Bild über das Sofa.	*(lokal)* *(lokal)*
unter		Wo? + D Wohin? + A Wie? + D	Die Katze sitzt unter dem Stuhl. Die Katze kriecht unter den Stuhl. Wir arbeiten unter schlechten Bedingungen.	*(lokal)* *(lokal)* *(modal)*
vor	vor + dem = vorm	Wo? + D Wohin? + A Wann? + D	Die Taxis stehen vorm Bahnhof. Die Taxis fahren direkt vor die Tür. Treffen wir uns vor dem Mittagessen?	*(lokal)* *(lokal)* *(temporal)*
zwischen		Wo? + D Wohin? + A Wann? + D	Vielleicht ist das Foto zwischen den Büchern? Hast du das Foto zwischen die Bücher gesteckt? Zwischen dem 1. und dem 5. Mai ist das Restaurant geschlossen.	*(lokal)* *(lokal)* *(temporal)*

Präpositionen mit dem Genitiv

Präposition	Besonderheit	Beispielsätze	
abseits/dies-seits/jenseits		Ruhe findet man nur abseits der großen Städte. Das Dorf der Drachenritter lag jenseits der Berge.	*(lokal)* *(lokal)*
angesichts		Angesichts wachsender Vorurteile gestaltet sich das Zusammenleben in dem Viertel immer schwieriger.	*(kausal)*
anhand		Anhand dieses Beispiels lässt sich der Prozess gut verdeutlichen.	*(instrumental)*
anlässlich		Anlässlich des Todes von Max Müller wiederholt das Fernsehen seine schönsten Filme.	*(temporal)*
anstelle		Anstelle des Direktors nimmt Frau Kugel an der Verhandlung teil.	*(alternativ)*
außerhalb		Außerhalb der Geschäftszeiten ist niemand im Büro. Außerhalb der Stadt gibt es viel Wald.	*(temporal)* *(lokal)*
infolge		Infolge starker Schneefälle wurde die Alpenstraße gesperrt.	*(konsekutiv)*
innerhalb	temporal auch mit *von* + D	Bitte bezahlen Sie die Rechnung innerhalb einer Woche. Das Tier kann sich innerhalb der Wohnung befinden.	*(temporal)* *(lokal)*
laut		Laut einer Studie sind nur 50 Prozent der Deutschen glücklich.	*(modal)*
mangels		Mangels geeigneter Aufputschmittel wurden leistungshemmende Mittel verwendet.	*(instrumental)*
mithilfe	auch mit *von* + D	Mithilfe eines Freundes gelang ihm die Flucht.	*(instrumental)*
statt/anstatt		Statt eines Blumenstraußes verschenkte er ein altes Buch.	*(alternativ)*
trotz		Trotz einer schlechten Leistung bestand er die Prüfung.	*(konzessiv)*
während		Während seines Studiums lernte er Spanisch.	*(temporal)*
wegen/ aufgrund	bei Personalpronomen mit D; Sonderform: deinetwegen/seinetwegen usw.	Wegen/Aufgrund eines Unglücks hatte der Zug Verspätung. Wegen dir/Deinetwegen habe ich drei Kilo zugenommen.	*(kausal)* *(kausal)*
zwecks		Zwecks einfacherer Kommunikation wurden in der Firma Kurzwahlnummern eingeführt.	*(final)*

Adjektive

Komparation der Adjektive *(Deklination der Adjektive siehe Nomengruppe)*

		Positiv	Komparativ	Superlativ
Normalform		billig	billiger	am billigsten/der billigste
a → ä	warm – lang – kalt – hart – alt – arm	warm kalt	wärmer kälter	am wärmsten/der wärmste am kältesten/der kälteste
o → ö	groß – grob	groß	größer	am größten/der größte
u → ü	jung – kurz – klug	jung	jünger	am jüngsten/der jüngste
Adjektive auf:	*-er*	teuer	teurer	am teuersten/der teuerste
	-el	dunkel	dunkler	am dunkelsten/der dunkelste
	-sch/-s/-ß/-z	frisch	frischer	am frischesten/der frischeste
	-d/-t	intelligent	intelligenter	am intelligentesten/der intelligenteste
Sonderformen		gut	besser	am besten/der beste
		viel	mehr	am meisten/der meiste
		gern	lieber	am liebsten/der liebste
		hoch	höher	am höchsten/der höchste
		nah	näher	am nächsten/der nächste

Partizipien als Adjektive

Partizip I	der einfahrende Zug	einfahrend + Adjektivendung	Der Zug fährt ein.	*Die Handlung dauert an.*
Partizip II	der eingefahrene Zug	eingefahren + Adjektivendung	*Aktiv:* Der Zug ist eingefahren.	*Die Handlung ist abgeschlossen.*
	der eingebaute Motor	eingebaut + Adjektivendung	*Passiv:* Der Motor wurde eingebaut.	

Einfache Partizipien: Die steigende Nachfrage erhöht die Preise.
Erweiterte Partizipien: Die immer weiter steigende Nachfrage erhöht die Preise.
Gerundiv (*zu* + Partizip I): Die Anzahl der noch zu bewässernden Felder steigt. Das sind zu lösende Probleme.

▶ Erweiterte Partizipien werden hauptsächlich in der Schriftsprache verwendet.

Rektion der Adjektive

Ich bin auf den Erfolg meines Kollegen neidisch.	neidisch sein	+ auf	+ Akkusativ
Er ist auf ihren Exfreund eifersüchtig.	eifersüchtig sein	+ auf	+ Akkusativ
Ich bin über deinen Besuch sehr froh.	froh sein	+ über	+ Akkusativ

Aussage: Er ist auf den Exfreund eifersüchtig. Ich bin über deinen Besuch froh.
Frage: Auf wen ist er eifersüchtig? *(Person)* Worüber bist du froh? *(Sache)*

Unregelmäßige Verben

Infinitiv	3. Person Singular Präsens	3. Person Singular Präteritum	3. Person Singular Perfekt
backen *(einen Kuchen)*	er bäckt/backt	er backte/buk *(veraltet)*	er hat gebacken
beginnen *(mit der Vorbereitung)*	er beginnt	er begann	er hat begonnen
beißen *(jemanden)*	er beißt	er biss	er hat gebissen
bergen *(Verletzte/Risiken)*	er birgt	er barg	er hat geborgen
verbergen *(Nervosität)*	er verbirgt	er verbarg	er hat verborgen
sich besinnen *(auf die eigenen Kräfte)*	er besinnt sich	er besann sich	er hat sich besonnen
betrügen *(jemanden)*	er betrügt	er betrog	er hat betrogen
bieten *(kompetente Beratung)*	er bietet	er bot	er hat geboten
anbieten *(ein Produkt)*	er bietet an	er bot an	er hat angeboten
verbieten *(jemandem das Rauchen)*	er verbietet	er verbot	er hat verboten
binden *(ein Buch/eine Schleife)*	er bindet	er band	er hat gebunden
verbinden *(jemanden)*	er verbindet	er verband	er hat verbunden
bitten *(jemanden um einen Gefallen)*	er bittet	er bat	er hat gebeten
(der Wind) blasen	er bläst	er blies	er hat geblasen
ausblasen *(eine Kerze)*	er bläst aus	er blies aus	er hat ausgeblasen
bleiben	er bleibt	er blieb	er ist geblieben
braten *(das Fleisch)*	er brät	er briet	er hat gebraten
anbraten *(das Steak)*	er brät an	er briet an	er hat angebraten
(das Material) brechen	es bricht	es brach	es ist gebrochen
abbrechen *(eine Ausbildung)*	er bricht ab	er brach ab	er hat abgebrochen
(eine Seuche) ausbrechen	sie bricht aus	sie brach aus	sie ist ausgebrochen
unterbrechen *(jemanden/ein Studium)*	er unterbricht	er unterbrach	er hat unterbrochen
(das Glas) zerbrechen	es zerbricht	es zerbrach	es ist zerbrochen
zusammenbrechen *(unter Stress)*	er bricht zusammen	er brach zusammen	er ist zusammengebrochen
(das Holz) brennen	es brennt	es brannte	es hat gebrannt
(das Haus) abbrennen	es brennt ab	es brannte ab	es ist abgebrannt
(der Brief) verbrennen	er verbrennt	er verbrannte	er ist verbrannt
bringen *(jemandem die Ware)*	er bringt	er brachte	er hat gebracht
erbringen *(einen Beweis)*	er erbringt	er erbrachte	er hat erbracht
verbringen *(viel Zeit mit Lesen)*	er verbringt	er verbrachte	er hat verbracht
vollbringen *(eine Leistung)*	er vollbringt	er vollbrachte	er hat vollbracht
denken *(an jemanden/die Arbeit)*	er denkt	er dachte	er hat gedacht
sich ausdenken *(eine Überraschung)*	er denkt sich aus	er dachte sich aus	er hat sich ausgedacht
nachdenken *(über ein Problem)*	er denkt nach	er dachte nach	er hat nachgedacht
überdenken *(eine Entscheidung)*	er überdenkt	er überdachte	er hat überdacht
(ein Gerücht) dringen *(an die Öffentlichkeit)*	es dringt	es drang	es ist gedrungen
eindringen *(in ein Gebäude)*	er dringt ein	er drang ein	er ist eingedrungen
empfehlen *(jemandem ein Restaurant)*	er empfiehlt	er empfahl	er hat empfohlen
sich entscheiden *(für jemanden/ein Studium)*	er entscheidet sich	er entschied sich	er hat sich entschieden
erschrecken *(vor Mäusen)*	er erschrickt	er erschrak	er ist erschrocken
essen	er isst	er aß	er hat gegessen

Infinitiv	3. Person Singular Präsens	3. Person Singular Präteritum	3. Person Singular Perfekt
fahren	er fährt	er fuhr	er ist gefahren
erfahren *(eine Neuigkeit)*	er erfährt	er erfuhr	er hat erfahren
wegfahren	er fährt weg	er fuhr weg	er ist weggefahren
umfahren *(eine Absperrung)*	er umfährt	er umfuhr	er hat umfahren
umfahren *(ein Verkehrsschild)*	er fährt um	er fuhr um	er hat umgefahren
fallen	er fällt	er fiel	er ist gefallen
(viel Arbeit) anfallen	sie fällt an	sie fiel an	sie ist angefallen
(jemand/jemandem) auffallen	er/ihm fällt auf	er/ihm fiel auf	er/ihm ist aufgefallen
(der Strom) ausfallen	er fällt aus	er fiel aus	er ist ausgefallen
durchfallen *(durch eine Prüfung)*	er fällt durch	er fiel durch	er ist durchgefallen
(jemandem) einfallen *(eine Lösung)*	ihm fällt ein	ihm fiel ein	ihm ist eingefallen
(jemandem) gefallen *(die Schuhe)*	ihm gefällt	ihm gefiel	ihm hat gefallen
(das Verhalten) missfallen *(jemandem)*	es missfällt (ihm)	es missfiel (ihm)	es hat (ihm) missfallen
verfallen *(jemandem/dem Spielen)*	er verfällt	er verfiel	er ist verfallen
(Material) zerfällt	es zerfällt	es zerfiel	es ist zerfallen
fangen	er fängt	er fing	er hat gefangen
empfangen *(jemanden)*	er empfängt	er empfing	er hat empfangen
finden	er findet	er fand	er hat gefunden
sich befinden *(in einer schwierigen Lage)*	er befindet sich	er befand sich	er hat sich befunden
empfinden *(Schmerz)*	er empfindet	er empfand	er hat empfunden
erfinden *(einen Apparat)*	er erfindet	er erfand	er hat erfunden
herausfinden *(ein Ergebnis bei einer Untersuchung)*	er findet heraus	er fand heraus	er hat herausgefunden
fliegen	er fliegt	er flog	er ist geflogen
überfliegen *(einen Text/den Atlantik)*	er überfliegt	er überflog	er hat überflogen
fliehen *(vor der Polizei)*	er flieht	er floh	er ist geflohen
(das Wasser) fließen	es fließt	es floss	es ist geflossen
fressen	er frisst	er fraß	er hat gefressen
frieren	er friert	er fror	er hat gefroren
geben *(jemandem einen Tipp)*	er gibt	er gab	er hat gegeben
abgeben *(seine Stimme)*	er gibt ab	er gab ab	er hat abgegeben
angeben *(persönliche Daten)*	er gibt an	er gab an	er hat angegeben
aufgeben *(ein Vorhaben)*	er gibt auf	er gab auf	er hat aufgegeben
(die Untersuchung) ergeben	sie ergibt	sie ergab	sie hat ergeben
sich hingeben *(jemandem/der Musik)*	er gibt sich hin	er gab sich hin	er hat sich hingegeben
nachgeben *(jemandem/dem Druck)*	er gibt nach	er gab nach	er hat nachgegeben
weitergeben *(Wissen)*	er gibt weiter	er gab weiter	er hat weitergegeben
wiedergeben *(einen Text)*	er gibt wieder	er gab wieder	er hat wiedergegeben
zugeben *(Dopingmissbrauch)*	er gibt zu	er gab zu	er hat zugegeben
gehen	er geht	er ging	er ist gegangen
ausgehen *(von einer Vermutung)*	er geht aus	er ging aus	er ist ausgegangen
begehen *(einen Fehler)*	er begeht	er beging	er hat begangen
eingehen *(ein Risiko)*	er geht ein	er ging ein	er ist eingegangen
hintergehen *(jemanden)*	er hintergeht	er hinterging	er hat hintergangen
nachgehen *(einer Frage/Tätigkeit)*	er geht nach	er ging nach	er ist nachgegangen
übergehen *(jemanden)*	er übergeht	er überging	er hat übergangen
übergehen *(zum nächsten Punkt)*	er geht über	er ging über	er ist übergegangen
umgehen *(mit einem Schicksalsschlag)*	er geht um	er ging um	er ist umgegangen
(die Zeit) vergehen	sie vergeht	sie verging	sie ist vergangen
vorgehen *(gegen Dopingsünder)*	er geht vor	er ging vor	er ist vorgegangen

Infinitiv	3. Person Singular Präsens	3. Person Singular Präteritum	3. Person Singular Perfekt
(ein Versuch) gelingen *(jemandem)*	er gelingt	er gelang	er ist gelungen
gelten *(als Experte)*	er gilt	er galt	er hat gegolten
genießen *(das Leben)*	er genießt	er genoss	er hat genossen
(ein Unglück) geschehen	es geschieht	es geschah	es ist geschehen
gewinnen	er gewinnt	er gewann	er hat gewonnen
gleichen *(jemandem)*	er gleicht	er glich	er hat geglichen
ausgleichen *(ein Defizit)*	er gleicht aus	er glich aus	er hat ausgeglichen
vergleichen *(die Angebote)*	er vergleicht	er verglich	er hat verglichen
greifen *(nach der Tasche/zu Doping)*	er greift	er griff	er hat gegriffen
ergreifen *(einen Beruf/Maßnahmen)*	er ergreift	er ergriff	er hat ergriffen
zugreifen *(auf Daten)*	er greift zu	er griff zu	er hat zugegriffen
zurückgreifen *(auf gute Kenntnisse)*	er greift zurück	er griff zurück	er hat zurückgegriffen
halten *(jemanden für einen Experten)*	er hält	er hielt	er hat gehalten
(das Glückserlebnis) anhalten	es hält an	es hielt an	es hat angehalten
aufhalten *(die Entwicklung)*	er hält auf	er hielt auf	er hat aufgehalten
erhalten *(einen Preis/ein Geschenk)*	er erhält	er erhielt	er hat erhalten
standhalten *(den Anforderungen)*	er hält stand	er hielt stand	er hat standgehalten
sich unterhalten	er unterhält sich	er unterhielt sich	er hat sich unterhalten
hängen	er hängt	er hing	er hat gehangen
abhängen *(von jemandem/vom Wetter)*	es hängt ab	es hing ab	es hat abgehangen
heben *(jemanden/einen schweren Sack)*	er hebt	er hob	er hat gehoben
aufheben *(die alten Briefe)*	sie hebt auf	sie hob auf	sie hat aufgehoben
erheben *(Vorwürfe/Einwände)*	er erhebt	er erhob	er hat erhoben
heißen	er heißt	er hieß	er hat geheißen
helfen *(jemandem)*	er hilft	er half	er hat geholfen
weiterhelfen *(jemandem)*	er hilft weiter	er half weiter	er hat weitergeholfen
kennen	er kennt	er kannte	er hat gekannt
erkennen *(jemanden/eine Stimme)*	er erkennt	er erkannte	er hat erkannt
(das Wort) klingen *(schön)*	es klingt	es klang	es hat geklungen
(eine Hymne) erklingen	sie erklingt	sie erklang	sie ist erklungen
kommen	er kommt	er kam	er ist gekommen
ankommen	er kommt an	er kam an	er ist angekommen
(etwas Überraschendes) vorkommen	es kommt vor	es kam vor	es ist vorgekommen
(ein Tier) kriechen	es kriecht	es kroch	es ist gekrochen
laden *(gefährliche Güter)*	er lädt	er lud	er hat geladen
einladen *(jemanden zum Essen)*	er lädt ein	er lud ein	er hat eingeladen
lassen	er lässt	er ließ	er hat gelassen
anlassen *(die Ampeln in der Nacht)*	er lässt an	er ließ an	er hat angelassen
entlassen *(jemanden)*	er entlässt	er entließ	er hat entlassen
hinterlassen *(Spuren)*	er hinterlässt	er hinterließ	er hat hinterlassen
(die Schnelligkeit) nachlassen	sie lässt nach	sie ließ nach	sie hat nachgelassen
überlassen *(jemandem die Verantwortung)*	er überlässt	er überließ	er hat überlassen
(sich) verlassen *(jemanden/ein Gebäude; auf jemanden/die Wettervorhersage)*	er verlässt (sich)	er verließ (sich)	er hat (sich) verlassen
laufen	er läuft	er lief	er ist gelaufen
(jemandem) unterlaufen *(ein Fehler)*	ihm unterläuft	ihm unterlief	ihm ist unterlaufen

Infinitiv	3. Person Singular Präsens	3. Person Singular Präteritum	3. Person Singular Perfekt
(ein Gespräch) verlaufen *(gut)* sich verlaufen *(im Wald)*	es verläuft er verläuft sich	es verlief er verlief sich	es ist verlaufen er hat sich verlaufen
leiden *(an einer Krankheit/unter dem Lärm)* erleiden *(eine Niederlage)*	er leidet er erleidet	er litt er erlitt	er hat gelitten er hat erlitten
leihen *(jemandem eine CD)* verleihen *(einem Gericht Geschmack)*	er leiht er verleiht	er lieh er verlieh	er hat geliehen er hat verliehen
lesen sich durchlesen *(einen Artikel)*	er liest er liest sich durch	er las er las sich durch	er hat gelesen er hat sich durchgelesen
liegen unterliegen *(einem Irrtum/der Kontrolle)*	er liegt er unterliegt	er lag er unterlag	er hat gelegen er ist unterlegen
lügen	er lügt	er log	er hat gelogen
meiden *(jemanden/ein Geschäft)* vermeiden *(einen Fehler)*	er meidet er vermeidet	er mied er vermied	er hat gemieden er hat vermieden
(ein Vorhaben) misslingen	es misslingt	es misslang	es ist misslungen
nehmen abnehmen aufnehmen *(ein Verfahren)* einnehmen *(einen Platz)* entnehmen *(der Statistik)* festnehmen *(jemanden)* teilnehmen *(an einer Veranstaltung)* unternehmen *(einen Ausflug)* wahrnehmen *(ein Gefühl)* zunehmen	er nimmt er nimmt ab er nimmt auf er nimmt ein er entnimmt er nimmt fest er nimmt teil er unternimmt er nimmt wahr er nimmt zu	er nahm er nahm ab er nahm auf er nahm ein er entnahm er nahm fest er nahm teil er unternahm er nahm wahr er nahm zu	er hat genommen er hat abgenommen er hat aufgenommen er hat eingenommen er hat entnommen er hat festgenommen er hat teilgenommen er hat unternommen er hat wahrgenommen er hat zugenommen
nennen *(einen Namen)*	er nennt	er nannte	er hat genannt
raten *(jemandem Sport zu treiben)* abraten *(jemandem von einem Buch)* beraten *(jemanden)* erraten *(einen Gegenstand)* geraten *(in eine schwierige Situation)* verraten *(jemanden/Angst)*	er rät er rät ab er berät er errät er gerät er verrät	er riet er riet ab er beriet er erriet er geriet er verriet	er hat geraten er hat abgeraten er hat beraten er hat erraten er ist geraten er hat verraten
sich reiben *(die Hände)*	er reibt sich	er rieb sich	er hat sich gerieben
(das Seil) reißen herausreißen *(eine Aussage aus dem Kontext)* zerreißen *(ein Dokument)*	es reißt er reißt heraus er zerreißt	es riss er riss heraus er zerriss	es ist gerissen er hat herausgerissen er hat zerrissen
rennen	er rennt	er rannte	er ist gerannt
riechen *(das Meer)*	er riecht	er roch	er hat gerochen
ringen *(um Erfolg)* erringen *(einen Sieg)*	er ringt er erringt	er rang er errang	er hat gerungen er hat errungen
(das Wasser) rinnen	es rinnt	es rann	es ist geronnen
rufen *(jemanden)* abrufen *(Aktienkurse)* anrufen *(jemanden)* berufen *(jemanden in ein Amt)* *(Musik)* hervorrufen *(ein Gefühl)* widerrufen *(ein Geständnis)*	er ruft er ruft ab er ruft an man beruft sie ruft hervor er widerruft	er rief er rief ab er rief an man berief sie rief hervor er widerrief	er hat gerufen er hat abgerufen er hat angerufen man hat berufen sie hat hervorgerufen er hat widerrufen

Infinitiv	3. Person Singular Präsens	3. Person Singular Präteritum	3. Person Singular Perfekt
schaffen *(ein Kunstwerk/Grundlagen)*	er schafft	er schuf	er hat geschaffen
(die Sonne) scheinen	sie scheint	sie schien	sie hat geschienen
(das Buch) erscheinen	es erscheint	es erschien	es ist erschienen
schieben *(ein kaputtes Fahrrad)*	er schiebt	er schob	er hat geschoben
verschieben *(einen Termin)*	er verschiebt	er verschob	er hat verschoben
schlafen	er schläft	er schlief	er hat geschlafen
verschlafen	er verschläft	er verschlief	er hat verschlafen
schlagen *(jemanden)*	er schlägt	er schlug	er hat geschlagen
aufschlagen *(ein Buch/ein Lager)*	er schlägt auf	er schlug auf	er hat aufgeschlagen
nachschlagen *(ein Wort)*	er schlägt nach	er schlug nach	er hat nachgeschlagen
(es) verschlagen *(jemandem die Sprache)*	es verschlägt	es verschlug	es hat verschlagen
schleichen	er schleicht	er schlich	er ist geschlichen
schleifen *(ein Messer)*	er schleift	er schliff	er hat geschliffen
schließen *(eine Tür/Freundschaft)*	er schließt	er schloss	er hat geschlossen
beschließen *(Maßnahmen)*	er beschließt	er beschloss	er hat beschlossen
sich entschließen *(zu einer Maßnahme)*	er entschließt sich	er entschloss sich	er hat sich entschlossen
verschließen *(einen Behälter)*	er verschließt	er verschloss	er hat verschlossen
schlingen *(den Arm um jemanden)*	er schlingt	er schlang	er hat geschlungen
verschlingen *(eine Mahlzeit/ein Buch)*	er verschlingt	er verschlang	er hat verschlungen
schmeißen *(die Verpackung in den Müll)*	er schmeißt	er schmiss	er hat geschmissen
(der Schnee) schmelzen	er schmilzt	er schmolz	er ist geschmolzen
schneiden *(das Gemüse)*	er schneidet	er schnitt	er hat geschnitten
zerschneiden *(das Fleisch)*	er zerschneidet	er zerschnitt	er hat zerschnitten
schreiben *(einen Brief)*	er schreibt	er schrieb	er hat geschrieben
aufschreiben *(alles)*	er schreibt auf	er schrieb auf	er hat aufgeschrieben
beschreiben *(ein Foto)*	er beschreibt	er beschrieb	er hat beschrieben
umschreiben *(ein Wort)*	er umschreibt	er umschrieb	er hat umschrieben
zuschreiben *(einem Produkt eine Wirkung)*	er schreibt zu	er schrieb zu	er hat zugeschrieben
schreiten	er schreitet	er schritt	er ist geschritten
(die Entwicklung) voranschreiten	sie schreitet voran	sie schritt voran	sie ist vorangeschritten
schweigen	er schweigt	er schwieg	er hat geschwiegen
verschwiegen *(jemandem eine Tat)*	er verschweigt	er verschwieg	er hat verschwiegen
(das Gewebe) schwellen	es schwillt	es schwoll	es ist geschwollen
(der Flüchtlingsstrom) anschwellen	er schwillt an	er schwoll an	er ist angeschwollen
schwimmen	er schwimmt	er schwamm	er ist geschwommen
(Grenzen) verschwimmen	sie verschwimmen	sie verschwammen	sie sind verschwommen
sehen	er sieht	er sah	er hat gesehen
ansehen *(die Körpersprache als Informationsquelle)*	er sieht an	er sah an	er hat angesehen
vorsehen *(jemanden für eine Aufgabe)*	er sieht vor	er sah vor	er hat vorgesehen
senden *(eine E-Mail)*	er sendet	er sandte/sendete	er hat gesandt/gesendet
zusenden *(jemandem die Ware)*	er sendet zu	er sandte/sendete zu	er hat zugesandt/zugesendet
singen	er singt	er sang	er hat gesungen
(das Interesse) sinken	es sinkt	es sank	es ist gesunken

Infinitiv	3. Person Singular Präsens	3. Person Singular Präteritum	3. Person Singular Perfekt
sitzen	er sitzt	er saß	er hat gesessen
besitzen *(ein Haus)*	er besitzt	er besaß	er hat besessen
sprechen	er spricht	er sprach	er hat gesprochen
absprechen *(einen Preis)*	er spricht ab	er sprach ab	er hat abgesprochen
ansprechen *(jemanden/ein Thema)*	er spricht an	er sprach an	er hat angesprochen
besprechen *(ein Problem)*	er bespricht	er besprach	er hat besprochen
durchsprechen *(das Programm)*	er spricht durch	er sprach durch	er hat durchgesprochen
(das Ergebnis) entsprechen *(der Erwartung)*	es entspricht	es entsprach	es hat entsprochen
(das Gericht) freisprechen *(jemanden)*	es spricht frei	es sprach frei	es hat freigesprochen
versprechen *(jemandem ewige Treue)*	er verspricht	er versprach	er hat versprochen
widersprechen *(jemandem)*	er widerspricht	er widersprach	er hat widersprochen
springen	er springt	er sprang	er ist gesprungen
(die Mücke) stechen	sie sticht	sie stach	sie hat gestochen
bestechen *(jemanden mit Geld)*	er besticht	er bestach	er hat bestochen
stehen	er steht	er stand	er hat gestanden
bestehen *(eine Prüfung)*	er besteht	er bestand	er hat bestanden
(Stress) entstehen	er entsteht	er entstand	er ist entstanden
missverstehen *(jemanden/eine Aussage)*	er missversteht	er missverstand	er hat missverstanden
verstehen *(jemanden)*	er versteht	er verstand	er hat verstanden
stehlen *(einen Diamantring)*	er stiehlt	er stahl	er hat gestohlen
steigen *(auf einen Berg)*	er steigt	er stieg	er ist gestiegen
(die Temperatur) ansteigen	sie steigt an	sie stieg an	sie ist angestiegen
einsteigen *(in einen Zug)*	er steigt ein	er stieg ein	er ist eingestiegen
sterben *(an einer Krankheit)*	er stirbt	er starb	er ist gestorben
versterben	er verstirbt	er verstarb	er ist verstorben
stoßen *(jemanden)*	er stößt	er stieß	er hat gestoßen
ausstoßen *(Treibhausgase)*	er stößt aus	er stieß aus	er hat ausgestoßen
verstoßen *(gegen Normen)*	er verstößt	er verstieß	er hat verstoßen
streichen *(eine Wand)*	er streicht	er strich	er hat gestrichen
unterstreichen *(eine Meinung/ein Wort)*	er unterstreicht	er unterstrich	er hat unterstrichen
sich streiten *(mit jemandem)*	er streitet sich	er stritt sich	er hat sich gestritten
tragen *(eine Uniform)*	er trägt	er trug	er hat getragen
(die Treffsicherheit) betragen	sie beträgt	sie betrug	sie hat betragen
eintragen *(Zahlen in ein Formular)*	er trägt ein	er trug ein	er hat eingetragen
ertragen *(ein Leiden)*	er erträgt	er ertrug	er hat ertragen
übertragen *(Antworten in einen Auswertungsbogen)*	er überträgt	er übertrug	er hat übertragen
(eine Geschichte) sich zutragen	sie trägt sich zu	sie trug sich zu	sie hat sich zugetragen
treffen *(jemanden)*	er trifft	er traf	er hat getroffen
(es) betreffen *(jemanden/die Ergebnisse)*	es betrifft	es betraf	es hat betroffen
eintreffen *(an einem Ort)*	er trifft ein	er traf ein	er ist eingetroffen
(die Kritik) zutreffen *(auf jemanden)*	sie trifft zu	sie traf zu	sie hat zugetroffen
treiben *(Sport)*	er treibt	er trieb	er hat getrieben
vorantreiben *(die Entwicklung)*	er treibt voran	er trieb voran	er hat vorangetrieben
treten	er tritt	er trat	er hat getreten
antreten *(eine neue Stelle)*	er tritt an	er trat an	er hat angetreten
auftreten *(auf einer Bühne)*	er tritt auf	er trat auf	er ist aufgetreten
betreten *(das Eis)*	er betritt	er betrat	er hat betreten
eintreten *(in einen Raum/in eine Partei)*	er tritt ein	er trat ein	er ist eingetreten

Infinitiv	3. Person Singular Präsens	3. Person Singular Präteritum	3. Person Singular Perfekt
vertreten *(jemanden/eine Meinung)* zurücktreten *(von einer Position)*	er vertritt er tritt zurück	er vertrat er trat zurück	er hat vertreten er ist zurückgetreten
trinken *(ein Glas Milch)*	er trinkt	er trank	er hat getrunken
tun *(nichts)* abtun *(einen Vorschlag als sinnlos)*	er tut er tut ab	er tat er tat ab	er hat getan er hat abgetan
überwinden *(die Angst)*	er überwindet	er überwand	er hat überwunden
sich unterscheiden *(von jemandem/ von einer Firma)*	er unterscheidet sich	er unterschied sich	er hat sich unterschieden
(das Essen) verderben	es verdirbt	es verdarb	es ist verdorben
vergessen *(einen Termin/jemanden)*	er vergisst	er vergaß	er hat vergessen
verlieren *(den Autoschlüssel)*	er verliert	er verlor	er hat verloren
vermögen *(Reaktionen auszulösen)*	er vermag	er vermochte	er hat vermocht
verschwinden *(im Dunkeln)*	er verschwindet	er verschwand	er ist verschwunden
verzeihen *(jemandem einen Fehler)*	er verzeiht	er verzieh	er hat verziehen
wachsen aufwachsen hineinwachsen *(in eine Rolle)*	er wächst er wächst auf er wächst hinein	er wuchs er wuchs auf er wuchs hinein	er ist gewachsen er ist aufgewachsen er ist hineingewachsen
(das Telefon) weichen *(dem Handy)* ausweichen *(einem Blick)*	es weicht er weicht aus	es wich er wich aus	es ist gewichen er ist ausgewichen
weisen *(jemandem den Weg)* *(die Geige)* aufweisen *(eine hohe Dichte)* beweisen *(eine Hypothese)* sich erweisen *(als förderlich)* nachweisen *(jemandem/eine Tat)* überweisen *(Geld)* verweisen *(auf Kapitel fünf)*	er weist sie weist auf er beweist es erweist sich er weist nach er überweist er verweist	er wies sie wies auf er bewies es erwies sich er wies nach er überwies er verwies	er hat gewiesen sie hat aufgewiesen er hat bewiesen es hat sich erwiesen er hat nachgewiesen er hat überwiesen er hat verwiesen
sich wenden *(an jemanden)*	er wendet sich	er wandte/wendete sich	er hat sich gewandt/ gewendet
aufwenden *(viel Zeit)*	er wendet auf	er wandte/wendete auf	er hat aufgewandt/ aufgewendet
werben *(um die Aufmerksamkeit/für etwas)* sich bewerben *(um ein Stipendium)* erwerben *(Kenntnisse)*	er wirbt er bewirbt sich er erwirbt	er warb er bewarb sich er erwarb	er hat geworben er hat sich beworben er hat erworben
werfen vorwerfen *(jemandem seine Faulheit)*	er wirft er wirft vor	er warf er warf vor	er hat geworfen er hat vorgeworfen
wissen	er weiß	er wusste	er hat gewusst
ziehen sich beziehen *(auf ein Thema)* einbeziehen *(jemanden in einen Plan)* einziehen *(in eine Wohnung)* erziehen *(jemanden)* umerziehen *(jemanden zum Jasager)* *(Veränderungen)* sich vollziehen	er zieht er bezieht sich er bezieht ein er zieht ein er erzieht er erzieht um sie vollziehen sich	er zog er bezog sich er bezog ein er zog ein er erzog er erzog um sie vollzogen sich	er hat gezogen er hat sich bezogen er hat einbezogen er ist eingezogen er hat erzogen er hat umerzogen sie haben sich vollzogen
sich zurückziehen *(ins Privatleben)*	er zieht sich zurück	er zog sich zurück	er hat sich zurückgezogen
zwingen *(jemanden zu einer Tat)*	er zwingt	er zwang	er hat gezwungen

Textquellen

S. 15 Das Zwicken der Narbe vor dem Sturm. Geo 9/2002
S. 18 Nur noch Englisch? Der Spiegel 44/2000 (G. Raithel)
S. 20 Ausgewanderte Wörter. Aus: Krämer/Schmidt: Lexikon der populärsten Listen
S. 39 Die neue Wissenschaft vom Glück. P. M. 3/2007 (M. Oertl)
S. 48 Wenn die Arbeit die Seele belastet. Die Zeit, 38/2007 (A. Werdes)
S. 51 Die Deutschen finden praktisch alles lustig. Bonner General-Anzeiger 5./6.10.2002 (U. Schilling-Strack)
S. 53 M. Lentz/D. Thoma, Ch. Howland: Ganz Deutschland lacht. © Deutscher Taschenbuch Verlag München
S. 55 Folgen der Trunksucht © Robert Gernhardt, durch Agentur Schlück. Alle Rechte vorbehalten
S. 66 Zahlen aus: Sport und Bewegung 2007, S. 118f.
S. 69 Hansgeorg Stengel: Die Geschichte von der missglückten Super-Maxi. Aus: Superstruwelpeter. LEiV-Verlag Leipzig
S. 75 Unter Druck nach oben. Nach: Der Spiegel 28/2002
S. 78 Vorsicht im neuen Job. Nach: Rheinische Post 21.7.2007 (A. Zellner)
S. 80 Erfolg im Management. Nach: www.stephencovey.com.
S. 84 Der Pressluftbohrer und das Ei © Franz Hohler
S. 85 Anekdote zur Senkung der Arbeitsmoral. Aus: „Aufsätze, Kritiken, Reden" von Heinrich Böll. © by Verlag Kiepenheuer & Witsch, Köln
S. 95 Vom Mythos, dass alles immer besser wird. Aus: B. Brandau/H. Schickert: Der kleine Jahrtausendbegleiter, Piper-Verlag, S. 36ff.
S. 98 Die Welt ist nicht genug. P. M. 3/2008 (Th. Vasek)
S. 102 Lässt das Internet die deutsche Sprache verfallen? WAZ 18.4.2008 (F. Höhne)
S. 107 Dieter Nuhr: Gibt es intelligentes Leben? © 2006 by Rowohlt Verlag GmbH, Reinbeck bei Hamburg
S. 109 Wer löscht den Durst? Der Spiegel 35/2002
S. 113 Bernhard Grzimek. Geo 4/2008 (M. Henk)
S. 125 Der Angriff auf die Sinne. Rheinische Post 20.9.2002 (M. Mertens)
S. 130 Der Duft von Weihnachten. WAZ 18.12.2006 (N. Kimerlis)
S. 135 Obst und Gemüse statt Fett. FAZ 18.7.2000 (F. Meike)
S. 140 Die Tricks der Lebensmittelwerbung. http://idw-online.de.
S. 144 Die Geschichte von der beleidigten Leberwurst. P. M. Fragen und Antworten 8/2005
S. 145 Braten vor Gericht. Die Zeit 23/2002 (W. Willmann)
S. 146 Wer erfand die Currywurst? AP
S. 146 So bestellt man in Berlin eine Currywurst. A. Blauhut/K. McAleer: Zwei Amerikaner im deutschen Exil, © by Verlag Kiepenheuer & Witsch, Köln
S. 148 Eine kleine Geschichte des Essbestecks. Nach: NRZ; Neue Ruhrzeitung 5.1.2003
S. 149 Es gibt keine Glückspilze oder Pechvögel. Nach: NRZ; Neue Ruhrzeitung 4.1.2003
S. 157 Thomas Brussig. Aus: Am kürzeren Ende der Sonnenallee. © S. Fischer Verlag GmbH, Frankfurt/M. 2001
S. 158 Die Lösung. Aus: Bertolt Brecht. Werke. Große kommentierte Berliner und Frankfurter Ausgabe, Band 12: Gedichte 2, © Suhrkamp Verlag Frankfurt/M. 1988
S. 170 Ratschläge für einen schlechten Redner. Gekürzt aus: Kurt Tucholsky: Gesammelte Werke Bd. III, S. 600
S. 187 J. S. Bach in Leipzig. U. Leisinger: Bach in Leipzig. Edition Leipzig 2000
S. 195: Andreas Gursky. Stern 26.2.2007 (F. Nicolaus))
S. 212 Lebenswege. Geo 8/2002 (S. Paulsen)
S. 223 Risikoforschung. Geo 5/2008 (Ch. Scheuermann)
S. 227 Klimawandel in Europa. Focus online 29.9.2008
S. 229 Jakob van Hoddis: Weltende, Arche Verlag 2001
S. 231 So viel lebst du. Interview. www.wdr.de
S. 241 Abschied von der Kreidezeit. Focus 42/2008 (M. Knoll)

Bildquellen

Andreas Buscha: S. 7, 9, 14, 20, 21 (2), 31, 45, 50 (1), 51, 74, 76, 96, 105, 106, 108, 133 (2), 167, 168, 185 (1, 3, 4, 5, 6), 188 (1), 211 (1, 2, 4, 5), 219, 243 (3), Cover (1, 4, 5)
Diana Becker: S. 29 (3, 4, 5, 6), 37 (1), 53, 54, 65 (2,3), 95 (1), 109 (2) 113, 114 (1), 126, 139, 142, 155, 162 (2), 174, 189, 190, 194 (2, 3, 4, 5, 6, 7), 220 (1), 224 (3), 239, 246 (2), Cover (2, 3)
Andreas Gursky: S. 196 (1)
Berliner Stadtreinigungsbetriebe (BSR): S. 18
Gülsah Edis, Prof. Victor Malsy, Thomas Meyer: S. 55 (Ringelnatz-Briefmarke)
Klaus Wagner: S. 17, 109, 243 (1)
René Böll: S. 86
Volker Kriegel: S. 133 (1)
Erich Schmidt-Verlag, Zahlenbild 86010: S. 172
Pixelio: S. 40/hofschlaeger, 130/cameraobscura, 164 (1)/Sybille Daden, 193/leuchtturm50, 195/Knipsermann, 197/rotmabe, 218 (1)/Claudia35, 222/sanahira
Globus-Infografik GmbH: S. 47, 79 (2), 105, 137, 173, 246 (1), 247
Copyright (c) 2009 Schubert-Verlag und dessen Lizenzgeber. Alle Rechte vorbehalten: S. 8, 15, 16, 19, 24, 25, 26, 28, 29 (1, 2), 37 (2), 38 (4), 39, 43, 44, 50 (2, 3), 56, 57, 66, 67, 70, 71, 75, 77 (3), 78, 79 (1), 80, 82, 85, 95 (2), 102, 104, 111, 114 (2), 125, 126, 131, 132, 134, 135 (1), 136, 138, 140, 144 (1), 145, 147, 148, 157, 159, 160, 170, 171, 179, 185 (2), 186, 196 (2), 200, 201, 202, 211 (3), 213, 214, 215, 217, 218 (2, 3), 220 (2), 223, 224 (2), 225, 232, 241, 243 (2), 244, 245
Zeichnungen: Jean-Marc Deltorn

Trotz intensiver Bemühungen konnten nicht alle Rechteinhaber ausfindig gemacht werden. Für entsprechende Hinweise ist der Verlag dankbar.